algorithmique

conception et analyse

CHEZ LE MÊME ÉDITEUR

MANUELS INFORMATIQUES MASSON

algorithmique
conception et analyse

Gilles BRASSARD
Ph. D. (Université Cornell)
Professeur agrégé

Paul BRATLEY
M. A. (Université de Cambridge)
Professeur titulaire

Département d'informatique et de recherche opérationnelle
Université de Montréal

MASSON
Paris   New York   Barcelone   Milan
Mexico   Sao Paulo

LES PRESSES
DE L'UNIVERSITÉ DE MONTRÉAL
Canada

1987

Table des matières

3 - Les algorithmes voraces

4 - Diviser-pour-régner

5 - La programmation dynamique

6 - Exploration de graphes

7 - Préconditionnement et sujets connexes

8 - Algorithmes probabilistes

Avant-propos

Extraordinaire tant par sa durée que son ampleur, le développement de l'informatique auquel nous assistons suscite un intérêt sans cesse croissant dans les milieux les plus divers. Grâce à l'émergence d'ordinateurs de plus en plus performants, des calculs naguère impensables sont maintenant monnaie courante. Il existe néanmoins un facteur plus important encore au recul de la frontière du calcul réalisable : l'emploi d'algorithmes efficaces. C'est ainsi par exemple qu'un ordinateur de puissance moyenne (DEC VAX 750) peut aisément trier cent mille données en trente secondes grâce à un bon algorithme, alors que le recours à un ordinateur mille fois plus rapide ne compenserait même pas l'utilisation malheureuse d'un algorithme naïf.

L'*algorithmique* traite systématiquement des techniques fondamentales de conception et d'analyse d'algorithmes efficaces. Cet ouvrage n'est ni un manuel de programmation ni un exposé sur la structuration des données. Il s'agit encore moins d'un « livre de recettes » sous forme de catalogue d'algorithmes prêts à être entrés directement sur l'ordinateur afin de résoudre des problèmes spécifiques, mais qui ne donnerait au mieux qu'une vague idée des principes ayant conduit à ces algorithmes. Bien au contraire, le but principal de ce traité est de donner au lecteur des outils fondamentaux pour lui faciliter le développement de ses propres algorithmes, quels que soient ses intérêts. Il présente ainsi le courant nord-américain de l'algorithmique.

Notre traité se concentre donc sur les techniques de conception et d'analyse d'algorithmes efficaces. Chaque technique est d'abord présentée dans toute sa généralité avant d'être illustrée par des exemples concrets d'algorithmes provenant de domaines d'application aussi variés que l'optimisation, l'algèbre linéaire, la cryptographie, la recherche opérationnelle, le calcul symbolique, l'intelligence artificielle, l'analyse numérique et les humanités. D'une approche rigoureuse et théorique, ce traité ne néglige pas pour autant les praticiens de l'informatique : en plus d'illustrer les techniques de conception, la majorité des algorithmes présentés ont des applications réelles.

Pour tirer pleinement profit de ce livre, le lecteur doit posséder une expérience préalable de la programmation. Nous n'utilisons toutefois aucun langage de programmation spécifique ni aucun ordinateur particulier. Par le fait même, considérant également l'aspect fondamental et général des sujets traités, cet ouvrage n'est pas susceptible de se périmer rapidement. Par contre, il ne faudrait pas que le lecteur s'attende à pouvoir utiliser *directement* les algorithmes présentés : un travail d'adaptation sera toujours nécessaire pour les transcrire dans un langage de programmation approprié. Dans tous les cas, l'utilisation du langage Pascal ou de tout langage à structuration similaire permettra de réduire cet effort à un minimum.

Certaines notions de base en mathématiques sont requises pour la bonne compréhension de ce livre. En général, il suffit de maîtriser le contenu de cours élémentaires d'algèbre et de calcul. Toutefois, une certaine maturité mathématique est plus importante encore. Nous tenons pour acquis que le lecteur est familiarisé avec des notions telles l'induction mathématique, la notation ensembliste et le concept de graphe. Il arrive à l'occasion que certains passages demandent des connaissances mathématiques plus poussées mais ceux-ci peuvent être omis en première lecture.

Notre traité est conçu comme manuel scolaire pour un cours de premier cycle universitaire en algorithmique. Nous en avons utilisé des versions préliminaires tant à l'Université de Montréal qu'à l'University of California, Berkeley. Il peut également servir de base à un cours plus avancé aux études supérieures (maîtrise, D.E.A.). A ce niveau, nous suggérons toutefois de compléter la matière par l'approfondissement de certains sujets, si possible grâce aux excellents ouvrages de Garey et Johnson (1979) ou Tarjan (1983). L'autodidacte y trouvera également son compte : toute personne désireuse d'améliorer l'efficacité de ses algorithmes peut bénéficier de la lecture du présent ouvrage. Notons finalement que certains chapitres, en particulier celui sur les algorithmes probabilistes, présentent de la recherche originale.

Il n'est pas réaliste d'espérer couvrir la totalité de ce livre dans un cours du premier cycle d'environ 45 heures. Pour faciliter à l'enseignant le choix des sujets, notons que les deux premiers chapitres sont essentiels à la compréhension de tout l'ouvrage. Les chapitres suivants sont en grande partie indépendants les uns des autres. Tout cours élémentaire devrait couvrir les cinq premiers chapitres, sans nécessairement passer en revue chaque exemple d'application des techniques impliquées. Le choix des autres matières à traiter dépend de l'orientation que l'on désire donner au cours. Notons toutefois que les trois derniers chapitres exposent des concepts avancés qu'il est bon de survoler dans un cours élémentaire puis d'approfondir dans un cours plus avancé.

Chaque chapitre se termine par des *remarques bibliographiques*. Bien que l'origine de plusieurs algorithmes et idées y soit présentée, ces remarques ne sont pas avant tout à vocation historique. Il ne faudra donc pas se surprendre d'éventuelles omissions de cet ordre. Le but des remarques bibliographiques est de suggérer des lectures complémentaires pour faciliter l'approfondissement des notions introduites dans ce livre.

Le texte de ce traité est parsemé d'*exercices*. Leur niveau de difficulté est dénoté soit par l'absence d'astérisque (d'immédiat à facile), la présence d'un astérisque (demande réflexion) ou la présence de deux astérisques (de difficile à projet de recherche). La solution de plusieurs problèmes difficiles peut être trouvée grâce aux remarques bibliographiques. Il est important de préciser que *la lecture des énoncés des exercices ne saurait être omise* : ceux-ci font partie intégrante du texte. Plusieurs problèmes demandent d'implanter un algorithme sur l'ordinateur afin de constater expérimentalement son efficacité et de la comparer à celle de l'algorithme naïf correspondant. Il serait regrettable d'étudier cette matière sans faire au moins une expérimentation de ce type.

La rédaction de ce livre eût été impossible sans l'apport inestimable de nombreuses personnes. Nous remercions d'abord les étudiants auxquels nous avons enseigné l'algorithmique au fil des ans depuis 1979, tant au premier cycle qu'aux études supérieures. Nous remercions particulièrement ceux et celle qui nous ont gracieusement permis de photocopier leurs notes de cours : Denis Fortin, Laurent Langlois et Sophie Monet à Montréal, Luis Miguel et Dan Philip à Berkeley. Notre gratitude est également acquise à ceux qui ont utilisé les diverses versions préliminaires du présent texte, que ce soit nos propres étudiants, nos collègues d'autres universités à travers le Québec ou leurs étudiants. Tous les commentaires ainsi recueillis furent fort précieux. Nos plus chaleureux remerciements vont à ceux qui ont attentivement lu et relu plusieurs chapitres de notre livre et qui nous ont suggéré de nombreuses améliorations et corrections : Pierre Beauchemin, André Chartier, Claude Crépeau, Claude Goutier, Pierre L'Ecuyer, Santiago Miro et Jean-Marc Robert.

Nous sommes reconnaissants envers ceux qui ont rendu possibles de longs séjours à l'extérieur de Montréal, contribuant ainsi à l'avancement de ce projet. Paul Bratley remercie Georges Stamon et l'Université de Franche-Comté. Gilles Brassard remercie Manuel Blum et l'University of California, Berkeley. Il remercie également Lise DuPlessis pour avoir maintes fois mis à sa disposition une maison de campagne dont la sérénité sylvestre a servi de cadre et d'inspiration à la rédaction de plusieurs chapitres.

Denise St-Michel mérite une mention toute spéciale. C'est elle qui s'est battue avec le système de traitement de textes et avec nos innombrables révisions afin de produire un manuscrit d'aspect acceptable. Nous remercions également le Conseil de recherches en sciences naturelles et en génie du Canada pour ses généreuses subventions.

Nous tenons finalement à exprimer toute notre gratitude envers nos épouses Isabelle et Pat pour leurs encouragements, leur compréhension et leur patience exemplaires tout au long de la rédaction et mise au point de cet ouvrage.

Chapitre 1

Préliminaires

1.1 Qu'est-ce qu'un algorithme ?

Le petit Robert définit **algorithme** comme étant un « ensemble des règles opératoires propres à un calcul ». Il s'agit d'une méthode systématique, susceptible d'une réalisation mécanique, pour résoudre un problème donné. L'exécution d'un algorithme ne doit pas laisser place à l'interprétation, à l'intuition ni à la créativité (nous verrons toutefois au huitième chapitre une importante exception à cette règle). On aurait tort de croire que les algorithmes sont propres à l'informatique. Ce sont bien des algorithmes que nous apprenons à l'école élémentaire pour multiplier et diviser des nombres de plusieurs chiffres. En fait, l'algorithme le plus célèbre de l'histoire date même de l'antiquité : il s'agit de l'algorithme d'Euclide pour le calcul du plus grand commun diviseur. Certaines recettes de cuisine peuvent même être considérées comme algorithmes, mais à la condition qu'elles ne demandent pas d'ajouter des épices « au goût ».

Lorsqu'on veut résoudre un problème, il y a lieu de se demander quel algorithme devrait être utilisé. La réponse à cette question peut dépendre de nombreux facteurs, dont la taille de l'exemplaire, la forme sous laquelle il est posé, ainsi que le type et la puissance du matériel dont on dispose pour le résoudre. Revenons, par exemple, aux problèmes de l'arithmétique élémentaire. Supposons que vous désiriez multiplier deux entiers positifs en n'utilisant qu'une feuille de papier et un crayon. Il y a fort à parier que si vous provenez d'une culture francophone, vous multiplierez successivement le multiplicande par chaque chiffre du multiplicateur, de la droite vers la gauche, et que, tenant compte des décalages nécessaires, vous terminerez le calcul par une simple addition. Vous aurez appliqué l'algorithme **classique.**

Voici pourtant un algorithme totalement différent pour arriver au même résultat, connu sous le nom de **multiplication à la russe.** Ecrivez le multiplicateur et le multiplicande l'un à côté de l'autre. Formez une colonne en dessous de chacun des opérandes en itérant la règle suivante jusqu'à ce que le nombre sous le multiplicateur soit égal à 1 : divisez par deux le nombre sous le multiplicateur, sans tenir compte du reste éventuel, et doublez par addition le nombre sous le multiplicande. Par exemple, pour multiplier 19 par 45, vous obtenez :

45	19
22	38
11	76
5	152
2	304
1	608 .

Finalement, rayez tous les nombres de la colonne du multiplicande correspondant à une ligne paire sous le multiplicateur. Il ne reste plus qu'à additionner les nombres restants : $19 + 76 + 152 + 608 = 855$. Peut-être trouvez-vous cet algorithme un peu loufoque. C'est pourtant, en essence, la méthode employée dans les circuits électroniques de nombreux ordinateurs. Afin d'appliquer cet algorithme, nul besoin de mémoriser une longue table de multiplication : vous n'avez qu'à savoir additionner, ainsi que doubler et diviser par deux.

Nous verrons à la section 4.7 qu'il existe d'autres algorithmes plus efficaces pour effectuer la multiplication de très grands entiers, mais que ces algorithmes plus sophistiqués sont en fait plus lents lorsque les opérandes ne sont pas suffisamment grands.

Une question importante se pose à ce moment. Comment allons-nous *représenter* les algorithmes ? Si l'on essaie de les exprimer en français, on se rend rapidement compte des lacunes des langues naturelles. Même la description d'un algorithme aussi simple que celui de la multiplication à la russe n'était pas tout à fait claire. Quant à l'algorithme classique, nous n'avons même pas tenté de le décrire. Afin d'éviter tout danger de confusion, nous exprimerons donc nos algorithmes sous la forme de *programmes*. Nous ne nous restreindrons toutefois pas à un langage de programmation spécifique, afin d'éviter d'obscurcir les idées essentielles des algorithmes par des détails de programmation de peu d'importance.

Ainsi des phrases en français peuvent s'insérer à l'intérieur des programmes lorsque la clarté et la simplicité l'exigent. Ces phrases ne doivent pas être confondues avec les commentaires, lesquels sont inclus entre accolades. Les déclarations de variables scalaires (entières, réelles ou booléennes) sont généralement omises. A moins d'indication contraire, les paramètres scalaires des fonctions et procédures sont passés par valeur, alors que les tableaux sont passés par référence.

La notation utilisée pour indiquer qu'une fonction ou une procédure possède un paramètre de type tableau varie selon les circonstances. Nous écrivons, par exemple,

procédure *proc*1(*T*: tableau)

ou même

procédure *proc*2(*T*)

si le type et la taille du tableau T sont sans importance ou évidents dans un contexte donné. Dans un tel cas, # T dénote le nombre d'éléments du tableau T. Si les bornes ou le type de T sont importants, nous écrivons, par exemple,

> **procédure** *proc*3(T[1..n])

ou, plus, généralement,

> **procédure** *proc*4(T[a..b]: *entiers*) .

Dans de tels cas, n, a et b doivent être considérés comme paramètres formels et leurs valeurs sont déterminées par les bornes du paramètre effectif qui correspond à T lors de l'appel de la procédure. Ces bornes peuvent être spécifiées explicitement, ou modifiées, lors d'un appel du genre

> *proc*3(T[1..m]) .

Pour éviter la multiplication inutile d'énoncés **début** et **fin,** la portée d'un énoncé comme **si, tantque** ou **pour,** comme celle d'une déclaration **procédure, fonction** ou **structure** est indiquée par le décalage à droite des énoncés impliqués. L'énoncé **retourner** marque la fin dynamique d'une procédure ou d'une fonction et indique la valeur de la fonction dans le deuxième cas. Les opérateurs **div** et **mod** représentent la division entière (quotient) et le reste de la division, respectivement. Nous supposons que le lecteur maîtrise bien la notion de récursivité et celle de pointeur (ceux-ci sont dénotés par le symbole : ↑). Le lecteur familier avec Pascal n'aura aucune difficulté à comprendre les notations utilisées pour décrire les algorithmes. Voici à titre d'exemple une description formelle de la multiplication à la russe :

```
fonction russe(A, B)
    tableaux X, Y
    {initialisation}
    X[1] ← A; Y[1] ← B
    i ← 1
    {former les deux colonnes}
    tantque X[i] > 1 faire
        X[i+1] ← X[i] div 2
        Y[i+1] ← Y[i] + Y[i]
        i ← i + 1
    {additionner les entrées appropriées}
    prod ← 0
    tantque i > 0 faire
        si X[i] est impair alors prod ← prod + Y[i]
        i ← i − 1
    retourner prod .
```

Quiconque a l'habitude de programmer se rend compte aisément que les tableaux X et Y ne sont pas réellement nécessaires et qu'il serait facile de simplifier ce programme. Nous avons toutefois voulu suivre aveuglément la description de l'algorithme précédemment donnée, même si celle-ci était plus appropriée au calcul avec papier et crayon qu'au calcul par ordinateur. C'est exactement le même algorithme qui est décrit par le programme APL suivant (bien qu'on puisse s'objecter à l'utilisation du logarithme, de l'exponentiation et de la multiplication par des puissances de deux dans ce contexte...) :

$$\nabla \quad R \leftarrow A \ RUSAPL \ B;T$$

$$[1] \quad R \leftarrow +/(2\,|\,\lfloor A \div T)/B \times T \leftarrow 1, 2 \star \iota \lfloor 2 \circledast A \ \nabla \quad .$$

Par contre, le programme suivant décrit un algorithme entièrement différent, malgré sa ressemblance superficielle avec le premier programme :

fonction *pasrusse*(*A*, *B*)
  tableaux *X*, *Y*
  {initialisation}
  $X[1] \leftarrow A$; $Y[1] \leftarrow B$
  $i \leftarrow 1$
  {former les deux colonnes}
  tantque $X[i] > 1$ **faire**
    $X[i+1] \leftarrow X[i] - 1$
    $Y[i+1] \leftarrow B$
    $i \leftarrow i + 1$
  {additionner les entrées appropriées}
  prod ← 0
  tantque $i > 0$ **faire**
    si $X[i] > 0$ **alors** *prod* ← *prod* + *Y*[*i*]
    $i \leftarrow i - 1$
  retourner *prod* .

Nous voyons donc que différents algorithmes peuvent résoudre un même problème et que différents programmes peuvent servir à décrire un même algorithme. Il est important de ne jamais perdre de vue que c'est aux *algorithmes* que nous nous intéressons dans ce livre, et non pas aux *programmes* servant à les décrire.

1.2   Problèmes et exemplaires

L'algorithme *russe* ne sert pas uniquement à multiplier 45 par 19. Il résoud de façon globale le **problème** de la multiplication d'entiers positifs. Nous disons que (45, 19) est un **exemplaire** de ce problème. Règle générale, un problème consiste en une collection infinie d'exemplaires. Certains problèmes finis peuvent toutefois être considérés à l'occasion ; pensez, par exemple, au problème consistant à jouer parfaitement aux échecs. Normalement, un algorithme doit fonctionner sans défaillance sur tous les exemplaires du problème qu'il prétend solutionner. Pour invalider un algorithme donné, il suffit d'exhiber un exemplaire du problème sur lequel il ne fonctionne pas. Par contre, il est en général plus difficile de démontrer l'exactitude d'un algorithme. Bien entendu, tout ordinateur réel aurait une limite sur la taille des exemplaires qu'il pourrait résoudre. Cette limite n'est toutefois pas imputable à l'algorithme utilisée, ce qui démontre une fois de plus la différence essentielle entre programmes et algorithmes. Il est important, lorsqu'on définit un problème, de bien spécifier son **domaine de définition,** c'est-à-dire l'ensemble de ses exemplaires. C'est ainsi que l'algorithme *russe* ne fonctionne pas si son premier paramètre est négatif, ce qui ne l'invalide toutefois pas puisque $(-45, 19)$ n'est *pas* un exemplaire du problème considéré.

1.3   Efficacité des algorithmes

Lorsqu'on considère un problème, il peut être intéressant de trouver plusieurs algorithmes pour le résoudre, afin d'utiliser le meilleur d'entre eux. Une question se pose alors : comment déterminer lequel est préférable ? L'approche **empirique** (ou *a posteriori*) consiste à programmer ces algorithmes et à les essayer sur divers exemplaires à l'aide d'un ordinateur. L'approche **théorique** (ou *à priori*), que nous favorisons dans ce livre, consiste à déterminer mathématiquement la quantité de ressources (temps, espace, etc.) nécessaires aux algorithmes *en fonction de la taille des exemplaires considérés.*

La **taille** d'un exemplaire x, dénotée $|x|$, correspond formellement au nombre de bits requis pour le représenter dans l'ordinateur, à l'aide d'un encodage raisonnablement compact. Cependant, afin d'éviter d'obscurcir inutilement les analyses, nous confondrons souvent la taille avec le nombre d'éléments logiques contenus dans l'exemplaire. C'est ainsi, par exemple, qu'un exemplaire du problème de tri (voir section 1.7.1) consistant à ordonner n entiers est généralement considéré de taille n, mêmes si ces entiers prendraient en pratique plus d'un bit chacun pour être représentés. Lorsqu'il s'agit de problèmes numériques, l'efficacité est parfois donnée en fonction de la *valeur* de l'exemplaire considéré plutôt que de sa taille (laquelle serait la longueur d'une représentation binaire de cette valeur).

L'approche théorique a l'avantage de ne dépendre ni de l'ordinateur, ni du langage de programmation, ni même de l'astuce du programmeur. Elle permet d'éviter l'effort de programmer inutilement un algorithme inefficace et de gaspiller ensuite le temps de l'ordinateur qui l'essayerait. Elle permet aussi de connaître l'efficacité des algorithmes étudiés quelle que soit la taille des exemplaires sur lesquels ils auront à travailler, alors qu'on aurait peut-être tendance, avec l'approche empirique, à ne comparer les algorithmes que sur des exemplaires de taille relativement modeste. Ce dernier point est particulièrement important puisqu'il est fréquent de trouver un nouvel algorithme qui ne surclasse son prédécesseur que sur des exemplaires de taille substantielle.

Il est également possible d'analyser un algorithme par une approche **hybride** consistant à déterminer théoriquement le type de fonction qui en décrit l'efficacité, puis à évaluer empiriquement certains paramètres numériques dépendant d'une implantation particulière, généralement par une technique de régression. Cette approche permet d'estimer à l'avance le temps que prendra une implantation donnée pour résoudre un exemplaire beaucoup plus grand que ceux utilisés lors des tests. Une extrapolation basée uniquement sur des mesures expérimentales d'efficacité et non pas sur des considérations théoriques risquerait d'être moins précise, voire carrément erronée.

Une question se pose naturellement : quelle **unité** utilise-t-on pour exprimer l'efficacité théorique d'un algorithme ? Il n'est évidemment pas question d'exprimer le temps en secondes, puisque nous ne disposons pas d'un ordinateur de référence. Une solution à ce problème réside dans le **principe d'invariance** impliquant que deux implantations différentes du même algorithme ne peuvent différer en efficacité que par une constante multiplicative. Plus précisément, si deux implantations différentes prennent respectivement $t_1(n)$ et $t_2(n)$ secondes pour résoudre un exemplaire de taille n, il y a toujours une constante positive c telle que, pour tout n suffisamment grand, $t_1(n) \leqslant ct_2(n)$. Ce principe reste valable quels que soient les ordinateurs numériques conventionnels utilisés, indépendamment des langages de programmation et même de l'astuce des programmeurs (en autant que ces derniers ne se mêlent pas de modifier l'algorithme !). C'est ainsi qu'un changement d'ordinateur permettra peut-être d'aller de 10 à 100 fois plus vite, mais seul un changement d'algorithme peut permettre une accélération d'autant plus grande que l'exemplaire à traiter est grand.

Pour revenir à la question de l'unité utilisée pour exprimer l'efficacité théorique d'un algorithme, nous n'exprimerons cette efficacité qu'à une constante multiplicative près. Nous dirons qu'un algorithme prend un temps **dans l'ordre de** $t(n)$, pour une fonction t donnée, s'il existe une constante positive c ainsi qu'une implantation de l'algorithme capable de résoudre chaque exemplaire du problème en un temps borné supérieurement par $ct(n)$ secondes, où n est la taille (ou parfois la valeur, pour les problèmes numériques) de l'exemplaire considéré. Bien entendu, l'utilisation de la seconde dans cette définition est purement arbitraire puisqu'il suffit de changer la constante pour borner supérieurement ce temps par $at(n)$ années ou encore $bt(n)$ microsecondes. Par le principe d'invariance, toutes les implantations de l'algorithme ont la même propriété, toutefois la constante multiplicative peut varier d'une implantation à l'autre. Nous reviendrons avec plus de rigueur sur cette notion importante au prochain chapitre.

Certains ordres sont si fréquents qu'ils méritent une appellation particulière. Nous disons, par exemple, d'un algorithme qui prend un temps dans l'ordre de n, où n est la taille de l'exemplaire à résoudre, qu'il prend un temps **linéaire.** Nous disons également de l'algorithme qu'il est linéaire. Similairement, un algorithme est **quadratique, cubique, polynomial** ou **exponentiel** s'il prend un temps dans l'ordre de n^2, n^3, n^k ou c^n, respectivement, où k et c sont des constantes appropriées. Les sections 1.6 et 1.7 illustrent la grande différence que peuvent faire ces ordres de grandeur.

Ces définitions comportent un danger de mauvaise interprétation dû à la **constante multiplicative cachée.** Considérez, par exemple, deux algorithmes dont les implantations sur un ordinateur donné prennent respectivement n^2 jours et n^3 secondes sur des exemplaires de taille n. Ce n'est que sur des exemplaires prenant plus de vingt millions d'années à résoudre que l'algorithme quadratique surclassera l'algorithme cubique ! Il n'en reste pas moins que, d'un point de vue théorique, le premier algorithme est **asymptotiquement** supérieur au second, c'est-à-dire qu'il le surclasse sur tous les exemplaires suffisamment grands.

Les autres ressources nécessaires à l'utilisation d'un algorithme, notamment l'espace mémoire, peuvent être estimées théoriquement d'une façon similaire. Il est également intéressant d'étudier les possibilités de compromis entre le temps et l'espace : l'utilisation de plus d'espace permet parfois de réduire le temps de calcul de façon considérable. Dans ce livre, nous concentrons principalement notre attention sur le temps d'exécution.

Notons finalement que le logarithme en base 2 est si fréquemment utilisé en analyse d'algorithmes qu'il mérite une notation spéciale : lg n est donc une abréviation pour $\log_2 n$. De façon plus standard, ln et log dénotent les logarithmes naturels et en base 10, respectivement.

1.4   Analyse en pire cas et en moyenne

Le temps que prend un algorithme peut varier substantiellement entre deux exemplaires différents d'une même taille. Pour illustrer ce propos, considérons deux algorithmes élémentaires servant à trier un tableau en ordre croissant : l'insertion et la sélection.

procédure *insert*($T[1..n]$)
   pour $i \leftarrow 2$ **jusqu'à** n **faire**
     $x \leftarrow T[i]$; $j \leftarrow i - 1$
     tantque $j > 0$ **et** $T[j] > x$ **faire** $T[j+1] \leftarrow T[j]$
                               $j \leftarrow j - 1$
     $T[j+1] \leftarrow x$

et

procédure *sélect*($T[1..n]$)
   pour $i \leftarrow 1$ **jusqu'à** $n-1$ **faire**
     $minj \leftarrow i$; $minx \leftarrow T[i]$
     pour $j \leftarrow i + 1$ **jusqu'à** n **faire**
       si $T[j] < minx$ **alors** $minj \leftarrow j$
                     $minx \leftarrow T[j]$ $\Big\}$ (*)
     $T[minj] \leftarrow T[i]$
     $T[i] \leftarrow minx$.

PROBLÈME 1.4.1.   Simulez ces deux algorithmes sur les tableaux

$$T = [3, 1, 4, 1, 5, 9, 2, 6, 5, 3],$$
$$U = [1, 2, 3, 4, 5, 6] \quad \text{et}$$
$$V = [6, 5, 4, 3, 2, 1].$$

Assurez-vous d'en comprendre le fonctionnement.   □

Soient U et V deux tableaux de n éléments tels que U se trouve déjà trié en ordre croissant alors que V est initialement trié en ordre décroissant. Le problème 1.4.1 montre que chacun des deux algorithmes prend plus de temps sur V que sur U. En fait, V est le pire cas pour ces algorithmes : aucun tableau de n éléments ne peut les faire travailler plus longtemps. Le temps requis pour le tri par sélection ne dépend cependant pas beaucoup de l'ordre original du tableau à trier : le test **si** $T[j] < minx$ se fait de toute façon exactement le même nombre de fois. La variation du temps n'est imputable qu'au nombre de fois que les affectations (*) sont effectuées. Pour s'en assurer, nous avons implanté cet algorithme en Pascal sur un ordinateur DEC VAX 780 et nous avons trouvé que le temps requis pour trier un nombre donné d'éléments par l'algorithme de sélection ne varie pas de plus de 15 % suivant l'ordre initial des éléments à trier. Comme nous le montrerons dans l'exemple 2.2.1, le temps pris par *sélect*(T) est quadratique, quel que soit l'ordre original des éléments à trier.

La situation est bien différente si l'on compare les temps requis pour l'algorithme de tri par insertion sur les tableaux U et V. En effet, *insert*(U) est très rapide, étant donné que la condition de la boucle **tantque** est toujours fausse du premier coup. L'algorithme se termine alors après un temps linéaire. Par contre, *insert*(V) prend un temps quadratique parce que la boucle **tantque** s'effectue $i - 1$ fois pour chaque valeur de i (voir l'exemple 2.2.3). La variation de temps est donc considérable et d'autant plus importante que le nombre d'éléments à trier est grand. Une implantation en Pascal sur DEC VAX 780 montre cette fois que *insert*(U) prend moins d'un cinquième de seconde alors que *insert*(V) requiert trois minutes et demie sur des tableaux U et V de 5 000 éléments déjà triés en ordre croissant et décroissant, respectivement.

Devant un tel phénomène, comment peut-on parler du temps que prend un algorithme en fonction simplement de la taille de l'exemplaire à traiter ? Le plus souvent, nous effectuerons une analyse **en pire cas,** c'est-à-dire que nous ne considérerons pour chaque taille que l'exemplaire de cette taille sur lequel l'algorithme requiert le plus de temps. L'algorithme de tri par insertion prend donc un temps quadratique en pire cas.

L'analyse en pire cas est parfaitement adéquate pour un algorithme dont le temps de réponse est critique. S'il s'agit, par exemple, de contrôler une centrale nucléaire, il est crucial de connaître une borne supérieure sur son temps de réponse, indépendamment des propriétés spécifiques de l'exemplaire à traiter. Par contre, dans une situation où l'algorithme est utilisé maintes fois sur des exemplaires différents, il pourrait être plus intéressant d'en connaître le temps d'exécution **en moyenne** sur tous les exemplaires de taille n. Nous avons vu que le temps pris par l'algorithme de tri par insertion varie entre l'ordre de n et l'ordre de n^2. Si l'on fait la moyenne du temps qu'il prend sur chacune des n ! façons différentes de placer initialement les n éléments à trier, nous aurons une idée du temps nécessaire pour trier un tableau se trouvant dans un ordre aléatoire. Nous verrons dans l'exemple 2.2.3 que ce temps est également dans l'ordre de n^2. L'algorithme de tri par insertion prend donc un temps quadratique, aussi bien en moyenne qu'en pire cas, bien qu'à l'occasion il puisse aller beaucoup plus rapidement. Nous verrons dans la section 4.5 un autre algorithme de tri qui prend également un temps quadratique en pire cas, mais qui se contente d'un temps dans l'ordre de $n \log n$ en moyenne. Quoique mauvais en pire cas, c'est l'algorithme le plus rapide connu en moyenne.

L'analyse du temps en moyenne est généralement plus difficile à effectuer que l'analyse en pire cas. Il arrive aussi qu'elle induise en erreur si les exemplaires ne sont justement pas choisis au hasard lors de l'utilisation pratique de l'algorithme. Il se pourrait que l'algorithme de tri soit en fait utilisé comme procédure interne d'un algorithme plus complexe, et que ce dernier ait tendance à ne demander de trier que des tableaux déjà presque triés. L'hypothèse que les n ! façons de placer n éléments soient également probables serait fausse dans un tel cas. Une bonne analyse en moyenne d'un algorithme supposerait donc que l'on connaisse déjà la distribution de probabilité des exemplaires qui lui seront soumis, ce qui est la plupart du temps irréaliste. Nous verrons au chapitre 8 comment contourner cette difficulté pour certains algorithmes, de façon à les rendre insensibles aux exemplaires spécifiques à traiter.

Dans la suite de cet ouvrage, toutes les analyses sont faites en pire cas, à moins d'indication contraire.

1.5   Qu'est-ce qu'une opération élémentaire ?

Une **opération élémentaire** est une opération dont le temps d'exécution peut être borné supérieurement par une constante ne dépendant que de l'implantation spécifique utilisée (matériel, langage de programmation, etc.). Puisque nous ne nous intéressons au temps des algorithmes qu'à une constante multiplicative près, seul le nombre d'opérations élémentaires est pertinent à l'analyse et non pas le temps exact requis par chacune d'entre elles. De telles opérations sont également dites **à coût unitaire.** Dans la description d'un algorithme, il peut arriver qu'une ligne de programme corresponde à un nombre variable d'opérations élémentaires. Par exemple, si T est un tableau de n éléments,

$$x \leftarrow \min \{ T[i] \mid 1 \leqslant i \leqslant n \}$$

prend d'autant plus de temps que n est grand puisque c'est une abréviation pour

```
x ← T[1]
pour i ← 2 jusqu'à n faire
   si T[i] < x alors x ← T[i]   .
```

Similairement, certaines opérations mathématiques sont trop complexes pour être considérées élémentaires. Si l'on se permettait le calcul de la factorielle et le test de divisibilité à coût unitaire, le théorème de Wilson permettrait de résoudre le problème de la primalité avec une efficacité étonnante :

fonction *Wilson*(*n*)
    {retourne *vrai* si et seulement si *n* est premier}
    si *n* divise (($n-1$)! + 1) sans reste **alors retourner** *vrai*
                          sinon retourner *faux* .

    Peut-on considérer l'addition et la multiplication comme étant à coût unitaire ? D'un point de vue théorique, ces opérations ne sont pas élémentaires puisqu'elles prennent d'autant plus de temps que les opérandes sont longs. Cependant, d'un point de vue pratique, il est justifiable de les considérer comme étant élémentaires, en autant que les opérandes impliqués demeurent d'une taille raisonnable pour les exemplaires sujets à être traités en pratique. Illustrons ces propos par deux exemples :

fonction *Gauss*(*n*)
    {calcul de la sommation des entiers entre 1 et *n*}
    somme ← 0
    pour *i* ← 1 **jusqu'à** *n* **faire** *somme* ← *somme* + *i*
    retourner *somme*

et

fonction *Fibonacci*(*n*)
    {calcul du *n*-ième terme de la suite de Fibonacci (voir section 1.7.5)}
    i ← 1; *j* ← 0
    pour *k* ← 1 **jusqu'à** *n* **faire** *j* ← *i* + *j*
                              i ← *j* − *i*
    retourner *j* .

    Dans l'algorithme *Gauss* (ainsi nommé à cause d'une anecdote célèbre au sujet de l'enfance de ce prodigieux mathématicien, précisément parce qu'il n'utilisa *pas* cet algorithme), la valeur de *somme* reste raisonnable pour tous les exemplaires que l'algorithme est vraisemblablement sujet à rencontrer en pratique. Si l'on dispose d'un ordinateur dont les mots sont de 32 bits, toutes les additions peuvent en effet être effectuées directement, en autant que *n* ne dépasse pas 65 535. En théorie, cependant, l'algorithme doit fonctionner quelle que soit la valeur de *n*, si bien qu'aucun ordinateur réel ne peut considérer les additions comme étant à coût unitaire, dès que *n* devient suffisamment grand. L'analyse de cet algorithme doit donc dépendre de son domaine d'application.

    La situation avec l'algorithme *Fibonacci* est fondamentalement différente : il suffit de *n* = 47 pour que la dernière addition *j* ← *i* + *j* provoque un dépassement de capacité sur un ordinateur dont les mots sont de 32 bits. Il faut 45 496 bits pour contenir le résultat correspondant à *n* = 65 535. Il n'est donc pas raisonnable, même en pratique, de considérer les additions comme étant à coût unitaire; il faut plutôt leur attribuer un coût proportionnel à la longueur des opérandes impliqués. Dans l'exemple 2.2.8, cet algorithme (appelé *fib2*) prend un temps quadratique, bien qu'on aurait pu croire à première vue qu'il fonctionne en temps linéaire.

Quoiqu'il soit également raisonnable de compter les multiplications comme étant à coût unitaire lorsque les opérandes sont suffisamment petits, il est encore plus important que dans le cas de l'addition de s'assurer que les dépassements de capacité ne soient pas susceptibles de se produire. En effet, il est plus facile de construire de grands opérandes à l'aide de multiplications répétées qu'à l'aide d'additions. L'exercice suivant illustre ce danger.

** PROBLÈME 1.5.1.   Utilisez le théorème de Wilson (n est premier si et seulement si n divise exactement $(n - 1)! + 1$), le binôme de Newton et la technique diviser-pour-régner du chapitre 4, pour produire un algorithme capable de déterminer la primalité d'un entier en un temps dans l'ordre du logarithme de cet entier. Dans votre analyse, vous pouvez compter comme élémentaire toute opération d'addition, de multiplication et de division entière (mais bien sûr pas de factorielle ni d'exponentiation), indépendamment de la taille des opérandes impliqués.   □

Un problème similaire peut se poser, pour l'analyse d'algorithmes faisant intervenir des nombres réels dans leurs calculs, lorsque la précision nécessaire croît avec la taille des exemplaires à résoudre. Un exemple typique de ce phénomène est l'utilisation de la formule de De Moivre pour le calcul de la suite de Fibonacci (voir section 1.7.5). Dans la majorité des situations pratiques, cependant, l'utilisation de l'arithmétique en virgule flottante produit des résultats satisfaisants malgré la perte inévitable de précision ; il est alors raisonnable de compter de telles opérations arithmétiques comme étant à coût unitaire.

En conclusion, il faut se servir de son jugement pour décider si une opération apparemment aussi anodine que $j \leftarrow i + j$ doit être considérée ou non comme élémentaire. Dans la suite de cet ouvrage, les additions, soustractions, multiplications, divisions, modulos, opérations booléennes, comparaisons et affectations sont toujours comptées à coût unitaire, à moins d'indication contraire.

1.6   Pourquoi chercher des algorithmes efficaces ?

Avec l'avènement d'ordinateurs de plus en plus rapides, on pourrait être tenté de se demander s'il vaut la peine de chercher à améliorer l'efficacité des algorithmes. Ne serait-il pas plus aisé d'attendre la génération suivante d'ordinateurs ? Il est facile de se convaincre du contraire à la lumière des sections précédentes. Supposons que vous disposiez, pour résoudre un problème donné, d'un algorithme prenant un temps exponentiel et que votre ordinateur en permette l'implantation en un temps de $10^{-4} \times 2^n$ secondes. Votre programme pourra résoudre un exemplaire de taille 10 en un dixième de seconde. Il lui faudra presque deux minutes pour solutionner un exemplaire de taille 20. Une journée (24 heures) de calcul ne suffira pas pour une tâche de taille 30. En un an de calcul ininterrompu, vous arriverez à peine à résoudre un exemplaire de taille 38.

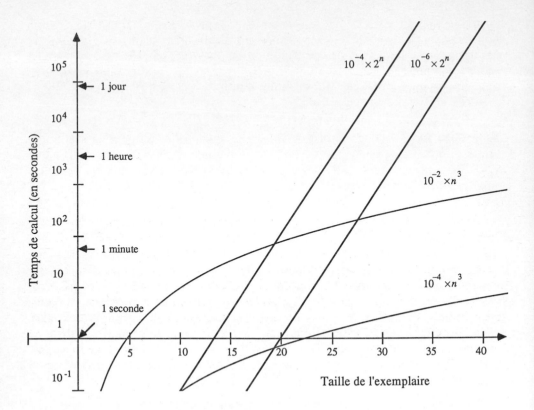

Comme vous avez besoin de résoudre des exemplaires plus substantiels, vous achetez un nouvel ordinateur cent fois plus rapide. Votre même algorithme vous permet maintenant de résoudre un exemplaire de taille n en seulement $10^{-6} \times 2^n$ secondes. Quel désarroi de constater qu'en un an, vous n'arrivez même pas à résoudre un exemplaire de taille 45 ! Généralement, si vous pouviez attaquer un exemplaire de taille n dans un temps donné, votre nouvel achat vous permettrait au mieux de résoudre un exemplaire de taille $n + 7$ dans le même laps de temps.

Supposons, par contre, que vous investissiez en algorithmique. Vous trouvez un algorithme capable de résoudre votre problème en un temps cubique. L'implantation de cet algorithme sur l'ordinateur initial pourrait prendre, par exemple, $10^{-2} \times n^3$ secondes. Vous pouvez maintenant résoudre en une journée un exemplaire d'une taille supérieure à 200. Une année permet presque d'atteindre la taille de 1 500.

Non seulement le nouvel algorithme permet-il une accélération plus spectaculaire que l'achat de matériel plus rapide, mais il rend du même coup un tel achat plus profitable. En effet, grâce au nouvel algorithme, un ordinateur cent fois plus rapide permet de résoudre dans un temps donné des exemplaires de taille quatre à cinq fois plus grande qu'avec l'ordinateur initial. Le graphique ci-dessus illustre ces propos.

Il faut quand même savoir user de discernement afin d'éviter d'utiliser le nouvel algorithme sur des exemplaires trop petits. En effet, sur l'ordinateur initial, le nouvel algorithme requiert dix secondes pour résoudre un problème de taille 10, ce qui est cent fois plus lent que le premier algorithme ! Ce n'est qu'à partir d'exemplaires de taille 20 que le nouvel algorithme est préférable à l'ancien. Bien entendu, rien n'empêche de combiner les deux algorithmes en un troisième qui décide, dépendant de la taille de l'exemplaire à traiter, de la méthode à suivre.

1.7   Quelques exemples concrets

Peut-être vous demandez-vous si des accélérations algorithmiques comparables à celle suggérée à la section précédente peuvent survenir en pratique. En réalité, on assiste parfois à des accélérations encore plus spectaculaires, même en comparant des algorithmes bien établis. Quelques-uns des exemples suivants font intervenir de grands entiers et des nombres réels. A moins d'indication contraire, nous simplifierons pour le moment l'exposé en ignorant les éventuels problèmes de dépassements arithmétiques et de perte de précision qui peuvent survenir lors de l'implantation de ces algorithmes. De tels problèmes peuvent être réglés en utilisant de l'arithmétique à précision multiple (sections 1.7.2 et 4.7). Les opérations d'addition et de multiplication sont donc généralement considérées ci-dessous comme élémentaires.

1.7.1   Le tri

Le problème du tri est d'une grande importance en informatique et plus particulièrement en algorithmique. Il s'agit de classer en ordre croissant une collection de n éléments sur lesquels une relation d'ordre total est définie. Des problèmes de tri se retrouvent souvent à l'intérieur d'algorithmes plus complexes. Nous avons déjà vu deux algorithmes de tri classiques dans la section 1.4 : le tri par insertion et le tri par sélection. Rappelons que ces deux algorithmes prennent un temps quadratique, aussi bien en pire cas qu'en moyenne.

Quoique ces deux algorithmes soient excellents lorsque n est petit, d'autres algorithmes de tri sont plus efficaces lorsque n est grand. Notons, entre autres, le tri de Williams (« *heapsort* » - voir l'exemple 2.2.4 et le problème 2.2.3), le tri par fusion (section 4.4) et le tri de Hoare (« *quicksort* » - voir la section 4.5). Tous ces algorithmes prennent un temps dans l'ordre de $n \log n$ en moyenne et les deux premiers prennent ce temps même en pire cas.

Afin de se faire une idée plus claire de la différence pratique entre l'ordre de n^2 et l'ordre de $n \log n$, nous avons programmé le tri par insertion et le tri de Hoare en Pascal sur un ordinateur DEC VAX 780. La différence d'efficacité entre ces deux algorithmes est marginale lorsque le nombre d'éléments à trier est faible. Le tri de Hoare est déjà près de deux fois plus rapide que l'insertion pour trier cinquante éléments, et trois fois plus performant pour en trier cent. Pour trier mille éléments, l'insertion requiert plus de trois secondes alors que le tri de Hoare prend moins d'un cinquième de seconde. L'aspect explosif du tri par insertion devient plus évident lorsqu'il s'agit de trier cinq mille éléments, puisqu'il lui faut une minute et demie en moyenne, comparé à un peu plus d'une seconde pour le tri de Hoare. En trente secondes, le tri de Hoare peut trier cent mille éléments ; nous estimons qu'il aurait fallu environ neuf heures et demie à l'insertion pour mener cette tâche à bien.

1.7.2   La multiplication de grands entiers

Lorsque certains calculs demandent la manipulation arithmétique de très grands entiers, il se peut que les opérandes deviennent trop grands pour entrer dans un mot de l'ordinateur utilisé. Ces opérations cessent alors d'être élémentaires. On peut recourir dans ce cas à la *double précision* de FORTRAN et, en général, à la précision multiple. La question qui se pose alors est de savoir combien de temps sera nécessaire pour multiplier deux grands entiers en fonction de leur taille. Nous pouvons mesurer la taille d'un tel opérande, soit par le nombre de mots qu'il occupe dans l'ordinateur, soit par la longueur de sa représentation en décimal ou en binaire. Ces mesures ne différant que par un facteur multiplicatif, ce choix ne change rien à l'ordre de l'efficacité des algorithmes considérés. (Cette remarque serait fausse si l'on considérait des algorithmes exponentiels.)

Soient deux grands entiers à multiplier, respectivement de taille n et m. Il est facile de transposer dans ce contexte l'algorithme classique de la section 1.1. On voit aisément qu'il multiplie chacun des mots d'un des opérandes par chacun des mots de l'autre, et qu'il fait environ une addition élémentaire pour chacune de ces multiplications. Il prend donc un temps dans l'ordre de mn. L'algorithme *russe* prend également un temps dans l'ordre de mn, à la condition de choisir le plus petit opérande comme multiplicateur et le plus grand comme multiplicande. Il n'est donc pas préférable à l'algorithme classique, d'autant plus que sa constante cachée risque fort d'être plus grande que celle de celui-ci.

PROBLÈME 1.7.1.   Combien de temps prend l'algorithme *russe* si le multiplicateur est plus long que le multiplicande ?   □

Tel qu'indiqué dans la section 1.1, d'autres algorithmes plus efficaces existent pour résoudre ce problème. Le plus simple d'entre eux, que nous verrons à la section 4.7, prend un temps dans l'ordre de $nm^{\lg(3/2)}$, approximativement $nm^{0.59}$, où n est la taille du plus grand opérande et m est celle du plus petit. Si les deux opérandes sont de taille n, cet algorithme prend donc un temps dans l'ordre de $n^{1.59}$, ce qui est préférable au temps quadratique requis par les algorithmes classique et *russe*.

La différence entre l'ordre de n^2 et l'ordre de $n^{1.59}$ est moins spectaculaire que celle entre l'ordre de n^2 et l'ordre de $n \log n$ correspondant aux algorithmes de tri. Pour s'en assurer, nous avons programmé en Pascal l'algorithme classique et l'algorithme de la section 4.7 sur un ordinateur CDC CYBER 835, afin de les tester sur des opérandes de différentes tailles. Pour tenir compte de l'architecture de l'ordinateur utilisé, les calculs se font en base 2^{20}, plutôt qu'en base 10. Ceci permet de multiplier directement des entiers de vingt bits par les circuits de l'ordinateur, tout en évitant de gaspiller de l'espace mémoire (l'ordinateur utilisé possède des mots de 60 bits). La taille d'un opérande est donc comptée en nombre de tranches de vingt bits dans sa représentation binaire. L'avantage de l'algorithme de la section 4.7 est peu marqué sur des opérandes de taille 100 (jusqu'à 602 chiffres décimaux) : il prend environ 300 millisecondes alors que l'algorithme classique en prend environ 400. Cependant pour des opérandes dix fois plus longs, l'algorithme rapide est presque trois fois plus performant que l'algorithme classique puisqu'ils requièrent approximativement 15 et 40 secondes, respectivement. Le rapport d'efficacité continue à croître avec la taille des opérandes impliqués.

1.7.3   Le calcul du déterminant

Soit
$$M = \begin{bmatrix} a_{1,1} & a_{1,2} & \cdots & a_{1,n} \\ a_{2,1} & a_{2,2} & \cdots & a_{2,n} \\ \vdots & \vdots & & \vdots \\ a_{n,1} & a_{n,2} & \cdots & a_{n,n} \end{bmatrix}$$

une matrice $n \times n$. Le déterminant de la matrice M, det(M), est souvent défini de façon récursive : si $M[i, j]$ dénote la matrice $(n-1) \times (n-1)$ obtenue de M en supprimant sa colonne i et sa rangée j, alors

$$\det(M) = \sum_{j=1}^{n} (-1)^{j+1} a_{1,j} \det(M[1, j]).$$

Si $n = 1$, le déterminant est défini par det(M) $= a_{1,1}$. Le déterminant étant important en algèbre linéaire, il faut pouvoir le calculer de façon efficace.

L'utilisation directe de cette définition conduit à un algorithme prenant un temps dans l'ordre de $n!$ pour calculer le déterminant d'une matrice $n \times n$ (voir l'exemple 2.2.5). Ceci est encore pire que 2^n. Par contre, un autre algorithme classique, l'élimination de Gauss-Jordan, permet ce calcul en un temps dans l'ordre de n^3. Nous avons programmé en Pascal les deux algorithmes sur un ordinateur CDC CYBER 835. L'algorithme de Gauss-Jordan trouve le déterminant d'une matrice 10×10 en un centième de seconde ; il lui suffit d'environ cinq secondes et demie sur une matrice 100×100. Par contre, l'algorithme récursif requiert plus de vingt secondes sur une matrice 5×5 et dix minutes sur une matrice 10×10 ; nous estimons qu'il lui faudrait plus de dix millions d'années pour calculer le déterminant d'une matrice 20×20, tâche que l'algorithme de Gauss-Jordan peut mener à bien en près d'un vingtième de seconde !

Il ne faudrait *surtout* pas conclure de cet exemple que la récursivité conduit nécessairement à de mauvais algorithmes. Bien au contraire, le quatrième chapitre de cet ouvrage traite d'une technique où la récursivité joue un rôle fondamental dans la conception d'algorithmes efficaces. En particulier, V. Strassen a découvert en 1969 une façon récursive de calculer le déterminant d'une matrice $n \times n$ en un temps dans l'ordre de $n^{\lg 7}$, soit environ $n^{2,81}$, montrant ainsi que l'algorithme de Gauss-Jordan n'est pas optimal.

1.7.4 Le calcul du plus grand commun diviseur

Soient m et n deux entiers positifs. Le plus grand commun diviseur de m et n, dénoté (m, n), est le plus grand entier qui divise m et n sans reste. Lorsque $(m, n) = 1$, nous disons que m et n sont **premiers entre eux.** Par exemple, $(6, 15) = 3$ et $(10, 21) = 1$. L'algorithme évident pour calculer (m, n) provient directement de la définition :

fonction $pgcd(m, n)$
  $i \leftarrow \min(m, n) + 1$
  répéter $i \leftarrow i - 1$ **jusqu'à** ce que i divise m et n sans reste
  retourner i .

Cet algorithme prend un temps dans l'ordre de la différence entre le plus petit de ses deux arguments et leur plus grand commun diviseur. Dans le cas où m et n sont du même ordre de grandeur et sont premiers entre eux, il prend donc un temps dans l'ordre de n.

Un algorithme classique pour calculer (m, n) consiste d'abord à factoriser m et n en nombres premiers, puis à calculer le produit des facteurs premiers communs à m et n à leur puissance minimum. Par exemple, pour calculer $(120, 700)$ nous calculons d'abord $120 = 2^3 \times 3 \times 5$ et $700 = 2^2 \times 5^2 \times 7$. Les facteurs communs de 120 et 700 sont donc 2 et 5, et leurs puissances minimums sont 2 et 1, respectivement. Le plus grand commun diviseur de 120 et 700 est donc $2^2 \times 5^1 = 20$. Bien que préférable au précédent, cet algorithme demande de factoriser complètement m et n, ce que nous ne savons pas faire efficacement.

Il existe pourtant un algorithme beaucoup plus efficace pour le calcul du plus grand commun diviseur : c'est le célèbre algorithme d'Euclide.

fonction $Euclide(m, n)$
  tantque $m > 0$ **faire**
    $t \leftarrow n$ **mod** m
    $n \leftarrow m$
    $m \leftarrow t$
  retourner n .

Cet algorithme, analysé dans l'exemple 2.2.6, prend en pire cas un temps dans l'ordre du logarithme de ses arguments, ce qui est beaucoup plus rapide que l'algorithme précédent. Pour être historiquement exact, l'algorithme original d'Euclide fonctionnait par soustractions successives, plutôt que par le calcul du modulo.

1.7.5 Le calcul de la suite de Fibonacci

La suite de Fibonacci est définie par induction mathématique de la façon suivante :

$$\begin{cases} f_0 = 0 ; \quad f_1 = 1 & \text{et} \\ f_n = f_{n-1} + f_{n-2} & \text{pour} \quad n \geqslant 2 . \end{cases}$$

Les dix premiers termes de la suite sont donc

$$0, 1, 1, 2, 3, 5, 8, 13, 21, 34 .$$

Cette suite a de nombreuses applications en informatique, mathématiques et théorie des jeux. Par exemple, à taille égale d'exemplaires, c'est sur deux termes consécutifs de la suite de Fibonacci que l'algorithme d'Euclide prend le plus de temps. De Moivre a démontré la formule suivante (voir l'exemple 2.3.2) :

$$f_n = \frac{1}{\sqrt{5}} \left[\phi^n - (-\phi)^{-n} \right] ,$$

où $\phi = \dfrac{1 + \sqrt{5}}{2}$ est le **nombre d'or.** Etant donné que $\phi^{-1} < 1$, la valeur de $(-\phi)^{-n}$ devient négligeable lorsque n est grand, ce qui fait que la valeur de f_n est dans l'ordre de ϕ^n. Cette formule n'est toutefois pas pratique pour calculer exactement la valeur de f_n, puisqu'il faut d'autant plus de précision sur les valeurs de $\sqrt{5}$ et ϕ que n est grand. Un calcul en précision simple sur ordinateur CDC CYBER 835, programmé en Pascal, produit une première erreur sur l'évaluation de f_{66}.

L'algorithme provenant directement de la définition de la suite de Fibonacci, est le suivant :

fonction *fib*1(*n*)
  si $n < 2$ **alors retourner** n
  sinon retourner *fib*1(n–1) + *fib*1(n–2) .

Cet algorithme est très inefficace car il recalcule maintes fois les mêmes valeurs. Par exemple, *fib*1(5) demande de calculer *fib*1(4) et *fib*1(3) ; mais *fib*1(4) demande également le calcul de *fib*1(3). Ainsi le calcul de *fib*1(3) sera effectué deux fois, celui de *fib*1(2) trois fois, celui de *fib*1(1) cinq fois et celui de *fib*1(0) trois fois. En fait, le temps pris par cet algorithme pour calculer f_n est dans l'ordre de la valeur même de f_n, donc dans l'ordre de ϕ^n (voir l'exemple 2.2.7).

Pour éviter de recalculer inutilement les mêmes valeurs, il est naturel de procéder comme dans la section 1.5 :

fonction *fib*2(*n*)
  $i \leftarrow 1 ; j \leftarrow 0$
  pour $k \leftarrow 1$ **jusqu'à** n **faire** $j \leftarrow i + j$
                         $i \leftarrow j - i$
  retourner j .

Ce second algorithme prend évidemment un temps dans l'ordre de n, toujours en comptant chaque addition comme élémentaire (voir l'exemple 2.2.8). C'est une accélération substantielle par rapport au premier algorithme. Il existe pourtant un troisième algorithme aussi rapide par rapport au deuxième que celui-ci l'était par rapport au premier. Ce troisième algorithme, à l'allure plutôt mystérieuse, prend un temps dans l'ordre du logarithme de n (voir l'exemple 2.2.9). Nous l'expliquerons au chapitre 4.

fonction $fib3(n)$
    $i \leftarrow 1; j \leftarrow 0; k \leftarrow 0; h \leftarrow 1$
    tantque $n > 0$ **faire**
        si n est impair **alors** $t \leftarrow jh$
                                  $j \leftarrow ih + jk + t$
                                  $i \leftarrow ik + t$
        $t \leftarrow h^2$
        $h \leftarrow 2kh + t$
        $k \leftarrow k^2 + t$
        $n \leftarrow n$ **div** 2
    retourner j .

Cette fois encore, nous avons programmé les trois algorithmes en Pascal sur ordinateur CDC CYBER 835, dans le but d'en comparer empiriquement les temps d'exécution. Afin d'éviter les problèmes de dépassement de capacité (la suite de Fibonacci croît très vite; f_{100} est un nombre de 21 chiffres décimaux), nous avons fait tous les calculs modulo 10^7, ce qui revient à n'obtenir que les sept chiffres les moins significatifs du résultat. Le tableau suivant montre avec éloquence la différence que peut faire le choix d'un algorithme (les temps supérieurs à deux minutes sont estimés par l'approche hybride; dans tous les cas, ils sont approximatifs) :

n	10	20	30	50
$fib1$	8 msec	1 sec	2 min	21 jours
$fib2$	$\frac{1}{6}$ msec	$\frac{1}{3}$ msec	$\frac{1}{2}$ msec	$\frac{3}{4}$ msec
$fib3$	$\frac{1}{3}$ msec	$\frac{2}{5}$ msec	$\frac{1}{2}$ msec	$\frac{1}{2}$ msec

n	100	10 000	1 000 000	100 000 000
$fib2$	$1\frac{1}{2}$ msec	150 msec	15 sec	25 min
$fib3$	$\frac{1}{2}$ msec	1 msec	$1\frac{1}{2}$ msec	2 msec

Le temps que prendrait $fib1$ sur $n > 50$ est tellement élevé que nous n'avons pas pris la peine de l'estimer, à l'exception de $n = 100$ pour lequel $fib1$ prendrait au-delà d'un milliard d'années ! Remarquez également que $fib2$ est plus efficace que $fib3$ sur de petits exemplaires.

Par l'approche hybride, il est possible d'estimer approximativement le temps que prennent nos implantations de ces trois algorithmes. Soit $t_i(n)$ le temps pris par $fibi$ sur l'exemplaire n :

$$t_1(n) \approx \phi^{n-20} \text{ secondes}$$
$$t_2(n) \approx 15\,n \text{ microsecondes}$$
$$t_3(n) \approx \frac{1}{4} \log n \text{ millisecondes} .$$

Notons qu'il faut une valeur de n dix mille fois plus grande avant que *fib3* ne prenne une milliseconde de plus.

Tel que spécifié au début de la section 1.7, nous aurions pu calculer tous les chiffres de la réponse en utilisant de l'arithmétique en précision multiple. Dans ce cas, l'avantage de *fib3* sur *fib2* devient moins marquant, mais leur avantage sur *fib1* demeure aussi spectaculaire. Voici un tableau comparatif des temps de ces trois algorithmes (en secondes) lorsque associés à une implantation efficace de l'algorithme classique pour la multiplication de grands entiers (voir le problème 2.2.9, l'exemple 2.2.8 et le problème 2.2.11).

n	5	10	15	20	25
fib1	0,007	0,087	0,941	10,766	118,457
fib2	0,005	0,009	0,011	0,017	0,021
fib3	0,013	0,017	0,019	0,020	0,021

n	100	500	1 000	5 000	10 000
fib2	0,109	1,177	3,581	76,107	298,892
fib3	0,041	0,132	0,348	7,664	29,553

1.7.6 La transformée de Fourier

L'algorithme permettant le calcul efficace de la transformée de Fourier est peut-être celui dont le développement a eu le plus d'impact concret. Nous reviendrons sur ce sujet au chapitre 9, mais contentons-nous de dire pour l'instant que la transformée de Fourier est fondamentale dans des domaines d'application aussi divers que l'optique, l'acoustique, la physique quantique, les télécommunications, la théorie des systèmes et le traitement de signaux dont la reconnaissance de la parole. Pendant des années, tous ces domaines ont été grandement limités du fait que les algorithmes utilisés pour le calcul des transformées de Fourier prenaient un temps prohibitif.

La « découverte » en 1965 d'un algorithme rapide, attribuée alors à J. M. Cooley et J. W. Tukey, a causé une véritable révolution. Cet algorithme permettait enfin de résoudre des problèmes jusqu'alors impossibles. Dans le but de le tester, l'analyse d'un tremblement de terre survenu en Alaska en 1964 a été effectuée par le calcul d'une transformée de Fourier. L'algorithme classique a requis plus de 26 minutes de temps de calcul alors qu'il a suffi de moins de deux secondes et demie au nouvel algorithme pour mener cette tâche à bien.

Quelle ironie de constater qu'un algorithme efficace avait déjà été publié en 1942 par G. C. Danielson et C. Lanczos. Le développement de maintes applications a donc été entravé inutilement pendant près d'un quart de siècle. Comme si cela ne suffisait pas, toutes les bases théoriques de l'algorithme avaient déjà été publiées par C. Runge et H. König en 1924 !

1.8   Quand un algorithme est-il spécifié ?

Au début de cet ouvrage, nous avons dit que « l'exécution d'un algorithme ne doit pas laisser place à l'interprétation ». Peut-on dans ce cas prétendre que le *fib*3 de la section 1.7.5 décrit un algorithme ? Le problème vient du fait qu'il n'est pas réaliste de considérer les multiplications de *fib*3 comme élémentaires. Une implantation pratique doit en tenir compte, probablement en utilisant un progiciel permettant de faire de l'arithmétique avec de très grands entiers. La façon exacte d'effectuer les multiplications n'étant pas précisée dans *fib*3, celui-ci laisse place à l'interprétation. Ce n'est donc pas formellement un algorithme. Cette distinction n'est pas purement académique puisque les problèmes 2.2.11 et 4.7.6 montrent justement que l'ordre du temps pris par *fib*3 dépend de l'algorithme de multiplication utilisé. Et que penser de la formule de De Moivre comme algorithme ?

Le calcul du déterminant par la méthode récursive de la section 1.7.3 est un autre exemple d'algorithme incomplètement présenté. Comment les appels récursifs sont-ils préparés ? L'approche évidente consiste à prendre un temps dans l'ordre de n^2 avant chaque appel récursif. Nous verrons toutefois au problème 2.2.5 qu'il est possible de se contenter d'un temps dans l'ordre de n pour la préparation non pas d'un seul, mais des n appels récursifs. Cette subtilité ne change toutefois rien au fait que l'algorithme prenne un temps dans l'ordre de n! pour le calcul du déterminant d'une matrice $n \times n$.

Pour simplifier l'exposé, nous continuerons par la suite à appeler « algorithmes » certaines descriptions incomplètes de cette nature. Les précisions seront données subséquemment si l'analyse le requiert.

1.9   Structuration des données

Une structuration adéquate des données est souvent un élément déterminant dans la conception d'algorithmes efficaces. Cet ouvrage ne se veut cependant pas un traité sur les structures de données. Nous supposons que le lecteur maîtrise déjà des notions telles que le tableau, la structure, le pointeur et la liste. Nous supposons aussi qu'il a rencontré les notions mathématiques de graphe et d'arborescence, et qu'il sait comment implanter efficacement une représentation de ces derniers. Après une récapitulation rapide de quelques points importants, nous traitons de façon plus détaillée dans cette section des notions moins élémentaires de monceau (*heap*) et de structure d'ensembles disjoints. Ces deux structures, choisies en raison de leur utilisation dans les chapitres subséquents, offrent aussi des exemples intéressants d'analyse d'algorithmes.

1.9.1   Les listes

Une **liste** est un ensemble de nœuds ou d'éléments d'information arrangés dans un certain ordre. Une structure de données correspondante doit nous permettre de déterminer efficacement, par exemple, quel est le premier nœud de l'ensemble, quel en est le dernier, et quels sont le prédécesseur et le successeur (s'ils existent) d'un nœud donné. Une telle structure est souvent représentée graphiquement par des boîtes et des flèches :

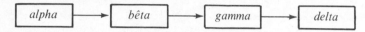

L'information rattachée à un nœud est indiquée dans la boîte correspondante et une flèche indique le passage d'un nœud à son successeur.

Plusieurs opérations sont applicables à de telles listes : on peut vouloir insérer un nœud additionnel, enlever un nœud, copier une liste, compter le nombre d'éléments, etc. Les différentes implantations de cette structure que l'on trouve couramment sur ordinateur se distinguent par la quantité de mémoire requise et par la plus ou moins grande efficacité obtenue pour certaines opérations. Nous ne mentionnons ici que les techniques les plus classiques.

Implantés dans un tableau par

type *tabliste* = **structure**
> *valeur*[1..*longueurmax*]: *éléments d'information*
> *compteur*: 0 .. *longueurmax* ,

les éléments de la liste occupent les emplacements *valeur*[1] à *valeur*[*compteur*] et l'ordre des éléments est donné par l'ordre de leurs indices dans le tableau. Avec cette implantation, on peut trouver rapidement le premier ou le dernier élément de la liste, ainsi que le prédécesseur et le successeur d'un nœud donné. Par contre, l'insertion d'un nouvel élément ou l'effacement d'un élément existant peuvent nécessiter un nombre d'opérations dans l'ordre de la taille courante de la liste.

Cette implantation est particulièrement efficace pour une importante structure obtenue en restreignant les opérations permises sur une liste : la **pile,** où il n'est permis d'ajouter ou d'enlever des éléments qu'à une seule extrémité de la liste. Elle présente néanmoins l'inconvénient majeur de demander que tout l'espace mémoire potentiellement nécessaire soit alloué dès le début du programme.

Par contre, si l'on se sert de pointeurs pour l'implantation d'une liste, les nœuds sont habituellement représentés par des structures du type

type *noeud* = **structure**
> *valeur*: *élément d'information*
> *suivant*: ↑*noeud* ,

où chaque nœud contient un pointeur explicite vers son successeur. Dans ce cas, avec un langage de programmation suffisamment puissant, l'espace mémoire nécessaire pour représenter la liste peut être alloué et récupéré dynamiquement.

Même si des pointeurs additionnels sont utilisés pour permettre un accès rapide au premier et au dernier élément de la liste, il est difficile avec cette représentation d'examiner le k-ième élément pour k quelconque sans avoir à suivre k pointeurs, ce qui nécessite un temps dans l'ordre de k. Par contre, une fois cet élément trouvé, les opérations d'insertion ou d'effacement d'un nœud sont rapides. Dans cet exemple, un seul pointeur par nœud est utilisé pour repérer son successeur : il est donc aisé de parcourir la liste dans un sens mais pas dans l'autre. Si une utilisation plus élevée de mémoire est acceptable, il suffit d'ajouter un autre pointeur à chaque nœud pour permettre aussi un parcours rapide dans l'autre sens.

1.9.2   Les graphes

De façon intuitive, un **graphe** est constitué d'un ensemble de **nœuds** (aussi appelés **sommets**), reliés entre eux par un ensemble de **lignes** ou de **flèches.**

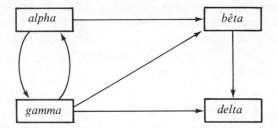

Nous distinguons les graphes **orientés** des graphes **non orientés.** Dans le cas d'un graphe orienté, les nœuds sont reliés par des flèches que l'on appelle des **arcs.** Les arcs peuvent former des **chemins** et des **circuits.** Dans l'exemple ci-dessus, il existe un arc partant d'*alpha* à *gamma* et de *gamma* à *alpha*, toutefois *bêta* et *delta* ne sont reliés que dans le sens indiqué. Dans le cas d'un graphe non orienté, les nœuds sont reliés par des lignes sans indication de direction, appelées **arêtes.** Les arêtes forment des **chaînes** et des **cycles.**

Il n'y a jamais plus de deux arcs (alors dans des sens opposés) reliant deux nœuds donnés d'un graphe orienté, et jamais plus d'une arête reliant deux nœuds d'un graphe non orienté. Le graphe est donc formellement un couple $G = \langle N, A \rangle$ où $A \subseteq N \times N$. Un arc entre a et b est noté par le couple (a, b), alors qu'une arête, n'étant pas orientée, est notée par l'ensemble $\{ a, b \}$.

Il y a au moins deux façons évidentes de représenter un graphe dans l'ordinateur. La première est illustrée par :

type *adjgraphe* = **structure**
           valeur[1..*maxnoeuds*]: *éléments d'information*
           adjacent[1..*maxnoeuds*, 1..*maxnoeuds*]: *booléens* .

S'il existe un arc (une arête) du sommet i du graphe au sommet j, alors *adjacent*$[i, j] =$ *vrai*, et autrement *adjacent*$[i, j] =$ *faux*. Dans le cas d'un graphe non orienté, cette matrice est nécessairement symétrique.

Avec cette représentation, on peut voir très rapidement si deux sommets sont reliés ou non. Par contre, si nous voulons examiner tous les sommets connectés à un sommet donné, il faut balayer une ligne complète de la matrice, ce qui demande un temps dans l'ordre de n, où n est le nombre de nœuds du graphe, indépendamment du nombre d'arcs ou d'arêtes qui sont reliés à ce sommet. La représentation requiert un espace mémoire dans l'ordre de n^2.

Une deuxième représentation possible est :

type *lisgraphe* = **tableau**[1..*maxnoeuds*] **de**
          structure
             valeur: élément d'information
             voisins: liste .

Il s'agit d'associer à chaque nœud i une liste de ses voisins, c'est-à-dire des nœuds j tels qu'un arc de i à j (une arête reliant i et j) existe. Si le nombre d'arcs (d'arêtes) est petit par rapport à n^2, cette représentation est préférable du point de vue de la mémoire utilisée. Dans ce cas, il est possible en moyenne d'examiner tous les voisins d'un sommet donné en moins de n opérations. Par contre, pour établir l'existence ou l'absence d'un arc (d'une arête) d'un sommet i à un sommet j, il faut balayer la liste des voisins de i, ce qui est plus onéreux que de consulter une valeur booléenne stockée dans un tableau.

Un **arbre** est un graphe non orienté, connexe et sans cycles. La propriété suivante est équivalente pour caractériser un arbre : c'est un graphe non orienté où tout couple de sommets est relié par une et une seule chaîne. Les techniques utilisées pour représenter les graphes peuvent également servir à représenter les arbres.

1.9.3 Les arborescences

Soit G un graphe orienté. S'il existe dans G un sommet r qui est relié à tout autre sommet par un chemin unique issu de r, alors G est une **arborescence** et r est sa **racine.** Toute arborescence contenant n nœuds contient exactement $n-1$ arcs. Il est usuel de représenter une arborescence avec la racine en haut, par analogie avec les arbres généalogiques :

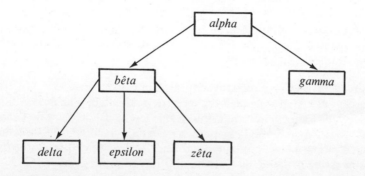

Dans cet exemple, *alpha* se trouve à la racine de l'arborescence. En poursuivant l'analogie de l'arbre généalogique, nous disons que *bêta* est le **père** de *delta* et le **fils** d'*alpha*, qu'*epsilon* et *zêta* sont les **frères** de *delta*, qu'*alpha* est un **ancêtre** d'*epsilon* et ainsi de suite.

Une **feuille** de l'arborescence est un nœud sans fils ; les autres nœuds s'appellent des **nœuds internes.** Bien que la définition ne l'indique pas, on considère souvent que les branches de l'arborescence sont ordonnées : dans l'exemple précédent, *bêta* se trouve à la gauche de *gamma*, et (toujours en rapport avec l'analogie généalogique) *delta* est le **frère aîné** d'*epsilon* et de *zêta*. Les deux arborescences

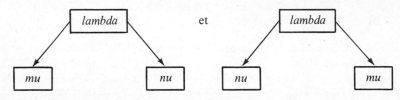

peuvent donc être considérées comme distinctes.

Dans l'ordinateur, on peut représenter une arborescence quelconque à l'aide de nœuds du type :

type *arbnoeud* = **structure**
> *valeur: élément d'information*
> *fils-aîné, frère suivant:*↑*arbnoeud* .

L'arborescence de l'exemple initial serait représentée comme suit :

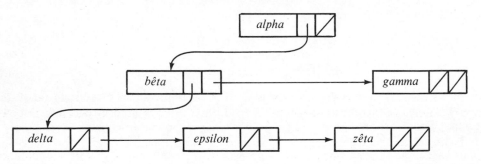

où, cette fois, les flèches indiquent non pas les arcs de l'arborescence, mais plutôt les pointeurs utilisés dans la représentation sur ordinateur. Comme pour les listes, l'addition de pointeurs supplémentaires (par exemple, vers le père ou le frère aîné d'un nœud) permet d'accélérer certaines opérations au prix d'un accroissement de l'espace mémoire requis.

La **profondeur** d'un nœud dans une arborescence est le nombre d'arcs qu'il faut parcourir pour y arriver à partir de la racine. La **hauteur d'un nœud** est le nombre d'arcs dans le plus long chemin du nœud à une feuille. La **hauteur de l'arborescence** est la hauteur de sa racine. Finalement, le **niveau** d'un nœud est égal à la hauteur de l'arborescence moins la profondeur du nœud en question. Ainsi, dans l'exemple initial, *gamma* est de profondeur 1, de hauteur 0 et de niveau 1.

Si chaque nœud d'une arborescence peut posséder jusqu'à *n* fils, numérotés de 0 à *n* − 1, il s'agit d'une arborescence *n*-aire. Dans ce cas, les positions occupées par les fils sont importantes. Par exemple, les deux arborescences binaires suivantes ne sont pas équivalentes :

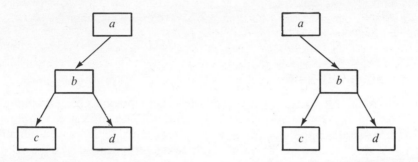

Dans le premier cas, *b* est le fils aîné de *a* et le cadet est absent, et dans le deuxième cas, *b* est le cadet et le fils aîné de *a* est absent. Dans le cas important d'une arborescence binaire, on parle naturellement (même si la métaphore devient plutôt bâtarde) du **fils gauche** et du **fils droit.**

Il y a plusieurs façons de représenter une arborescence *n*-aire dans l'ordinateur. Une représentation évidente utilise des nœuds du type :

type *noeud-naire* = **structure**
  valeur: *élément d'information*
  fils[1..*n*]: ↑*noeud-naire* .

Dans le cas d'une arborescence binaire, on peut aussi définir

type *noeud-binaire* = **structure**
  valeur: *élément d'information*
  fils-gauche, fils-droit: ↑*noeud-binaire* .

Il est également parfois possible, comme nous le verrons à la section suivante, de représenter une arborescence dans un tableau, sans nécessiter aucun pointeur explicite.

Une arborescence binaire est une **arborescence de fouille** si la valeur contenue dans tout nœud interne est plus grande ou égale à celle de ses descendants de gauche et plus petite ou égale à celle de ses descendants de droite. L'intérêt de cette structure est qu'elle permet la recherche efficace d'une valeur donnée dans l'arborescence.

PROBLÈME 1.9.1.   Supposons que la valeur recherchée se trouve dans un nœud de profondeur *p* dans une arborescence de fouille. Donnez un algorithme capable de retrouver ce nœud à partir de la racine en un temps dans l'ordre de *p*.   □

Il est possible de maintenir dynamiquement une arborescence de fouille, c'est-à-dire d'en enlever des nœuds et d'y ajouter des valeurs, tout en préservant la propriété de l'arborescence. Cependant, si l'on procède de façon naïve, il peut arriver que l'arborescence devienne très déséquilibrée, en ce sens que sa hauteur soit dans l'ordre du nombre de nœuds qu'elle contient. Toutefois, des structures plus sophistiquées, telle l'arborescence **AVL,** permettent d'effectuer les opérations de fouille, d'insertion et d'élimination en un temps dans l'ordre du logarithme du nombre de nœuds dans l'arborescence, en pire cas. Ces notions n'étant jamais nécessaires dans la suite de cet ouvrage, nous nous contentons ici d'en mentionner l'existence.

1.9.4   Les monceaux

Le monceau est un type spécial d'arborescence pouvant être implanté efficacement dans un tableau, sans aucun pointeur explicite. Cette intéressante structure possède de nombreuses applications, dont un tri remarquable, le tri de Williams (problème 2.2.3), ainsi que l'implantation efficace de certaines listes de priorité dynamiques.

Une arborescence binaire est **essentiellement complète** si chacun de ses nœuds internes possède exactement deux fils, un gauche et un droit, à l'exception possible d'un unique nœud **spécial** situé sur le niveau 1, n'ayant qu'un seul fils, lequel est à gauche. De plus, toutes les feuilles sont soit sur le niveau 0, soit sur les niveaux 0 et 1, et une feuille du niveau 1 ne se trouve jamais à la gauche d'un nœud interne du même niveau. Le nœud spécial, s'il y a lieu, est à la droite de tous les nœuds internes du niveau 1. Ce type d'arborescence peut être représenté à l'aide d'un tableau T en mettant les nœuds de profondeur k, de la gauche vers la droite, dans les positions $T[2^k]$, $T[2^k + 1]$, ..., $T[2^{k+1} - 1]$ (à l'exception du niveau 0, lequel peut être incomplet). Par exemple, voici comment représenter une arborescence binaire essentiellement complète de 10 nœuds :

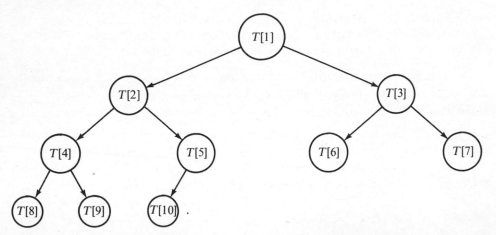

Le père du nœud représenté dans $T[i]$ est représenté dans $T[i \text{ div } 2]$ pour $i > 1$, et les fils du nœud représenté dans $T[i]$ sont représentés dans $T[2i]$ et $T[2i + 1]$, s'il y a lieu. La sous-arborescence dont la racine est en $T[i]$ est également facile à repérer.

Un **monceau** est une arborescence essentiellement complète dont chaque nœud inclut un élément d'information appelé la **valeur** du nœud. La **propriété du monceau** est que la valeur de chacun de ses nœuds internes est supérieure ou égale à celles de ses fils. En voici un exemple :

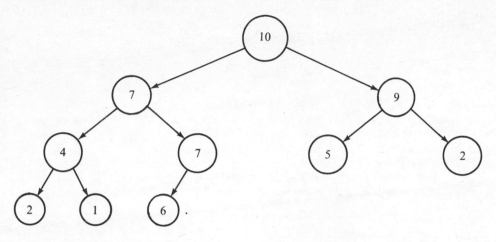

Ce même monceau peut être représenté par le tableau suivant :

| 10 | 7 | 9 | 4 | 7 | 5 | 2 | 2 | 1 | 6 | .

Une caractéristique fondamentale de cette structure de données est que la propriété du monceau peut être restaurée efficacement après la modification d'un nœud. Si la valeur du nœud est augmentée et qu'elle devienne de ce fait supérieure à celle de son père, il suffit de l'interchanger avec celle-ci, puis de continuer ce processus vers le haut jusqu'au rétablissement de la propriété du monceau. Nous dirons que la valeur modifiée a été **percolée** jusqu'à sa nouvelle position. Inversement, si la valeur du nœud est diminuée et qu'elle devienne de ce fait inférieure à celle d'au moins un de ses fils, il suffit de l'interchanger avec la plus grande des valeurs de ses fils, puis de continuer ce processus vers le bas jusqu'au rétablissement de la propriété du monceau. Nous dirons que la valeur modifiée a été **tamisée** jusqu'à sa nouvelle position. Plus formellement, la modification d'un nœud se fait par les algorithmes suivants :

procédure *tamiser*($T[1..n]$, i)
    {cette procédure tamise le noeud i afin de rétablir la propriété du
    monceau dans $T[1..n]$; on suppose que T serait un monceau si $T[i]$
    était suffisamment plus grand; on suppose également que $1 \leq i \leq n$}
    $k \leftarrow i$
    répéter
        $j \leftarrow k$
        {recherche du plus grand fils du noeud j}
        si $2j \leq n$ **et** $T[2j] > T[k]$ **alors** $k \leftarrow 2j$
        si $2j < n$ **et** $T[2j+1] > T[k]$ **alors** $k \leftarrow 2j + 1$
        interchanger $T[j]$ et $T[k]$
        {si $j = k$, c'est que le noeud est arrivé en position finale}
    jusqu'à $j = k$

procédure *percoler*(*T*[1..*n*], *i*)
    {cette procédure percole le noeud *i* afin de rétablir la propriété
    du monceau dans *T*[1..*n*]; on suppose que *T* serait un monceau
    si *T*[*i*] était suffisamment plus petit; on suppose également que
    $1 \le i \le n$; en fait, le paramètre *n* n'est pas utilisé ici}
    $k \leftarrow i$
    répéter
        $j \leftarrow k$
        si *j* > 1 **et** *T*[*j* **div** 2] < *T*[*k*] **alors** $k \leftarrow j$ **div** 2
        interchanger *T*[*j*] et *T*[*k*]
    jusqu'à *j* = *k* .

procédure *modif-monceau*(*T*[1..*n*], *i*, *v*)
    {*T*[1..*n*] est un monceau; la valeur de *T*[*i*] doit devenir *v* tout en
    préservant la propriété du monceau; on suppose que $1 \le i \le n$}
    $x \leftarrow T[i]$
    $T[i] \leftarrow v$
    si *v* < *x* **alors** *tamiser*(*T*, *i*)
            sinon *percoler*(*T*, *i*)

Cette propriété du monceau en fait une structure de données idéale pour trouver
le maximum, éliminer la racine, ajouter un noeud et modifier un noeud. Ce sont
précisément les opérations voulues pour l'implantation efficace d'une liste de priorité
dynamique : la valeur d'un noeud indique la priorité de l'événement correspondant.
L'événement le plus prioritaire se trouve toujours à la racine et il est toujours possible
de modifier dynamiquement la priorité d'un événement.

fonction *maximum*(*T*[1..*n*])
    {retourne le plus grand élément du monceau *T*[1..*n*]}
    retourner *T*[1]

procédure *éliminer-racine*(*T*[1..*n*])
    {élimine le plus grand élément du monceau *T*[1..*n*]
    et restaure la propriété de monceau dans *T*[1..*n*−1]}
    $T[1] \leftarrow T[n]$
    tamiser(*T*[1..*n*−1], 1)

procédure *ajouter-noeud*(*T*[1..*n*], *v*)
    {ajoute un élément dont la valeur est *v* au monceau *T*[1..*n*]
    et restaure la propriété de monceau dans *T*[1..*n*+1]}
    $T[n+1] \leftarrow v$
    percoler(*T*[1..*n*+1], *n*+1) .

Il reste à déterminer comment créer un monceau à partir d'un tableau *T*[1..*n*]
dont les éléments se trouvent dans un ordre arbitraire. La solution évidente consiste
à partir d'un monceau vide et à y ajouter les éléments un par un :

procédure *faire-monceau-lent*(*T*[1..*n*])
    {cette procédure transforme le tableau *T*[1..*n*] en monceau,
    mais de façon peu efficace}
    pour *i* ← 2 **jusqu'à** *n* **faire** *percoler*(*T*[1..*i*], *i*) .

Cette approche n'est toutefois pas très efficace (problème 2.2.2). Il existe un autre algorithme beaucoup plus astucieux pour la fabrication d'un monceau. Supposons, par exemple, que nous partions de l'arborescence suivante :

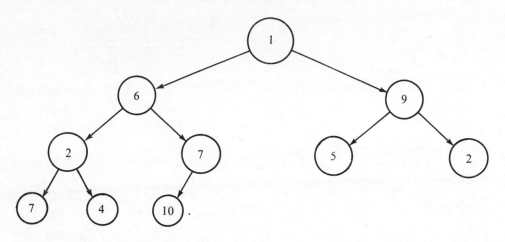

Commençons par transformer en monceaux les sous-arborescences dont les racines sont au niveau 1, en tamisant celles-ci :

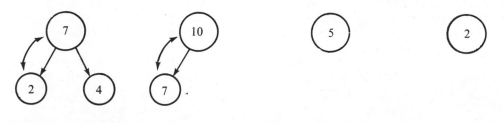

Les sous-arborescences du niveau suivant sont ensuite transformées à leur tour en monceaux, toujours en tamisant leurs racines. Le processus est le suivant pour la sous-arborescence gauche :

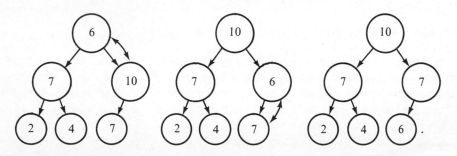

L'autre sous-arborescence de niveau 2 est déjà un monceau. Ce processus continue vers le haut jusqu'à l'obtention du résultat. Poursuivons notre exemple par une représentation sous forme de tableau :

| 1 | 10 | 9 | 7 | 7 | 5 | 2 | 2 | 4 | 6 |

⇒

| 10 | 1 | 9 | 7 | 7 | 5 | 2 | 2 | 4 | 6 |

⇒

| 10 | 7 | 9 | 1 | 7 | 5 | 2 | 2 | 4 | 6 |

⇒

| 10 | 7 | 9 | 4 | 7 | 5 | 2 | 2 | 1 | 6 | ,

ce qui est le résultat escompté.

L'algorithme s'exprime formellement de la façon suivante :

procédure *faire-monceau*($T[1..n]$)
   {cette procédure transforme le tableau $T[1..n]$ en monceau}
   pour $i \leftarrow n$ **div** 2 **pas** -1 **jusqu'à** 1 **faire** *tamiser*(T, i) .

Nous verrons dans l'exemple 2.2.4 que cet algorithme permet la création d'un monceau de n éléments en un temps dans l'ordre de n.

PROBLÈME 1.9.2. Soit $T[1..12]$ un tableau tel que $T[i] = i$ pour chaque $i \leqslant 12$. Après chacun des appels suivants, montrez le contenu du tableau T :

faire-monceau(T)
modif-monceau(T, 12, 10)
modif-monceau(T, 1, 6)
modif-monceau(T, 5, 8) .   □

PROBLÈME 1.9.3. Donnez explicitement un monceau $T[1..n]$ contenant uniquement des valeurs distinctes, tel que la séquence suivante résulte en un monceau différent :

$m \leftarrow$ *maximum*(T)
éliminer-racine(T)
ajouter-noeud($T[1..n{-}1], m$) .

Dessinez le monceau après chaque opération.   □

1.9.5 Les structures d'ensembles disjoints

Soient N objets que nous supposons numérotés de 1 à N. Nous désirons grouper ces objets en ensembles disjoints, chaque objet étant dans exactement un ensemble à chaque instant donné. Dans chaque ensemble, nous choisissons un objet canonique qui sert d'**étiquette** à l'ensemble. Initialement les N objets sont disposés dans N ensembles, chacun contenant exactement un objet, lequel en est l'étiquette. Ensuite, nous ferons une série d'opérations de deux types :

— pour un objet donné x, déterminer dans quel ensemble il se trouve et retourner l'étiquette de cet ensemble, et

— étant donné deux étiquettes distinctes, fusionner les deux ensembles correspondants.

Comment peut-on représenter efficacement cette situation sur ordinateur ?

Une première représentation est évidente. Supposons que nous décidions d'utiliser le plus petit élément de chaque ensemble comme étiquette : ainsi l'ensemble { 7, 3, 16, 9 } s'appellera « l'ensemble 3 ». Si ensuite nous déclarons un tableau

$$ensemble[1 . . N] : entiers$$

il suffit de stocker l'étiquette de l'ensemble correspondant à chaque objet dans la case appropriée. Les deux opérations peuvent être implantées par deux procédures :

fonction *trouver*1(x)
{trouve l'étiquette de l'ensemble contenant l'objet x}
retourner *ensemble*[x]

procédure *fusionner*1(a, b)
{fusionne les ensembles portant les étiquettes a et b}
$i \leftarrow a; j \leftarrow b$
si $i > j$ **alors** interchanger i et j
pour $k \leftarrow 1$ **jusqu'à** N **faire**
   si *ensemble*[k] $= j$ **alors** *ensemble*[k] $\leftarrow i$.

Nous nous intéressons au temps requis pour exécuter une série quelconque de n opérations *trouver* et *fusionner* à partir de la situation initiale. Si une consultation ou une modification d'un élément du tableau compte comme une opération élémentaire, il est clair que *trouver*1 prend un temps constant et que *fusionner*1 prend un temps dans l'ordre de N. Une série de n opérations prend donc un temps dans l'ordre de nN en pire cas.

Essayons de faire mieux. Toujours avec un seul tableau, nous pouvons représenter chaque ensemble comme une arborescence. Adoptons la convention suivante : si *ensemble*[i] $= i$, alors i est en même temps l'étiquette d'un ensemble et la racine de l'arborescence correspondante ; si *ensemble*[i] $= j \neq i$, alors j est le père de i dans une arborescence. Le tableau

1	2	3	2	1	3	4	3	3	4

représente donc les arborescences

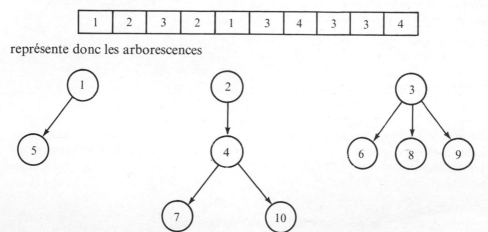

ou encore les ensembles { 1, 5 }, { 2, 4, 7, 10 } et { 3, 6, 8, 9 }. (Ce diagramme indique la direction des arcs de l'arborescence, non pas des pointeurs dans le tableau.) Pour fusionner deux ensembles, il suffit maintenant de ne modifier qu'une seule valeur dans le tableau ; par contre, il est plus difficile de savoir à quel ensemble appartient tel ou tel objet :

fonction *trouver2(x)*;
  {trouve l'étiquette de l'ensemble contenant l'objet *x*}
  $i \leftarrow x$
  tantque *ensemble*[*i*] ≠ *i* **faire** *i* ← *ensemble*[*i*]
  retourner *i*

procédure *fusionner2(a, b)*
  {fusionne les ensembles portant les étiquettes *a* et *b*}
  si *a* < *b* **alors** *ensemble*[*b*] ← *a*
       sinon *ensemble*[*a*] ← *b* .

PROBLÈME 1.9.4.   Si chaque consultation ou modification d'un élément du tableau compte comme opération élémentaire, prouvez que le temps nécessaire pour exécuter une suite quelconque de *n* opérations *trouver2* ou *fusionner2* à partir de la situation initiale est dans l'ordre de n^2 en pire cas.   □

Dans le cas où *n* est comparable à *N*, nous n'avons rien gagné par rapport à *trouver1* et *fusionner1*. Le problème vient du fait qu'après *k* appels à *fusionner2*, il se peut que nous nous trouvions en face d'une arborescence de hauteur *k*, et que chaque appel subséquent à *trouver2* prenne un temps dans l'ordre de *k*. Essayons donc de limiter la hauteur des arborescences construites.

Jusqu'ici, nous avons arbitrairement choisi d'étiqueter un ensemble par la valeur de son plus petit membre. Lorsqu'on fusionne deux arborescences de hauteurs respectives h_1 et h_2, il serait préférable de toujours faire en sorte que ce soit la racine de l'arborescence la moins haute qui devienne un fils de l'autre racine. De cette façon, la hauteur de l'arborescence résultante sera max(h_1, h_2) si $h_1 \neq h_2$, ou $h_1 + 1$ si $h_1 = h_2$. On comprend aisément qu'avec cette tactique l'accroissement de hauteur des arborescences ne pourra pas être aussi rapide.

PROBLÈME 1.9.5.   Prouvez par induction mathématique que si cette tactique est adoptée, alors après une séquence quelconque d'opérations de fusion à partir de la situation initiale, une arborescence contenant *k* nœuds aura une hauteur plus petite ou égale à ⌊lg *k*⌋.   □

Pour stocker la hauteur d'une arborescence, on peut utiliser la valeur contenue dans la racine, en changeant toutefois le signe pour la distinguer d'un pointeur. Si, en plus, l'on utilise comme étiquette le numéro de l'objet à la racine, les procédures deviennent :

fonction *trouver3(x)*
  {trouve l'étiquette de l'ensemble contenant l'objet *x*}
  $i \leftarrow x$
  tantque *ensemble*[*i*] > 0 **faire** *i* ← *ensemble*[*i*]
  retourner *i*

procédure *fusionner*3(*a, b*)
   {fusionne les ensembles portant les étiquettes *a* et *b*;
    on suppose que $a \neq b$}
  si *ensemble*[*a*] = *ensemble*[*b*]
  alors
    ensemble[*a*] ← *ensemble*[*a*] − 1
    ensemble[*b*] ← *a*
  sinon
    si *ensemble*[*a*] < *ensemble*[*b*]
    alors *ensemble*[*b*] ← *a*
    sinon *ensemble*[*a*] ← *b*

PROBLÈME 1.9.6.   Prouvez que le temps nécessaire pour exécuter une suite quelconque de *n* opérations *trouver*3 et *fusionner*3 à partir de la situation initiale est dans l'ordre de *n* log *n* en pire cas.   □

Une modification de la fonction *trouver*3 rend nos opérations encore plus rapides. Lorsqu'on cherche l'ensemble correspondant à un certain nœud *x*, nous parcourons d'abord la branche de l'arborescence qui remonte de *x* à la racine. Connaissant la racine, il est maintenant possible de rc-parcourir cette branche afin de modifier le pointeur de chaque nœud rencontré pour qu'il pointe directement vers la racine. Cette technique s'appelle la **compression du chemin.** Ainsi lorsqu'on effectue l'opération *trouver*4 (20) sur l'arborescence *a*, le résultat en sera l'arborescence *a'* :

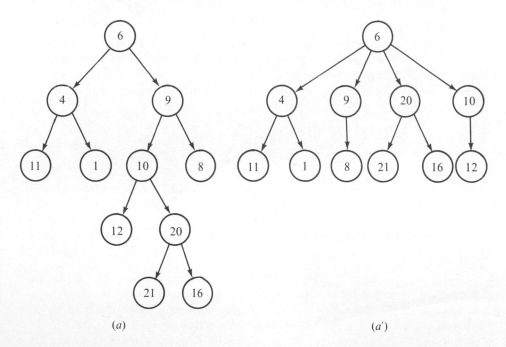

(*a*)   (*a'*)

Les nœuds 20, 10 et 9 se trouvant sur le chemin du nœud 20 vers la racine, pointent directement sur la racine. Les pointeurs des autres nœuds ne sont pas modifiés. Cette procédure tend évidemment à diminuer la hauteur des arborescences et donc à accélérer les opérations *trouver* subséquentes.

Il n'est plus nécessairement vrai que la hauteur de l'arborescence dont la racine est *a*, soit égale à abs(*ensemble*[*a*]). Toutefois, abs(*ensemble*[*a*]) demeure une borne supérieure sur cette hauteur. Nous appelons cette valeur le **rang** de l'arborescence. La fonction devient donc :

fonction *trouver4*(*x*)
   {trouve l'étiquette de l'ensemble contenant l'objet *x*}
   r ← *x*
   tantque *ensemble*[*r*] > 0 **faire** *r* ← *ensemble*[*r*]
   {*r* est la racine de l'arborescence}
   i ← *x*
   tantque *i* ≠ *r* **faire**
     j ← *ensemble*[*i*]
     ensemble[*i*] ← *r*
     i ← *j*
   retourner *r* .

Dorénavant lorsque nous utiliserons cette combinaison d'un tableau et des procédures *trouver4* et *fusionner3* pour manipuler des ensembles disjoints d'objets, nous parlerons d'une **structure d'ensembles disjoints**. L'efficacité de cette structure est analysée dans l'exemple 2.2.10.

PROBLÈME 1.9.7.   Une deuxième tactique possible pour fusionner deux ensembles consiste à toujours faire en sorte que ce soit la racine de l'arborescence contenant le plus petit nombre de nœuds qui devienne un fils de l'autre racine. La compression des chemins ne change pas le nombre de nœuds d'une arborescence. Il est donc facile d'utiliser la racine pour conserver cette valeur exactement.

Ecrivez une procédure *fusionner4* pour cette tactique, et obtenez un résultat correspondant à celui du problème 1.9.5.   □

1.10   Remarques bibliographiques

Nous distinguons trois catégories de recueils traitant de la conception d'algorithmes. Les livres *spécifiques* couvrent les algorithmes utiles à un domaine d'application particulier (tri, fouille, théorie des graphes, transformée de Fourier, etc.). Les livres *généraux* couvrent plusieurs domaines d'application ; ils présentent des algorithmes pertinents à chaque domaine. Finalement, les livres *d'algorithmique* se concentrent sur les techniques de conception d'algorithmes ; ils illustrent chaque technique par des exemples d'algorithmes tirés de divers domaines d'application.

La plus vaste encylopédie d'algorithmes jamais entreprise est sans doute celle de [Knuth 1968, 1969, 1973], originellement prévue en sept volumes. Mentionnons en ordre chronologique quelques autres monographies classiques dans la catégorie des livres généraux : [Aho, Hopcroft et Ullman 1974, Baase 1978, Dromey 1982, Sedgewick 1983, Melhorn 1984a, 1984b, 1984c]. Nous reviendrons sur les livres spécifiques au cours des prochains chapitres, lorsque leur sujet sera pertinent à la discussion en cours : [Nilsson 1971, Brigham 1974, Borodin et Munro 1975, Christofides 1975, Lawler 1976, Reingold, Nievergelt et Deo 1977, Even 1980, Papadimitriou et Steiglitz 1982, Tarjan 1983, Gondran et Minoux 1984]. En plus du présent ouvrage, voici quelques traités d'algorithmique : [Horowitz et Sahni 1978, Stinson 1985].

Pour des articles de vulgarisation sur les algorithmes, consultez [Knuth 1977, Lewis et Papadimitriou 1978]. L'algorithme de multiplication *à la russe* est décrit dans [Warusfel 1961], un remarquable petit livre de vulgarisation mathématique. Malgré le fait que nous n'utilisons aucun langage de programmation spécifique dans le présent ouvrage, nous suggérons au lecteur qui n'est pas déjà familier avec Pascal de consulter l'un des nombreux textes relatifs à ce sujet [Jensen et Wirth 1985, Lecarme et Nebut 1985].

Un grand nombre d'algorithmes de tri se trouvent dans [Knuth 1973]. La solution du problème 1.5.1 provient de [Shamir 1979]. L'algorithme capable de calculer le déterminant d'une matrice $n \times n$ en un temps dans l'ordre de $n^{2,81}$ est donné dans [Strassen 1969, Bunch et Hopcroft 1974]. L'algorithme rapide pour le calcul de la suite de Fibonacci (*fib*3) est expliqué dans [Gries et Levin 1980, Urbanek 1980]. Pour une introduction aux transformées de Fourier, lisez [Demars 1981] ; pour plus de références à ce sujet, consultez le chapitre 9 du présent ouvrage.

Dans le contexte des sections 1.6 et 1.7, nous encourageons le lecteur à lire [Bentley 1984] ; il y est expérimentalement démontré qu'une différence algorithmique peut permettre à un TRS-80 de battre un CRAY-1 à la course, les doigts dans le nez.

Pour plus de détails sur les structures de données, vous pouvez consulter [Knuth 1968, 1973, Stone 1972, Horowitz et Sahni 1976, Standish 1980, Aho, Hopcroft et Ullman 1983, Gonnett 1984]. Les arborescences AVL proviennent de [Adel'son-Vel'skii et Landis 1962] ; elles sont décrites en détail dans [Knuth 1973]. Un autre type d'arborescence équilibrée est présenté dans [Aho, Hopcroft et Ullman 1974]. Les notions de graphe et d'arborescence sont décrites d'un point de vue mathématique dans [Berge 1967, 1970]. Le monceau a été introduit comme structure de tri dans [Williams 1964]. Dans la suite de cet ouvrage, nous ne verrons que quelques utilisations des structures d'ensembles disjoints ; pour plus d'applications, consultez [Hopcroft et Karp 1971, Aho, Hopcroft et Ullman 1974, 1976].

Chapitre 2

Analyse de l'efficacité des algorithmes

2.1 Notations asymptotiques

Comme nous le mentionnions au premier chapitre, l'analyse théorique de l'efficacité d'un algorithme se fait à une constante multiplicative près, dans le but de ne pas tenir compte des variations introduites par un changement d'implantation, de langage de programmation ou d'ordinateur. A cette fin, nous introduisons maintenant de façon formelle certaines notations asymptotiques qui nous seront utiles tout au long de cet ouvrage.

2.1.1 La notation « l'ordre de »

Soient $\mathbb{N}$ et $\mathbb{R}$ l'ensemble des *entiers naturels* (positifs ou nul) et l'ensemble des *nombres réels*, respectivement. Nous dénotons par $\mathbb{N}^+$, $\mathbb{R}^+$ et $\mathbb{R}^*$ l'ensemble des entiers naturels *strictement positifs*, l'ensemble des nombres réels *strictement positifs*, et l'ensemble des nombres réels *positifs ou nul*, respectivement. Nous dénotons l'ensemble des *constantes booléennes* { *vrai, faux* } par $\mathbb{B}$.

Soit $f : \mathbb{N} \to \mathbb{R}^*$ une fonction quelconque. Définissons

$$O(f(n)) = \{\, t : \mathbb{N} \to \mathbb{R}^* \mid (\exists c \in \mathbb{R}^+)(\exists n_0 \in \mathbb{N})(\forall n \geqslant n_0)\,[t(n) \leqslant cf(n)]\,\}.$$

En d'autres termes, $O(f(n))$, qu'on prononce **l'ordre de** $f(n)$, est l'ensemble de toutes les fonctions $t(n)$ bornées supérieurement par un multiple réel positif de $f(n)$, en autant que n soit suffisamment grand, c'est-à-dire à partir d'un certain **seuil** n_0.

Par abus de notation, une fonction $t(n)$ est dans l'ordre de $f(n)$ même s'il peut arriver que $t(n)$ soit négatif, voire indéfini, lorsque $n < n_0$. Similairement, l'ordre de $f(n)$ a du sens même si $f(n)$ est négatif ou indéfini sur un nombre fini de valeurs de n, mais il faut alors prendre n_0 suffisamment grand pour que ceci ne se produise pas lorsque $n \geqslant n_0$. Par exemple, l'ordre de $n/\log n$ a du sens, et il est correct d'écrire que $n^3 - 3n^2 - n - 8 \in O(n^3)$.

Le principe d'invariance du chapitre précédent nous assure que si une implantation d'un algorithme donné ne prend jamais plus de $t(n)$ secondes sur un exemplaire de taille n, alors toute autre implantation du même algorithme prend un temps qui est dans l'ordre de $t(n)$ secondes. Nous disons qu'un tel algorithme prend un temps dans l'ordre de $f(n)$ pour n'importe quelle fonction $f : \mathbb{N} \to \mathbb{R}^*$ telle que $t(n) \in O(f(n))$. En particulier, puisque $t(n) \in O(t(n))$, il prend un temps dans l'ordre de $t(n)$. Nous tenterons toutefois, en général, de trouver la fonction f la plus simple possible telle que $t(n) \in O(f(n))$, afin d'exprimer l'ordre de l'algorithme.

PROBLÈME 2.1.1. Soit un algorithme dont une implantation prend un temps borné supérieurement par

$$t(n) = 3 \text{ secondes} - 18\,n \text{ millisecondes} + 27\,n^2 \text{ microsecondes}$$

sur tout exemplaire de taille n (remarquez qu'un tel comportement serait surprenant puisque $t(n)$ diminue lorsque n augmente, pour $n \leqslant 333$). Trouvez une fonction $f : \mathbb{N} \to \mathbb{R}^*$ aussi simple que possible telle que cet algorithme prenne un temps dans l'ordre de $f(n)$. Prouvez que $t(n) \in O(f(n))$. $\square$

PROBLÈME 2.1.2. Lesquelles des assertions suivantes sont vraies ? Prouvez vos réponses.

a) $n^2 \in O(n^3)$;

b) $n^3 \in O(n^2)$;

c) $2^{n+1} \in O(2^n)$;

d) $(n+1)! \in O(n!)$;

e) pour toute fonction $f : \mathbb{N} \to \mathbb{R}^*$, $f(n) \in O(n) \Rightarrow [f(n)]^2 \in O(n^2)$; et

f) pour toute fonction $f : \mathbb{N} \to \mathbb{R}^*$, $f(n) \in O(n) \Rightarrow 2^{f(n)} \in O(2^n)$. $\square$

PROBLÈME 2.1.3. Prouvez qu'une définition équivalente pour $O(f(n))$ aurait été

$$O(f(n)) = \{\, t : \mathbb{N} \to \mathbb{R}^* \,|\, (\exists c \in \mathbb{R}^+)\,(\forall n \in \mathbb{N})\,[t(n) \leqslant cf(n)] \,\},$$

en autant que $f(n)$ soit strictement positif pour chaque $n \in \mathbb{N}$. En d'autres termes, le seuil n_0 n'est pas nécessaire en principe, bien qu'il s'avère souvent utile en pratique. $\square$

PROBLÈME 2.1.4. Prouvez que si $f(n) \in O(g(n))$ et $g(n) \in O(h(n))$ alors $f(n) \in O(h(n))$. Concluez-en que si $g(n) \in O(h(n))$ alors $O(g(n)) \subseteq O(h(n))$. $\square$

Cette notation asymptotique permet d'obtenir une relation partielle d'ordre strict sur les fonctions et conséquemment sur l'efficacité relative des différents algorithmes pour résoudre un même problème, ainsi que le suggèrent les deux exercices suivants.

PROBLÈME 2.1.5. Quelles que soient les fonctions f et $g : \mathbb{N} \to \mathbb{R}^*$, prouvez que

i) $O(f(n)) = O(g(n))$ si et seulement si $f(n) \in O(g(n))$ et $g(n) \in O(f(n))$, et

ii) $O(f(n)) \subset O(g(n))$ si et seulement si $f(n) \in O(g(n))$ mais $g(n) \notin O(f(n))$. $\square$

PROBLÈME 2.1.6. Trouvez deux fonctions f et $g : \mathbb{N} \to \mathbb{N}^+$ telles que $f(n) \notin O(g(n))$ et $g(n) \notin O(f(n))$. Prouvez votre exemple. □

PROBLÈME 2.1.7. Quelles que soient les fonctions f et $g : \mathbb{N} \to \mathbb{R}^*$, prouvez que $O(f(n) + g(n)) = O(\max(f(n), g(n)))$. □

Le résultat du problème précédent est utile pour simplifier certains calculs asymptotiques. Par exemple, $n^3 + 3n^2 + n + 8 \in O(n^3 + (3n^2 + n + 8)) = O(\max(n^3, 3n^2 + n + 8)) = O(n^3)$. La dernière égalité tient malgré le fait que $\max(n^3, 3n^2 + n + 8) \neq n^3$ lorsque $0 \leqslant n \leqslant 3$, étant donné que les notations asymptotiques ne s'appliquent que lorsque n est suffisamment grand. Il faut cependant s'assurer que $f(n)$ et $g(n)$ soient bien des fonctions à valeur non négative, afin d'éviter de faux raisonnements comme

$$O(n^2) = O(n^3 + (n^2 - n^3)) = O(\max(n^3, n^2 - n^3)) = O(n^3).$$

Un peu d'astuce permet toutefois de conclure que $n^3 - 3n^2 - n - 8 \in O(n^3)$ puisque

$$n^3 - 3n^2 - n - 8 \in O(n^3 - 3n^2 - n - 8) = O(\tfrac{1}{2}n^3 + (\tfrac{1}{2}n^3 - 3n^2 - n - 8)) =$$
$$= O(\max(\tfrac{1}{2}n^3, \tfrac{1}{2}n^3 - 3n^2 - n - 8)) = O(\tfrac{1}{2}n^3) = O(n^3).$$

Ici encore, le fait que $\tfrac{1}{2}n^3 - 3n^2 - n - 8$ soit négatif lorsque $0 \leqslant n \leqslant 6$ n'est pas un obstacle. Il faut également faire attention aux faux raisonnements du genre de celui ci-dessous.

PROBLÈME 2.1.8. Trouvez l'erreur dans le raisonnement suivant :

$$\sum_{i=1}^{n} i = 1 + 2 + \cdots + n \in O(1 + 2 + \cdots + n) = O(\max(1, 2, ..., n)) = O(n).$$ □

PROBLÈME 2.1.9. La notion de limite est un outil puissant et versatile pour comparer deux fonctions. Soient f et $g : \mathbb{N} \to \mathbb{R}^+$. Prouvez que

i) $\displaystyle\lim_{n \to \infty} f(n)/g(n) \in \mathbb{R}^+ \Rightarrow O(f(n)) = O(g(n))$, et

ii) $\displaystyle\lim_{n \to \infty} f(n)/g(n) = 0 \Rightarrow O(f(n)) \subset O(g(n)) = O(g(n) \pm f(n))$, mais

iii) il se peut que $O(f(n)) = O(g(n))$ sans que la limite de $f(n)/g(n)$ n'existe lorsque n tend vers l'infini, et

iv) il se peut que $O(f(n)) \subset O(g(n))$ sans pour autant que la limite de $f(n)/g(n)$ n'existe lorsque n tend vers l'infini, ni que $O(g(n)) = O(g(n) - f(n))$. □

La règle de l'Hôpital est souvent utile pour l'application du problème précédent. Rappelons que si $\displaystyle\lim_{n \to \infty} f(n) = \lim_{n \to \infty} g(n) = 0$, ou si ces deux limites sont infinies, et si le domaine de ces fonctions peut être étendu à un intervalle $[n_0, +\infty)$ de nombres réels de telle façon que les nouvelles fonctions $\hat{f}(x)$ et $\hat{g}(x)$ soient dérivables sur cet intervalle et que $\hat{g}'(x)$, la dérivée de $\hat{g}(x)$, ne soit jamais nulle pour $x \in [n_0, +\infty)$, alors

$$\lim_{n \to \infty} f(n)/g(n) = \lim_{x \to \infty} \hat{f}'(x)/\hat{g}'(x),$$

en autant que cette dernière limite existe.

PROBLÈME 2.1.10. Utilisez la règle de l'Hôpital, ainsi que les problèmes 2.1.5 et 2.1.9, pour prouver que $(\log n) \in O(\sqrt{n})$ mais que $\sqrt{n} \notin O(\log n)$. $\qquad\square$

PROBLÈME 2.1.11. Soit x une constante réelle quelconque telle que $0 < x < 1$. Utilisez les relations $\subset$ et $=$ pour mettre en rang les ordres respectifs des fonctions suivantes :

$$n \log n, \quad n^8, \quad n^{1+x}, \quad (1+x)^n, \quad (n^2 + 8n + \log^3 n)^4 \quad \text{et} \quad n^2/\log n.$$

Prouvez votre réponse. $\qquad\square$

* **PROBLÈME 2.1.12.** Soient f et $g : \mathbb{N} \to \mathbb{R}^+$ deux fonctions croissantes et soit une constante réelle strictement positive c telle que, pour tout entier n,

i) $4g(n) \leqslant g(2n) \leqslant 8g(n)$ et

ii) $f(2n) \leqslant 2f(n) + cg(n)$.

Prouvez que

iii) $f(n) \in O(g(n))$. $\qquad\square$

2.1.2 Les autres notations asymptotiques

La notion que nous venons de voir est utile pour estimer une limite supérieure au temps que prendra un algorithme sur un exemplaire donné. Il peut également être intéressant de pouvoir estimer une limite *inférieure* à ce temps. La notation suivante est proposée dans ce but :

$$\Omega(f(n)) = \{\, t : \mathbb{N} \to \mathbb{R}^* \mid (\exists c \in \mathbb{R}^+)(\exists n_0 \in \mathbb{N})(\forall n \geqslant n_0)\,[t(n) \geqslant cf(n)]\,\}.$$

En d'autres termes, $\Omega(f(n))$, qu'on prononce sans imagination **oméga de** $f(n)$, est l'ensemble de toutes les fonctions $t(n)$ bornées inférieurement par un multiple réel positif de $f(n)$, en autant que n soit suffisamment grand. La symétrie entre les notations O et Ω est mise en évidence par l'exercice suivant :

PROBLÈME 2.1.13. Quelles que soient les fonctions f et $g : \mathbb{N} \to \mathbb{R}^*$, prouvez que $f(n) \in O(g(n))$ si et seulement si $g(n) \in \Omega(f(n))$. $\qquad\square$

Dans une analyse en pire cas, il y a cependant une asymétrie fondamentale entre les notations O et Ω. Si un algorithme prend un temps dans $O(f(n))$ en pire cas, il existe une constante réelle positive c telle qu'un temps de $cf(n)$ suffise à l'algorithme sur le pire exemplaire de taille n, pour chaque n suffisamment grand. Ce temps est forcément suffisant pour tous les autres exemplaires de taille n, puisqu'ils ne peuvent prendre plus de temps que le pire exemplaire. Il ne peut donc exister qu'un nombre fini d'exemplaires, tous de taille inférieure au seuil, sur lesquels l'algorithme prend un temps supérieur à $cf(n)$. Ces exceptions peuvent toutes être éliminées par l'exercice 2.1.3, en prenant une constante plus grande. Par contre, si un algorithme prend un temps dans $\Omega(f(n))$ en pire cas, il existe une constante réelle positive d telle que l'algorithme requiert un temps supérieur à $df(n)$ sur le pire exemplaire de taille n, pour chaque n suffisamment grand. Ceci n'exclut aucunement la possibilité qu'un temps beaucoup plus modeste suffise à résoudre d'autres exemplaires de taille n. Il peut donc exister une infinité d'exemplaires sur lesquels l'algorithme prend un temps inférieur à $df(n)$. Le tri par insertion simple, dont il a été question dans la section 1.4, est un exemple typique de ce comportement : il prend un temps dans $\Omega(n^2)$ en pire cas, malgré le fait qu'il lui suffise d'un temps dans l'ordre de n pour chaque exemplaire préalablement trié.

Nous serons davantage satisfaits de notre analyse asymptotique d'un algorithme si son temps d'exécution est borné à la fois inférieurement et supérieurement par des multiples réels positifs (possiblement différents) d'une même fonction. Pour cette raison, nous introduisons une dernière notation :
$$\theta(f(n)) = O(f(n)) \cap \Omega(f(n)),$$
prononcée **l'ordre exact de** $f(n)$.

PROBLÈME 2.1.14. Prouvez que $f(n) \in \theta(g(n))$ si et seulement si
$$(\exists c, d \in \mathbb{R}^+)(\exists n_0 \in \mathbb{N})(\forall n \geqslant n_0)\left[cg(n) \leqslant f(n) \leqslant dg(n)\right]. \qquad \square$$

Le problème suivant montre que la notation θ n'est pas plus puissante que la notation O lorsqu'il s'agit de comparer les ordres respectifs de deux fonctions.

PROBLÈME 2.1.15. Quelles que soient les fonctions f et $g : \mathbb{N} \to \mathbb{R}^*$, prouvez que $O(f(n)) = O(g(n))$ si et seulement si $\theta(f(n)) = \theta(g(n))$ si et seulement si $f(n) \in \theta(g(n))$. $\qquad \square$

PROBLÈME 2.1.16. Faisant suite au problème 2.1.9, prouvez que si f et $g : \mathbb{N} \to \mathbb{R}^+$ sont deux fonctions quelconques, alors

i) $\lim\limits_{n \to \infty} f(n)/g(n) \in \mathbb{R}^+ \Rightarrow f(n) \in \theta(g(n))$,

ii) $\lim\limits_{n \to \infty} f(n)/g(n) = 0 \Rightarrow f(n) \in O(g(n))$ mais $f(n) \notin \theta(g(n))$, et

iii) $\lim\limits_{n \to \infty} f(n)/g(n) = +\infty \Rightarrow f(n) \in \Omega(g(n))$ mais $f(n) \notin \theta(g(n))$. $\qquad \square$

PROBLÈME 2.1.17. Prouvez les assertions suivantes :

i) $\log_a n \in \theta(\log_b n)$ quelles que soient les constantes $a, b > 1$
   (si bien que nous ne spécifions généralement pas la base du logarithme dans les expressions asymptotiques), mais $2^{\log_a n} \notin \theta(2^{\log_b n})$ si $a \neq b$,

ii) $\sum\limits_{i=1}^{n} i^k \in \theta(n^{k+1})$ pour tout entier $k \geqslant 0$ fixé
   (la constante cachée dans la notation « θ » peut dépendre de la valeur de k),

iii) $\log(n!) \in \theta(n \log n)$, et

iv) $\displaystyle\sum_{i=1}^{n} i^{-1} \in \theta(\log n)$.   □

2.1.3   Notations asymptotiques à plusieurs paramètres

Il peut arriver lors de l'analyse d'un algorithme que son temps d'exécution dépende simultanément de plus d'un paramètre de l'exemplaire. Cette situation est typique pour certains algorithmes de graphes qui dépendent à la fois du nombre de sommets et du nombre d'arêtes. Dans de tels cas, la notion de « taille de l'exemplaire », dont il a été question jusqu'à maintenant, peut perdre beaucoup de son sens. C'est pourquoi les notations asymptotiques sont généralisées de façon naturelle aux fonctions à plusieurs arguments.

Soit $f : \mathbb{N} \times \mathbb{N} \to \mathbb{R}^*$ une fonction quelconque. Définissons

$$O(f(m, n)) = \{\, t : \mathbb{N} \times \mathbb{N} \to \mathbb{R}^* \mid (\exists c \in \mathbb{R}^+) (\exists m_0, n_0 \in \mathbb{N}) (\forall n \geqslant n_0) (\forall m \geqslant m_0)$$
$$[t(m, n) \leqslant cf(m, n)] \,\}.$$

La généralisation aux autres notations asymptotiques et aux fonctions de plus de deux arguments se fait de façon similaire.

Il existe toutefois une différence essentielle entre les notations asymptotiques à un seul et à plusieurs paramètres : contrairement à ce qui était indiqué dans le problème 2.1.3, il peut arriver que les seuils m_0 et n_0 soient indispensables. Ceci s'explique par le fait qu'il n'y a jamais qu'un nombre fini de $n \geqslant 0$ tels qu'on n'ait pas $n \geqslant n_0$ alors qu'il y a en général une infinité de couples $\langle m, n \rangle$ tels que $m \geqslant 0, n \geqslant 0$ et tels qu'on n'ait pas simultanément $m \geqslant m_0$ et $n \geqslant n_0$.

* PROBLÈME 2.1.18.   Donnez explicitement une fonction $f : \mathbb{N} \times \mathbb{N} \to \mathbb{R}^+$ telle que

$$O(f(m, n)) \neq \{\, t : \mathbb{N} \times \mathbb{N} \to \mathbb{R}^* \mid (\exists c \in \mathbb{R}^+) (\forall m, n \in \mathbb{N}) [t(m, n) \leqslant cf(m, n)] \,\}. \quad □$$

2.1.4   Opérations sur les notations asymptotiques

Afin d'alléger certains calculs, les notations asymptotiques peuvent être manipulées à l'aide d'opérateurs arithmétiques. Par exemple, $O(f(n)) + O(g(n))$ représente l'ensemble des fonctions pouvant être obtenues en ajoutant une fonction de $O(f(n))$ à une fonction de $O(g(n))$. Il faut y penser intuitivement comme représentant l'ordre du temps d'un algorithme composé d'un module prenant un temps dans l'ordre de $f(n)$ suivi d'un autre module prenant un temps dans l'ordre de $g(n)$. Des constantes cachées différentes peuvent donc multiplier $f(n)$ et $g(n)$, ce qui ne change toutefois rien (problème 2.1.19 (a)).

De façon formelle, si X et Y sont des ensembles de fonctions de $\mathbb{N}$ dans $\mathbb{R}^*$ et si **op** est un opérateur binaire quelconque, X **op** Y dénote

$$\{\, t : \mathbb{N} \to \mathbb{R}^* \mid (\exists f \in X) (\exists g \in Y) (\exists n_0 \in \mathbb{N}) (\forall n \geqslant n_0) [t(n) = f(n) \,\mathbf{op}\, g(n)] \,\}.$$

Par abus de notation, si g est une fonction de $\mathbb{N}$ dans $\mathbb{R}^*$, nous utilisons X **op** g pour dénoter X **op** $\{ g \}$. De plus, si $a \in \mathbb{R}^*$, nous utiliserons X **op** a pour dénoter X **op** Id_a où $Id_a : \mathbb{N} \to \mathbb{R}^*$ est la fonction constante $Id_a(n) = a$ pour tout entier n. Bien entendu, nous utilisons également les notations symétriques g **op** X et a **op** X, et toute cette théorie d'opération sur les ensembles s'étend de façon naturelle aux opérateurs autres que binaires.

Ces notations entrent occasionnellement en conflit avec certaines conventions mathématiques. C'est ainsi par exemple que $[O(f(n))]^2$ ne dénote *pas* l'ensemble des couples de fonctions prises parmi l'ensemble $O(f(n))$. De même, $O(f(n)) \times O(g(n))$ ne dénote *pas* le produit cartésien de $O(f(n))$ par $O(g(n))$. Bien entendu, si N est l'ensemble des nœuds d'un graphe orienté, $N \times N$ dénote comme d'habitude l'ensemble des arcs possibles entre ces nœuds. Le contexte permet dans chaque cas de lever l'ambiguïté. Il n'y a qu'un seul cas où il faut prendre garde. Une réelle ambiguïté se produit si le symbole « $-$ » est utilisé pour la différence de deux ensembles : que veut dire $O(n^3) - O(n^2)$, par exemple ? Nous résolvons cette ambiguïté en n'utilisant le « $-$ » que comme opérateur arithmétique de soustraction et en utilisant le « $\setminus$ » pour dénoter la différence ensembliste : $A \setminus B = \{ x \in A \mid x \notin B \}$.

PROBLÈME 2.1.19.   Soient f et g deux fonctions quelconques de $\mathbb{N}$ dans $\mathbb{R}^*$. Prouvez les identités suivantes :

i) $\theta(f(n)) + \theta(g(n)) = \theta(f(n) + g(n)) = \theta(\max(f(n), g(n)))$

$\quad = \max(\theta(f(n)), \theta(g(n)))$;

ii) $\theta([f(n)]^2) = [\theta(f(n))]^2$;   et

iii) $[1 + \theta(1)]^n = 2^{\theta(n)}$. $\qquad\qquad\qquad\qquad\qquad\qquad\qquad\qquad\qquad$ □

Un autre type d'opération sur les notations asymptotiques permet d'imbriquer celles-ci. Soit X un ensemble de fonctions de $\mathbb{N}$ dans $\mathbb{R}^*$, possiblement défini par une notation asymptotique. $O(X)$ dénote $\bigcup_{f \in X} O(f(n))$, c'est-à-dire $\{ t : \mathbb{N} \to \mathbb{R}^* \mid (\exists f \in X)\,[t \in O(f(n))] \}$. Les autres notations asymptotiques sont définies de façon analogue.

EXEMPLE 2.1.1.   Bien qu'on puisse simplifier cette expression, la façon naturelle d'exprimer le temps d'exécution de l'algorithme de Dixon pour la factorisation entière (voir la section 8.5.3) est

$$O(e^{O(\sqrt{\ln n \ln \ln n})}),$$

où n est la *valeur* de l'entier à factoriser. $\qquad\qquad\qquad\qquad\qquad\qquad$ □

2.1.5   Notations asymptotiques conditionnelles

Plusieurs algorithmes sont plus faciles à analyser lorsqu'on ne considère au départ que des exemplaires dont la taille respecte une certaine condition, comme d'être une puissance de deux. Pour cette raison, nous introduisons les notations

asymptotiques contidionnelles. Soit $f : \mathbb{N} \to \mathbb{R}^*$ une fonction quelconque et soit
$P : \mathbb{N} \to \mathbb{B}$ un prédicat sur $\mathbb{N}$. Définissons

$$O(f(n) \mid P(n)) = \{\, t : \mathbb{N} \to \mathbb{R}^* \mid (\exists c \in \mathbb{R}^+)\,(\exists n_0 \in \mathbb{N})\,(\forall n \geqslant n_0)$$
$$[P(n) \Rightarrow t(n) \leqslant cf(n)] \,\}\,.$$

En d'autres termes, $O(f(n) \mid P(n))$, qu'on prononce **l'ordre de** $f(n)$ **lorsque** $P(n)$, est
l'ensemble de toutes les fonctions $t(n)$ bornées supérieurement par un multiple réel
positif de $f(n)$, en autant que n soit suffisamment grand et qu'il respecte la condition
$P(n)$. La notation déjà définie $O(f(n))$ correspond donc à $O(f(n) \mid P(n))$, où le prédicat
$P(n)$ prend toujours la valeur *vrai*. Les notations $\Omega(f(n) \mid P(n))$ et $\theta(f(n) \mid P(n))$ sont
définies de façon analogue, ainsi que les notations à plusieurs paramètres.

Le principal intérêt des notations conditionnelles est qu'on peut généralement les
éliminer après s'en être servi pour faciliter l'analyse d'un algorithme. Vous avez probablement utilisé implicitement cette notion dans votre solution au problème 2.1.12.
Une fonction $t : \mathbb{N} \to \mathbb{R}^*$ est **éventuellement non décroissante** si

$$(\exists n_0 \in \mathbb{N})\,(\forall n \geqslant n_0)\,\big[t(n) \leqslant t(n + 1)\big]\,.$$

Soit $b \geqslant 2$ un entier quelconque. Une telle fonction est b-**harmonieuse** si, en plus d'être
éventuellement non décroissante, elle respecte la condition $t(bn) \in O(t(n))$. Finalement, elle est **harmonieuse** si elle est b-harmonieuse pour tout entier $b \geqslant 2$. Le problème suivant fait le lien entre ces notions.

∗ **PROBLÈME** 2.1.20. Soit $b \geqslant 2$ un entier quelconque, soit $f : \mathbb{N} \to \mathbb{R}^*$ une
fonction b-harmonieuse, et soit $t : \mathbb{N} \to \mathbb{R}^*$ une fonction éventuellement non décroissante telle que $t(n) \in \theta(f(n) \mid n$ est une puissance de $b)$. Prouvez que $t(n) \in \theta(f(n))$.
Montrez à l'aide de deux exemples spécifiques que les conditions « $t(n)$ est éventuellement non décroissante » et « $f(bn) \in O(f(n))$ » sont nécessaires pour obtenir ce résultat en général. (A noter que cette proposition reste vraie si l'on remplace θ par O.)   □

Illustrons ce principe à l'aide d'un exemple inspiré de l'algorithme du tri par
fusion de la section 4.4 :

EXEMPLE 2.1.2. Soit $t(n)$ donné par l'équation suivante :

$$t(n) = \begin{cases} a & \text{si} \quad n = 1 \\ t(\lfloor n/2 \rfloor) + t(\lceil n/2 \rceil) + bn & \text{sinon}\,, \end{cases}$$

où a et b sont des constantes réelles positives quelconques. L'utilisation des plafonds
et des planchers rend cette équation assez difficile à analyser. Si l'on se restreint au
cas où n est une puissance de deux, cependant, elle devient

$$t(n) = \begin{cases} a & \text{si} \quad n = 1 \\ 2t(n/2) + bn & \text{si} \quad n > 1\,, \quad n \text{ est une puissance de deux}\,. \end{cases}$$

Les techniques de la section 2.3, en particulier le problème 2.3.6, nous donnent
immédiatement que $t(n) \in \theta(n \log n \mid n$ est une puissance de deux). Afin d'appliquer
le résultat du problème précédent pour conclure que $t(n) \in \theta(n \log n)$, il suffit de
montrer que $t(n)$ est une fonction éventuellement non décroissante et que $n \log n$
est une fonction bi-harmonieuse.

La preuve que $(\forall n \geqslant 1)\,[t(n) \leqslant t(n+1)]$ est par induction mathématique généralisée. Notons d'abord que $t(1) = a \leqslant 2(a+b) = t(2)$. Soit $n > 1$. Supposons par hypothèse d'induction que $(\forall m < n)\,[t(m) \leqslant t(m+1)]$. En particulier, $t(\lfloor n/2 \rfloor) \leqslant t(\lfloor (n+1)/2 \rfloor)$ et $t(\lceil n/2 \rceil) \leqslant t(\lceil (n+1)/2 \rceil)$. Donc, $t(n) = t(\lfloor n/2 \rfloor) + t(\lceil n/2 \rceil) + bn \leqslant t(\lfloor (n+1)/2 \rfloor) + t(\lceil (n+1)/2 \rceil) + b(n+1) = t(n+1)$.

Finalement, le fait que $n \log n$ soit éventuellement non décroissante est évident. C'est donc bien une fonction bi-harmonieuse puisque $2n \log (2n) = 2n(\log 2 + \log n) = (2 \log 2)\,n + 2n \log n \in 0(n + n \log n) = O(\max (n, n \log n)) = O(n \log n)$.

$\square$

2.1.6 Équations de récurrence asymptotiques

Lors de l'analyse d'algorithmes, nous n'avons pas toujours à analyser des équations de récurrence aussi précises que celle de l'exemple 2.1.2 de la section précédente. Nous rencontrons plus souvent des inéquations du genre

$$t(n) \leqslant \begin{cases} t_1(n) & \text{si } n \leqslant n_0 \\ t(\lfloor n/2 \rfloor) + t(\lceil n/2 \rceil) + cn & \text{sinon} \end{cases}$$

et simultanément

$$t(n) \geqslant \begin{cases} t_2(n) & \text{si } n \leqslant n_0 \\ t(\lfloor n/2 \rfloor) + t(\lceil n/2 \rceil) + dn & \text{sinon}, \end{cases}$$

pour des constantes $c, d \in \mathbb{R}^+$, $n_0 \in \mathbb{N}$, et pour des fonctions initiales appropriées t_1, $t_2 : \mathbb{N} \to \mathbb{R}^+$. Les notations asymptotiques permettent d'exprimer de telles contraintes d'une façon particulièrement succincte :

$$t(n) \in t(\lfloor n/2 \rfloor) + t(\lceil n/2 \rceil) + \theta(n)\,.$$

Afin de résoudre de telles inéquations, il est pratique de les transformer en équations. Soient a et b deux constantes réelles strictement positives quelconques. Définissons la fonction $t_{a,b} : \mathbb{N} \to \mathbb{R}$ par

$$t_{a,b}(n) = \begin{cases} a & \text{si } n = 1 \\ t_{a,b}(\lfloor n/2 \rfloor) + t_{a,b}(\lceil n/2 \rceil) + bn & \text{sinon}. \end{cases}$$

Indépendamment des constantes a et b, nous avons vu dans la section précédente que $t_{a,b}(n) \in \theta(n \log n)$.

Revenons maintenant à la fonction $t(n)$ donnée précédemment par des inéquations. En choisissant des constantes u et v appropriées, il est facile de démontrer par induction mathématique que $t_{v,v}(n) \leqslant t(n) \leqslant t_{u,c}(n)$ pour tout entier n. Etant donné que $t_{v,d}(n) \in \Omega(n \log n)$ et que $t_{u,c}(n) \in O(n \log n)$, nous concluons par transitivité que $t(n) \in \theta(n \log n)$.

Le passage des inéquations originales vers une équation paramétrisée est utile à deux points de vue. Il évite bien sûr de devoir prouver indépendamment que $t(n) \in O(n \log n)$ et que $t(n) \in \Omega(n \log n)$. Ce qui est toutefois plus important, c'est qu'elle permet de restreindre l'analyse, en un premier temps, au cas plus facile où n est une puissance de deux. Il est ensuite possible, par le biais des notations asymptotiques

conditionnelles et de la technique du problème 2.1.20, de généraliser automatiquement au cas où *n* est un entier quelconque. Ceci ne peut se faire directement avec les
inéquations originales, parce qu'elles ne permettent pas de conclure que $t(n)$ est une
fonction éventuellement non décroissante, condition essentielle à l'application du
problème 2.1.20.

2.1.7   La technique de l'induction constructive

Le principe de l'induction mathématique est surtout connu comme technique
de preuve. Bien trop souvent, il est utilisé pour démontrer des énoncés qui semblent
être tirés d'un chapeau. La *véracité* de ceux-ci est alors indiscutable, mais leur *origine*
demeure mystérieuse. Pourtant, l'induction mathématique est un outil puissant,
permettant de découvrir l'énoncé même de certains théorèmes qu'on ne fait que
soupçonner. L'application de ce principe permet simultanément de démontrer la
véracité d'énoncés encore incomplètement spécifiés, et de déterminer les spécifications
manquantes grâce auxquelles ils sont vrais. Ainsi que nous le verrons dans
l'exemple 2.1.4 et dans le problème 2.1.23, cette technique de l'**induction constructive** est particulièrement utile pour résoudre certaines équations de récurrence dans
le contexte des notations asymptotiques. Commençons toutefois par un exemple
simple.

EXEMPLE 2.1.3.   Soit $f : \mathbb{N} \to \mathbb{N}$ la fonction définie par l'équation de récurrence suivante :

$$f(n) = \begin{cases} 0 & \text{si } n = 0 \\ n + f(n-1) & \text{sinon} . \end{cases}$$

Il est facile de voir que $f(n) = \sum_{i=0}^{n} i$. Prétendez pour l'instant que vous ignorez que
$f(n) = n(n+1)/2$, mais que vous recherchez une telle formule. Il est évident que
$f(n) = \sum_{i=0}^{n} i \leqslant \sum_{i=0}^{n} n = n^2$, donc que $f(n) \in O(n^2)$. Ceci permet de formuler l'hypothèse que $f(n)$ pourrait être un polynôme quadratique. Formulons donc l'**hypothèse
d'induction partiellement spécifiée** $HI(n)$ selon laquelle $f(n) = an^2 + bn + c$. Cette
hypothèse est partielle en ce que les constantes *a*, *b* et *c* ne sont pas encore connues.
La technique de l'induction constructive consiste à tenter la démonstration de cette
hypothèse incomplète par induction mathématique. Chemin faisant, nous récoltons
suffisamment de contraintes sur les constantes pour en déterminer la valeur.

En supposant $HI(n-1)$ pour $n \geqslant 1$ quelconque, nous savons que
$$f(n) = n + f(n-1) = n + a(n-1)^2 + b(n-1) + c$$
$$= an^2 + (1 + b - 2a)n + (a - b + c).$$
Pour pouvoir en conclure $HI(n)$, il faudrait que $f(n) = an^2 + bn + c$. Les coefficients de chaque puissance de *n* devant être égaux, nous obtenons deux équations
linéaires non triviales reliant nos trois inconnues : $1 + b - 2a = b$ et $a - b + c = c$.
Ces équations nous indiquent que $a = b = 1/2$, toute liberté étant conservée sur la
valeur de *c*. Nous disposons donc maintenant d'une nouvelle hypothèse plus complète

que nous continuerons d'appeler $HI(n)$: $f(n) = n^2/2 + n/2 + c$. Nous venons de démontrer que la véracité de $HI(n-1)$ implique celle de $HI(n)$ pour tout $n \geqslant 1$. Il suffirait d'établir la véracité de $HI(0)$ pour pouvoir conclure, par le principe d'induction mathématique, que $HI(n)$ est vraie pour tout entier n. $HI(0)$ dit précisément que $f(0) = a0^2 + b0 + c = c$. Etant donné que $f(0) = 0$, nous concluons que $c = 0$ et que $f(n) = n^2/2 + n/2$ est vrai pour tout entier n.   □

Dans le cas de l'exemple précédent, il aurait été plus simple de déterminer les valeurs de a, b et c en construisant trois équations linéaires à partir de $HI(n)$, pour $n = 0$, 1 et 2 :

$$c = 0$$
$$a + b + c = 1$$
$$4a + 2b + c = 3.$$

La résolution de ce système donne immédiatement que $a = 1/2$, $b = 1/2$ et $c = 0$. Une telle approche ne peut cependant en aucun cas être considérée comme une *preuve* que $f(n) = n^2/2 + n/2$, puisque rien ne permet d'affirmer *a priori* que $f(n)$ est effectivement donnée par un polynôme quadratique. Il faudrait donc de toute façon faire suivre la détermination des constantes par une preuve par induction mathématique.

Certaines équations de récurrence sont plus difficiles à résoudre que celle de l'exemple 2.1.3. Même les techniques que nous verrons dans la section 2.3 peuvent s'avérer impuissantes à l'occasion. Toutefois, dans le contexte des notations asymptotiques, une résolution exacte des équations de récurrence est généralement superflue, puisqu'il peut suffire d'établir une borne supérieure sur la valeur qui nous intéresse. La technique de l'induction constructive prend alors toute sa puissance.

EXEMPLE 2.1.4. Soit la fonction $t : \mathbb{N}^+ \to \mathbb{R}^+$ spécifiée par l'équation de récurrence

$$t(n) = \begin{cases} a & \text{si } n = 1 \\ bn^2 + nt(n-1) & \text{sinon}, \end{cases}$$

où a et b sont des constantes réelles positives quelconques. Bien que cette équation ne soit pas facile à résoudre exactement, elle ressemble tellement à l'équation caractéristique de la factorielle ($n! = n \times (n-1)!$), qu'il est naturel d'émettre l'hypothèse selon laquelle $t(n) \in \theta(n!)$. Pour établir la véracité de cette hypothèse, nous prouverons indépendamment que $t(n) \in O(n!)$ et que $t(n) \in \Omega(n!)$. La technique de l'induction constructive est utile dans les deux cas. Pour raisons de simplicité, commençons par prouver que $t(n) \in \Omega(n!)$, c'est-à-dire qu'il existe une constante réelle positive u telle que $t(n) \geqslant un!$ pour tout entier positif n. Supposons par hypothèse d'induction partiellement spécifiée que $t(n-1) \geqslant u(n-1)!$, pour $n > 1$. Par définition de $t(n)$, nous savons que $t(n) = bn^2 + nt(n-1) \geqslant bn^2 + nu(n-1)! = bn^2 + un! \geqslant un!$. Nous voyons donc que $t(n) \geqslant un!$ est toujours vrai, indépendamment de la valeur de u, en autant que $t(n-1) \geqslant u(n-1)!$ le soit. Pour pouvoir conclure que $t(n) \geqslant un!$ est vrai pour tout entier positif n, il suffit qu'il le soit pour $n = 1$, c'est-à-dire que $t(1) \geqslant u$. Etant donné que $t(1) = a$, ceci revient à dire que $u \leqslant a$. En choisissant $u = a$, nous venons d'établir que $t(n) \geqslant an!$ pour tout entier positif n, donc que $t(n) \in \Omega(n!)$.

Forts de ce succès, essayons maintenant de démontrer que $t(n) \in O(n!)$ en prouvant l'existence d'une constante réelle positive v telle que $t(n) \leqslant vn!$ pour tout entier positif n. Supposons donc par hypothèse d'induction partiellement spécifiée que $t(n-1) \leqslant v(n-1)!$, pour $n > 1$. Comme d'habitude, ceci nous permet d'affirmer que $t(n) = bn^2 + nt(n-1) \leqslant bn^2 + vn!$. Mais notre but est de démontrer que $t(n) \leqslant vn!$. Malheureusement, aucune valeur positive de v ne permet de conclure que $t(n) \leqslant vn!$ sous l'hypothèse que $t(n) \leqslant bn^2 + vn!$. Nous pourrions donc croire que l'induction constructive est impuissante dans ce contexte, ou même que l'hypothèse selon laquelle $t(n) \in O(n!)$ est fausse.

Il est pourtant possible d'arriver à nos fins. Plutôt que de vouloir prouver directement que $t(n) \leqslant vn!$, utilisons l'induction constructive pour déterminer des constantes réelles positives v et w telles que $t(n) \leqslant vn! - wn$ pour tout entier positif n. Cette idée peut sembler étrange puisque $t(n) \leqslant vn! - wn$ est un énoncé *plus fort* que le $t(n) \leqslant vn!$ que nous étions incapables de prouver. L'espoir de succès vient du fait que si l'énoncé à prouver est plus fort, il en est de même de l'hypothèse d'induction correspondante.

Supposons donc par hypothèse d'induction partiellement spécifiée que $t(n-1) \leqslant v(n-1)! - w(n-1)$, pour $n > 1$. Nous en concluons par définition de la fonction $t(n)$ que

$$t(n) = bn^2 + nt(n-1) \leqslant bn^2 + n(v(n-1)! - w(n-1))$$

$$= vn! + ((b-w)n + w)n.$$

Pour pouvoir en conclure que $t(n) \leqslant vn! - wn$, il faut et il suffit que $(b-w)n + w \leqslant -w$. Cette inégalité est respectée si et seulement si $n \geqslant 3$ et $w \geqslant bn/(n-2)$. Etant donné que $n/(n-2) \leqslant 3$ pour tout $n \geqslant 3$, nous pouvons en particulier choisir $w = 3b$ afin de s'assurer que $t(n) \leqslant vn! - wn$ soit une conséquence de l'hypothèse $t(n-1) \leqslant v(n-1)! - w(n-1)$, indépendamment de la valeur de v, en autant que $n \geqslant 3$.

Il ne reste plus qu'à ajuster la constante v pour tenir compte des cas $n \leqslant 2$. Dans le cas $n = 1$, nous savons que $t(1) = a$. Pour pouvoir en déduire que $t(n) \leqslant v - 3b$, il faut et il suffit que $v \geqslant a + 3b$. Dans le cas $n = 2$, une application de l'équation de récurrence définissant $t(n)$ nous donne que $t(2) = 4b + 2t(1) = 4b + 2a$. Pour pouvoir en déduire que $t(n) \leqslant 2v - 6b$, il faut et il suffit que $v \geqslant a + 5b$, ce qui est plus fort que la condition précédente. Nous pouvons en particulier choisir $v = a + 5b$.

La conclusion de tout ceci est que $t(n) \in \theta(n!)$ puisque

$$an! \leqslant t(n) \leqslant (a + 5b)n! - 3bn$$

pour tout entier positif n. Le lecteur perplexe est encouragé à redémontrer cette dernière affirmation, maintenant complètement spécifiée, par induction mathématique.   □

La difficulté du problème suivant illustre bien l'intérêt de la technique de l'induction constructive, grâce à laquelle il a été possible de prouver que $t(n) \in \theta(n!)$ sans avoir à trouver une formule exacte pour $t(n)$.

* PROBLÈME 2.1.21. Faisant suite à l'exemple 2.1.4, résolvez exactement l'équation de récurrence définissant $t(n)$. Déterminez la constante réelle positive c, fonction de a et b, telle que

$$\lim_{n \to \infty} \frac{t(n)}{n!} = c.$$

Bien entendu, vous trouverez $a \leqslant c \leqslant a + 5b$. □

PROBLÈME 2.1.22. Soient $k \in \mathbb{N}$ et $a, b \in \mathbb{R}^+$ des constantes quelconques. Soit la fonction $g : \mathbb{N}^+ \to \mathbb{R}^+$ spécifiée par l'équation de récurrence

$$g(n) = \begin{cases} a & \text{si } n = 1 \\ bn^k + ng(n-1) & \text{sinon}. \end{cases}$$

Prouvez que $g(n) \in \theta(n!)$. □

Le problème suivant illustre l'utilisation de l'induction constructive dans un contexte où la fonction à analyser est donnée sous la forme d'une équation de récurrence asymptotique. Cet exemple est tiré de l'analyse d'un algorithme de la section 4.7 pour la multiplication rapide des grands entiers.

* PROBLÈME 2.1.23. Soit $g : \mathbb{N}^+ \to \mathbb{R}^+$ une fonction telle que
$$g(n) \in g(\lfloor n/2 \rfloor) + g(\lceil n/2 \rceil) + g(1 + \lceil n/2 \rceil) + O(n).$$

Prouvez que $g(n) \in O(n^{\lg 3})$. Nous vous suggérons de trouver deux constantes réelles positives a et b telles que $g(n) \leqslant an^{\lg 3} - bn$ pour tout entier positif n. Vous pouvez utiliser sans preuve le fait que $(n + 3)^{\lg 3} \leqslant n^{\lg 3} + n/3$ pour tout entier $n \geqslant 607$. □

2.1.8 Pour vos lectures subséquentes

Les notations introduites dans ce chapitre ne sont pas universellement acceptées. Trois différences majeures peuvent se trouver dans d'autres textes. La plus frappante d'entre elles, c'est qu'on trouve généralement des énoncés comme $n^2 = O(n^3)$, là où nous écrivons $n^2 \in O(n^3)$. L'utilisation de cette *égalité à sens unique* (car on n'écrit pas $O(n^3) = n^2$), bien que bizarre, perdure pour des raisons historiques. Elle fait également prononcer que le temps d'un algorithme est *de* l'ordre de $f(n)$, plutôt que *dans* cet ordre.

La seconde différence est moins évidente mais plus importante, puisqu'elle risque d'induire en erreur le lecteur non averti. Certains textes (mais certes pas la majorité) définissent
$$\Omega(f(n)) = \{ t : \mathbb{N} \to \mathbb{R}^* \mid (\exists c \in \mathbb{R}^+)(\forall n_0 \in \mathbb{N})(\exists n \geqslant n_0)[t(n) \geqslant cf(n)] \}.$$

Avec une telle définition, un algorithme prend un temps dans $\Omega(f(n))$ s'il existe une infinité d'exemplaires x forçant l'algorithme à prendre au moins $cf(|x|)$ étapes. Ceci correspond mieux à l'intuition de ce qu'une borne inférieure devrait être en algorithmique. De plus, une telle définition permet de résoudre élégamment l'asymétrie entre O et Ω notée après le problème 2.1.13. Malheureusement, cette notation est difficile à manipuler, en particulier parce qu'elle n'est pas transitive et parce qu'elle rend θ non symétrique.

La troisième différence est au sujet de la définition de la notation O. On trouve souvent

$$O(f(n)) = \{ \, t : \mathbb{N} \to \mathbb{R} \mid (\exists c \in \mathbb{R}^+) \, (\exists n_0 \in \mathbb{N}) \, (\forall n \geqslant n_0) \, [|t(n)| \leqslant cf(n)] \, \} \,,$$

où $|t(n)|$ dénote (ici seulement) la valeur absolue de $t(n)$. Avec une telle définition, on écrirait $n^3 - n^2 \in n^3 + O(n^2)$. Bien entendu, le sens de « tel algorithme prend un temps dans $O(n^2)$ » reste inchangé car ce temps n'est en aucun cas négatif. Par contre, un énoncé comme $\theta(f(n)) + \theta(g(n)) = \theta(\max(f(n), g(n)))$ ne tient plus. Voyez-vous pourquoi ? Lorsque nous désirons obtenir l'équivalent de cet $O(f(n))$, nous écrivons $\pm O(f(n))$.

2.2   L'analyse des algorithmes

Il n'y a pas de recette magique pour analyser l'efficacité d'un algorithme. C'est en grande partie une question de jugement, d'intuition et d'expérience. Souvent, une première analyse donne une fonction d'allure compliquée, avec des sommations ou des équations de récurrence. Il s'agit ensuite de simplifier cette fonction grâce aux notations asymptotiques que nous venons de voir, ainsi qu'aux techniques exposées dans la section 2.3. Quelques exemples illustrent ces propos.

EXEMPLE 2.2.1.   Le tri par sélection.

Considérez l'algorithme de tri par sélection de la section 1.4. La plus grande partie du temps est passée dans les instructions de la boucle intérieure, incluant le contrôle implicite de la boucle. Nous pouvons borner supérieurement le temps pris par chaque tour de la boucle intérieure par une constante a. L'exécution complète de la boucle intérieure pour une valeur de i donnée prend donc un temps maximum de $b + a(n - i)$, où b est une constante introduite pour tenir compte de l'initialisation de la boucle. Quant au temps d'exécution d'un tour de la boucle extérieure, il est borné supérieurement par $c + b + a(n - i)$, où c est une nouvelle constante. Finalement, l'algorithme complet prend un temps maximum de $d + \sum_{i=1}^{n-1} [c + b + a(n - i)]$, pour une dernière constante d. Simplifiée, cette expression donne $an^2/2 + n(b + c - a/2) + (d - c - b)$, d'où l'on conclut que l'algorithme prend un temps dans $O(n^2)$. Une analyse symétrique montre qu'en fait, il prend un temps dans $\theta(n^2)$.   □

Dans ce premier exemple, nous avons donné tous les détails du raisonnement. En pratique, des détails comme l'initialisation des boucles ne sont pas considérés explicitement. Il suffit souvent de repérer une instruction **baromètre** dans un algorithme et de compter combien de fois celle-ci s'exécute. Ce nombre donne alors l'ordre exact du temps d'exécution de l'algorithme complet, en autant que le temps requis par cette instruction puisse être borné supérieurement par une constante. Dans l'exemple du tri par sélection, le test de la boucle interne est une instruction baromètre possible, effectuée exactement $n(n-1)/2$ fois lors d'un tri de n éléments. L'exemple suivant montre cependant que de telles simplifications doivent être faites avec vigilance.

EXEMPLE 2.2.2. Attention à l'instruction baromètre !

Lorsqu'un algorithme contient plusieurs boucles imbriquées, comme c'était le cas du tri par sélection, les instructions de la boucle la plus intérieure peuvent généralement servir de baromètre. Il y a cependant des cas où il faut également tenir compte du temps requis pour la gestion même des boucles. Considérons par exemple l'algorithme suivant (qui fait penser à l'algorithme *tricompteur* de la section 10.1) :

$k \leftarrow 0$
pour $i \leftarrow 1$ **jusqu'à** n **faire**
  pour $j \leftarrow 1$ **jusqu'à** $T[i]$ **faire**
    $k \leftarrow k + T[j]$,

où T est un tableau de n entiers tel que $0 \leqslant T[i] \leqslant i$ pour chaque $i \leqslant n$. Soit s la somme des éléments de T. Combien de temps cet algorithme prend-il ?

Pour chaque valeur de i, l'instruction $k \leftarrow k + T[j]$ est effectuée $T[i]$ fois. Au total, elle est donc effectuée $\sum_{i=1}^{n} T[i]$ fois, c'est-à-dire s fois. Si c'était bien une instruction baromètre, on pourrait en conclure que l'algorithme prend un temps dans l'ordre exact de s. Un exemple suffit toutefois à nous convaincre que tel n'est pas le cas. Supposons que $T[i] = 1$ lorsque i est un carré parfait et que $T[i] = 0$ autrement. Dans ce cas, $s = \lfloor\sqrt{n}\rfloor$. Pourtant, l'algorithme prend un temps dans $\Omega(n)$, puisque chaque élément de T est considéré au moins une fois. Le problème vient du fait qu'on ne peut négliger le temps de l'initialisation et du contrôle des boucles que si l'on comptabilise quelque chose à chaque tour.

Voici une analyse détaillée de cet algorithme. Soit a le temps d'exécution d'un tour de la boucle intérieure, incluant le contrôle implicite de la boucle. L'exécution complète de la boucle intérieure pour une valeur de i donnée prend donc un temps $b + aT[i]$, où la constante b tient compte de l'initialisation de la boucle. Nous voyons que ce temps n'est pas zéro lorsque $T[i] = 0$. Ensuite, le temps d'exécution d'un tour de la boucle extérieure est donné par $c + b + aT[i]$, où c est une nouvelle constante. Finalement, l'algorithme complet prend un temps $d + \sum_{i=1}^{n} (c + b + aT[i])$, pour une dernière constante d. Simplifiée, cette expression donne $(c + b)\,n + as + d$. Le temps dépend donc de deux paramètres indépendants, n et s, et il est impossible de l'exprimer en fonction d'un seul d'entre eux. Cette situation est typique des algorithmes de graphes, dont le temps dépend souvent du nombre de sommets et du nombre d'arêtes. Pour revenir à notre algorithme, le problème 2.1.7 dit qu'on peut exprimer son temps d'exécution en notation asymptotique de deux façons équivalentes : $\theta(n + s)$ ou $\theta(\max(n, s))$.

Une analyse plus succincte du même algorithme est possible avec un peu d'expérience. L'instruction de la boucle interne s'exécute exactement s fois. Il faut y ajouter *n* pour tenir compte du contrôle de la boucle extérieure et du fait que la boucle intérieure est initialisée *n* fois. L'algorithme prend donc au total un temps dans $\theta(n + s)$.

$\square$

Voici maintenant un exemple d'analyse d'algorithme en moyenne. Comme l'indique la section 1.4, de telles analyses sont en général plus difficiles que les analyses en pire cas, et elles présupposent qu'on connaisse la distribution de probabilité des exemplaires.

EXEMPLE 2.2.3.   Le tri par insertion simple.

Considérons l'algorithme de tri par insertion simple de la section 1.4. Le temps pris par cet algorithme pour trier *n* éléments dépend de l'ordre original des éléments. Prenons la comparaison « $T[j] > x$ » comme baromètre. Le nombre de comparaisons effectuées entre éléments est une bonne mesure de la complexité de la plupart des algorithmes de tri, ainsi que nous le verrons au dernier chapitre. (Nous ne comptons pas ici les comparaisons implicites de la boucle **pour,** non plus que le « $j > 0$ ».)

Fixons pour l'instant la valeur de *i*. Soit $x = T[i]$, comme dans l'algorithme. Le pire cas se présente lorsque *x* est inférieur à $T[j]$ pour chaque *j* entre 1 et $i - 1$, puisqu'il faut alors comparer *x* avec $T[i - 1]$, $T[i - 2]$, ... jusqu'à $T[1]$ avant de sortir de la boucle **tantque** en raison de $j = 0$. Dans ce cas, l'algorithme effectue $i - 1$ comparaisons. Ceci peut arriver pour chaque valeur de *i* entre 2 et *n* lorsque le tableau est initialement trié en ordre décroissant. Le nombre total de comparaisons est alors $\sum_{i=2}^{n} (i - 1) = n(n - 1)/2 \in \theta(n^2)$. L'algorithme de tri par insertion simple prend donc en pire cas un temps dans $\theta(n^2)$. Notez que l'algorithme de tri par sélection fait systématiquement le nombre de comparaisons entre éléments que fait en pire cas l'algorithme de tri par insertion simple.

Afin de déterminer le temps utilisé par cet algorithme en moyenne, supposons que les *n* éléments à trier soient distincts et que chacune des permutations possibles de ceux-ci soit également probable. Si *i* et *k* sont tels que $1 \leqslant k \leqslant i$, la probabilité que $T[i]$ soit le *k*-ième plus grand élément de $T[1]$, $T[2]$, ..., $T[i]$ est $1/i$ puisque ceci se produit sur $\binom{n}{i} (i - 1)! \, (n - i)! = n!/i$ des *n*! permutations possibles des *n* éléments. Pour une valeur de *i* donnée, $T[i]$ peut donc se situer n'importe où, avec probabilité égale, par rapport aux éléments $T[1]$, $T[2]$, ..., $T[i - 1]$. Avec probabilité $1/i$, $T[i - 1] > T[i]$ est faux dès le départ, et la première comparaison $T[j] > x$ permet de sortir de la boucle **tantque.** La même probabilité est associée à tout nombre donné de comparaisons, jusqu'à $i - 2$, inclusivement. Il y a, par contre, une probabilité $2/i$ pour que $i - 1$ comparaisons soient effectuées, puisque tel est le cas indifféremment si $x < T[1]$ ou si $T[1] \leqslant x < T[2]$. Le nombre moyen de comparaisons faites pour une valeur donnée de *i* est donc

$$c_i = \frac{1}{i} \left(2(i - 1) + \sum_{k=1}^{i-2} k \right)$$

$$= \frac{(i - 1)(i + 2)}{2i} = \frac{i + 1}{2} - \frac{1}{i}.$$

Ces événements sont indépendants pour différentes valeurs de i. Le nombre moyen de comparaisons faites par cet algorithme pour trier n éléments est donc donné par :

$$\sum_{i=2}^{n} c_i = \sum_{i=2}^{n} \left(\frac{i+1}{2} - \frac{1}{i} \right)$$

$$= \frac{n^2 + 3n}{4} - H_n$$

$$\in \theta(n^2).$$

Ici $H_n = \sum_{i=1}^{n} 1/i$, le n-ième terme de la série harmonique, est négligeable par rapport au terme dominant $n^2/4$, puisque $H_n \in \theta(\log n)$ par le problème 2.1.17.

L'algorithme de tri par insertion simple fait en moyenne un nombre de comparaisons qui est essentiellement la moitié du nombre qu'il fait en pire cas, mais ce nombre demeure dans $\theta(n^2)$. Bien que l'algorithme prenne un temps dans $\Omega(n^2)$ en moyenne comme en pire cas, il se contente d'un temps dans $O(n)$ sur une infinité d'exemplaires. □

Pour l'analyse des algorithmes, nous avons souvent à évaluer des sommations arithmétiques, géométriques ou autres.

PROBLÈME 2.2.1.   Prouvez que quels que soient les entiers positifs n et d,

$$\sum_{k=0}^{d} 2^k \lg(n/2^k) = 2^{d+1} \lg \frac{n}{2^{d-1}} - 2 - \lg n.$$

Plutôt que de prouver cette formule par induction mathématique, voyez comment vous auriez pu la découvrir. □

EXEMPLE 2.2.4.   La fabrication d'un monceau.

Considérons l'algorithme *faire-monceau*, présenté à la fin de la section 1.9.4, pour la fabrication d'un monceau à partir d'un tableau T de n éléments. Prenons comme baromètre les instructions à l'intérieur de la boucle **répéter** de l'algorithme servant à tamiser un nœud. Soit m le nombre maximum de tours de boucle requis pour un appel à *tamiser*(T, n, i). Dénotons par j_t la valeur de j après l'exécution de l'affectation $j \leftarrow k$ au t-ième tour de boucle. Bien entendu, $j_1 = i$. De plus, si $1 < t \leqslant m$, c'est qu'à la fin du $(t-1)$-ième tour, on avait $j \neq k$; donc $k \geqslant 2j$. Ceci montre que $j_t \geqslant 2 j_{t-1}$ pour $1 < t \leqslant m$. Mais il est impossible que k (et donc j) dépasse n. Par conséquent,

$$n \geqslant j_m \geqslant 2 j_{m-1} \geqslant 4 j_{m-2} \geqslant \cdots \geqslant 2^{m-1} j_1 = 2^{m-1} i.$$

Donc $2^{m-1} \leqslant n/i$, ce qui implique que $m \leqslant 1 + \lg(n/i)$.

Le nombre total de tours de la boucle **répéter** pour construire un monceau peut maintenant être borné supérieurement par

$$\sum_{i=1}^{\lfloor n/2 \rfloor} (1 + \lg(n/i)). \tag{*}$$

Afin de simplifier cette expression, remarquons d'abord que, pour tout $k \geqslant 0$,

$$\sum_{i=2^k}^{2^{k+1}-1} \lg(n/i) \leqslant 2^k \lg(n/2^k) \,.$$

On peut donc décomposer la partie intéressante de la somme (*) par tranches de puissances de deux. Soit $d = \lfloor \lg(n/2) \rfloor$:

$$\sum_{i=1}^{\lfloor n/2 \rfloor} \lg(n/i) \leqslant \sum_{k=0}^{d} 2^k \lg(n/2^k) \leqslant 2^{d+1} \lg(n/2^{d-1})$$

(par le problème 2.2.1). Mais $d = \lfloor \lg(n/2) \rfloor$ implique que $d + 1 \leqslant \lg n$ et $d - 1 > \lg(n/8)$. Par conséquent,

$$\sum_{i=1}^{\lfloor n/2 \rfloor} \lg(n/i) \leqslant 3n \,.$$

Nous obtenons donc par (*) qu'il suffit de $\lfloor n/2 \rfloor + 3n$ tours de la boucle **répéter** pour construire un monceau, donc que ceci peut être fait en un temps dans $O(n)$. Comme tout algorithme de construction de monceau doit regarder chacun des éléments du tableau au moins une fois, on conclut finalement que la construction d'un monceau de taille n peut se faire en un temps dans $\theta(n)$.

Lorsque $n + 1$ est une puissance de deux, il est possible d'analyser ce même algorithme d'une façon plus simple. La fabrication du monceau consiste d'abord à transformer en monceaux les deux sous-arborescences de la racine, chacune de taille $(n - 1)/2$, puis à tamiser la racine le long d'un chemin dont la longueur est dans $O(\log n)$. Le temps nécessaire satisfait donc l'équation de récurrence asymptotique $t(n) \in 2t((n - 1)/2) + O(\log n)$, et les techniques de la section 2.3, en particulier le problème 2.3.7, donnent facilement que $t(n) \in \theta(n \mid (n + 1)$ est une puissance de deux). $\qquad\square$

PROBLÈME 2.2.2.   Dans la section 1.9.4, nous avons vu un autre algo-rithme de fabrication de monceau (*faire-monceau-lent*). Analysez cet algorithme en pire cas et comparez-le avec l'algorithme analysé dans l'exemple 2.2.4. $\qquad\square$

PROBLÈME 2.2.3.   Analyse de l'algorithme de tri de Williams.

J. Williams a inventé le monceau comme structure de base permettant l'implanta-tion de l'algorithme de tri suivant :

```
procédure heapsort(T[1..n])
  {T est un tableau à trier}
  faire-monceau(T)
  pour i ← n pas −1 jusqu'à 2 faire
    interchanger T[1] et T[i]
    tamiser(T[1..i−1], 1)
  {T est trié}  .
```

Trouvez l'ordre du temps d'exécution de cet algorithme en pire cas. $\qquad\square$

* **PROBLÈME** 2.2.4.   Trouvez l'ordre exact du temps d'exécution de l'algorithme de tri de Williams, en pire cas et en moyenne. A nombre égal d'éléments à trier, quelles sont les pires et les meilleures façons de placer ceux-ci au départ, pour ce qui est du temps qu'il prendra ?   ☐

EXEMPLE 2.2.5.   Analyse du calcul récursif du déterminant.

Analysons maintenant l'algorithme dérivant de la définition récursive du déterminant (section 1.7.3). Dans cette analyse, nous considérons les additions et les multiplications comme étant élémentaires, ignorant ainsi pour l'instant le problème posé par la taille des opérandes qui peuvent devenir très grands au cours de l'exécution de l'algorithme.

Soit $t(n)$ le temps pris par une implantation quelconque de cet algorithme sur une matrice $n \times n$. Lorsque n est supérieur à 1, le principal travail de l'algorithme consiste à s'appeler récursivement n fois sur des matrices $(n - 1) \times (n - 1)$. En plus de ceci, il faut préparer les matrices pour les appels récursifs et faire quelques calculs supplémentaires, ce qui prend un temps dans $\theta(n^2)$ pour chacun des n appels récursifs si l'on n'est pas trop astucieux (mais voir le problème 2.2.5). Ceci nous donne l'équation de récurrence asymptotique suivante : $t(n) \in nt(n - 1) + \theta(n^3)$. Par le problème 2.1.22, cet algorithme prend un temps dans $\theta(n!)$ pour calculer le déterminant d'une matrice $n \times n$.   ☐

PROBLÈME 2.2.5.   L'exemple 2.2.5 suppose que le temps passé pour le calcul du déterminant, en dehors des appels récursifs, est dans $\theta(n^3)$. Montrez qu'il est possible de réduire ce temps à $\theta(n)$. Par le problème 2.1.22, ceci ne change toutefois rien au fait que cet algorithme prenne un temps dans $\theta(n!)$.   ☐

* **PROBLÈME** 2.2.6.   Refaites l'analyse de cet algorithme en tenant compte de la taille possiblement très grande des opérandes au cours de son exécution. Considérez que vous pouvez additionner deux entiers de taille n en un temps dans $\theta(n)$ et que vous pouvez multiplier un entier de taille n par un entier de taille m en un temps dans $\theta(mn)$.   ☐

EXEMPLE 2.2.6.   Analyse de l'algorithme d'Euclide.

Rappelons que l'algorithme d'Euclide sert à calculer le plus grand commun diviseur (section 1.7.4) :

fonction *Euclide*(*m, n*)
  tantque *m* > 0 **faire**
    t ← *n* **mod** *m*
    n ← *m*
    m ← *t*
  retourner *n* .

Montrons d'abord que, quels que soient les entiers m et n tels que $n \geqslant m$, on a toujours $n \bmod m < n/2$:

— si $m > n/2$, alors $1 \leqslant n/m < 2$, donc $\lfloor n/m \rfloor = 1$,
  ce qui fait que $n \bmod m = n - m < n - n/2 = n/2$;

— si $m \leqslant n/2$, alors $n \bmod m < m \leqslant n/2$.

Soit k le nombre de tours de boucle effectués par l'algorithme sur l'exemplaire $\langle m, n \rangle$. Pour chaque entier $i \leqslant k$, soient n_i et m_i les valeurs de n et m à la fin du i-ième tour de boucle. En particulier, $m_k = 0$ provoque l'arrêt de l'algorithme et $m_i \geqslant 1$ pour tout $i < k$. Les valeurs de m_i et n_i sont définies par les équations suivantes pour $1 \leqslant i \leqslant k$, où m_0 et n_0 sont les valeurs initiales de m et n :

$$n_i = m_{i-1}$$
$$m_i = n_{i-1} \bmod m_{i-1}\,.$$

Il est clair que $n_i > m_i$ pour chaque $i \geqslant 1$. Par la remarque précédente,

$$m_i = n_{i-1} \bmod m_{i-1} < n_{i-1}/2 = m_{i-2}/2$$

pour tout $i \geqslant 2$. Supposons pour l'instant que k soit impair. Soit d tel que $k = 2d + 1$. Nous avons donc

$$m_{k-1} < m_{k-3}/2 < m_{k-5}/4 < \cdots < m_0/2^d\,.$$

Mais rappelons que $m_{k-1} \geqslant 1$, donc $m_0 \geqslant 2^d$. Finalement, $k = 2d + 1 \leqslant 1 + 2 \lg m_0$. Le cas où k est pair est traité de façon similaire, en tenant compte du fait que $m_1 = n_0 \bmod m_0 < m_0$.

En conclusion, le nombre de tours de boucle faits par l'algorithme d'Euclide sur les entiers $n \geqslant m$, et donc le temps qu'il requiert, sont dans $O(\log m)$, en autant que les opérations à l'intérieur de la boucle soient considérées comme élémentaires. ☐

∗ **PROBLÈME 2.2.7.** Prouvez que le pire cas pour l'algorithme d'Euclide correspond à calculer le plus grand commun diviseur de deux nombres consécutifs de la suite de Fibonacci. ☐

EXEMPLE 2.2.7. Analyse de l'algorithme *fib*1.

Analysons maintenant l'algorithme *fib*1 de la section 1.7.5, en ne tenant toujours pas compte de la grande taille des opérandes impliqués. Soit $t(n)$ le temps pris par une implantation quelconque de cet algorithme sur l'entier n. Voici, sans explication, l'équation de récurrence asymptotique correspondante : $t(n) \in t(n - 1) + t(n - 2) + \theta(1)$.

Cette fois encore, l'équation ressemble tellement à celle utilisée pour définir la suite de Fibonacci qu'on est tenté de supposer que $t(n)$ est dans $\theta(f_n)$. Toutefois, comme dans l'exemple 2.1.4, l'induction constructive ne peut pas être utilisée directement pour trouver une constante d telle que $t(n) \leqslant df_n$. Par contre, elle permet facilement de trouver trois constantes réelles positives, a, b et c telles que $af_n \leqslant t(n) \leqslant bf_n - c$ pour tout entier positif n. L'algorithme *fib*1 prend donc un temps dans

$\theta(f_n) = \theta(\phi^n)$ pour calculer le n-ième terme de la suite de Fibonacci, où $\phi = \dfrac{1 + \sqrt{5}}{2}$.

☐

PROBLÈME 2.2.8. Prouvez par la technique de l'induction constructive que $af_n \leqslant t(n) \leqslant bf_n - c$ pour des constantes a, b et c appropriées. Quelles sont ces constantes ? □

PROBLÈME 2.2.9. Prouvez que l'algorithme *fib*1 prend un temps dans $\theta(f_n)$, même si l'on compte un temps dans $\theta(n)$ pour additionner deux entiers de taille n. (La valeur de f_n étant dans $\theta(\phi^n)$, sa taille est dans $\theta(n \lg \phi) = \theta(n)$.) □

EXEMPLE 2.2.8. Analyse de l'algorithme *fib*2.

Il est évident que l'algorithme *fib*2 prend un temps égal à $a + bn$ sur tout exemplaire n, pour des constantes a et b appropriées. Ce temps est donc dans $\theta(n)$.

Voyons ce qu'il se passe si l'on tient compte de la taille des opérandes impliqués. Soit a une constante telle que l'addition de deux nombres de taille n prenne un temps borné supérieurement par an, et soit b une constante telle que la taille de f_n soit bornée supérieurement par bn pour tout entier $n \geqslant 2$. Remarquons d'abord que les valeurs de i et j au début du k-ième tour de la boucle **pour** sont f_{k-2} et f_{k-1}, respectivement (où l'on prend $f_{-1} = 1$). Le k-ième tour de boucle consiste donc à calculer $f_{k-2} + f_{k-1}$ et $f_k - f_{k-2}$, ce qui prend un temps borné supérieurement par $ab(2k - 1)$ pour $k \geqslant 3$, plus un temps c pour effectuer les affectations et le contrôle de la boucle. Pour chacun des deux premiers tours de boucle, le temps est borné supérieurement par $c + 2a$. Soit d une constante appropriée pour tenir compte des initialisations. Le temps requis par *fib*2 sur un entier $n \geqslant 2$ est donc borné supérieurement par

$$d + 2(c + 2a) + \sum_{k=3}^{n} ab(2k - 1) = abn^2 + (d + 2c + 4a - 4ab),$$

ce qui est dans $O(n^2)$. Il est facile de voir par symétrie que cet algorithme prend un temps dans $\theta(n^2)$. □

EXEMPLE 2.2.9. Analyse de l'algorithme *fib*3.

L'analyse de l'algorithme *fib*3 est relativement facile si l'on ne tient pas compte de la taille des opérandes. Considérons comme baromètre les instructions à l'intérieur de la boucle **tantque**. Pour évaluer le nombre de tours de boucle, soit n_t la valeur de n à la fin du t-ième tour; en particulier $n_1 = \lfloor n/2 \rfloor$. On voit immédiatement que $n_t = \lfloor n_{t-1}/2 \rfloor \leqslant n_{t-1}/2$ pour chaque $2 \leqslant t \leqslant m$. Par conséquent,

$$n_t \leqslant n_{t-1}/2 \leqslant n_{t-2}/4 \leqslant \cdots \leqslant n_1/2^{t-1} \leqslant n/2^t.$$

Soit $m = 1 + \lfloor \lg n \rfloor$. L'équation précédente nous donne que $n_m \leqslant n/2^m < 1$. Mais n_m est un entier non négatif, donc $n_m = 0$, ce qui est la condition d'arrêt de la boucle Nous en concluons que la boucle s'effectue au maximum m fois, ce qui implique que l'algorithme *fib*3 prend un temps dans $O(\log n)$. □

PROBLÈME 2.2.10. Prouvez que le temps d'exécution de l'algorithme *fib*3 sur un entier n est dans $\theta(\log n)$ si l'on ne tient pas compte de la taille des opérandes. □

** PROBLÈME 2.2.11.   Déterminez l'ordre exact du temps d'exécution de l'algorithme *fib*3 sur un entier *n*, si l'on suppose que l'addition de deux entiers de taille *n* se fasse en un temps dans $\theta(n)$ et que la multiplication d'un entier de taille *n* par un entier de taille *m* se fasse en un temps dans $\theta(mn)$. Comparez votre résultat avec celui de l'exemple 2.2.8. Si vous êtes déçu, retournez voir la table à la fin de la section 1.7.5 et souvenez-vous des constantes cachées ! Nous verrons à la section 4.7 des algorithmes de multiplication permettant d'améliorer l'efficacité de l'algorithme *fib*3 (problème 4.7.5), mais bien entendu pas celle de *fib*2.   □

PROBLÈME 2.2.12.   Considérez l'algorithme suivant :

pour *i* ← 0 **jusqu'à** *n* **faire**
  j ← *i*
  tantque *j* ≠ 0 **faire** *j* ← *j* **div** 2   .

En comptant la division entière par 2, les affectations et les contrôles de boucle à coût unitaire, il est clair que cet algorithme prend un temps dans $\Omega(n) \cap O(n \log n)$. Trouvez l'ordre exact de ce temps. Prouvez votre réponse.   □

* PROBLÈME 2.2.13.   Même question qu'au problème précédent, mais avec l'algorithme

pour *i* ← 0 **jusqu'à** *n* **faire**
  j ← *i*
  tantque *j* est impair **faire** *j* ← *j* **div** 2   .

Montrez le rapport entre cet algorithme et le fait de compter de 0 à *n* + 1 en binaire.
               □

EXEMPLE 2.2.10.   Analyse des structures d'ensembles disjoints.

Il arrive parfois que l'analyse d'un algorithme soit facilitée par l'ajout d'instructions supplémentaires et de compteurs n'ayant aucun rôle à jouer dans l'exécution de l'algorithme en tant que tel. Il en est ainsi des algorithmes de manipulation des structures d'ensembles disjoints présentés dans la section 1.9.5. Cette analyse est la plus complexe à être entreprise dans cet ouvrage. Introduisons à cette fin un compteur *global* et deux nouveaux tableaux *rang*[1..*N*] et *coût*[1..*N*]. Bien que nous nous intéressons à l'analyse des algorithmes *trouver*4 et *fusionner*3, le tableau *ensemble*[1..*N*] garde la signification qu'il avait dans *trouver*2 et *fusionner*2, c'est-à-dire que *ensemble*[*i*] = *i* lorsque *i* est la racine d'une arborescence, alors qu'autrement *ensemble*[*i*] donne le père de *i* dans son arborescence. Pour fins d'analyse, le rang d'une arborescence dont la racine est *i* est placé en *rang*[*i*] plutôt que d'utiliser la convention que *ensemble*[*i*] = − *rang*. Ceci permet entre autres de parler du rang d'un élément qui n'est plus une racine. Quant au tableau *coût*, il sera explicité plus loin. Une fonction strictement croissante $F : \mathbb{N} \rightarrow \mathbb{N}$ et son « inverse » $G : \mathbb{N} \rightarrow \mathbb{N}$ définie par $G(n) = \min \{ m \in \mathbb{N} \mid F(m) \geqslant n \}$ seront également explicitées ultérieurement. Définissons le **groupe** d'un élément de rang *r* comme étant *G*(*r*). Les algorithmes deviennent :

procédure *init*
  {initialise les arborescences}
  global ← 0
  pour *i* ← 1 **jusqu'à** *N* **faire** *ensemble*[*i*] ← *i*
                           rang[*i*] ← 0
                           coût[*i*] ← 0

fonction *trouver*(*x*)
  {trouve l'étiquette de l'ensemble contenant l'objet *x*}
  r ← *x*
  tantque *ensemble*[*r*] > 0 **faire** *r* ← *ensemble*[*r*]
  {*r* est la racine de l'arborescence}
  i ← *x*
  tantque *i* ≠ *r* **faire**
    si *G*(*rang*[*i*]) < *G*(*rang*[*ensemble*[*i*]]) **ou** *r* = *ensemble*[*i*]
    alors *global* ← *global* + 1
    sinon *coût*[*i*] ← *coût*[*i*] + 1
    j ← *ensemble*[*i*]
    ensemble[*i*] ← *r*
    i ← *j*
  retourner *r*

procédure *fusionner*(*a*, *b*)
  {fusionne les ensembles portant les étiquettes *a* et *b*; on suppose *a* ≠ *b*}
  si *rang*[*i*] = *rang*[*j*] **alors** *rang*[*i*] ← *rang*[*i*] + 1
  si *rang*[*i*] < *rang*[*j*] **alors** *ensemble*[*i*] ← *j*
                           sinon *ensemble*[*j*] ← *i* .

Ces modifications font en sorte que le temps pris par un appel à la procédure *trouver* puisse être comptabilisé comme étant dans l'ordre de l'accroissement de $global + \sum_{i=1}^{N} coût[i]$ (plus 1, au cas où cet accroissement soit nul). Le temps requis par un appel à la procédure *fusionner* peut être borné supérieurement par une constante. Par conséquent, le temps nécessaire à une suite quelconque de *n* opérations *trouver* et *fusionner*, incluant l'initialisation, est dans

$$O\left(N + n + global + \sum_{i=1}^{N} coût[i] \right),$$

où *global* et *coût*[*i*] réfèrent à la valeur finale de ces variables après l'exécution de la séquence. Afin de borner supérieurement ces valeurs, quelques observations sont pertinentes :

1) une fois qu'un élément cesse d'être une racine, il ne le redevient jamais et son rang ne change plus;

2) le rang d'un nœud qui n'est pas une racine est toujours strictement inférieur au rang de son père;

3) le rang d'une racine ne dépasse jamais le logarithme (en base 2) du nombre d'éléments dans l'arborescence correspondante;

4) à tout moment et pour toute valeur de k, il n'y a pas plus de $N/2^k$ éléments de rang k ; et

5) à aucun moment, le rang d'un élément ne peut dépasser $\lfloor \lg N \rfloor$, ni son groupe dépasser $G(\lfloor \lg N \rfloor)$.

Les preuves de (1) et (2) sont évidentes par simple inspection des algorithmes. Nous laissons au lecteur la preuve facile de (3) par induction mathématique. L'observation (5) découle directement de (4). Pour démontrer cette dernière, définissons $ens_k(i)$, pour un élément i et un rang k : si le nœud i n'atteint jamais le rang k, $ens_k(i)$ est l'ensemble vide ; sinon, il est l'ensemble des nœuds dans l'arborescence ayant racine i au moment précis où le rang de i devient k (notez que i est forcément une racine à ce moment-là, par l'observation (1)). Par l'observation (3), $ens_k(i) \neq \varnothing \Rightarrow \# ens_k(i) \geqslant 2^k$. Par l'observation (2), $i \neq j \Rightarrow ens_k(i) \cap ens_k(j) = \varnothing$. S'il y avait plus de $N/2^k$ éléments i tels que $ens_k(i) \neq \varnothing$, il nous faudrait donc plus de N éléments au total, ce qui démontre (4).

Le fait que G soit une fonction non décroissante permet de conclure, à la lumière des observations (2) et (5), que l'accroissement de *global* produit par un appel à la procédure *trouver* ne peut excéder $1 + G(\lfloor \lg N \rfloor)$. Par conséquent, la valeur finale de cette variable est dans $O(1 + nG(\lfloor \lg N \rfloor))$ après l'exécution de la séquence de n opérations. Il ne nous reste plus qu'à borner supérieurement la valeur finale de *coût*[i] pour chaque élément i, en fonction de son rang final.

Notons d'abord que *coût*[i] reste zéro tant que i est une racine. Qui plus est, la valeur de *coût*[i] n'augmente que si la compression de chemin lui fait changer de père, auquel cas le rang du nouveau père est forcément supérieur au rang de l'ancien père, par l'observation (2). Mais l'augmentation de *coût*[i] cesse dès que i devient fils d'un nœud dont le groupe est supérieur au sien. Soit r le rang de i au moment où il cesse d'être une racine, s'il y a lieu. Par l'observation (1), ce rang ne change pas par la suite. Par toutes les observations précédentes, *coût*[i] ne peut pas augmenter plus de $F(G(r)) - F(G(r) - 1) - 1$ fois. Nous en concluons que la valeur finale de *coût*[i] est inférieure à $F(G(r))$ pour tout nœud $i \in final(r)$, où $final(r)$ dénote l'ensemble des éléments perdant éventuellement leur propriété de racine avec rang $r \geqslant 1$ (alors que *coût*[i] demeure zéro pour les éléments qui ne perdent jamais leur propriété de racine ou qui la perdent avec rang zéro). Soit $K = G(\lfloor \lg N \rfloor) - 1$. Le reste n'est que sommations :

$$\sum_{i=1}^{N} co\hat{u}t[i] = \sum_{g=0}^{K} \sum_{r=F(g)+1}^{F(g+1)} \sum_{i \in final(r)} co\hat{u}t[i]$$

$$\leqslant \sum_{g=0}^{K} \sum_{r=F(g)+1}^{F(g+1)} \sum_{i \in final(r)} F(G(r))$$

$$\leqslant \sum_{g=0}^{K} \sum_{r=F(g)+1}^{F(g+1)} (N/2^r) F(g+1)$$

$$\leqslant N \sum_{g=0}^{K} F(g+1)/2^{F(g)} .$$

Il suffit donc de poser $F(g+1) = 2^{F(g)}$, afin d'équilibrer *global* et $\sum_{i=1}^{N} co\hat{u}t[i]$, et obtenir que $\sum_{i=1}^{N} co\hat{u}t[i] \leqslant NG(\lfloor \lg N \rfloor)$. Le temps requis par la séquence de n requêtes sur un univers à N éléments, incluant l'initialisation, est donc dans

$$O\left(N + n + global + \sum_{i=1}^{N} co\hat{u}t[i] \right) \subseteq O(N + n + nG(\lfloor \lg N \rfloor) + NG(\lfloor \lg N \rfloor))$$
$$= O((1 + G(\lfloor \lg N \rfloor)) \times \max(N, n)).$$

Maintenant que nous avons décidé que $F(g + 1) = 2^{F(g)}$, avec condition initiale $F(0) = 0$, que dire de la fonction G ? Cette fonction, souvent dénotée $\lg^*$, peut être définie comme $G(N) = \lg^* N = \min \{ k \mid \underbrace{\lg \lg \ldots \lg}_{k \text{ fois}} N \leqslant 0 \}$. La fonction $\lg^*$ croît très lentement : $\lg^* N \leqslant 5$ pour tout $N \leqslant 65\,536$ et $\lg^* N \leqslant 6$ pour tout $N \leqslant 2^{65536}$. Notons également que $\lg^* N - \lg^*(\lfloor \lg N \rfloor) \leqslant 2$, si bien que $\lg^*(\lfloor \lg N \rfloor) \in \theta(\lg^* N)$. L'algorithme dont nous venons de compléter l'analyse peut donc traiter une séquence de n opérations *trouver* et *fusionner* sur un univers de N éléments en un temps dans $O(n \lg^* N)$, en autant que $n \geqslant N$, ce qui est essentiellement linéaire.

Cette borne peut être améliorée par un raffinement de ce raisonnement, dont la complexité dépasse le cadre de ce livre. Disons seulement que l'analyse exacte fait intervenir la fonction d'Ackermann (problème 5.8.7) et que le temps requis par cet algorithme n'est pas linéaire en pire cas. □

EXEMPLE 2.2.11. Les tours d'Hanoï.

Lors de la création du monde, il est dit que Dieu plaça sur la terre trois aiguilles de diamant et soixante-quatre disques d'or. Ces disques sont tous de taille différente, disposés à l'origine du plus grand au plus petit sur l'une des aiguilles. Dieu créa également un monastère à proximité de ces aiguilles. La tâche des moines est de transférer tous les disques sur une autre aiguille. La seule opération permise consiste à déplacer un disque d'une aiguille vers une autre, mais sans jamais mettre de disque par-dessus un disque plus petit. Lorsque les moines auront accompli leur tâche, continue la légende, le monde s'arrêtera. Il s'agit probablement là de la prophétie la plus optimiste jamais proposée pour situer la fin du monde, car si les moines déplacent un disque toutes les secondes, travaillant jour et nuit, sans jamais se tromper, ils n'auront pas encore terminé leur travail dans cinq cents milliards d'années !

Ce problème peut évidemment se généraliser à un nombre quelconque de disques. Par exemple, pour $n = 3$, on obtient la solution suivante :

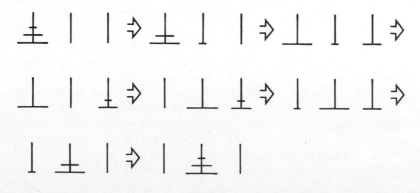

Pour solutionner ce problème en général, il suffit de remarquer que pour transférer les m plus petits disques de l'aiguille i vers l'aiguille j (où $1 \leqslant i \leqslant 3, 1 \leqslant j \leqslant 3, i \neq j$ et $m \geqslant 1$), il suffit de transférer les $m - 1$ plus petits disques de l'aiguille i vers l'aiguille $6 - i - j$, puis de transférer le m-ième disque de l'aiguille i vers l'aiguille j, et finalement de retransférer les $m - 1$ plus petits disques de l'aiguille $6 - i - j$ vers l'aiguille j. Voici une description formelle de cet algorithme, qu'il suffit (!) d'appeler sur les arguments $(64, 1, 2)$ afin de résoudre l'exemplaire original du problème.

procédure *Hanoï*(m, i, j)
   {déplace les m plus petits disques de l'aiguille i vers l'aiguille j}
   si $m > 0$ **alors** *Hanoï*($m-1, i, 6-i-j$)
                  écrire i "$\rightarrow$" j
                  Hanoï($m-1, 6-i-j, j$) .

Afin d'analyser le temps d'exécution de cet algorithme, déterminons le nombre de fois que l'instruction baromètre **écrire** est effectuée, en fonction de la valeur de m. Soit $e(m)$ cette fonction. On trouve l'équation de récurrence suivante :

$$e(m) = \begin{cases} 1 & \text{si} \quad m = 1 \\ 2e(m - 1) + 1 & \text{si} \quad m > 1, \end{cases}$$

d'où l'on déduit que $e(m) = 2^m - 1$. L'algorithme prend donc un temps dans l'ordre exact de 2^n pour résoudre le problème des n disques.   □

PROBLÈME 2.2.14.   Prouvez que l'algorithme de l'exemple 2.2.11 est optimal en ce sens qu'il n'est pas possible de déplacer n disques d'une aiguille vers une autre en moins de $2^n - 1$ opérations élémentaires, tout en respectant les règles du jeu.
                                                                                              □

* PROBLÈME 2.2.15.   Donnez un algorithme non récursif pour résoudre le problème des tours d'Hanoï.   □

2.3   Résolution de récurrences par la méthode de l'équation caractéristique

Nous venons de voir que la résolution d'équations de récurrence est souvent l'indispensable dernière étape de l'analyse d'un algorithme. Avec un peu d'expérience et d'intuition, de telles équations peuvent souvent être résolues au pifomètre. Cette approche pour laquelle nous ne donnerons pas d'exemple, procède généralement en quatre étapes : déterminer les quelques premières valeurs de la récurrence, chercher une régularité, induire une formule générale et prouver cette dernière par induction mathématique. Heureusement, il existe toutefois une technique qui permet de résoudre presqu'automatiquement certaines classes de récurrences.

2.3.1 Récurrences homogènes

Notre point de départ est la résolution de récurrences linéaires homogènes à coefficients constants, c'est-à-dire de récurrences de la forme

$$a_0 \, t_n + a_1 \, t_{n-1} + \cdots + a_k \, t_{n-k} = 0 \tag{*}$$

où

i) les t_i sont les valeurs qu'on cherche. La récurrence est linéaire puisqu'on n'y trouve pas de terme de la forme $t_i \, t_{i+j}$, t_i^2, etc. ;

ii) les coefficients a_i sont des constantes ;

iii) la récurrence est homogène puisque la combinaison linéaire des t_i est égale à zéro.

Cherchons une solution de la forme

$$t_n = x^n$$

où x est une constante. Si l'on essaye cette solution dans (*), on obtient

$$a_0 \, x^n + a_1 \, x^{n-1} + \cdots + a_k \, x^{n-k} = 0 \, .$$

Ceci est satisfait si $x = 0$ (c'est une solution triviale qui ne nous intéresse pas), ou encore si

$$a_0 \, x^k + a_1 \, x^{k-1} + \cdots + a_k = 0 \, .$$

Cette équation de degré k en x s'appelle **l'équation caractéristique** de la récurrence (*).

Supposons pour l'instant que les k racines de cette équation caractéristique soient distinctes, disons $r_1, r_2, ..., r_k$ (celles-ci peuvent être complexes). Alors il est facile de vérifier que toute combinaison linéaire

$$t_n = \sum_{i=1}^{k} c_i \, r_i^n$$

des termes r_i^n est une solution de la récurrence (*), où les k constantes $c_1, c_2, ..., c_k$ sont déterminées par les conditions initiales (et naturellement, il nous faut exactement k conditions initiales pour déterminer les valeurs de toutes ces constantes). Il peut en fait être prouvé que (*) ne possède pas de solutions d'une forme différente.

EXEMPLE 2.3.1. Soit la récurrence

$$t_n - 3t_{n-1} - 4t_{n-2} = 0 \qquad n \geqslant 2$$

sujet à
$$t_0 = 0, \quad t_1 = 1 \, .$$

L'équation caractéristique de la récurrence est

$$x^2 - 3x - 4 = 0$$

dont les racines sont -1 et 4. La solution générale a donc la forme

$$t_n = c_1(-1)^n + c_2 \, 4^n \, .$$

Les conditions initiales nous donnent

$$c_1 + c_2 = 0 \qquad n = 0$$
$$-c_1 + 4c_2 = 1 \qquad n = 1$$

c'est-à-dire
$$c_1 = -\frac{1}{5}, \qquad c_2 = \frac{1}{5}.$$

On obtient finalement
$$t_n = \frac{1}{5}\left[4^n - (-1)^n\right].$$ □

EXEMPLE 2.3.2 (Fibonacci). Soit la récurrence
$$t_n = t_{n-1} + t_{n-2} \qquad n \geqslant 2$$
sujet à
$$t_0 = 0, \quad t_1 = 1.$$
(C'est la définition de la suite de Fibonacci : voir section 1.7.5).

La récurrence pouvant se récrire sous la forme $t_n - t_{n-1} - t_{n-2} = 0$, son équation caractéristique est
$$x^2 - x - 1 = 0$$
dont les racines sont
$$r_1 = \frac{1 + \sqrt{5}}{2} \qquad \text{et} \qquad r_2 = \frac{1 - \sqrt{5}}{2}.$$
La solution générale est donc de la forme
$$t_n = c_1 r_1^n + c_2 r_2^n.$$
Les conditions initiales nous donnent
$$c_1 + c_2 = 0 \qquad n = 0$$
$$c_1 r_1 + c_2 r_2 = 1 \qquad n = 1$$
d'où l'on obtient facilement
$$c_1 = \frac{1}{\sqrt{5}}, \qquad c_2 = -\frac{1}{\sqrt{5}}.$$

Donc $t_n = \frac{1}{\sqrt{5}}(r_1^n - r_2^n)$. Pour obtenir le résultat de De Moivre mentionné à la section 1.7.5, il suffit de remarquer que $r_1 = \phi$ et $r_2 = -\phi^{-1}$. □

∗ PROBLÈME 2.3.1 Soit la récurrence
$$t_n = 2t_{n-1} - 2t_{n-2} \qquad n \geqslant 2$$
sujet à
$$t_0 = 0, \qquad t_1 = 1.$$
Prouvez que $t_n = 2^{n/2} \sin(n\pi/4)$, non pas par induction mathématique, mais par la technique de l'équation caractéristique. □

Supposons maintenant que les racines de l'équation caractéristique ne soient pas toutes distinctes. Soit $p(x) = a_0 x^k + a_1 x^{k-1} + \cdots + a_k$ le polynôme de l'équation caractéristique, et soit r une racine multiple. Pour tout $n \geqslant k$, considérons le polynôme de degré n défini par $h(x) = x[x^{n-k}p(x)]' = a_0 nx^n + a_1(n-1)x^{n-1} + \cdots + a_k(n-k)x^{n-k}$. Soit $q(x)$ le polynôme tel que $p(x) = (x-r)^2 q(x)$. On a $h(x) = x[(x-r)^2 x^{n-k}q(x)]' = x[2(x-r)x^{n-k}q(x) + (x-r)^2[x^{n-k}q(x)]']$. En particulier, $h(r) = 0$. Ceci montre que $a_0 nr^n + a_1(n - 1)\, r^{n-1} + \cdots + a_k(n - k)\, r^{n-k} = 0$, c'est-à-dire que $t_n = nr^n$ est également une solution de (*). Plus généralement, si m est la multiplicité de r, $t_n = r^n$, $t_n = nr^n$, $t_n = n^2 r^n$, ..., $t_n = n^{m-1} r^n$ sont toutes des solutions possibles de (*). La solution générale est une combinaison linéaire de ces termes et des termes contribués par les autres racines de l'équation caractéristique. Nous avons encore une fois k constantes à déterminer en fonction des conditions initiales.

EXEMPLE 2.3.3. Soit la récurrence
$$t_n = 5t_{n-1} - 8t_{n-2} + 4t_{n-3} \qquad n \geqslant 3$$
sujet à
$$t_0 = 0, \quad t_1 = 1, \quad t_2 = 2.$$

La récurrence peut s'écrire
$$t_n - 5t_{n-1} + 8t_{n-2} - 4t_{n-3} = 0$$
et l'équation caractéristique est donc
$$x^3 - 5x^2 + 8x - 4 = 0$$
ou
$$(x - 1)(x - 2)^2 = 0.$$
Les racines sont 1 (de multiplicité 1) et 2 (de multiplicité 2). La solution générale est donc :
$$t_n = c_1\, 1^n + c_2\, 2^n + c_3\, n2^n.$$
Les conditions initiales nous donnent
$$\begin{aligned} c_1 + c_2 &= 0 & n &= 0 \\ c_1 + 2c_2 + 2c_3 &= 1 & n &= 1 \\ c_1 + 4c_2 + 8c_3 &= 2 & n &= 2 \end{aligned}$$
d'où l'on obtient
$$c_1 = -2, \quad c_2 = 2, \quad c_3 = -\tfrac{1}{2}.$$
Donc
$$t_n = 2^{n+1} - n2^{n-1} - 2. \qquad \square$$

2.3.2 Récurrences non homogènes

Considérons maintenant des récurrences un peu plus générales :
$$a_0\, t_n + a_1\, t_{n-1} + \cdots + a_k\, t_{n-k} = b^n p(n). \qquad (**)$$
La partie gauche est la même que (*), mais à droite on a $b^n p(n)$, où

i) b est une constante ;
ii) $p(n)$ est un polynôme en n de degré d.

Par exemple, notre récurrence pourrait être
$$t_n - 2t_{n-1} = 3^n.$$
Dans ce cas, $b = 3$ et $p(n) = 1$, un polynôme de degré 0. Avec un peu d'astuce, on peut réduire cet exemple à la forme (*). En effet, on voit que

$$3t_n - 6t_{n-1} = 3^{n+1} \qquad \text{(multiplier par 3)}$$
et
$$t_{n+1} - 2t_n = 3^{n+1} \qquad \text{(remplacer } n \text{ par } n + 1\text{)}$$

et donc par soustraction

$$t_{n+1} - 5t_n + 6t_{n-1} = 0.$$

Cette récurrence peut être résolue par la méthode de la section 2.3.1. Son équation caractéristique est

$$x^2 - 5x + 6 = 0$$

c'est-à-dire
$$(x - 2)(x - 3) = 0.$$

On peut voir d'une façon intuitive que le facteur $(x - 2)$ correspond à la partie gauche de notre exemple, et le facteur $(x - 3)$ est apparu à la suite de nos manœuvres pour faire disparaître la partie droite.

Essayons un deuxième exemple :

$$t_n - 2t_{n-1} = (n + 5)\,3^n.$$

Les astuces nécessaires sont un peu plus compliquées :

$9t_n - 18t_{n-1} = (n + 5)\,3^{n+2}$ (multiplier par 9)

$t_{n+2} - 2t_{n+1} \doteq (n + 7)\,3^{n+2}$ (remplacer n *par* $n + 2$)

$- 6t_{n+1} + 12t_n = - 6(n + 6)\,3^{n+1}$ (remplacer n par $n + 1$ et ensuite multiplier par -6).

En additionnant ces trois équations, on obtient

$$t_{n+2} - 8t_{n+1} + 21t_n - 18t_{n-1} = 0.$$

L'équation caractéristique de cette nouvelle récurrence est

$$x^3 - 8x^2 + 21x - 18 = 0$$

c'est-à-dire
$$(x - 2)(x - 3)^2 = 0.$$

Encore une fois, on peut voir que le facteur $(x - 2)$ provient de la partie gauche de la récurrence originale et le facteur $(x - 3)^2$ est le résultat de nos manœuvres.

En généralisant cette approche, on peut prouver que pour résoudre (**) il faut prendre comme équation caractéristique

$$(a_0\,x^k + a_1\,x^{k-1} + \cdots + a_k)(x - b)^{d+1} = 0.$$

Une fois cette équation obtenue, on procède de la même façon que dans le cas homogène.

EXEMPLE 2.3.4. Le nombre de mouvements de disques requis dans le problème des tours d'Hanoï (voir l'exemple 2.2.11) est donné par

$$t_n = 2t_{n-1} + 1 \qquad n \geqslant 1$$

sujet à
$$t_0 = 0.$$

La récurrence peut s'écrire

$$t_n - 2t_{n-1} = 1$$

qui est de la forme de (**) avec $b = 1$ et $p(n) = 1$, un polynôme de degré 0. L'équation caractéristique est donc

$$(x - 2)(x - 1) = 0$$

où le facteur $(x - 2)$ vient de la partie gauche et le facteur $(x - 1)$ de la partie droite. Les racines de cette équation sont 1 et 2, et la solution générale de la récurrence est donc

$$t_n = c_1 \, 1^n + c_2 \, 2^n \, .$$

Nous avons besoin de deux conditions initiales. On sait que $t_0 = 0$; pour trouver une deuxième condition initiale, on utilise la récurrence elle-même pour calculer

$$t_1 = 2t_0 + 1 = 1 \, .$$

Finalement, on a

$$
\begin{aligned}
c_1 + c_2 &= 0 \qquad n = 0 \\
c_1 + 2c_2 &= 1 \qquad n = 1
\end{aligned}
$$

ce qui permet de trouver la solution

$$t_n = 2^n - 1 \, . \qquad \qquad \square$$

Il est à remarquer que si nous ne voulons que l'ordre de t_n, il n'est pas nécessaire de calculer les constantes dans la solution générale. Dans l'exemple précédent, quand on sait que

$$t_n = c_1 \, 1^n + c_2 \, 2^n$$

on peut déjà en déduire que t_n est dans $\theta(2^n)$. Il suffit pour ceci de remarquer que t_n, le nombre de mouvements de disques requis, n'est certainement ni négatif ni constant, puisqu'on peut être sûr que $t_n \geqslant n$. Donc $c_2 > 0$, ce qui nous donne le résultat désiré.

En fait, on peut obtenir un peu plus. Si l'on substitue la solution générale dans la récurrence originale, on trouve

$$
\begin{aligned}
1 &= t_n - 2t_{n-1} \\
&= c_1 + c_2 \, 2^n - 2(c_1 + c_2 \, 2^{n-1}) \\
&= -\, c_1 \, .
\end{aligned}
$$

Quelle que soit la condition initiale, il faut donc que c_1 soit égal à -1.

PROBLÈME 2.3.2. Il n'y a rien d'étonnant dans le fait que nous puissions déterminer une des constantes de la solution générale sans regarder la condition initiale, au contraire! Pourquoi ? $\qquad \square$

EXEMPLE 2.3.5. Soit la récurrence

$$t_n = 2t_{n-1} + n \, .$$

La récurrence peut s'écrire

$$t_n - 2t_{n-1} = n$$

qui est de la forme de (**) avec $b = 1$ et $p(n) = n$, un polynôme de degré 1.

L'équation caractéristique est donc

$$(x - 2)(x - 1)^2 = 0$$

avec racines 2 et 1 (de multiplicité 2). La solution générale est

$$t_n = c_1 \, 2^n + c_2 \, 1^n + c_3 \, n1^n \, .$$

Dans les problèmes qui nous intéressent, on cherche toujours une solution telle que $t_n \geqslant 0$ pour tout n. Dans ce cas, on voit tout de suite que t_n doit être dans $O(2^n)$. $\square$

PROBLÈME 2.3.3. En substituant la solution générale dans la récurrence, prouvez que

$$c_2 = -2, \quad \cdot \; c_3 = -1$$

quelle que soit la condition initiale. On en déduit que toutes les solutions de la récurrence susceptibles de nous intéresser doivent avoir $c_1 > 0$ et qu'elles sont donc dans $\theta(2^n)$. $\square$

Une nouvelle généralisation du même type d'argument nous permet finalement de résoudre des récurrences de la forme

$$a_0 \, t_n + a_1 \, t_{n-1} + \cdots + a_k \, t_{n-k} = b_1^n \, p_1(n) + b_2^n \, p_2(n) + \cdots \qquad (\text{***})$$

où les b_i sont des constantes différentes et les $p_i(n)$ sont des polynômes en n de degré respectif d_i. Il suffit d'écrire l'équation caractéristique :

$$(a_0 \, x^k + a_1 \, x^{k-1} + \cdots + a_k) \, (x - b_1)^{d_1 + 1} (x - b_2)^{d_2 + 1} \cdots = 0$$

qui contient un facteur correspondant à la partie gauche et un facteur correspondant à chaque terme à droite, et de résoudre le problème comme auparavant.

EXEMPLE 2.3.6. Résoudre

$$t_n = 2t_{n-1} + n + 2^n \qquad n \geqslant 1$$

sujet à

$$t_0 = 0 .$$

La récurrence peut s'écrire

$$t_n - 2t_{n-1} = n + 2^n$$

qui est de la forme (***) avec $b_1 = 1$, $p_1(n) = n$, $b_2 = 2$, $p_2(n) = 1$. Le degré de $p_1(n)$ est 1, et $p_2(n)$ est de degré 0. L'équation caractéristique est

$$(x - 2) \, (x - 1)^2 \, (x - 2) = 0$$

qui possède les racines 1 et 2, toutes deux de multiplicité 2. La solution générale de la récurrence a donc la forme

$$t_n = c_1 \, 1^n + c_2 \, n1^n + c_3 \, 2^n + c_4 \, n2^n .$$

A l'aide de la récurrence, on calcule $t_1 = 3$, $t_2 = 12$, $t_3 = 35$. On peut maintenant déterminer c_1, c_2, c_3 et c_4 à partir de

$$
\begin{array}{lcr}
c_1 \qquad\;\; + c_3 \qquad\qquad = 0 & & n = 0 \\
c_1 + c_2 + 2c_3 + 2c_4 = 3 & & n = 1 \\
c_1 + 2c_2 + 4c_3 + 8c_4 = 12 & & n = 2 \\
c_1 + 3c_2 + 8c_3 + 24c_4 = 35 & & n = 3
\end{array}
$$

pour aboutir à

$$t_n = -2 - n + 2^{n+1} + n2^n .$$

Bien sûr, on peut voir que t_n est dans $O(n2^n)$ sans calculer les constantes. $\square$

PROBLÈME 2.3.4. Prouvez que toutes les solutions de cette récurrence sont en fait dans $\theta(n2^n)$, quelle que soit la condition initiale. $\square$

PROBLÈME 2.3.5. Si l'équation caractéristique de la récurrence (***) est de degré

$$m = k + (d_1 + 1)(d_2 + 1) + \cdots,$$

la solution générale contient m constantes c_1, c_2, ..., c_m. Combien de contraintes sur ces constantes peuvent être obtenues sans regarder les conditions initiales ? (Voir les problèmes 2.3.3 et 2.3.4). □

2.3.3 Changement de variable

On peut parfois résoudre des récurrences plus compliquées en faisant un changement de variable. Dans les exemples qui suivent, nous écrivons $T(n)$ pour le terme d'une récurrence générale et t_k pour le terme d'une nouvelle récurrence obtenue par changement de variable.

EXEMPLE 2.3.7. Voici comment trouver l'ordre de $T(n)$ si n est une puissance de 2 et si

$$T(n) = 4T(n/2) + n, \qquad n > 1.$$

On remplace n par 2^k (donc $k = \lg n$) pour obtenir $T(2^k) = 4T(2^{k-1}) + 2^k$. Ceci peut s'écrire

$$t_k = 4t_{k-1} + 2^k$$

si $t_k = T(2^k) = T(n)$. On sait résoudre cette nouvelle récurrence : l'équation caractéristique est

$$(x - 4)(x - 2) = 0$$

et donc

$$t_k = c_1 4^k + c_2 2^k.$$

En remettant n à la place de k, on trouve

$$T(n) = c_1 n^2 + c_2 n.$$

$T(n)$ est donc dans $O(n^2 \mid n$ est une puissance de 2). □

EXEMPLE 2.3.8. Voici comment trouver l'ordre de $T(n)$ si n est une puissance de 2 et si

$$T(n) = 4T(n/2) + n^2, \qquad n > 1.$$

Procédant de la même façon, on obtient successivement :

$$T(2^k) = 4T(2^{k-1}) + 4^k$$
$$t_k = 4t_{k-1} + 4^k.$$

Equation caractéristique : $(x - 4)^2 = 0$.

Ce qui donne :
$$t_k = c_1 4^k + c_2 k4^k$$
$$T(n) = c_1 n^2 + c_2 n^2 \lg n$$

$T(n)$ est dans $O(n^2 \log n \mid n$ est une puissance de 2). □

EXEMPLE 2.3.9.   Voici comment trouver l'ordre de $T(n)$ si n est une puissance de 2 et si
$$T(n) = 2T(n/2) + n \lg n, \qquad n > 1.$$
De la même façon, on obtient :
$$T(2^k) = 2T(2^{k-1}) + k2^k$$
$$t_k = 2t_{k-1} + k2^k.$$
Equation caractéristique : $(x - 2)^3 = 0$.
Ce qui donne : $t_k = c_1 2^k + c_2 k2^k + c_3 k^2 2^k$
$$T(n) = c_1 n + c_2 n \lg n + c_3 n \lg^2 n.$$
$T(n)$ est dans $O(n \log^2 n \mid n$ est une puissance de 2). $\square$

EXEMPLE 2.3.10.   (Multiplication de grands entiers : voir les sections 1.7.2, 4.1 et 4.7). On veut trouver l'ordre de $T(n)$ si n est une puissance de 2 et si
$$T(n) = 3T(n/2) + cn \qquad (c \text{ est une constante}, \quad n = 2^k > 1).$$
On obtient successivement
$$T(2^k) = 3T(2^{k-1}) + c2^k$$
$$t_k = 3t_{k-1} + c2^k.$$
Equation caractéristique : $(x - 3)(x - 2) = 0$.
Ce qui donne : $t_k = c_1 3^k + c_2 2^k$
$$T(n) = c_1 3^{\lg n} + c_2 n$$
$$= c_1 n^{\lg 3} + c_2 n \qquad (\text{puisque } a^{\lg b} = b^{\lg a}).$$
$T(n)$ est dans $O(n^{\lg 3} \mid n$ est une puissance de 2). $\square$

Remarque : Dans les exemples 2.3.7 à 2.3.10, l'équation de récurrence pour $T(n)$ n'est donnée que lorsque n est une puissance de 2. Il est donc inévitable que la solution obtenue soit sous forme asymptotique conditionnelle. Dans les quatre cas, cependant, il aurait suffi d'ajouter la condition que $T(n)$ soit une fonction éventuellement non décroissante pour pouvoir conclure que les résultats asymptotiques obtenus s'appliquent sans condition sur la valeur de n. Ceci est possible grâce au problème 2.1.20, puisque les fonctions n^2, $n^2 \log n$, $n \log^2 n$ et $n^{\lg 3}$ sont bi-harmonieuses.

* PROBLÈME 2.3.6.   Les constantes $n_0 \geqslant 1$, $b \geqslant 2$ et $k \geqslant 0$ sont des entiers, alors que a et c sont des nombres réels positifs. Soit $T : \mathbb{N} \to \mathbb{R}^+$ une fonction éventuellement non décroissante telle que
$$T(n) = aT(n/b) + cn^k, \qquad n > n_0$$
lorsque n/n_0 est une puissance de b. Prouvez que l'ordre exact de $T(n)$ est donné par
$$T(n) \in \begin{cases} \theta(n^k) & \text{si} \quad a < b^k \\ \theta(n^k \log n) & \text{si} \quad a = b^k \\ \theta(n^{\log_b a}) & \text{si} \quad a > b^k. \end{cases}$$
Plutôt que de le démontrer par induction constructive, obtenez ce résultat par les techniques de l'équation caractéristique et du changement de variable. $\square$

PROBLÈME 2.3.7. Résolvez exactement l'équation de récurrence
$$T(n) = 2T(n/2) + \lg n, \qquad n \geqslant 2$$
$$T(1) = 1$$
lorsque n est une puissance de deux. Exprimez votre solution de façon aussi simple que possible en notation θ.   □

PROBLÈME 2.3.8. Résolvez exactement l'équation de récurrence
$$T(n) = 2T(\sqrt{n}) + \lg n, \qquad n \geqslant 4$$
$$T(2) = 1$$
lorsque n est de la forme 2^{2^k}. Exprimez votre solution de la façon la plus simple possible en notation θ.   □

2.3.4 Transformation de l'image

La technique du changement de variable consiste à effectuer une transformation du domaine de la récurrence. Il est parfois utile d'en transformer également l'image afin de respecter le gabarit de l'équation (***). Contentons-nous d'un exemple de cette approche.

EXEMPLE 2.3.11. Soit à résoudre la récurrence
$$T(n) = nT^2(n/2), \qquad n > 1$$
$$T(1) = 6,$$
lorsque n est une puissance de deux. La première étape est un changement de variable : posons $t_k = T(2^k)$, ce qui donne
$$t_k = 2^k\, t_{k-1}^2, \qquad k > 0$$
$$t_0 = 6.$$

A première vue, aucune de nos techniques ne s'applique à cette récurrence puisqu'elle n'est pas linéaire et qu'elle admet un coefficient non constant. La transformation de l'image consiste à poser une nouvelle récurrence $V_k = \lg t_k$, donc
$$V_k = k + 2V_{k-1}, \qquad k > 0$$
$$V_0 = \lg 6.$$

L'équation caractéristique est
$$(x - 2)(x - 1)^2 = 0$$
et donc
$$V_k = c_1\, 2^k + c_2\, 1^k + c_3\, k1^k.$$

Le fait que $V_0 = 1 + \lg 3$, $V_1 = 3 + 2\lg 3$ et $V_2 = 8 + 4\lg 3$ permet d'obtenir $c_1 = 3 + \lg 3$, $c_2 = -2$ et $c_3 = -1$, donc
$$V_k = (3 + \lg 3)2^k - k - 2.$$

En utilisant $t_k = 2^{V_k}$ et $T(n) = t_{\lg n}$, on obtient finalement
$$T(n) = 2^{3n-2}\, 3^n/n. \qquad\qquad □$$

2.3.5   Problèmes supplémentaires

PROBLÈME 2.3.9.   Résolvez exactement l'équation de récurrence
$$t_n = t_{n-1} + t_{n-3} - t_{n-4}, \qquad n \geqslant 4$$
$$t_n = n, \qquad\qquad\qquad 0 \leqslant n \leqslant 3.$$
Exprimez votre solution de façon aussi simple que possible en notation θ.   □

PROBLÈME 2.3.10.   Résolvez exactement l'équation de récurrence
$$T(n) = 5T(n/2) + (n \lg n)^2, \qquad n \geqslant 2$$
$$T(1) = 1,$$
lorsque *n* est une puissance de deux. Exprimez votre solution de façon aussi simple que possible en notation θ.   □

PROBLÈME 2.3.11.   Résolvez exactement l'équation de récurrence
$$t_n = t_{n-1} + 2t_{n-2} - 2t_{n-3}, \qquad n \geqslant 3$$
$$t_n = 9n^2 - 15n + 106, \qquad 0 \leqslant n \leqslant 2.$$
Exprimez votre solution de façon aussi simple que possible en notation θ.   □

PROBLÈME 2.3.12.   Résolvez exactement l'équation de récurrence
$$t_n = 1/(4 - t_{n-1}), \qquad n > 1$$
$$t_1 = 1/4.$$
   □

PROBLÈME 2.3.13.   Résolvez exactement l'équation de récurrence
$$T(n + 2) = (1 + T(n + 1))/T(n), \qquad n \geqslant 2$$
$$T(0) = a, \qquad T(1) = b$$
en fonction des conditions initiales *a* et *b*.   □

2.4   Remarques bibliographiques

Les notations asymptotiques ont été introduites depuis longtemps en mathématiques [Bachmann 1892, de Bruijn 1961]. Leur historique est retracé dans [Knuth 1976], et une normalisation de ces notations y est proposée. Les notations asymptotiques conditionnelles et le problème 2.1.20 proviennent de [Brassard 1985], qui suggère également d'abandonner les inégalités à sens unique au profit de la théorie des ensembles. Le calcul des limites et la règle de l'Hôpital peuvent se trouver dans n'importe quel livre sur l'analyse mathématique [Spiegel 1973].

Le livre de [Purdom et Brown 1985] expose de nombreuses techniques pour l'analyse des algorithmes. Les principaux aspects mathématiques de l'analyse des algorithmes se trouvent également dans [Greene et Knuth 1981].

L'exemple 2.1.1 correspond à l'algorithme de [Dixon 1981]. Le problème 2.2.3 provient de [Williams 1964]. L'analyse des structures d'ensembles disjoints (exemple 2.2.10) est adaptée de [Hopcroft et Ullman 1973]. L'analyse plus précise, faisant intervenir la fonction d'Ackermann, se trouve dans [Tarjan 1975, 1983]. Une solution au problème 2.2.15 est donnée dans [Buneman et Levy 1980, Dewdney 1984].

Plusieurs techniques pour la résolution des équations de récurrence, incluant l'équation caractéristique et le changement de variable, sont présentées dans [Lueker 1980]. Un traitement mathématiquement plus rigoureux se trouve dans [Knuth 1968, Purdom et Brown 1985]. Consultez également [Bentley, Haken et Saxe 1980].

Chapitre 3

Les algorithmes voraces

3.1 Introduction

Les algorithmes voraces (*greedy algorithms*) sont généralement assez simples. Ils servent typiquement à résoudre des problèmes d'optimisation : trouver l'ordre optimal pour passer un certain nombre de travaux sur un ordinateur, trouver le plus court chemin dans un graphe, etc. Dans la situation habituelle, nous disposons

— d'un ensemble (ou d'une liste) de *candidats* (les travaux à exécuter, les sommets du graphe, etc.) ;

— d'un ensemble de candidats déjà choisis ;

— d'une fonction qui permet de vérifier si un ensemble de candidats constitue une solution au problème, sans toutefois tenir compte du critère d'optimalité ;

— d'une fonction qui permet de vérifier si un ensemble est *réalisable*, c'est-à-dire s'il est possible de compléter cet ensemble pour constituer au moins une solution (pas forcément optimale) au problème, en autant qu'une solution existait avec l'ensemble initial de candidats ;

— d'une fonction de sélection qui peut choisir, à tout moment, quel est le candidat non encore choisi qui est le plus *prometteur* ;

— d'une *fonction objective* qui donne la valeur d'une solution (le temps requis pour passer les travaux dans l'ordre donné, la longueur du chemin trouvé, etc.) ; c'est cette fonction qu'il s'agit d'optimiser.

Pour résoudre le problème d'optimisation, nous cherchons un ensemble de candidats qui en constitue une solution et qui optimise (minimise ou maximise, selon le cas) la valeur de la fonction objective. Un algorithme vorace procède pas à pas. Initialement, l'ensemble de candidats choisis est vide. Ensuite, à chaque pas, on essaie d'ajouter à cet ensemble le meilleur candidat qui reste, le choix se faisant à l'aide de la fonction de sélection. Si l'ensemble ainsi augmenté n'est plus réalisable, on en enlève ce candidat ; il ne sera plus considéré par la suite. Dans le cas contraire, le candidat reste jusqu'à la fin dans l'ensemble choisi. Après chaque addition, on vérifie si l'ensemble choisi constitue une solution au problème. Un algorithme vorace fonctionne correctement si la solution ainsi obtenue est toujours optimale. De façon schématique :

fonction *vorace*(*C*: *ensemble*): *ensemble*
  {*C* est l'ensemble de tous les candidats}
  $S \leftarrow \varnothing$ {*S* est un ensemble dans lequel nous construisons la solution}
  tantque $\neg$ *solution*(*S*) **et** $C \neq \varnothing$ **faire**
    $x \leftarrow$ l'élément de *C* qui maximise *sélect*(*x*)
    $C \leftarrow C \setminus \{x\}$
    si *réalisable*($S \cup \{x\}$) **alors** $S \leftarrow S \cup \{x\}$
  si *solution*(*S*) **alors retourner** *S*
                sinon retourner *pas de solution* .

On voit d'où vient le nom *vorace* : à chaque étape, la procédure choisit le meilleur morceau qu'elle est capable d'avaler, sans se soucier de l'avenir. Elle ne revient jamais sur ses pas : une fois qu'un candidat est inclus dans la solution il n'en sort jamais ; une fois qu'il en est exclu, c'est pour toujours.

La fonction de sélection est normalement basée sur la fonction objective ; elles peuvent même être identiques. On verra cependant dans les exemples qui suivent que plusieurs fonctions de sélection sont parfois plausibles, et il s'agit alors de trouver la bonne si l'on veut un algorithme qui fonctionne correctement.

EXEMPLE 3.3.1.　　Nous voulons rendre la monnaie à un client en lui donnant le moins de pièces possibles. Les éléments du schéma ci-dessus sont :

— les candidats : un ensemble fini de pièces, par exemple de 1, 5, 10 et 25 unités, contenant au moins une pièce de chaque type ;
— une solution : le total de l'ensemble des pièces choisies correspond exactement au montant à payer ;
— un ensemble réalisable : le total de l'ensemble des pièces choisies n'excède pas la somme à payer ;
— la fonction de sélection : la plus grande pièce qui reste dans l'ensemble des candidats ;
— la fonction objective : le nombre de pièce utilisées dans la solution. □

＊ PROBLÈME 3.1.1.　Prouvez que dans l'exemple ci-dessus l'algorithme vorace fournit toujours la solution optimale, en autant qu'une solution existe.

Montrez, par contre, à l'aide d'exemples explicites, que cet algorithme n'est plus optimal dans tous les cas si l'on ajoute des pièces de 12 unités aux pièces disponibles, ou si un type de pièce est absent. Montrez qu'il peut même arriver dans ces conditions que l'algorithme vorace ne trouve pas de solution alors qu'il en existe. □

Bien entendu, il est plus efficace de rejeter en bloc toutes les pièces restantes de 25 unités dès que le montant qu'il reste à obtenir est inférieur à ce nombre. La division entière serait aussi plus efficace que la soustraction successive.

3.2 Algorithmes voraces sur les graphes

3.2.1 Arbres sous-tendants minimaux

Soit $G = \langle N, A \rangle$ un graphe connexe non-orienté; N est l'ensemble des sommets et A est l'ensemble des arêtes. A chaque arête est associée une longueur non-négative. Nous cherchons un sous-ensemble T des arêtes de G tel que tous les sommets restent connectés par les arêtes dans T, et que la somme des longueurs des arêtes dans T soit aussi petite que possible. (Au lieu de parler de longueur, on peut associer un coût à chaque arête. Dans ce cas, le problème consiste à trouver un sous-ensemble T dont le coût total soit aussi petit que possible. Bien sûr, ce changement d'optique ne change rien à la façon de résoudre le problème.)

PROBLÈME 3.2.1. Prouvez que le graphe partiel $\langle N, T \rangle$ formé par les sommets de G et les arêtes dans T est un arbre. □

Le graphe $\langle N, T \rangle$ s'appelle un **arbre sous-tendant minimal** pour le graphe G. Ce problème a de nombreuses applications. Si les sommets de G représentent des villes, par exemple, et le coût d'une arête $\{ a, b \}$ est le coût de construction d'une route de a à b, alors un arbre sous-tendant minimal de G nous indique comment construire à coût minimal un réseau routier reliant toutes les villes en question.

Nous donnons deux algorithmes voraces pour résoudre ce problème. Pour rester dans le jargon des algorithmes voraces, un ensemble d'arêtes est une **solution** s'il forme un arbre sous-tendant, alors qu'il est **réalisable** s'il ne contient aucun cycle. Disons, de plus, d'un ensemble réalisable qu'il est **prometteur** s'il peut être complété pour former une solution optimale. L'ensemble vide est toujours prometteur, puisque le graphe est connexe. Finalement, une arête **rejoint** un ensemble de sommets si une et une seule de ses extrémités est dans cet ensemble. La propriété suivante est cruciale pour prouver l'exactitude des algorithmes subséquents.

PROPRIÉTÉ 3.2.1. Soit $G = \langle N, A \rangle$ un graphe connexe non orienté, avec une longueur associée à chaque arête. Soit $B \subset N$ un sous-ensemble strict des sommets de G. Soit $T \subseteq A$ un ensemble prometteur d'arêtes tel qu'aucune arête de T ne rejoigne B. Soit e une arête de longueur minimale parmi celles qui rejoignent B. Alors $T \cup \{ e \}$ est prometteur.

PREUVE. Soit U un arbre sous-tendant minimal de G tel que $T \subseteq U$. Si $e \in U$, il n'y a rien à prouver. Sinon, en ajoutant l'arête e à U, on crée un et un seul cycle (c'est une des propriétés qui caractérisent les arbres). Dans ce cycle, puisque e rejoint B, il y a forcément au moins une autre arête, disons e', qui rejoint B également (sinon, le cycle ne pourrait être fermé — voir la figure 3.2.1). Effaçons maintenant l'arête e'. Le cycle disparaît et l'on obtient un nouvel arbre U' qui sous-tend G. Mais la longueur de e étant par définition plus petite ou égale à celle de e', la longueur totale de U' n'excède pas celle de U. Donc U' est également un arbre sous-tendant minimal, lequel contient e. Il ne reste plus qu'à constater que $T \subseteq U'$ puisque l'arête e' ne peut être dans T car elle rejoint B.   □

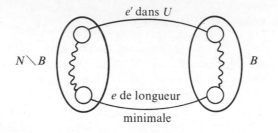

Figure 3.2.1.

L'ensemble initial des candidats est celui de toutes les arêtes. Un algorithme vorace consiste à sélectionner les arêtes une par une, dans un ordre déterminé. Chaque arête est alors, soit ajoutée à l'ensemble devant éventuellement constituer une solution, soit éliminée de toute considération. L'ordre dans lequel les arêtes sont examinées constitue la principale différence entre les algorithmes voraces pour résoudre ce problème.

L'algorithme de Kruskal

Initialement, l'ensemble d'arêtes T est vide. A mesure que l'algorithme progresse, des arêtes sont ajoutées à T. A tout moment, le graphe partiel composé par les sommets de G et les arêtes dans T contient plusieurs composantes connexes (initialement, quand T est vide, chaque sommet de G forme une composante connexe à lui seul). Les éléments de T compris dans une composante connexe donnée forment un arbre sous-tendant minimal pour les sommets de cette composante. A la fin de l'algorithme, on n'a qu'une seule composante connexe et T est donc un arbre sous-tendant minimal pour tous les sommets de G.

Pour bâtir des composantes connexes de plus en plus grandes, nous examinons les arêtes de G en ordre de longueur croissante. Si une arête rejoint deux sommets dans deux composantes connexes différentes, nous l'ajoutons à T, et alors les deux composantes ne sont plus maintenant qu'une seule ; sinon, l'arête est rejetée car elle rejoint deux sommets dans la même composante, et, puisque les arêtes déjà dans T forment un arbre sous-tendant minimal pour chaque composante, elle ne peut pas être ajoutée à T sans causer un cycle. Lorsqu'il ne reste qu'une seule composante incluant tous les sommets de G, on arrête.

Pour illustrer le fonctionnement de l'algorithme, considérons le graphe de la figure 3.2.2. En ordre de longueur croissante, les arêtes sont : { 1, 2 }, { 2, 3 }, { 4, 5 },

{ 6, 7 }, { 1, 4 }, { 2, 5 }, { 4, 7 }, { 3, 5 }, { 2, 4 }, { 3, 6 }, { 5, 7 } et { 5, 6 }. Les étapes de l'algorithme sont données ci-dessous.

étape	arête considérée	composantes connexes
initialisation		{ 1 } { 2 } { 3 } { 4 } { 5 } { 6 } { 7 }
1	{ 1, 2 }	{ 1, 2 } { 3 } { 4 } { 5 } { 6 } { 7 }
2	{ 2, 3 }	{ 1, 2, 3 } { 4 } { 5 } { 6 } { 7 }
3	{ 4, 5 }	{ 1, 2, 3 } { 4, 5 } { 6 } { 7 }
4	{ 6, 7 }	{ 1, 2, 3 } { 4, 5 } { 6, 7 }
5	{ 1, 4 }	{ 1, 2, 3, 4, 5 } { 6, 7 }
6	{ 2, 5 }	arête refusée
7	{ 4, 7 }	{ 1, 2, 3, 4, 5, 6, 7 }

T contient les arêtes retenues, soit { 1, 2 }, { 2, 3 }, { 4, 5 }, { 6, 7 }, { 1, 4 } et { 4, 7 }. Cet arbre sous-tendant minimal est indiqué par des traits gras sur la figure 3.2.2; sa longueur totale est 17.

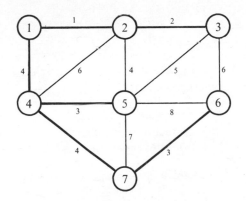

Figure 3.2.2.

PROBLÈME 3.2.2. Prouvez que l'algorithme de Kruskal fonctionne correctement. La preuve, qui utilise la propriété 3.2.1, est par induction mathématique sur le nombre d'arêtes choisies jusqu'à maintenant. □

PROBLÈME 3.2.3. Un graphe peut admettre plusieurs arbres sous-tendants minimaux différents. Est-ce le cas ici, et si oui, où cette possibilité se reflète-t-elle dans le fonctionnement de l'algorithme ? □

Pour implanter l'algorithme, nous devons manipuler un certain nombre d'ensembles : les sommets de chaque composante connexe. Il faut effectuer rapidement des opérations *trouver*(x) qui nous disent dans quel ensemble l'élément *x* se trouve, afin de pouvoir détecter les cycles, et *fusionner*(A, B) qui fusionnent deux ensembles. On utilise pour cela une structure d'ensembles disjoints (section 1.9.5). Pour cet algorithme, il est préférable de représenter le graphe sous forme d'un vecteur d'arêtes et de longueurs, plutôt que sous forme d'une matrice de distances. Voici l'algorithme :

fonction *Kruskal(G = <N, A>: graphe; longueur: A → ℝ*): ensemble d' arêtes*
  {initialisation}
  trier l'ensemble *A* par *longueur* croissante
  n ← #*N*
  T ← ∅ {contiendra les arêtes de l'arbre sous-tendant}
  initialiser *n* ensembles, chacun contenant un élément différent de *N*
  {boucle vorace}
  répéter
    {*u*, *v*} ← plus courte arête non encore considérée
    ucomp ← *trouver(u)*
    vcomp ← *trouver(v)*
    si *ucomp* ≠ *vcomp* **alors**
      fusionner(ucomp, vcomp)
      T ← *T* ∪ {{*u*, *v*}}
  jusque #*T* = *n*–1
  retourner *T* .

PROBLÈME 3.2.4. Qu'arrive-t-il si, par erreur, on fait fonctionner l'algo-rithme sur un graphe qui n'est pas connexe ?   ☐

On peut estimer le temps d'exécution de l'algorithme comme suit. Sur un graphe avec n sommets et a arêtes, le nombre d'opérations est dans :

— $O(a \log a)$ pour trier les arêtes, ce qui est équivalent à $O(a \log n)$ puisque $n - 1 \leqslant a \leqslant n(n - 1)/2$;

— $O(n)$ pour initialiser les n ensembles ;

— au pire, $O((2a + n - 1) \lg^* n)$ pour toutes les opérations *trouver* et *fusionner*, par l'analyse de l'exemple 2.2.10, puisqu'il y a au plus $2a$ opérations *trouver* et $n - 1$ opérations *fusionner* sur un univers à n éléments ;

— au pire, $O(a)$ pour les autres opérations.

Pour un graphe connexe, on sait que $a \geqslant n - 1$. On peut conclure que le temps total pour l'algorithme est dans $O(a \log n)$ puisque $O(\lg^* n) \subseteq O(\log n)$. Bien que ceci ne change rien à l'analyse en pire cas, il est préférable de conserver les arêtes dans un monceau (section 1.9.4) dont la propriété est inversée (la valeur de chacun des nœuds internes étant *inférieure ou égale* à celle de ses fils). Ceci permet d'effectuer l'initialisation en un temps dans $O(a)$, au détriment de chaque recherche de minimum dans la boucle **répéter** qui prend maintenant un temps dans $O(\log a) = O(\log n)$. Ceci est particulièrement avantageux si l'arbre sous-tendant est complété alors qu'il reste encore un nombre substantiel d'arêtes non considérées. Dans un tel cas, l'algorithme original aurait perdu son temps à trier initialement toutes ces arêtes inutiles.

PROBLÈME 3.2.5. Que peut-on dire sur le temps demandé par l'algorithme de Kruskal si, au lieu de fournir une liste des arêtes, l'utilisateur fournit la matrice des distances *L*, laissant à l'algorithme le travail d'en déduire quelles arêtes existent ? □

L'algorithme de Prim

Dans l'algorithme de Kruskal, nous choisissons des arêtes prometteuses sans trop nous préoccuper de leurs connexions avec les arêtes déjà choisies, sauf que nous prenons garde de ne pas former de cycle. Il s'agit donc de faire pousser une forêt de façon un peu anarchique. Dans l'algorithme de Prim, par contre, l'arbre sous-tendant minimal « pousse » d'une façon naturelle à partir d'une racine arbitraire : à chaque étape, on ajoute une nouvelle branche au sous-arbre déjà construit, et l'algorithme s'arrête lorsque tous les sommets sont atteints.

Initialement, l'ensemble des sommets *B* contient un sommet quelconque et l'ensemble d'arêtes *T* est vide. A chaque pas, l'algorithme de Prim cherche une arête $\{u, v\}$ de longueur minimale telle que $u \in N \setminus B$ et $v \in B$. Il ajoute ensuite *u* à *B* et $\{u, v\}$ à *T*. De cette façon, les arêtes dans *T* forment à tout moment un arbre sous-tendant minimal pour les sommets dans *B*. On continue ainsi tant que $B \neq N$. Voici l'algorithme en termes informels :

fonction *Prim(G = <N, A>: graphe; longueur: A → **R***): ensemble d'arêtes*
   {initialisation}
   $T \leftarrow \varnothing$ {contiendra les arêtes de l'arbre sous-tendant}
   $B \leftarrow$ {un élément quelconque de *N*}
   tantque $B \neq N$ **faire**
      trouver $\{u, v\}$ de *longueur* minimale telle que $u \in N \setminus B$ et $v \in B$
      $T \leftarrow T \cup \{\{u, v\}\}$
      $B \leftarrow B \cup \{u\}$
   retourner *T* .

PROBLÈME 3.2.6. Prouvez que l'algorithme de Prim fonctionne correctement. La preuve, qui utilise également la propriété 3.2.1, est par induction mathématique sur le nombre de sommets dans *B*. □

Pour illustrer le fonctionnement de l'algorithme, considérons de nouveau le graphe de la figure 3.2.2. Choisissons arbitrairement le sommet 1 comme point de départ.

étape	$\{u, v\}$	B
initialisation		{ 1 }
1	{ 2, 1 }	{ 1, 2 }
2	{ 3, 2 }	{ 1, 2, 3 }
3	{ 4, 1 }	{ 1, 2, 3, 4 }
4	{ 5, 4 }	{ 1, 2, 3, 4, 5 }
5	{ 7, 4 }	{ 1, 2, 3, 4, 5, 7 }
6	{ 6, 7 }	{ 1, 2, 3, 4, 5, 6, 7 }

T contient les arêtes choisies : { 2, 1 }, { 3, 2 }, { 4, 1 }, { 5, 4 }, { 7, 4 } et { 6, 7 }.

PROBLÈME 3.2.7.   Un graphe peut admettre plusieurs arbres sous-tendants minimaux différents. Où cette possibilité se reflète-t-elle dans le fonctionnement de l'algorithme ?   □

Pour obtenir une implantation simple sur ordinateur, supposons que les sommets de G soient numérotés de 1 à n, $N = \{ 1, 2, ..., n \}$, et qu'une matrice symétrique L donne la longueur (non négative) de chaque arête, avec $L[i, j] = \infty$ si l'arête n'existe pas. Nous utilisons deux tableaux : pour chaque sommet $i \in N \setminus B$, $voisin[i]$ indique le sommet dans B qui est le plus proche de i et $distmin[i]$ donne la distance de i à $voisin[i]$; on distingue un sommet $i \in B$ en posant $distmin[i] = -1$. L'ensemble B, initialisé arbitrairement à $\{ 1 \}$, n'existe pas de façon explicite; $voisin[1]$ et $distmin[1]$ ne sont pas utilisés. Voici l'algorithme :

fonction *Prim(L[1..n, 1..n]): ensemble d'arêtes*
  {initialisation — uniquement le sommet 1 est dans B}
  $T \leftarrow \varnothing$ {contiendra les arêtes de l'arbre sous-tendant}
  pour $i \leftarrow 2$ **jusqu'à** n **faire**
    $voisin[i] \leftarrow 1$
    $distmin[i] \leftarrow L[i, 1]$
  {boucle vorace}
  répéter n–1 **fois**
    $min \leftarrow \infty$
    pour $j \leftarrow 2$ **jusqu'à** n **faire**
      si $0 \leq distmin[j] < min$ **alors** $min \leftarrow distmin[j]$
                      $k \leftarrow j$
    $T \leftarrow T \cup \{\{k, voisin[k]\}\}$
    $distmin[k] \leftarrow -1$ {ajouter k à B}
    pour $j \leftarrow 2$ **jusqu'à** n **faire**
      si $L[k, j] < distmin[j]$ **alors** $distmin[j] \leftarrow L[k, j]$
                         $voisin[j] \leftarrow k$
  retourner T .

PROBLÈME 3.2.8.   Qu'arrive-t-il si, par erreur, on fait fonctionner l'algorithme sur un graphe qui n'est pas connexe ?   □

La boucle principale de l'algorithme est exécutée $n - 1$ fois; à chaque itération, les boucles **pour** à l'intérieur prennent un temps dans $O(n)$. Il est donc clair que l'algorithme de Prim prend un temps dans $O(n^2)$.

Nous avons vu que l'algorithme de Kruskal demande un temps dans $O(a \log n)$, où a est le nombre d'arêtes du graphe. Pour un graphe très dense, a tend vers $n(n-1)/2$. Dans ce cas, l'algorithme de Kruskal prend un temps dans $O(n^2 \log n)$ et l'algorithme de Prim est probablement meilleur. Pour un graphe très épars, a tend vers n. Dans ce cas, l'algorithme de Kruskal prend un temps dans $O(n \log n)$ et l'algorithme de Prim est probablement moins efficace. Il existe d'autres algorithmes encore plus efficaces que celui de Kruskal pour les graphes épars.

PROBLÈME 3.2.9. Qu'arrive-t-il

a) dans le cas de l'algorithme de Prim ;

b) dans le cas de l'algorithme de Kruskal ;

si des arêtes de longueur négative sont admises ? La notion d'un arbre sous-tendant minimal est-elle toujours intéressante si l'on admet des arêtes de longueur négative ?
□

3.2.2 Les plus courts chemins

Nous nous intéressons maintenant à un graphe orienté $G = \langle N, A \rangle$ où N est l'ensemble des sommets de G et A est l'ensemble des arcs. A chaque arc est associée une longueur non négative. Un des sommets est identifié comme étant la source. Le problème consiste à déterminer la longueur du plus court chemin de la source vers chacun des autres sommets du graphe. (Encore une fois, nous pouvons parler du *coût* d'un arc au lieu de sa longueur et chercher le chemin le plus économique de la source vers chacun des autres sommets.)

Ce problème est résolu par un algorithme vorace, souvent appelé *l'algorithme de Dijkstra*. Les ensembles C et S de candidats disponibles et choisis, respectivement, sont des ensembles de sommets. S contient à tout moment l'ensemble des sommets dont la distance minimale de la source est connue et C contient tous les autres. Au départ, S contient seulement la source elle-même ; à la fin, S contient tous les sommets du graphe et notre problème est résolu. A chaque étape, nous choisissons dans C le sommet v dont la distance de la source est minimale, et nous l'ajoutons à S.

Nous appelons **spécial** un chemin de la source vers un autre sommet qui ne passe que par des sommets dans S. A chaque étape de l'algorithme, un tableau D contient la longueur du plus court chemin *spécial* vers chaque sommet du graphe. Au moment où nous ajoutons un nouveau sommet v à S, le plus court chemin spécial menant à v est aussi le plus court de tous les chemins à v. (Nous prouverons ceci plus loin.) A la fin de l'algorithme tous les sommets du graphe sont dans S, donc tous les chemins de la source vers un autre sommet sont spéciaux. Par conséquent, les valeurs dans D donnent la solution au problème.

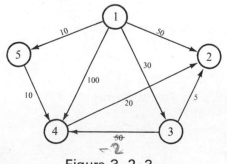

Figure 3.2.3.

Pour nous simplifier la vie, nous supposerons une fois de plus que les sommets du graphe sont numérotés de 1 à n, $N = \{1, 2, ..., n\}$, que le sommet 1 est la source et qu'une matrice L donne la longueur de chaque arc : $L[i, j] \geqslant 0$ si l'arc (i, j) existe et $L[i, j] = \infty$ s'il n'existe pas. Voici l'algorithme :

fonction *Dijkstra*($L[1..n, 1..n]$): **tableau**[2..n]
    {initialisation}
    $C \leftarrow \{2,3,...,n\}$ {$S = N \setminus C$ n'existe qu'implicitement}
    pour $i \leftarrow 2$ **jusqu'à** n **faire** $D[i] \leftarrow L[1, i]$
    {boucle vorace}
    répéter $n-2$ **fois**
      $v \leftarrow$ l'élément de C qui minimise $D[v]$
      $C \leftarrow C \setminus \{v\}$ {et implicitement $S \leftarrow S \cup \{v\}$}
      pour chaque élément w de C **faire**
        $D[w] \leftarrow \min(D[w], D[v] + L[v, w])$
    retourner D .

Le schéma ci-dessous illustre le fonctionnement de l'algorithme sur le graphe de la figure 3.2.3.

étape	v	C	D
initialisation		{ 2, 3, 4, 5 }	[50, 30, 100, 10]
1	5	{ 2, 3, 4 }	[50, 30, 20, 10]
2	4	{ 2, 3 }	[40, 30, 20, 10]
3	3	{ 2 }	[35, 30, 20, 10] .

Il est clair qu'une itération supplémentaire pour enlever le dernier élément de C ne changerait rien à D.

Si nous voulons non seulement trouver la longueur du plus court chemin, mais aussi savoir par où il passe, il suffit d'ajouter un deuxième tableau $P[2..n]$, où $P[v]$ contient le numéro du sommet qui précède v dans le plus court chemin. Pour trouver le chemin complet, il suffit de remonter les pointeurs P jusqu'à la source. Les modifications à l'algorithme sont simples :

— initialiser $P[i]$ à 1 pour $i = 2, 3, ..., n$;
— remplacer le contenu de la boucle **pour** intérieure par
  si $D[w] > D[v] + L[v, w]$ **alors** $D[w] \leftarrow D[v] + L[v, w]$
                      $P[w] \leftarrow v$.

PROBLÈME 3.2.10. Montrez le fonctionnement de l'algorithme modifié sur le graphe de la figure 3.2.3.   □

Preuve que l'algorithme fonctionne

Nous prouverons par induction mathématique que

i) si un sommet i est dans S, alors $D[i]$ donne la longueur du plus court chemin de la source vers i ;

ii) si un sommet i n'est pas dans S, alors $D[i]$ donne la longueur du plus court chemin *spécial* de la source vers i.

Il suffit d'examiner l'initialisation de D et de S pour se convaincre que ces deux conditions sont satisfaites au départ : la base de l'induction est ainsi obtenue. Considérons maintenant le pas inductif et supposons par hypothèse d'induction que les deux conditions soient satisfaites juste avant d'ajouter un nouveau sommet v à S.

i) C'est évident (par l'hypothèse d'induction) pour les sommets qui étaient déjà dans S. Quant au sommet v, il appartiendra désormais à S. Il faut donc vérifier que $D[v]$ donne la longueur du plus court chemin de la source vers v. On sait par l'hypothèse d'induction que $D[v]$ donne la longueur du plus court chemin spécial. Il faut donc vérifier que le chemin le plus court de la source vers v ne passe pas par un sommet qui n'appartienne pas à S. Supposons le contraire et supposons qu'en suivant le chemin le plus court à partir de la source, le premier sommet rencontré qui n'appartienne pas à S soit le sommet x (voir figure 3.2.4).

La section initiale du chemin jusqu'à x est un chemin spécial. Par conséquent, la distance totale à v est

> $\geqslant$ distance à x (puisque les longueurs des arcs entre x et v
>   sont non négatives)
> $\geqslant D[x]$ (partie (ii) de l'induction)
> $\geqslant D[v]$ (puisque l'algorithme a choisi v avant x)

et le chemin via x ne peut pas être plus court que le chemin spécial menant à v. Nous avons ainsi vérifié que lorsque v est ajouté à S, la partie (i) de l'induction reste vraie.

ii) Considérons maintenant un sommet w autre que v qui n'est pas dans S. Quand v est ajouté à S, il y a deux possibilités pour le chemin spécial le plus court de la source vers w : il ne change pas ou il passe maintenant par v. Dans ce dernier cas, il semble à première vue y avoir encore deux possibilités : v est le dernier sommet de S visité avant d'arriver à w, ou il ne l'est pas. Il nous faut comparer directement les longueurs de l'ancien chemin menant à w et du chemin qui visite v immédiatement

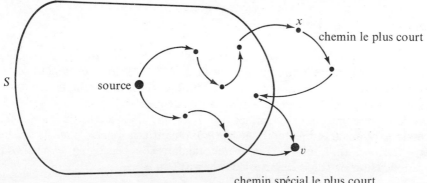

Figure 3.2.4.

avant w; c'est ce que fait l'algorithme. Nous pouvons cependant ignorer la possibilité (voir figure 3.2.5) que v soit visité sans l'être immédiatement avant w : un chemin de ce type ne peut pas être plus court que le chemin de longueur $D[x] + L[x, w]$ examiné à une étape antérieure lorsque x fut ajouté à S puisque $D[x] \leqslant D[v]$.

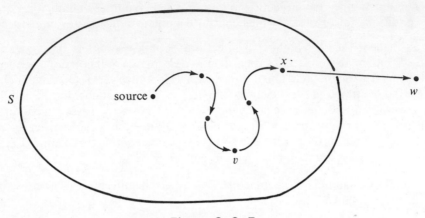

Figure 3.2.5.

Ainsi l'algorithme nous assure que la partie (ii) de l'induction reste vraie lorsqu'un nouveau sommet v est ajouté à S.

Pour compléter la preuve de l'algorithme, il suffit de remarquer qu'à la fin de son exécution tous les sommets sauf un sont dans S (bien que l'ensemble S ne soit pas construit explicitement). Or, il est clair que le plus court chemin de la source vers ce dernier sommet est un chemin spécial.

PROBLÈME 3.2.11.   Démontrez à l'aide d'un exemple explicite que si les longueurs des arcs peuvent être négatives, l'algorithme de Dijkstra ne fonctionne pas correctement. La notion du chemin le plus court reste-t-elle valable si des distances négatives sont admises ?   □

Analyse de l'algorithme

Soit un graphe ayant n sommets et a arcs, sur lequel l'algorithme de Dijkstra est appelé. Avec la représentation suggérée jusqu'à maintenant, l'exemplaire est donné sous la forme d'une matrice $L[1 . . n, 1 . . n]$. L'initialisation prend un temps dans $O(n)$. Implanté naïvement, le choix de v dans la boucle **répéter** force à passer tous les éléments de C en revue, donc d'examiner $n - 1, n - 2, ..., 2$ valeurs de D aux itérations successives, pour un temps total dans $O(n^2)$. Quant à la boucle **pour** intérieure, elle fait $n - 2, n - 1, ..., 1$ itérations, pour un total dans $O(n^2)$ également. Le temps requis par cette version de l'algorithme est donc dans $O(n^2)$.

Si a est beaucoup plus petit que n^2, il est concevable qu'on puisse éviter l'examen des nombreuses entrées contenant ∞ dans la matrice L. Dans ce but, il peut être préférable de représenter le graphe par un tableau de n listes, donnant pour chaque sommet sa distance directe aux sommets adjacents (similairement au type *lisgraphe* de la section 1.9.2). Ceci permet de sauver beaucoup de temps dans la boucle **pour** intérieure, puisqu'il suffit de ne considérer que les sommets w adjacents à v, mais comment éviter de prendre un temps dans $O(n^2)$ pour la détermination successive des $n - 2$ valeurs de v ?

La solution réside dans l'utilisation d'un monceau contenant un nœud pour chaque élément v de C, ordonné par la valeur de $D[v]$. Si l'on prend soin d'inverser la propriété du monceau, l'élément v de C qui *minimise* $D[v]$ se retrouve toujours à la racine. L'initialisation du monceau prend un temps dans $O(n)$. L'instruction $C \leftarrow C \setminus \{ v \}$ consiste à éliminer cette racine du monceau, ce qui prend un temps dans $O(\log n)$. Quant à la boucle **pour** intérieure, elle consiste à regarder, pour chaque élément w de C adjacent à v, si $D[v] + L[v, w] < D[w]$, auquel cas il y a lieu de modifier $D[w]$ et de percoler w dans le monceau, ce qui prend également un temps dans $O(\log n)$. Ceci ne pourra se produire au maximum qu'une seule fois par arc.

Pour résumer, il faut éliminer la racine du monceau exactement $n - 2$ fois et percoler au plus a nœuds, pour un temps total dans $O((a + n) \log n)$. Si le graphe est connexe, $a \geqslant n - 1$ et ce temps est dans $O(a \log n)$. L'implantation naïve est donc préférable si le graphe est dense, alors que l'utilisation du monceau est préférable si le graphe est épars. Si $a \in \theta(n^2/\log n)$, l'algorithme à préférer peut dépendre des implantations spécifiques.

* **PROBLÈME 3.2.12.** Remarquez dans l'analyse ci-dessus que jusqu'à a nœuds peuvent être percolés, alors que moins de n racines peuvent être éliminées. Ceci est intéressant lorsqu'on se rappelle que l'élimination d'une racine a pour effet de tamiser le nœud qui en prend la place, et qu'il est légèrement plus rapide de percoler que de tamiser (puisqu'il s'agit alors à chaque niveau de comparer un nœud avec son père plutôt qu'avec ses deux fils). Ceci suggère de modifier légèrement la définition du monceau pour permettre de percoler plus rapidement encore, au détriment du temps requis pour tamiser.

i) Quelle modification suggérez-vous d'apporter au concept de monceau ?

ii) Soit $k = \max (2, \lfloor a/n \rfloor)$. Montrez comment cette modification permet de calculer les plus courts chemins de la source vers chacun des autres sommets d'un graphe en un temps dans $O(a \log_k n)$. Bien sûr, le problème 2.1.17(i) ne s'applique pas ici puisque k n'est pas une constante. Remarquez que ceci donne $O(n^2)$ si $a \approx n^2$ et $O(a \log n)$ si $a \approx n$; c'est donc le meilleur des deux mondes. $\square$

PROBLÈME 3.2.13. Montrez que l'algorithme de Prim pour la détermination d'un arbre sous-tendant minimal peut également être implanté à l'aide d'un monceau, ce qui lui fait prendre un temps dans $O(a \log n)$ tout comme l'algorithme de Kruskal. Montrez que l'amélioration suggérée au problème précédent peut également s'appliquer à l'algorithme de Prim. $\square$

3.3   Algorithmes voraces pour l'ordonnancement de travaux

3.3.1   Minimisation de l'attente

Un seul serveur (par exemple un ordinateur, une pompe à essence, un caissier dans une banque, etc.) doit servir n clients. Le temps de service requis par chaque client est connu d'avance : le client i prendra un temps $t_i, i = 1, 2, ..., n$. Nous voulons minimiser

$$T = \sum_{i=1}^{n} \text{(temps passé dans le système par le client } i) \,.$$

Puisque le nombre de clients est fixe, minimiser l'attente totale est la même chose que de minimiser l'attente moyenne. Par exemple, si nous avons 3 clients, avec

$$t_1 = 5, \qquad t_2 = 10, \qquad t_3 = 3,$$

six ordres de service sont possibles :

ordre	T
1 2 3 :	$5 + (5 + 10) + (5 + 10 + 3) = 38$
1 3 2 :	$5 + (5 + 3) + (5 + 3 + 10) = 31$
2 1 3 :	$10 + (10 + 5) + (10 + 5 + 3) = 43$
2 3 1 :	$10 + (10 + 3) + (10 + 3 + 5) = 41$
3 1 2 :	$3 + (3 + 5) + (3 + 5 + 10) = 29 \leftarrow$ optimal
3 2 1 :	$3 + (3 + 10) + (3 + 10 + 5) = 34 \,.$

Dans le premier cas, le client 1 est servi tout de suite, le client 2 attend durant le service de 1 et ensuite est servi, et le client 3 attend durant les services de 1 et 2 et ensuite est servi : le temps total passé dans le système par les trois clients est de 38.

Imaginons un algorithme qui construise l'ordre optimal pas à pas. Après avoir déjà prévu les clients $i_1, i_2, ..., i_m$, supposons qu'on ajoute le client j. L'augmentation de T à cette étape est

$$t_{i_1} + t_{i_2} + \cdots + t_{i_m} + t_j \,.$$

Pour minimiser cette augmentation, il suffit de minimiser t_j. Ceci suggère un algorithme vorace simple : à chaque étape, ajoutez à la fin de la liste le client demandant le moins de service entre tous ceux qui restent. Dans l'exemple ci-dessus, cet algorithme donne la réponse correcte 3, 1, 2.

Prouvons maintenant que cet algorithme donne toujours un ordonnancement optimal des clients.

PREUVE. Soit $I = (i_1 \, i_2 \ldots i_n)$ une permutation quelconque des entiers $\{1, 2, .., n\}$. Si les clients sont servis dans l'ordre I, le temps total passé dans le système par tous les clients est

$$T(I) = t_{i_1} + (t_{i_1} + t_{i_2}) + (t_{i_1} + t_{i_2} + t_{i_3}) + \cdots$$

$$= nt_{i_1} + (n-1)\, t_{i_2} + (n-2)\, t_{i_3} + \cdots$$

$$= \sum_{k=1}^{n} (n - k + 1)\, t_{i_k}.$$

Supposons maintenant que I soit telle qu'on puisse trouver deux entiers a et b avec $a < b$ et $t_{i_a} > t_{i_b}$: autrement dit, le a-ième client est servi avant le b-ième client, bien qu'il demande plus de temps que lui (voir la figure 3.3.1). Si l'on inverse les positions de ces deux clients, on obtient un nouvel ordre de service I' obtenu de I en échangeant les éléments i_a et i_b.

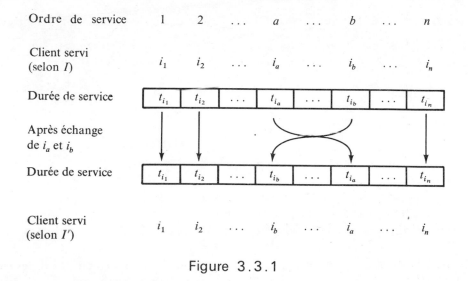

Figure 3.3.1

Maintenant

$$T(I') = (n - a + 1)\, t_{i_b} + (n - b + 1)\, t_{i_a} + \sum_{\substack{k=1 \\ k \neq a,b}}^{n} (n - k + 1)\, t_{i_k}$$

$$T(I) - T(I') = (n - a + 1)(t_{i_a} - t_{i_b}) + (n - b + 1)(t_{i_b} - t_{i_a})$$

$$= (b - a)(t_{i_a} - t_{i_b})$$

$$> 0.$$

Nous pouvons donc améliorer tout ordre de service où un client est servi avant un autre nécessitant moins de temps. Ne restent que les ordonnancements obtenus en rangeant les clients par ordre non décroissant de temps de service. On voit facilement que ces derniers sont tous équivalents, et donc tous optimaux. $\qquad \square$

PROBLÈME 3.3.1.   Combien de temps est nécessaire (notation O) pour un algorithme vorace qui accepte les données n et $t[1 .. n]$ et produit l'ordonnancement optimal ?   □

Le problème se généralise à un système qui inclut s serveurs. Il en est de même de l'algorithme. Sans perte de généralité, supposons que les clients sont numérotés de sorte que $t_1 \leqslant t_2 \leqslant \cdots \leqslant t_n$. Dans ce contexte, le serveur i, $1 \leqslant i \leqslant s$, doit traiter dans l'ordre les clients numérotés i, $i + s$, $i + 2s$, ...

PROBLÈME 3.3.2.   Prouvez que cet algorithme donne toujours un ordonnancement optimal.   □

PROBLÈME 3.3.3.   Une bande magnétique contient n programmes de longueur l_1, l_2, ..., l_n. Nous connaissons le taux d'utilisation de chaque programme : une fraction p_i des requêtes demande de charger le programme i, $1 \leqslant i \leqslant n$ (ceci implique bien sûr que $\sum_{i=1}^{n} p_i = 1$). La densité de l'information sur la bande est constante, ainsi que la vitesse du dérouleur. Après chaque chargement d'un programme, la bande est automatiquement remise à son point de départ.

Si les programmes sont stockés dans l'ordre $i_1, i_2, ..., i_n$, le temps moyen requis pour en charger un sera

$$\overline{T} = c \sum_{j=1}^{n} \left[p_{i_j} \sum_{k=1}^{j} l_{i_k} \right],$$

où la constante c dépend de la densité et de la vitesse du dérouleur. On veut minimiser $\overline{T}$.

a) Prouvez par un exemple explicite qu'il n'est pas forcément optimal de placer les programmes en ordre de l_i croissant.

b) Prouvez par un exemple explicite qu'il n'est pas forcément optimal de placer les programmes en ordre de p_i décroissant.

c) Prouvez que $\overline{T}$ est minimisé si les programmes sont placés en ordre de p_i/l_i décroissant.   □

3.3.2   Ordonnancement avec échéances

Soit un ensemble de n tâches à exécuter, chacune en temps unitaire. A chaque instant $t = 1, 2, ...$, on peut exécuter une et une seule tâche. La tâche i, $1 \leqslant i \leqslant n$, nous apporte un gain $g_i > 0$ si et seulement si elle est exécutée au plus tard à l'instant d_i.

Par exemple, avec $n = 4$ et les valeurs ci-dessous :

i	1	2	3	4
g_i	50	10	15	30
d_i	2	1	2	1

les séquences à considérer et les gains correspondants sont

séquence :	1	gain :	50
	2		10
	3		15
	4		30
	1, 3		65
	2, 1		60
	2, 3		25
	3, 1		65
	4, 1		80 ← optimum
	4, 3		45 .

La séquence 3, 2, par exemple, n'est pas considérée parce que la tâche 2 serait exécutée au temps $t = 2$, après son échéance $d_2 = 1$. Pour maximiser notre gain dans cet exemple, il faut exécuter la séquence 4, 1.

Un ensemble de tâches est **réalisable** s'il existe au moins une séquence (également appelée réalisable) qui permette d'exécuter toutes les tâches de l'ensemble avant leurs échéances respectives. Un algorithme vorace évident construit l'ensemble des tâches à exécuter pas à pas, en ajoutant à chaque pas la tâche non encore considérée ayant la plus grande valeur de g_i, sujet à la condition que l'ensemble choisi demeure réalisable.

Dans l'exemple précédent, nous choisissons d'abord la tâche 1. Ensuite nous choisissons 4 : l'ensemble { 1, 4 } est réalisable, parce qu'il peut être exécuté dans l'ordre 4, 1. Ensuite nous essayons l'ensemble { 1, 4, 3 } qui s'avère non réalisable : la tâche 3 est donc rejetée. Finalement, nous essayons { 1, 4, 2 }, qui est également non réalisable : donc la tâche 2 est rejetée aussi. Notre solution — optimale dans ce cas — est d'exécuter l'ensemble de tâches { 1, 4 }, nécessairement dans l'ordre 4, 1. Il reste à démontrer que cet algorithme trouve toujours une séquence optimale, et à trouver une façon efficace de l'implanter.

Soit J un ensemble de k tâches. A première vue, il semblerait qu'on doive essayer les k ! permutations possibles de ces tâches pour vérifier si J est réalisable. Heureusement tel n'est pas le cas.

LEMME 3.3.1. Soit J un ensemble de k tâches et soit $\sigma = (s_1 s_2 \ldots s_k)$ une permutation de ces tâches telle que $d_{s_1} \leqslant d_{s_2} \leqslant \cdots \leqslant d_{s_k}$. Alors l'ensemble J est réalisable si et seulement si la séquence σ est réalisable.

PREUVE. La partie « si » est évidente. Pour la partie « seulement si » :

Si J est réalisable, il existe au moins une séquence $\rho = (r_1 r_2 \ldots r_k)$ des tâches telle que $d_{r_i} \geqslant i$, $i = 1, 2, \ldots, k$. Supposons que $\sigma \neq \rho$. Soit a le plus petit indice tel que $s_a \neq r_a$ et soit b tel que $r_b = s_a$; il est clair que $b > a$. Aussi

$$d_{r_a} \geqslant d_{s_a} \quad \text{(par la construction de } \sigma \text{ et la minimalité de } a)$$
$$= d_{r_b} \quad \text{(par la définition de } b) .$$

La tâche r_a pourrait donc être exécutée plus tard au moment où r_b est prévu actuellement. Puisque r_b peut certainement être exécutée plus tôt que prévu, nous pouvons interchanger les éléments r_a et r_b dans ρ. Il en résulte une nouvelle séquence réalisable qui est la même que σ au moins dans les positions 1, 2, ..., a. Continuant ainsi, nous obtenons une série de séquences réalisables, chacune ayant au moins une position de plus en concordance avec σ. Finalement, après un maximum de $k - 1$ opérations de cette sorte, nous obtenons σ elle-même, qui est donc réalisable.   □

Ceci montre qu'il suffit de vérifier une seule séquence, en ordre d'échéance croissante, pour savoir si un ensemble de tâches est réalisable ou non. Prouvons maintenant que l'algorithme vorace esquissé ci-dessus trouve toujours une séquence optimale.

Preuve d'optimalité

Supposons que l'algorithme vorace choisisse pour exécution un ensemble de tâches I et supposons que l'ensemble $J \neq I$ soit optimal. Considérons deux séquences réalisables S_I et S_J pour les deux ensembles de tâches en question. Il est clair qu'en faisant des transpositions de tâches appropriées dans S_I et S_J nous pouvons construire deux séquences réalisables S_I' et S_J' telles que toute tâche commune à I et J soit exécutée au même moment dans les deux séquences, quitte à laisser des trous dans ces séquences (voir la figure 3.3.2 pour un exemple : les transpositions nécessaires se trouvent facilement si l'on balaye les deux séquences de droite à gauche).

Les séquences S_I' et S_J' sont différentes puisque $I \neq J$. Regardons un moment quelconque pour lequel la tâche prévue dans S_I' et celle prévue dans S_J' sont distinctes.

— Si S_I' prévoit une tâche a alors que S_J' ne prévoit rien (c'est-à-dire qu'il y a un trou en cet endroit dans la séquence S_J' et que la tâche a n'apparaît pas dans l'ensemble J), on pourrait ajouter a à J. L'ensemble augmenté resterait réalisable et son profit serait supérieur à celui de J, ce qui contredit l'hypothèse d'optimalité de J.

— Si S_J' prévoit une tâche b alors que S_I' ne prévoit rien, l'algorithme vorace aurait pu ajouter b à I. Cette situation est également impossible puisqu'il ne l'a pas fait.

— La seule possibilité restante est donc que S_I' prévoit une tâche a alors que S_J' prévoit une tâche différente b. Encore une fois, ceci implique que a n'apparaît pas dans J et que b n'apparaît pas dans I.

  • Si $g_a > g_b$, on pourrait remplacer b par a dans J et l'améliorer, ce qui contredit l'optimalité de J.

  • Si $g_a < g_b$, l'algorithme vorace aurait choisi b avant de considérer a puisque $(I \setminus \{ a \}) \cup \{ b \}$ serait réalisable. C'est donc impossible puisqu'il ne l'a pas fait.

  • Il ne reste qu'une seule possibilité : $g_a = g_b$.

A chaque position dans les séquences S_I' et S_J', nous avons donc soit aucune tâche, soit la même tâche, soit deux tâches différentes de gain identique. Nous en concluons que la valeur totale des tâches dans I est égale à la valeur totale des tâches dans l'ensemble optimal J, ce qui implique que I est optimal également.   □

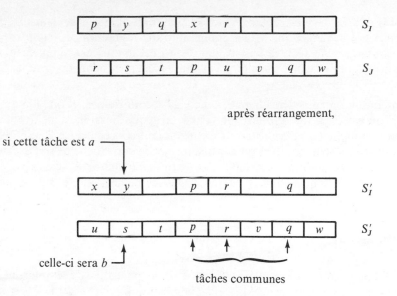

après réarrangement,

Figure 3.3.2.

Pour la première implantation de l'algorithme, supposons sans perte de généralité que les tâches sont numérotées de sorte que $g_1 \geqslant g_2 \geqslant \cdots \geqslant g_n$. Pour permettre l'utilisation de sentinelles, supposons également que $n > 0$ et que $d_i > 0, i = 1, 2, ..., n$.

Voici l'algorithme :

```
fonction séquence(d[0..n]): k, tableau[1..k]
    tableau j[0..n]
    d[0], j[0] ← 0  {sentinelles}
    k, j[1] ← 1  {la tâche 1 est toujours choisie}
    {boucle vorace}
    pour i ← 2 jusqu'à n faire {en ordre de g décroissant}
        r ← k
        tantque d[j[r]] > max(d[i], r) faire r ← r − 1
        si d[j[r]] ≤ d[i] et d[i] > r alors
            pour l ← k pas −1 jusqu'à r+1 faire j[l+1] ← j[l]
            j[r+1] ← i
            k ← k + 1
    retourner k, j[1..k]  .
```

Les valeurs exactes des g_i ne sont pas nécessaires, du moment que les tâches sont correctement numérotées en ordre décroissant de gain.

PROBLÈME 3.3.4. Vérifiez le fonctionnement de l'algorithme et montrez qu'en pire cas il prend un temps quadratique. □

Un autre algorithme nettement plus efficace est obtenu en utilisant une technique différente pour vérifier si un ensemble de tâches est réalisable.

LEMME 3.3.2.   Un ensemble de tâches J est réalisable si et seulement si l'on peut construire une séquence réalisable contenant toutes les tâches de J comme suit : pour chaque tâche $i \in J$, exécutez i à l'instant t, où t est le plus grand entier tel que $0 < t \leqslant \min(n, d_i)$ et la tâche à exécuter à l'instant t n'est pas encore déterminée.   □

Autrement dit, on considère chaque tâche $i \in J$ à tour de rôle et on l'ajoute à la séquence qu'on est en train de construire aussi tard que possible mais avant son échéance. Si une tâche ne peut pas être exécutée avant son échéance, l'ensemble J n'est pas réalisable. Il se peut qu'il y ait des instants où aucune tâche ne soit exécutée. Ceci n'a pas d'importance pour décider si un ensemble de tâches est réalisable, mais on peut comprimer la séquence une fois que toutes les tâches ont été incluses, si on le désire.

PROBLÈME 3.3.5.   Prouvez le lemme 3.3.2.   □

Ce lemme nous amène à considérer un algorithme qui essaye de remplir une par une les positions dans une séquence de longueur $l = \min(n, \max \{ d_i \mid 1 \leqslant i \leqslant n \})$. Pour une position t, définissons $n_t = \max \{ k \leqslant t \mid$ la position k est libre $\}$. Définissons également des ensembles de positions : deux positions i et j sont dans le même ensemble si $n_i = n_j$ (voir la figure 3.3.3). Pour un ensemble de positions donné K, soit $F(K)$ l'élément minimum de K. Définissons finalement une position fictive 0 qui est toujours libre.

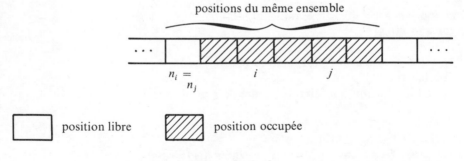

Figure 3.3.3.

Il est clair qu'à mesure que des tâches sont affectées à des positions, les ensembles se fusionnent pour former des ensembles plus grands ; c'est donc du travail pour les structures d'ensembles disjoints. Nous obtenons un algorithme dont voici les étapes essentielles :

i) initialisation : chaque position 0, 1, 2, ..., l est dans un ensemble différent et $F(\{ i \}) = i, 0 \leqslant i \leqslant l$;

ii) addition d'une tâche avec échéance d :

— trouver l'ensemble qui contient $\min(n, d)$; disons que c'est l'ensemble K ;
— si $F(K) = 0$, la tâche est éliminée ;

— si $F(K) \neq 0$,

- affecter la tâche à la position $F(K)$;
- trouver l'ensemble qui contient $F(K) - 1$; disons que c'est l'ensemble L (il est forcément différent de l'ensemble K);
- fusionner K et L; la valeur de F pour ce nouvel ensemble est l'ancienne valeur de $F(L)$.

EXEMPLE 3.3.1.   Considérons un problème avec 6 tâches :

i	1	2	3	4	5	6
g_i	20	15	10	7	5	3
d_i	3	1	1	3	1	3 .

Les figures 3.3.4 et 3.3.5 illustrent le fonctionnement des algorithmes lent et rapide respectivement. (N'oubliez pas que les deux algorithmes sont voraces : il faut essayer les tâches en ordre de g_i décroissant.)   □

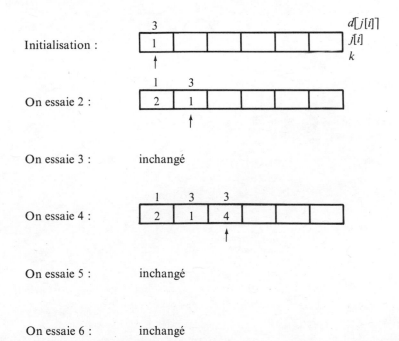

Séquence optimale : 2, 1, 4; valeur = 42

Figure 3.3.4.

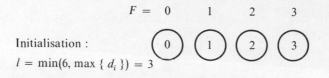

Initialisation :
$l = \min(6, \max \{ d_i \}) = 3$

On essaie 1 : $d_1 = 3$, on affecte la tâche 1 à la position 3

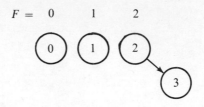

On essaie 2 : $d_2 = 1$, on affecte la tâche 2 à la position 1

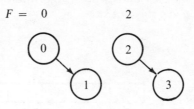

On essaie 3 : $d_3 = 1$, pas de position libre puisque la valeur de F est 0

On essaie 4 : $d_4 = 3$, on affecte la tâche 4 à la position 2

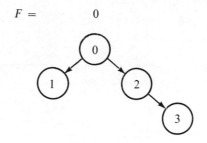

On essaie 5 : $d_5 = 1$, pas de position libre

On essaie 6 : $d_6 = 3$, pas de position libre

Séquence optimale : 2, 4, 1 ; valeur = 42

Figure 3.3.5

De façon plus précise, voici l'algorithme rapide. Pour en simplifier la présentation, nous avons supposé ici que l'étiquette résultant d'une fusion est forcément celle de l'un des deux ensembles fusionnés.

```
fonction séquence2(d[1..n]): k, tableau[1..k]
    tableaux j, F[0..l]
    l ← min(n, max{d[i] | 1 ≤ i ≤ n})
    {initialisation}
    pour i ← 0 jusqu'à l faire j[i] ← 0
                              F[i] ← i
                              initialiser l'ensemble {i}
    {boucle vorace}
    pour i ← 1 jusqu'à n faire   {en ordre de g décroissant}
        k ← trouver(min(n, d[i]))
        m ← F[k]
        si m ≠ 0 alors
            j[m] ← i
            l ← trouver(m−1)
            F[k] ← F[l]
            fusionner(k, l)
    {reste à compacter la réponse}
    k ← 0
    pour i ← 1 jusqu'à l faire
        si j[i] > 0 alors k ← k + 1
                          j[k] ← j[i]
    retourner k, j[1..k]  .
```

Si nous disposons déjà de l'exemplaire trié en ordre décroissant des gains, si bien qu'une séquence optimale puisse être obtenue par un simple appel à cet algorithme, le plus gros du temps est passé à la manipulation des ensembles disjoints. Puisqu'il y a au plus $n + l$ opérations *trouver* et l opérations *fusionner*, et puisque $n \geq l$, ce temps est dans $O(n \lg^* l)$, ce qui est essentiellement linéaire. Si les tâches sont présentées dans un ordre arbitraire, si bien qu'il faille d'abord les trier, il faut un temps dans $O(n \log n)$ pour obtenir la séquence initiale.

3.4 Heuristiques voraces

A cause de leur simplicité, des algorithmes voraces sont parfois utilisés comme heuristiques dans des cas où l'on peut (ou doit) se contenter d'une approximation, sans chercher à obtenir une solution optimale exacte. Nous nous bornons à donner deux exemples de cette technique. Ces exemples sont également donnés pour illustrer le fait que l'approche vorace ne conduit pas toujours au résultat optimal.

3.4.1   Coloration d'un graphe

Soit $G = \langle N, A \rangle$ un graphe non orienté dont nous désirons colorer les sommets. Si deux sommets sont reliés par une arête, il faut qu'ils soient de couleurs différentes. Il s'agit d'employer le plus petit nombre possible de couleurs. Par exemple, le graphe de la figure 3.4.1 peut être coloré avec seulement deux couleurs : rouge pour les sommets 1, 3 et 4, et bleu pour les sommets 2 et 5.

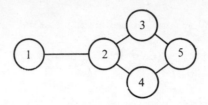

Figure 3.4.1.

Un algorithme vorace évident consiste à choisir une couleur et un sommet arbitraire comme point de départ, et ensuite à considérer chaque autre sommet, en le colorant de cette couleur si possible ; lorsqu'on ne peut plus faire de progrès, on choisit une nouvelle couleur et un nouveau point de départ non coloré, on colore tout ce qu'on peut avec cette deuxième couleur et ainsi de suite.

Dans l'exemple ci-dessus, si le sommet 1 est coloré en rouge, on ne peut pas colorer le sommet 2, les sommets 3 et 4 peuvent être en rouge, et on ne peut pas colorer 5 ; si l'on repart avec le sommet 2 et la couleur bleue, on peut colorer 2 et 5 et terminer avec seulement deux couleurs ; c'est la solution optimale. Par contre, si à chaque balayage on examine les sommets dans l'ordre 1, 5, 2, 3, 4, on obtient un résultat différent : 1 et 5 sont colorés en rouge, ensuite 2 en bleu, et finalement 3 et 4 nécessitent une troisième couleur ; dans ce cas, le résultat n'est pas optimal.

Il ne s'agit donc que d'un algorithme heuristique qui offre la possibilité, mais pas la certitude, de trouver une « bonne » solution. Pourquoi s'intéresse-t-on à de tels algorithmes ? Pour ce problème, par exemple, tous les algorithmes exacts connus demandent un temps de calcul exponentiel. Ils ne sont pas utilisables pour un exemplaire de grande taille et il ne nous reste plus qu'à essayer une méthode approximative.

PROBLÈME 3.4.1.   Pour un graphe G et un ordonnancement σ des sommets de G, soit $c_\sigma(G)$ le nombre de couleurs utilisées par l'algorithme vorace. Soit $\hat{c}(G)$ le plus petit nombre possible de couleurs. Prouvez les assertions suivantes :

i) $(\forall G)\,(\exists \sigma)\,[c_\sigma(G) = \hat{c}(G)]$;

ii) $(\forall \alpha \in \mathbb{R}^+)\,(\exists G)\,(\exists \sigma)\,[\hat{c}(G)/c_\sigma(G) < \alpha]$.

En d'autres termes, l'heuristique vorace peut donner la solution optimale, mais elle peut également être arbitrairement mauvaise. $\square$

PROBLÈME 3.4.2. Trouvez deux ou trois exemples de problèmes pratiques qui peuvent s'exprimer en termes de coloration d'un graphe. □

3.4.2 Le commis voyageur

Nous connaissons les distances directes entre un certain nombre de villes. Un commis voyageur doit quitter l'une de ces villes, visiter chaque autre ville une et une seule fois, et revenir au point de départ en minimisant la distance totale parcourue. Nous supposons que la distance entre deux villes n'est jamais négative. Comme pour le problème précédent, tous les algorithmes exacts connus demandent un temps exponentiel. Ils sont donc inutilisables sur de grands exemplaires.

On peut représenter ce problème sous la forme d'un graphe non orienté complet à n sommets. (Le graphe est orienté si la matrice des distances n'est pas symétrique, voir la section 5.6). Un algorithme vorace évident consiste à choisir à chaque étape l'arête la plus courte non encore considérée à condition qu'elle

i) ne forme pas de cycle avec les arêtes déjà choisies (sauf pour la dernière arête choisie, laquelle complète le tour)
ii) ne soit pas la troisième arête choisie incidente à un même sommet.

Par exemple, si notre problème implique 6 villes et la matrice de distances suivante :

de à :	2	3	4	5	6
1	3	10	11	7	25
2		6	12	8	26
3			9	4	20
4				5	15
5					18,

les arêtes sont choisies dans l'ordre { 1, 2 }, { 3, 5 }, { 4, 5 }, { 2, 3 }, { 4, 6 }, { 1, 6 } pour former le tour (1, 2, 3, 5, 4, 6, 1) de longueur totale 58. L'arête { 1, 5 }, par exemple, n'a pas été retenue lorsqu'on l'a examinée parce qu'elle aurait complété un cycle (1, 2, 3, 5, 1) et aussi parce qu'elle aurait été la troisième arête incidente à 5.

Dans ce cas, l'algorithme vorace ne trouve pas un tour optimal puisque le tour (1, 2, 3, 6, 4, 5, 1) a une longueur totale de seulement 56.

PROBLÈME 3.4.3. Qu'arrive-t-il de cet algorithme vorace si le graphe n'est pas complet, c'est-à-dire s'il n'y a pas moyen de voyager directement entre certaines paires de villes ? □

PROBLÈME 3.4.4. Dans certains cas, il est possible de raccourcir le tour optimal si l'on permet de repasser plusieurs fois par la même ville. Donnez un exemple explicite de ce phénomène. D'autre part, une matrice des distances est **euclidienne** si elle respecte l'inégalité du triangle : pour toutes villes i, j et k, $distance(i, j) \leqslant distance(i, k) + distance(k, j)$. Montrez que le commis voyageur n'a aucun avantage dans ce cas à repasser plus d'une fois par la même ville.   □

PROBLÈME 3.4.5. Donnez un algorithme heuristique vorace pour résoudre le problème du commis voyageur dans le cas où la matrice des distances est euclidienne. Votre algorithme doit trouver une solution dont la longueur soit au plus du double de celle d'un tour optimal. (Suggestions : commencez par construire un arbre sous-tendant optimal et utilisez votre solution au problème précédent.)   □

PROBLÈME 3.4.6. Inventez un algorithme heuristique vorace pour le cas où la matrice de distances n'est pas symétrique.   □

PROBLÈME 3.4.7. Un algorithme vorace (mais qui mérite plutôt l'appellation d'« ascète ») pour résoudre le problème de la course du cavalier sur l'échiquier consiste à placer chaque fois le cavalier là où il domine le plus petit nombre de cases non encore utilisées : essayez-le !   □

PROBLÈME 3.4.8. Dans un graphe orienté, on dit qu'un chemin est **hamiltonien** s'il passe une et une seule fois par chaque sommet du graphe, sans toutefois revenir au point de départ. Prouvez que si un graphe orienté est complet (c'est-à-dire si tout couple de sommets est joint dans au moins une direction), il inclut un chemin hamiltonien. Donnez un algorithme pour trouver ce chemin.   □

3.5   Remarques bibliographiques

Une discussion de sujets connexes au problème 3.1.1 se trouve dans [Wright 1975, Chang et Korsh 1976] ; voir également le problème 5.8.5 du présent ouvrage.

Le problème des arbres sous-tendants minimaux jouit d'une longue histoire. Le premier algorithme proposé (que nous n'avons pas décrit) est dû à [Borůvka 1926]. L'algorithme « de Prim » a été inventé par [Jarník 1930] et redécouvert par [Prim 1957, Dijkstra 1959]. L'algorithme de Kruskal provient de [Kruskal 1956]. D'autres algorithmes plus sophistiqués sont décrits dans [Yao 1975, Cheriton et Tarjan 1976, Tarjan 1983].

L'implantation de l'algorithme de Dijkstra prenant un temps dans $O(n^2)$ provient de [Dijkstra 1959]. Les détails de l'amélioration suggérée dans le problème 3.2.12 se trouvent dans [Johnson 1977]. L'amélioration similaire pour le problème des arbres sous-tendants minimaux (problème 3.2.13) provient de [Johnson 1975]. D'autres idées sur les plus courts chemins se trouvent dans [Tarjan 1983].

La solution au problème 3.4.5 est donnée dans [Christofides 1976]; on y trouve également un algorithme heuristique efficace pour obtenir une solution au problème du commis voyageur euclidien dont la longueur n'excède pas le tour optimal par plus de 50 %.

Un algorithme vorace important dont nous n'avons pas discuté est celui permettant d'obtenir des codes de Huffman optimaux [Schwartz 1964]. D'autres algorithmes voraces pour diverses applications sont décrits dans [Horowitz et Sahni 1978].

Chapitre 4

Diviser-pour-régner

4.1 Introduction

Diviser-pour-régner est une technique de conception d'algorithmes consistant à décomposer l'exemplaire à résoudre en un certain nombre de sous-exemplaires plus petits du même problème, à résoudre successivement et indépendamment chacun d'entre eux, puis à combiner les sous-solutions ainsi obtenues afin de parvenir à la solution de l'exemplaire original. La première question qui peut venir naturellement à l'esprit est : de quelle façon résolvons-nous les sous-exemplaires ? Toute la puissance de la technique diviser-pour-régner réside dans la réponse à cette question.

Supposons que vous disposez déjà d'un algorithme A fonctionnant en temps quadratique. Soit une constante c telle que votre implantation particulière prenne un temps $t_A(n) \leqslant cn^2$ pour résoudre un exemplaire de taille n. Vous découvrez qu'il suffirait, pour résoudre un tel exemplaire, de décomposer celui-ci en trois sous-exemplaires de taille $\lceil n/2 \rceil$, de résoudre ces derniers, et de combiner les résultats. Soit d une constante telle que le temps requis pour faire cette décomposition et recombinaison soit $t(n) \leqslant dn$. L'utilisation conjointe de votre ancien algorithme et de votre nouvelle idée produit un nouvel algorithme B dont l'implantation prend un temps

$$t_B(n) = 3t_A(\lceil n/2 \rceil) + t(n) \leqslant 3c((n + 1)/2)^2 + dn = \frac{3}{4} cn^2 + \left(\frac{3}{2} c + d \right) n + \frac{3}{4} c \,.$$

Le terme $\frac{3}{4} cn^2$ domine les autres lorsque n est suffisamment grand, ce qui fait que l'algorithme B est essentiellement 25 % plus rapide que l'algorithme A. Bien que ce gain ne soit pas à dédaigner, il n'y a toutefois aucun changement dans l'ordre du temps requis : l'algorithme B prend toujours un temps quadratique.

Afin d'obtenir un gain plus remarquable, il faut revenir à la question du premier paragraphe : comment doit-on résoudre les sous-exemplaires ? Si ceux-ci sont petits, il est possible que l'algorithme A demeure la meilleure façon de procéder. Toutefois, lorsque les sous-exemplaires sont suffisamment grands, pourquoi ne pas utiliser *récursivement* notre nouvel algorithme ? Cette idée est analogue à celle

consistant à bénéficier d'un compte de banque offrant un intérêt composé ! Nous
obtenons alors un nouvel algorithme C dont l'implantation prend un temps

$$t_C(n) = \begin{cases} t_A(n) & \text{si } n \leq n_0 \\ 3t_C(\lceil n/2 \rceil) + t(n) & \text{sinon}, \end{cases}$$

où n_0 est le seuil au-dessus duquel l'algorithme s'applique récursivement. Cette
équation, analogue à celle de l'exemple 2.3.10, nous donne un temps dans l'ordre
de $n^{\lg 3}$, soit approximativement $n^{1.59}$. Le gain par rapport à l'ordre de n^2 est donc
substantiel, et d'autant plus important que n est grand. Nous verrons dans la section
suivante comment déterminer le seuil n_0 en pratique, afin de réduire autant que
possible la constante cachée multipliant $n^{\lg 3}$, bien que ce choix n'affecte en rien
l'ordre du temps d'exécution de l'algorithme.

Voici maintenant le principe général de la technique diviser-pour-régner :

fonction *DPR(x)*
    {cette fonction retourne comme valeur la solution de l'exemplaire x}
    si x est suffisamment petit ou simple **alors retourner** *ADHOC(x)*
    décomposer x en sous-exemplaires plus simples $x_1, x_2, \cdots, x_k$
    pour $i \leftarrow 1$ **jusqu'à** k **faire** $y_i \leftarrow DPR(x_i)$
    recombiner les y_i pour obtenir une solution y à x
    retourner y ,

où *ADHOC*, le **sous-algorithme de base,** sert à résoudre les petits exemplaires du
problème sous considération.

Le nombre k de sous-exemplaires est le plus souvent petit et indépendant de
l'exemplaire particulier à résoudre. Lorsque $k = 1$, il serait difficile de justifier
l'appellation *diviser*-pour-régner; nous parlons plutôt dans ce cas de la technique
algorithmique de **simplification** (sections 4.3, 4.8 et 4.10). Mentionnons également
que certains algorithmes diviser-pour-régner ne suivent pas formellement le gabarit
ci-dessus en ce que la résolution du premier sous-exemplaire est nécessaire avant de
formuler le second (section 4.6).

Certaines conditions sont souhaitables afin que cette approche soit rentable :
la décomposition de x en sous-exemplaires et la recombinaison des sous-solutions
doivent pouvoir se faire efficacement, la décision d'utiliser le sous-algorithme de
base plutôt que de procéder récursivement doit être judicieuse, et les sous-exemplaires
doivent être de tailles aussi égales que possible.

Après avoir considéré le problème de la détermination du seuil optimal, ce
chapitre illustre l'utilisation de la technique diviser-pour-régner pour la solution
de divers problèmes concrets, ainsi que l'analyse des algorithmes qui en résultent.
Nous verrons qu'il est possible, à l'occasion, de remplacer la récursivité inhérente à
diviser-pour-régner par une boucle itérative. Implanté dans un langage conventionnel du genre de Pascal, sur un ordinateur conventionnel, l'algorithme itératif
est susceptible d'être un peu plus rapide que l'algorithme récursif, mais par un facteur
multiplicatif seulement. Par contre, il peut y avoir un gain substantiel dans la quantité
d'espace de travail utilisé : pour un exemplaire de taille n, l'algorithme récursif

requiert le maintien d'une pile dont la profondeur est souvent dans $\Omega(\log n)$ quand ce n'est pas carrément dans $\Omega(n)$.

4.2   La détermination du seuil

Un alorithme issu de la technique diviser-pour-régner doit éviter de procéder récursivement lorsque la taille des exemplaires ne le justifie pas. Il est alors préférable d'appliquer le sous-algorithme de base. Pour illustrer ce propos, revenons à l'algorithme C de la section précédente, dont le temps est donné par l'équation

$$t_C(n) = \begin{cases} t_A(n) & \text{si } n \leqslant n_0 \\ 3t_C(\lceil n/2 \rceil) + t(n) & \text{sinon}, \end{cases}$$

où $t_A(n)$ est le temps requis par le sous-algorithme de base, et $t(n)$ est le temps requis pour la décomposition et la recombinaison. Afin de déterminer le seuil n_0 permettant de réduire autant que possible la valeur de $t_C(n)$, il ne suffit pas de savoir que $t_A(n) \in \theta(n^2)$ et que $t(n) \in \theta(n)$.

Par exemple, considérons une implantation pour laquelle les valeurs de $t_A(n)$ et de $t(n)$ sont données millisecondes par n^2 et $16n$, respectivement. Soit un exemplaire de taille 1 024 à résoudre. Si l'algorithme procède de façon récursive jusqu'à l'obtention d'exemplaires de taille 1, c'est-à-dire si $n_0 = 1$, il faut plus d'une demi-heure pour résoudre cet exemplaire. Ceci est ridicule puisqu'à peine plus d'un quart d'heure suffit si l'on utilise directement le sous-algorithme de base, c'est-à-dire si $n_0 = \infty$. Faut-il en conclure que la technique diviser-pour-régner permet le passage d'un algorithme quadratique à un algorithme fonctionnant en un temps dans $O(n^{\lg 3})$, mais seulement au prix d'un tel accroissement de la constante cachée que ce nouvel algorithme n'est pas rentable sur des exemplaires pouvant se résoudre en un temps raisonnable ? La réponse est non, puisque l'exemplaire de taille 1 024 peut se résoudre en moins de huit minutes, si l'on prend soin de bien choisir le seuil n_0.

PROBLÈME 4.2.1.   Prouvez que si l'on choisit $n_0 = 2^k$, pour un entier $k \geqslant 0$ donné, il faut $2^k 3^{l-k}(32 + 2^k) - 2^{l+5}$ millisecondes à l'implantation considérée de l'algorithme afin de résoudre un exemplaire de taille 2^l, pour tout $l \geqslant k$.   □

PROBLÈME 4.2.2.   Quelles valeurs du seuil permettent de résoudre un exemplaire de taille 1 024 en deçà de huit minutes ?   □

Ceci montre que le choix du seuil peut avoir une influence considérable sur l'efficacité d'un algorithme diviser-pour-régner. La détermination du seuil optimal se complique du fait qu'il ne dépend en général pas seulement de l'algorithme concerné, mais également de l'implantation utilisée. De plus, l'exercice précédent montre qu'une certaine variation dans le choix du seuil peut n'avoir aucune influence sur l'efficacité de l'algorithme lorsqu'un exemplaire d'une taille spécifique est considéré. Finalement, il n'existe en général pas de seuil optimal absolu : dans notre exemple, un seuil supérieur à 66 est préférable pour un exemplaire de taille 67, alors que c'est un seuil entre 33 et 65 qui est préférable pour un exemplaire de taille 66.

Comment détermine-t-on un bon seuil n_0 ? Il faut d'abord que $n_0 \geqslant 1$ afin d'éviter la récursivité infinie qui résulte si la solution d'un exemplaire de taille 1 passe par celle d'un autre exemplaire de même taille. Cette remarque peut sembler sans grand intérêt, mais la section 4.6 traite d'un algorithme pour lequel le **seuil ultime** est moins évident, comme en témoigne le problème 4.6.8.

Etant donné une implantation spécifique, un seuil à peu près optimal peut être déterminé empiriquement. Il s'agit de faire varier la valeur du seuil et la taille des exemplaires utilisés pour les tests, et de chronométrer l'implantation sur ceux-ci. Bien entendu, il faut éviter les seuils en deçà du seuil ultime. Il est souvent possible de se faire une idée du seuil à utiliser après avoir dressé quelques tableaux et tracé quelques graphiques. Le problème 4.2.2 indique toutefois qu'il ne suffit généralement pas de faire varier le seuil pour un exemplaire d'une taille fixée d'avance. Cette approche peut occasionner de grands frais d'ordinateur. Les auteurs ont déjà demandé aux étudiants d'un cours d'algorithmique d'implanter l'algorithme de multiplication de grands entiers de la section 4.7, pour fins de comparaison avec l'algorithme classique de la section 1.1. Plusieurs équipes ont déterminé le seuil d'une façon purement empirique, ce qui a conduit chacune d'entre elles à dépenser au-delà de cinq mille dollars de frais d'ordinateur ! Par contre, une analyse purement théorique du seuil est rarement possible, étant donné qu'il peut varier substantiellement d'une implantation à l'autre.

L'approche hybride, que nous favorisons, consiste à déterminer théoriquement la forme des équations de récurrence, puis à trouver empiriquement la valeur des constantes impliquées dans ces équations, pour l'implantation considérée. Il est ensuite possible de choisir un seuil en déterminant la valeur de n qui fait qu'il est indifférent, sur un exemplaire de cette taille, d'appliquer directement le sous-algorithme de base, ou de procéder à un seul niveau de récursivité.

Pour revenir à notre exemple, un excellent seuil est obtenu en résolvant l'équation $t_A(n) = 3t_A(\lceil n/2 \rceil) + t(n)$, étant donné que $t_C(\lceil n/2 \rceil) = t_A(\lceil n/2 \rceil)$ si $\lceil n/2 \rceil \leqslant n_0$. La présence du plafond dans cette équation complique les choses. La valeur $n = 64$ est obtenue si l'on néglige cette difficulté. Par contre, l'on trouve $n \approx 70$ si $\lceil n/2 \rceil$ est systématiquement remplacé par $(n + 1)/2$. Ceci n'est pas surprenant puisque nous avons vu, suite au problème 4.2.2, qu'il n'existe justement pas de seuil uniformément optimal. Un bon compromis, correspondant au fait que $\lceil n/2 \rceil = (2n + 1)/4$ en moyenne, consiste à choisir $n_0 = 67$ comme seuil. Ce choix a l'avantage de n'être sous-optimal que pour deux valeurs de n dans le voisinage du seuil. Qui plus est, aucun exemplaire ne fait travailler l'algorithme plus de 1 % plus longtemps avec le seuil 67 qu'avec tout autre seuil, même choisi spécifiquement pour l'exemplaire à traiter. L'exercice suivant montre que le seuil de 64 serait effectivement optimal si l'on pouvait toujours séparer un exemplaire de taille n en trois sous-exemplaires de taille exactement $n/2$, c'est-à-dire si l'on pouvait avoir des exemplaires de taille fractionnaire.

PROBLÈME 4.2.3. Soient a et b des constantes réelles positives. Pour chaque nombre réel positif s, considérez la fonction $f_s : \mathbb{R}^* \to \mathbb{R}^*$ définie par l'équation de récurrence :

$$f_s(x) = \begin{cases} ax^2 & \text{si} \quad x \leqslant s \\ 3f_s(x/2) + bx & \text{sinon}. \end{cases}$$

Prouvez par induction mathématique que si $u = 4b/a$ et si v est un nombre réel positif quelconque, alors $f_u(x) \leqslant f_v(x)$ pour tout nombre réel x. (Remarque pour les puristes : même si le domaine de f_u et de f_v n'est pas dénombrable, il est possible de se tirer d'affaire sans induction transfinie.) $\qquad\square$

En pratique, une complication supplémentaire se présente. En supposant que $t_A(n)$ soit quadratique, il se peut que $t_A(n) = an^2 + bn + c$ pour des constantes a, b et c dépendant de l'implantation. Bien que $bn + c$ devienne négligeable par rapport à an^2 lorsque n est grand, le sous-algorithme de base est justement utilisé sur des exemplaires de taille modeste. Il ne suffit donc généralement pas d'estimer empiriquement la constante a. Prenez plutôt plusieurs mesures de $t_A(n)$, pour des valeurs de n variées, puis estimez toutes les constantes appropriées.

4.3   La fouille dichotomique

La fouille dichotomique date d'avant l'invention des ordinateurs. Il s'agit essentiellement de l'algorithme permettant de retrouver un mot dans le dictionnaire ou un nom dans l'annuaire téléphonique. Cette application de la technique diviser-pour-régner est probablement la plus simple qui soit.

Soit $T[1 \mathinner{.\,.} n]$ un tableau trié en ordre croissant, c'est-à-dire que $1 \leqslant i < j \leqslant n \Rightarrow T[i] \leqslant T[j]$, et soit un élément x. Le problème consiste à localiser x dans le tableau T, s'il s'y trouve. Si l'élément cherché ne se trouve pas dans le tableau, il s'agit de trouver entre quels deux éléments il pourrait s'insérer. Formellement, nous cherchons donc un indice i tel que $0 \leqslant i \leqslant n$ et $T[i] \leqslant x < T[i + 1]$, avec la convention logique que $T[0] = -\infty$ et $T[n + 1] = +\infty$ (par convention *logique*, nous entendons que de telles valeurs ne sont pas placées physiquement dans le tableau comme sentinelles). L'approche évidente à ce problème consiste à regarder séquentiellement chacun des éléments de T jusqu'à épuisement de celui-ci ou jusqu'à la découverte d'un élément plus grand que x :

fonction *séquentielle*($T[1..n]$, x)
   {recherche séquentielle de x dans le tableau T}
   pour $i \leftarrow 1$ **jusqu'à** n **faire**
      si $T[i] > x$ **alors retourner** $i-1$
   retourner n .

Cet algorithme prend évidemment un temps dans $\theta(1 + r)$, où r est le rang du x cherché, donc $\Omega(n)$ en pire cas et $O(1)$ en meilleur cas. Si l'on suppose que tous les éléments de T sont distincts, que x est effectivement dans le tableau, et qu'il s'y trouve avec probabilité égale en n'importe quel endroit, le nombre moyen de tours de boucle est $(n^2 + 3n - 2)/2n$. La fouille séquentielle prend donc, en moyenne comme en pire cas, un temps dans $\theta(n)$.

Pour accélérer la fouille, la technique diviser-pour-régner nous suggère de rechercher x soit dans la première moitié du tableau, soit dans la seconde. Afin de déterminer laquelle de ces deux recherches est pertinente, il s'agit de comparer x à un élément au milieu du tableau : si $x < T[1 + \lfloor n/2 \rfloor]$, la recherche de x peut se limiter à $T[1..\lfloor n/2 \rfloor]$; sinon, il suffit de ne considérer que $T[1 + \lfloor n/2 \rfloor..n]$. Nous obtenons l'algorithme suivant :

fonction *dichot*($T[1..n]$, x)
    {recherche dichotomique de x dans le tableau T}
    si $n = 0$ **ou** $x < T[1]$ **alors retourner** 0
    retourner *dichotrec*(T, x)

fonction *dichotrec*($T[i..j]$, x)
    {recherche dichotomique de x dans le sous-tableau $T[i..j]$;
     cette fonction n'est appelée que si $T[i] \leq x < T[j+1]$ et $i \leq j$}
    si $i = j$ **alors retourner** i
    $k \leftarrow (i+j+1)$ **div** 2
    si $x < T[k]$ **alors retourner** *dichotrec*($T[i..k-1]$, x)
              sinon retourner *dichotrec*($T[k..j]$, x) .

PROBLÈME 4.3.1. Prouvez que la fonction *dichotrec* n'est jamais appelée sur $T[i..j]$ avec $j < i$. Montrez également que lorsque *dichotrec*($T[i..j]$, x) appelle récursivement *dichotrec*($T[u..v]$, x), on a toujours $v - u < j - i$. Concluez des deux résultats précédents qu'un appel à *dichotrec* se termine toujours. Montrez finalement qu'il n'arrive jamais que la valeur de $T[0]$ ou $T[n + 1]$ soit demandée (sauf dans un commentaire).   □

PROBLÈME 4.3.2. Montrez que cet algorithme prend un temps dans $\theta(\log n)$ pour localiser x dans $T[1..n]$, quelle que soit la position de x dans T.   □

Cet algorithme n'effectuant qu'un seul des deux appels récursifs, il s'agit techniquement d'un algorithme par *simplification*, plutôt que diviser-pour-régner. Le fait que cet appel se situe dynamiquement à la toute fin de l'algorithme permet de le transformer en une version itérative :

fonction *dichotitère*($T[1..n]$, x)
    {recherche dichotomique itérative de x dans le tableau T}
    si $n = 0$ **ou** $x < T[1]$ **alors retourner** 0
    $i \leftarrow 1; j \leftarrow n$
    tantque $i < j$ **faire**
        {$T[i] \leq x < T[j+1]$}
        $k \leftarrow (i+j+1)$ **div** 2
        si $x < T[k]$ **alors** $j \leftarrow k - 1$
                  sinon $i \leftarrow k$
    retourner i .

PROBLÈME 4.3.3. Il est facile de se tromper en exprimant sous forme de programme le concept pourtant simple de la fouille dichotomique. Montrez par des exemples que l'algorithme ci-dessus serait incorrect si l'on remplaçait

i) « $k \leftarrow (i + j + 1)$ **div** 2 » par « $k \leftarrow (i + j)$ **div** 2 »,

ii) « $i \leftarrow k$ » par « $i \leftarrow k + 1$ », ou

iii) « $j \leftarrow k - 1$ » par « $j \leftarrow k$ ». ☐

Un premier examen de cet algorithme itératif montre une apparente inefficacité. Supposons que T contienne 17 éléments distincts et que $x = T[13]$. Au premier tour de la boucle, $i = 1, j = 17$ et $k = 9$. La comparaison entre x et $T[9]$ provoque l'affectation $i \leftarrow 9$. Au deuxième tour de boucle, $i = 9, j = 17$ et $k = 13$. A ce moment-là, une comparaison entre x et $T[13]$ est effectuée, ce qui pourrait permettre de sortir immédiatement de l'algorithme, mais l'égalité n'est pas testée et l'affectation $i \leftarrow 13$ est effectuée. Deux tours de boucle supplémentaires sont nécessaires avant d'en sortir avec $i = j = 13$. L'algorithme suivant permet une sortie accélérée dès que l'élément recherché est trouvé.

```
fonction dichotitère2(T[1..n], x)
    {variante de la recherche dichotomique itérative}
    si n = 0 ou x < T[1] alors retourner 0
    i ← 1; j ← n
    tantque i < j faire
        {T[i] ≤ x < T[j+1]}
        k ← (i+j) div 2
        cas x < T[k]: j ← k - 1
            x ≥ T[k+1]: i ← k + 1
            autrement: i, j ← k
    retourner i .
```

Lequel des deux algorithmes est préférable ? Le premier fait systématiquement un nombre de tours de boucle dans $\theta(\log n)$, indépendamment de la position de x dans T, alors que la variante peut ne faire qu'un ou deux tours de boucle si x est bien placé. Par contre, un tour de boucle de la variante est légèrement plus long à effectuer en moyenne qu'un tour de boucle du premier algorithme. Afin de les comparer, faisons une analyse *exacte* du nombre moyen de tours de boucle qu'ils effectuent. Supposons pour simplifier que T contienne n éléments distincts et que x se trouve effectivement dans T, avec probabilité égale pour chacun des emplacements. Soient $A(n)$ et $B(n)$ le nombre moyen de tours de boucle faits par le premier algorithme et la variante, respectivement.

Analyse du premier algorithme : soit $k = 1 + \lfloor n/2 \rfloor$. Avec probabilité $(k - 1)/n$, $x < T[k]$, ce qui provoque l'affectation $j \leftarrow k - 1$ et la reprise de l'algorithme sur un exemplaire réduit à $k - 1$ éléments; avec probabilité $1 - (k - 1)/n$, $x \geq T[k]$, ce qui provoque l'affectation $i \leftarrow k$ et la reprise de l'algorithme sur un exemplaire réduit à $n - k + 1$ éléments. Cette reprise s'effectuant après un premier tour de boucle, le nombre moyen de tours de boucle est donné par l'équation de récurrence

$$A(n) = 1 + \frac{\lfloor n/2 \rfloor}{n} A(\lfloor n/2 \rfloor) + \frac{\lceil n/2 \rceil}{n} A(\lceil n/2 \rceil), \qquad n \geqslant 2$$

$$A(1) = 0.$$

Analyse de la variante : de façon similaire, en prenant $k = \lceil n/2 \rceil$, on obtient l'équation de récurrence

$$B(n) = 1 + \frac{\lceil n/2 \rceil - 1}{n} B(\lceil n/2 \rceil - 1) + \frac{\lfloor n/2 \rfloor}{n} B(\lfloor n/2 \rfloor), \qquad n \geqslant 3$$

$$B(1) = 0, \qquad B(2) = 1.$$

Définissons $a(n)$ et $b(n)$ comme étant $nA(n)$ et $nB(n)$, respectivement. Les équations deviennent alors

$$\left.\begin{array}{ll} a(n) = n + a(\lfloor n/2 \rfloor) + a(\lceil n/2 \rceil), & n \geqslant 2 \\ b(n) = n + b(\lceil n/2 \rceil - 1) + b(\lfloor n/2 \rfloor), & n \geqslant 3 \\ a(1) = b(1) = 0, \quad b(2) = 2. \end{array}\right\} \qquad (*)$$

La première équation est facile dans le cas où n est une puissance de deux, puisqu'elle se réduit alors à

$$a(n) = 2a(n/2) + n, \qquad n \geqslant 2$$

$$a(1) = 0,$$

ce qui donne $a(n) = n \lg n$ par les techniques de la section 2.3. L'analyse exacte pour un n quelconque est plus difficile. Procédons par induction constructive, en devinant la forme probable de la réponse et en découvrant les paramètres manquants lors d'une tentative de preuve par induction mathématique. Une hypothèse vraisemblable, déjà démontrée lorsque n est une puissance de deux, est que $n\lfloor \lg n \rfloor \leqslant a(n) \leqslant n\lceil \lg n \rceil$. Que pourrait-on ajouter à $n\lfloor \lg n \rfloor$ pour arriver à $a(n)$? Dénotons par n^* la plus grande puissance de deux plus petite ou égale à n. En particulier, $\lfloor \lg n \rfloor = \lg n^*$. Il est raisonnable d'espérer que $a(n) = n \lg n^* + cn + dn^* + e \lg n^* + f$, pour des constantes c, d, e et f appropriées. Dénotons cette hypothèse par $HI(n)$.

Lorsque $n > 1$ n'est pas de la forme $2^m - 1$, $(\lfloor n/2 \rfloor)^* = (\lceil n/2 \rceil)^* = n^*/2$. Pour démontrer $HI(n)$ dans ce cas à partir de l'équation de récurrence $(*)$, de $HI(\lfloor n/2 \rfloor)$ et de $HI(\lceil n/2 \rceil)$, il faut et il suffit donc que

$$n \lg n^* + cn + dn^* + e \lg n^* + f$$
$$= n \lg n^* + cn + dn^* + 2e \lg n^* + (2f - 2e),$$

c'est-à-dire que $e = 0$ et $f = 0$, toute liberté étant conservée pour c et d. Nous savons donc maintenant que, si l'hypothèse est correcte,

$$a(n) = n \lg n^* + cn + dn^*.$$

Lorsque $n > 1$ est de la forme $2^m - 1$, $\lfloor n/2 \rfloor = (n-1)/2$, $(\lfloor n/2 \rfloor)^* = (n+1)/4$ et $\lceil n/2 \rceil = (\lceil n/2 \rceil)^* = n^* = (n+1)/2$. Pour démontrer $HI(n)$ dans ce cas, il est nécessaire et suffisant que

$$n \lg \frac{n+1}{2} + \left(c + \frac{d}{2}\right)n + \frac{d}{2} = n \lg \frac{n+1}{2} + \left(c + \frac{3d}{4} + \frac{1}{2}\right)n + \left(\frac{3d}{4} + \frac{1}{2}\right),$$

c'est-à-dire que

$$4c + 2d = 4c + 3d + 2 \, ,$$

et

$$2d = 3d + 2 \, .$$

Ces deux équations ne sont pas linéairement indépendantes; elles nous permettent de conclure que $d = -2$, laissant encore toute liberté sur c.

A ce point-ci, nous savons qu'il suffit de faire en sorte que l'hypothèse

$$a(n) = n \lg n^* + cn - 2n^*$$

soit vraie pour la base $n = 1$, pour qu'elle soit démontrée par induction mathématique pour tout entier positif n. Notre dernière contrainte est donc

$$0 = a(1) = c - 2 \, ,$$

ce qui implique que $c = 2$ et que la solution générale de l'équation de récurrence (*) pour $a(n)$ soit

$$a(n) = n \lg n^* + 2(n - n^*) \, .$$

Le nombre moyen de tours de boucle effectués par le premier algorithme itératif de fouille dichotomique pour retrouver un élément effectivement présent dans un tableau de n éléments triés en ordre croissant est donné par $A(n) = a(n)/n$, c'est-à-dire

$$A(n) = \lfloor \lg n \rfloor + 2(1 - n^*/n) \, .$$

En particulier,

$$\lfloor \lg n \rfloor \leqslant A(n) \leqslant \lceil \lg n \rceil \, .$$

PROBLÈME 4.3.4. Une approche apparemment plus simple pour déterminer les constantes aurait été de substituer n par 1, 2, 3 et 4 dans l'hypothèse *HI*, d'en obtenir quatre équations linéaires à quatre inconnues, et de résoudre pour c, d, e et f. Expliquez en quoi cette façon de procéder est insuffisante. □

PROBLÈME 4.3.5. En utilisant les techniques de la section 2.3, résolvez exactement l'équation (*) pour $b(n)$ lorsque n est de la forme $2^m - 1$. □

La résolution générale de la récurrence pour $b(n)$ est plus difficile que celle que nous venons de compléter. Il est raisonnable de formuler la même hypothèse d'induction incomplètement spécifiée : $b(n) = n \lg n^* + cn + dn^* + e \lg n^* + f$ pour de *nouvelles* constantes c, d, e et f. La technique d'induction constructive donne $e = 1$ et $f = 1 + c$ pour tenir compte du cas où $n \geqslant 3$ n'est pas une puissance de deux. Le cas où $n \geqslant 4$ est une puissance de deux force à prendre $d = -2$. L'hypothèse devient donc $b(n) = n \lg n^* + cn - 2n^* + \lg n^* + (1 + c)$. Malheureusement, $b(1) = 0 \Rightarrow c = 1/2$ alors que $b(2) = 2 \Rightarrow c = 2/3$, ce qui est inconsistant et montre que l'hypothèse initiale était fausse. L'origine du problème tient au fait que les deux cas de base sont incompatibles, en ce sens qu'il est impossible de les unifier par l'équation de récurrence en définissant artificiellement $b(0)$. Toutefois, l'effort n'a pas été vain car une simple modification du raisonnement permet de conclure que $n \lg n^* + n/2 - 2n^* + \lg n^* + 3/2 \leqslant b(n) \leqslant n \lg^* n + 2n/3 - 2n^* + \lg n^* + 5/3$. De façon plus élégante :

* **PROBLÈME 4.3.6.** Montrez l'existence d'une fonction $\pi : \mathbb{N}^+ \to \mathbb{N}^+$ telle que $(n + 1)/3 \leqslant \pi(n) \leqslant (n + 1)/2$ pour tout entier positif n, et telle que la solution exacte de la récurrence soit $b(n) = n \lg n^* + n - 2n^* + \lg n^* + 2 - \pi(n)$. □

* **PROBLÈME 4.3.7.** Montrez que la fonction $\pi(n)$ de l'exercice précédent est donnée par

$$\pi(n - 1) = \begin{cases} n^*/2 & \text{si } 2n < 3n^* \\ n - n^* & \text{sinon}, \end{cases}$$

pour tout $n \geqslant 2$. De façon équivalente,

$$\pi(n - 1) = [n^* + (\lfloor 2n/n^* \rfloor - 2)(2n - 3n^*)]/2 .$$ □

Nous sommes enfin prêts à répondre à la question initiale : lequel des deux algorithmes de fouille dichotomique est préférable ? En combinant l'analyse ci-dessus de la fonction $a(n)$ avec la solution du problème 4.3.6, on obtient

$$A(n) - B(n) = 1 + \frac{\pi(n) - \lfloor \lg n \rfloor - 2}{n} < \frac{3}{2} .$$

Nous voyons donc que le premier algorithme fait en moyenne moins qu'un tour et demi de boucle de plus que la variante. Etant donné qu'il faut moins de temps en moyenne au premier algorithme qu'à la variante pour effectuer chaque tour de boucle, nous en concluons que le premier algorithme est plus efficace en moyenne que la variante, dès que n est suffisamment grand. La situation est similaire si l'élément recherché ne se trouve pas dans le tableau. Toutefois, le seuil au-dessus duquel le premier algorithme est préférable à la variante peut être très élevé pour certaines implantations.

4.4   Le tri par fusion

Soit $T[1 .. n]$ un tableau de n éléments sur lesquels existe une relation d'ordre total. Le problème qui nous intéresse est celui de classer ces éléments en ordre croissant. Nous avons déjà vu les méthodes par sélection et par insertion pour résoudre ce problème (section 1.4), ainsi que le tri de Williams (exemple 2.2.4 et problème 2.2.3). Rappelons qu'une analyse en pire cas comme en moyenne montre que ce dernier fonctionne en un temps dans $\theta(n \log n)$, alors que les deux premiers prennent un temps quadratique.

L'approche diviser-pour-régner la plus naturelle à ce problème consiste à séparer le tableau T en deux parties de tailles aussi égales que possible, à les trier récursivement, et à les fusionner en prenant soin d'en préserver l'ordre. Nous obtenons l'algorithme suivant :

procédure *trifusion*($T[1..n]$)
    {tri du tableau T en ordre croissant}
    si n est petit **alors** *insert*(T)   {section 1.4}
    sinon tableaux $U[1 .. n$ **div** $2]$, $V[1 .. (n+1)$ **div** $2]$
        $U \leftarrow T[1 .. n$ **div** $2]$
        $V \leftarrow T[1+(n$ **div** $2) .. n]$
        trifusion(U); *trifusion*(V)
        fusion(T, U, V)

où *insert*(T) est l'algorithme de tri par insertion de la section 1.4, et *fusion*(T, U, V) fusionne les tableaux déjà triés U et V en un seul tableau trié T.

PROBLÈME 4.4.1. Donnez un algorithme capable de fusionner deux tableaux triés U et V en temps linéaire, c'est-à-dire dans l'ordre exact de la somme des longueurs de U et V. $\square$

** PROBLÈME 4.4.2. Refaites le problème précédent sans utiliser de tableau intermédiaire : les sections $T[1..k]$ et $T[k + 1..n]$ d'un tableau sont indépendamment triées et vous désirez trier $T[1..n]$. Vous n'avez droit qu'à un nombre fixe de variables de travail pour résoudre ce problème en temps linéaire. $\square$

Cet algorithme de tri montre bien tous les aspects de la technique diviser-pour-régner. Lorsque le nombre d'éléments est petit, un algorithme relativement simple est utilisé. Par contre, lorsque le nombre d'éléments le justifie, le tri par fusion sépare l'exemplaire en deux sous-exemplaires de demi-grandeur, résout récursivement chacun d'entre eux, puis combine les deux demi-tableaux triés afin d'obtenir la solution de l'exemplaire original.

Soit $t(n)$ le temps pris par cet algorithme pour trier un tableau de n éléments. La séparation de T en U et V prend un temps linéaire. Par le problème 4.4.1, la fusion finale prend également un temps linéaire. Par conséquent, $t(n) \in t(\lceil n/2 \rceil) + t(\lfloor n/2 \rfloor) + \theta(n)$. Cette équation, déjà analysée dans la section 2.1.6, nous permet de conclure que le temps requis par l'algorithme du tri par fusion est dans $\theta(n \log n)$.

PROBLÈME 4.4.3. Plutôt que de séparer T en deux tableaux de demi-grandeur, nous pouvons le séparer en trois tableaux de taille $\lfloor n/3 \rfloor$, $\lfloor (n + 1)/3 \rfloor$ et $\lfloor (n + 2)/3 \rfloor$, respectivement, trier chacun d'entre eux récursivement, puis fusionner les trois tableaux triés. Décrivez cet algorithme de façon plus formelle et analysez-en le temps d'exécution. $\square$

** PROBLÈME 4.4.4. Pour faire suite au problème précédent, nous pouvons séparer T en environ $\lfloor \sqrt{n} \rfloor$ tableaux, chacun d'une taille approximative de $\lfloor \sqrt{n} \rfloor$ éléments. Poussez cette idée plus à fond et analysez-la. $\square$

L'algorithme de tri par fusion que nous avons présenté, ainsi que ceux suggérés dans les deux problèmes précédents, ont deux points communs. Le fait que la somme des tailles des sous-exemplaires soit égale à la taille de l'exemplaire original n'est pas typique des algorithmes basés sur la technique diviser-pour-régner, ainsi que nous le verrons dans quelques exemples subséquents. Par contre, le fait que l'exemplaire original soit divisé en sous-exemplaires de tailles à peu près égales est crucial pour l'efficacité de l'algorithme obtenu. Afin de comprendre pourquoi, voyons ce qui arrive si l'on sépare plutôt T en un tableau U de $n - 1$ éléments et un tableau V d'un seul élément. Soit $t'(n)$ le temps requis par cette variante pour trier n éléments. Nous obtenons $t'(n) \in t'(n - 1) + t'(1) + \theta(n)$.

PROBLÈME 4.4.5. Montrez que $t'(n)$ est dans $\theta(n^2)$.   □

Le simple fait d'omettre d'équilibrer les sous-exemplaires peut donc avoir de graves conséquences sur l'efficacité d'un algorithme obtenu par la technique diviser-pour-régner.

PROBLÈME 4.4.6. Ce mauvais algorithme de tri est très semblable à l'un des algorithmes déjà présentés dans ce livre. Duquel s'agit-il et pourquoi ?   □

4.5   Le tri de Hoare

L'algorithme de tri inventé par C.A.R. Hoare est également basé sur la technique diviser-pour-régner. Il se distingue du tri par fusion en ce que la partie non récursive du travail se situe dans la construction des sous-exemplaires, plutôt que dans la combinaison des sous-solutions. Dans une première étape, cet algorithme choisit comme pivot l'un des éléments du tableau à trier. Le tableau est ensuite partitionné autour du pivot : on déplace les éléments de telle sorte que ceux qui sont supérieurs au pivot se retrouvent à sa droite alors que les autres se retrouvent à sa gauche. Il suffit ensuite de trier récursivement les sections du tableau de part et d'autre du pivot pour que tout le tableau soit trié, sans fusion subséquente. Afin d'équilibrer les deux sous-exemplaires à trier, nous aimerions choisir la médiane comme pivot (pour une définition de la médiane, voir la section 4.6). Malheureusement, le temps passé à trouver la médiane serait trop considérable pour que l'effort en vaille la peine. Pour cette raison, prenons simplement le premier élément du tableau comme pivot. Voici l'algorithme :

```
procédure quicksort(T[i..j])
   {trie le tableau T[i..j] en ordre croissant}
   si j–i est suffisamment petit alors insert(T)  {section 1.4}
   sinon pivoter(T, l)
          {suite au pivotage, i ≤ k < l => T[k] ≤ T[l]
                  et      l < k ≤ j => T[k] > T[l] }
         quicksort(T[i..l–1])
         quicksort(T[l+1..j])  .
```

Le pivotage est crucial pour l'efficacité pratique de l'algorithme. Soit $p = T[i]$, le pivot. Une bonne façon de pivoter consiste à parcourir une seule fois le tableau $T[i..j]$, mais en partant des deux extrémités. Des pointeurs k et l sont initialisés à i et $j + 1$, respectivement. Le pointeur k est alors incrémenté jusqu'à ce que $T[k] > p$ et le pointeur l est décrémenté jusqu'à ce que $T[l] \leqslant p$. A ce moment, $T[k]$ et $T[l]$ sont interchangés. Ce processus continue tant que $k < l$. A la fin, $T[i]$ et $T[l]$ sont interchangés afin de placer le pivot dans sa position finale.

procédure *pivoter*(*T[i..j]*; **var** *l*)
    {permute les éléments du tableau *T[i..j]* de telle sorte que, à la fin,
      $i \leq l \leq j$, tous les éléments de *T[i..l−1]* sont inférieurs ou égaux à *p*,
    T[l] = *p* et tous les éléments de *T[l+1..j]* sont supérieurs à *p*,
    où *p* est la valeur initiale de *T[i]*}
    $p \leftarrow T[i]$
    $k \leftarrow i; l \leftarrow j + 1$
    répéter $k \leftarrow k + 1$ **jusque** $T[k] > p$ **ou** $k \geq j$
    répéter $l \leftarrow l - 1$ **jusque** $T[l] \leq p$
    tantque $k < l$ **faire**
      interchanger *T[k]* et *T[l]*
        répéter $k \leftarrow k + 1$ **jusque** $T[k] > p$
        répéter $l \leftarrow l - 1$ **jusque** $T[l] \leq p$
      interchanger *T[i]* et *T[l]* .

PROBLÈME 4.5.1. Déterminez quelques exemplaires représentatifs des différents cas possibles et simulez l'algorithme de pivotage sur ceux-ci. ☐

L'algorithme de Hoare est inefficace si les sous-exemplaires $T[i..l − 1]$ et $T[l + 1..j]$ à trier ne sont pas bien équilibrés.

PROBLÈME 4.5.2. Montrez que l'algorithme de Hoare prend en pire cas un temps quadratique. Donnez *explicitement* un arrangement initial du tableau à trier qui représente un pire cas pour cet algorithme. ☐

Par contre, si le tableau à trier est initialement dans un ordre aléatoire, il est probable que les sous-exemplaires soient la plupart du temps assez bien équilibrés. Afin de déterminer le temps requis en moyenne par l'algorithme de Hoare pour trier un tableau de n éléments, faisons l'hypothèse que tous les éléments de T soient distincts et que chacune des $n!$ permutations possibles de ceux-ci soit également probable. Soit $t(m)$ le temps moyen requis par un appel à *quicksort*$(T[a + 1..a + m])$ pour $0 \leqslant m \leqslant n$ et $0 \leqslant a \leqslant n - m$. Le pivot choisi par l'algorithme peut se situer, avec probabilité égale, n'importe où par rapport aux autres éléments de T. La valeur de l retournée par l'algorithme de pivotage, lors de l'appel initial *pivoter*$(T[1..n], l)$, peut donc être, avec probabilité $1/n$, n'importe quel entier entre 1 et n. Ce pivotage requiert un temps dans $\theta(n)$. Le temps requis en moyenne pour les deux appels récursifs est donné par $t(l - 1) + t(n - l)$. Par conséquent,

$$t(n) \in \theta(n) + \frac{1}{n}\sum_{l=1}^{n} (t(l - 1) + t(n - l)).$$

Quelques manipulations algébriques donnent que

$$t(n) \in \theta(n) + \frac{2}{n} \sum_{k=0}^{n-1} t(k) \,.$$

Afin de se fixer les idées, soient d et n_0 deux constantes telles que

$$t(n) \leqslant dn + \frac{2}{n} \sum_{k=0}^{n-1} t(k) \qquad \text{pour } n > n_0 \,.$$

Une équation de ce genre est plus difficile à analyser que les récurrences linéaires faisant l'objet de la section 2.3. Par analogie avec le tri par fusion, il est cependant raisonnable d'espérer que $t(n)$ soit dans $O(n \log n)$ et d'appliquer la technique d'induction constructive pour chercher une constante c telle que $t(n) \leqslant cn \lg n$.

Cette approche nécessite une borne supérieure sur $\sum_{i=n_0+1}^{n-1} i \lg i$, obtenue à l'aide d'un lemme élémentaire d'analyse mathématique (nous suggérons au lecteur de trouver une interprétation graphique de ce lemme). Soient deux nombres réels $a < b$ et une fonction continue $f : [a, b] \to \mathbb{R}$ dont la dérivée est non négative partout sur son domaine. Soient n_0 et n deux entiers tels que $a < n_0 < n < b$. Alors

$$\sum_{i=n_0}^{n-1} f(i) \leqslant \int_{x=n_0}^{n} f(x) \, dx \,.$$

En particulier, en prenant $f(x) = x \lg x$, on obtient que

$$\sum_{i=n_0+1}^{n-1} i \lg i \leqslant \int_{x=n_0+1}^{n} x \lg x \, dx$$

$$= \left[\frac{x^2}{2} \lg x - \frac{\lg e}{4} x^2 \right]_{x=n_0+1}^{n}$$

$$\leqslant \frac{n^2}{2} \lg n - \frac{\lg e}{4} n^2 \,,$$

en autant que $n_0 \geqslant 1$.

PROBLÈME 4.5.3. Complétez la preuve par induction mathématique que $t(n) \leqslant cn \lg n$ pour tout $n > n_0 \geqslant 1$, où

$$c = \frac{2d}{\lg e} + \frac{4}{(n_0 + 1)^2 \lg e} \sum_{k=0}^{n_0} t(k) \,. \qquad \square$$

L'algorithme de Hoare peut donc trier un tableau de n éléments distincts en un temps moyen dans $O(n \log n)$. Sa constante cachée est plus petite en pratique que celles du tri de Williams et du tri par fusion. Si l'on peut se permettre à l'occasion un temps d'exécution élevé, cet algorithme est préférable à tous les autres algorithmes de tri décrits dans cet ouvrage. La probabilité d'un temps dans $\Omega(n^2)$ peut être grandement diminuée, au prix d'un léger accroissement en moyenne de la constante cachée, en choisissant comme pivot la médiane entre $T[i]$, $T[(i + j) \ \textbf{div} \ 2]$ et $T[j]$.

PROBLÈME 4.5.4. Montrez par un argument *simple* que, quel que soit le choix du pivot, l'algorithme de Hoare tel que décrit jusqu'à maintenant prend toujours un temps dans $\Omega(n^2)$ en pire cas. Esquissez une façon d'améliorer l'algorithme afin d'éviter ce problème. □

En combinant l'amélioration suggérée dans le problème ci-dessus avec l'algorithme linéaire de la section suivante, il est possible d'obtenir une version de l'algorithme de tri de Hoare qui prenne un temps dans $O(n \log n)$ même en pire cas. Nous ne mentionnons cette possibilité que pour signaler qu'elle est à proscrire. Une telle « amélioration » a pour effet d'augmenter la constante cachée à un point tel que l'algorithme résultant est moins bon que le tri de Williams dans tous les cas.

4.6   La sélection et la médiane

Soit $T[1..n]$ un tableau d'entiers. Quoi de plus facile que d'en déterminer le plus petit élément ou d'en calculer la moyenne arithmétique ? Par contre, il n'est pas évident qu'on puisse en trouver la médiane aussi aisément. Intuitivement, la médiane de T est l'entier m tel qu'il y a autant d'éléments plus petits que m dans T que d'éléments plus grands. La définition formelle tient compte de la possibilité que n soit pair et que les éléments de T ne soient pas tous distincts. Par définition, m est la **médiane** de T si et seulement si

$$\# \{ i \in [1..n] \mid T[i] < m \} < n/2 \quad \text{et} \quad \# \{ i \in [1..n] \mid T[i] > m \} \leqslant n/2 \, .$$

L'algorithme naïf pour déterminer la médiane de T consiste à trier le tableau en ordre croissant et à en extraire la $\lfloor n/2 \rfloor$-ième entrée. Si l'on utilise le tri de Williams ou le tri par fusion, cet algorithme prend un temps dans $\theta(n \log n)$ pour déterminer la médiane de n éléments. Peut-on faire mieux ? Afin de répondre à cette question, considérons un problème plus général : la **sélection**. Soit T un tableau de n éléments, et soit k un entier entre 1 et n. Le k-**ième plus petit** élément de T est cet élément m tel que $\# \{ i \in [1..n] \mid T[i] < m \} < k$ alors que $\# \{ i \in [1..n] \mid T[i] \leqslant m \} \geqslant k$. Il s'agit donc de la k-ième entrée de T si T est trié en ordre croissant. Par exemple, la médiane de T est son $\lceil n/2 \rceil$-ième plus petit élément.

L'algorithme suivant, encore incomplètement spécifié, résout le problème de la sélection en s'inspirant de l'algorithme de tri de Hoare :

fonction *sélection*$(T[1..n], k)$
    {retourne le k-ième plus petit élément de T;
      on suppose que $1 \le k \le n$}
    si n est suffisamment petit **alors** trier T en ordre croissant
                                retourner $T[k]$
    $p \leftarrow$ un élément de $T[1..n]$
    $u \leftarrow \#\{i \in [1..n] \mid T[i] < p\}$
    $v \leftarrow \#\{i \in [1..n] \mid T[i] \leq p\}$

si $k \leq u$ **alors**
    tableau $U[1..u]$
    $U \leftarrow$ les éléments de T inférieurs à p
    {le k-ième plus petit élément de T est
      également le k-ième plus petit de U}
    retourner *sélection*(U, k)
si $k > v$ **alors**
    tableau $V[1..n{-}v]$
    $V \leftarrow$ les éléments de T supérieurs à p
    {le k-ième plus petit élément de T est
      également le $(k{-}v)$-ième plus petit de V}
    retourner *sélection*$(V, k{-}v)$
{si $u < k \leq v$, c'est que p est le k-ième plus petit élément de T}
retourner p .

PROBLÈME 4.6.1. Généralisez la notion de pivotage de la section 4.5 pour partitionner le tableau T en trois sections, $T[1..u-1]$, $T[u..v]$ et $T[v+1..n]$, contenant les éléments de T plus petits que p, égaux à p et plus grands que p, respectivement. Les valeurs de u et v doivent être calculées comme résultat du pivotage, plutôt qu'au préalable. Ne faites qu'un seul passage à travers le tableau, sans utiliser de tableau intermédiaire. □

PROBLÈME 4.6.2. Inspirez-vous de la fouille dichotomique itérative de la section 4.3 et du pivotage du problème précédent, afin de donner une version non récursive de l'algorithme de sélection. N'utilisez aucun tableau intermédiaire pour vos calculs. L'ordre initial des éléments de T peut être perturbé par votre algorithme. □

Quel élément de T devrait-on utiliser comme pivot p ? Le choix naturel est sûrement la médiane de T, afin d'équilibrer la taille des tableaux U et V (même si au plus un de ces deux tableaux est réellement utilisé).

PROBLÈME 4.6.3. Qu'arrive-t-il à l'algorithme de sélection si le choix de p est effectué par $p \leftarrow$ *sélection*$(T, (n+1)$ **div** $2)$? □

Faisons d'abord l'hypothèse que la médiane puisse être obtenue *magiquement* à coût unitaire. Il s'agit donc pour l'instant d'un algorithme par simplification, plutôt que diviser-pour-régner. Afin d'analyser l'efficacité de l'algorithme de sélection, remarquons d'abord que, par définition de la médiane, $u < \lceil n/2 \rceil$ et $v \geq \lceil n/2 \rceil$. Par conséquent, $n - v \leq \lfloor n/2 \rfloor$. S'il y a appel récursif, les tableaux U et V contiennent donc un maximum de $\lfloor n/2 \rfloor$ éléments. Les autres opérations, toujours en supposant un calcul magique de la médiane, prennent un temps dans $O(n)$. Soit $t_m(n)$ le temps requis en pire cas par cette méthode pour trouver le k-ième plus petit élément d'un tableau d'au plus n éléments, indépendamment de la valeur de k. Nous avons que $t_m(n) \in O(n) + \max \{ t_m(i) \mid i \leq n/2 \}$.

PROBLÈME 4.6.4. Montrez que $t_m(n)$ est dans $O(n)$. □

Nous avons donc un algorithme capable de trouver le k-ième plus petit élément d'un tableau de n éléments en temps linéaire. Mais que faire si la médiane n'est pas donnée magiquement ? Si l'on est prêt à sacrifier la vitesse de l'algorithme en pire cas, au profit d'une bonne rapidité en moyenne, on peut s'inspirer une fois de plus du tri de Hoare en choisissant tout simplement

$$p \leftarrow T[1].$$

On espère alors que les tailles de U et V ne soient pas trop déséquilibrées en moyenne, même si l'on peut avoir $u = 0$, $v = 1$ et $k > 1$ à l'occasion, ce qui force un appel récursif sur $n - 1$ éléments.

* PROBLÈME 4.6.5. Inspirez-vous de l'analyse en moyenne du tri de Hoare pour montrer que cet algorithme prend en moyenne un temps linéaire, quelle que soit la valeur de k (la constante cachée ne doit pas dépendre de k). Supposez que les n éléments du tableau sont distincts et que chacune des $n!$ permutations possibles est également probable. □

PROBLÈME 4.6.6. Montrez, par contre, que cet algorithme prend en pire cas un temps dans $\Omega(n^2)$. □

Il est possible d'éviter ce pire cas quadratique sans perdre trop d'efficacité en moyenne : il s'agit de trouver rapidement une bonne *approximation* à la médiane. Ceci est possible avec un peu d'astuce. Considérons l'algorithme suivant :

fonction *pseudomed*($T[1..n]$)
    {calcule une approximation à la médiane du tableau T}
    $s \leftarrow n$ **div** 5
    tableau $S[1..s]$
    pour $i \leftarrow 1$ **jusqu'à** s **faire**
      $S[i] \leftarrow$ *adhocmed5*($T[5i{-}4 .. 5i]$)
    retourner *sélection*(S, ($s{+}1$) **div** 2) ,

où *adhocmed5* est un algorithme spécialement conçu pour déterminer la médiane de 5 éléments. Bien entendu, 5 étant une constante, le temps pris par *adhocmed5* est borné supérieurement par une constante.

Analysons d'abord la valeur de l'approximation de la médiane trouvée par l'algorithme *pseudomed*. Soit m cette approximation. Puisque m est la médiane exacte du tableau S,

$$\# \{ i \in [1..s] \mid S[i] \leqslant m \} \geqslant \lceil s/2 \rceil .$$

Mais chaque élément de S est la médiane de 5 éléments de T. Par conséquent, pour chaque i tel que $S[i] \leqslant m$, il y a trois i_1, i_2, i_3 entre $5i - 4$ et $5i$, tels que $T[i_1] \leqslant T[i_2] \leqslant T[i_3] = S[i] \leqslant m$. Donc,

$$\# \{ i \in [1..n] \mid T[i] \leqslant m \} \geqslant 3\lceil s/2 \rceil = 3\lceil \lfloor n/5 \rfloor /2 \rceil \geqslant (3n - 12)/10 .$$

PROBLÈME 4.6.7.   Montrez de façon similaire que
$$\# \left\{ \, i \in [1 \mathinner{.\,.} n] \mid T[i] < m \, \right\} \leqslant (7n - 3)/10 \,. \qquad \square$$

En conclusion, m n'est peut-être pas la médiane exacte de T, mais son rang est approximativement entre $3n/10$ et $7n/10$. Pour visualiser intuitivement l'origine de ces facteurs, bien que ceci ne corresponde à aucune réalité dans l'exécution de l'algorithme *pseudomed*, plaçons tous les éléments de T sur 5 rangées, à l'exception possible de 1 à 4 éléments laissés de côté. Supposons que la rangée du milieu soit magiquement triée, ainsi que chacune des $\lfloor n/5 \rfloor$ colonnes, leurs plus petits éléments étant placés en haut.

La rangée du milieu correspond au tableau S de l'algorithme. Similairement, l'élément entouré correspond à la médiane de ce tableau, c'est-à-dire à la valeur m retournée par l'algorithme. Par transitivité de la relation « $\leqslant$ », m est plus petit ou égal à chacun des éléments dans la boîte, laquelle contient approximativement les 3/5 de la moitié des éléments de T, c'est-à-dire environ $3n/10$ éléments.

Analysons maintenant l'efficacité de l'algorithme de sélection du début de cette section si l'on utilise

$p \leftarrow pseudomed(T)$.

Soit n le nombre d'éléments de T et soit $t(n)$ le temps requis en pire cas par cet algorithme pour déterminer le k-ième plus petit élément de T, toujours indépendamment de la valeur de k. Dans une première étape, le calcul de *pseudomed*(T) prend un temps dans $O(n) + t(\lfloor n/5 \rfloor)$, puisqu'il suffit d'un temps linéaire pour construire le tableau S. Les calculs de u et v prennent également un temps linéaire. Le problème 4.6.7 et la discussion précédente montrent que $u \leqslant (7n - 3)/10$ et $v \geqslant (3n - 12)/10$, donc $n - v \leqslant (7n + 12)/10$. L'appel récursif qui peut suivre prend donc un temps borné supérieurement par
$$\max \left\{ \, t(i) \mid i \leqslant (7n + 12)/10 \, \right\}.$$
La préparation initiale des tableaux U et V prend un temps linéaire. Il existe donc une constante c telle que
$$t(n) \leqslant t(\lfloor n/5 \rfloor) + \max \left\{ \, t(i) \mid i \leqslant (7n + 12)/10 \, \right\} + cn$$
pour tout entier n suffisamment grand.

PROBLÈME 4.6.8.   Il faut s'assurer que $n > n_0 \geqslant 4$ dans l'équation précédente. A quelle réalité de l'algorithme cette restriction correspond-elle ? $\square$

Cette équation est d'apparence plutôt compliquée; résolvons d'abord un problème plus simple du même genre : soit $f : \mathbb{N}^+ \to \mathbb{R}^*$ une fonction telle que

$$f(n) \leqslant \begin{cases} a & \text{si} \quad n \leqslant n_0 \\ f(\lfloor n/5 \rfloor) + f(\lfloor 7n/10 \rfloor) + bn & \text{sinon} . \end{cases}$$

La technique d'induction constructive permet de déterminer une constante d telle que $f(n) \leqslant dn$ pour tout $n \in \mathbb{N}^+$.

PROBLÈME 4.6.9. Prouvez que $f(n) \leqslant dn$ pour tout entier positif n, en autant que $d \geqslant \max(a, 10b)$. □

* **PROBLÈME 4.6.10.** Soit $t(n)$ le temps requis en pire cas pour trouver le k-ième plus petit élément dans un tableau de n éléments par l'algorithme de sélection discuté ci-haut. Prouvez que $t(n) \in \theta(n)$. □

En particulier, il est possible de déterminer la médiane d'un tableau de n éléments en temps linéaire. La version de l'algorithme suggérée par le problème 4.6.2 est préférable en pratique, bien que ceci ne résulte pas en un algorithme itératif : elle évite de calculer u et v au préalable et d'utiliser deux tableaux intermédiaires U et V. Afin d'utiliser encore moins d'espace intermédiaire, il est également possible de construire le tableau S (nécessaire au calcul de la pseudo-médiane) par des échanges à l'intérieur du tableau T lui-même.

4.7 L'arithmétique des grands entiers

Dans la plupart des analyses précédentes, nous avons pris pour acquis que l'addition et la multiplication sont des opérations élémentaires, c'est-à-dire que le temps requis pour les effectuer est borné supérieurement par une constante, ne dépendant que de la rapidité des circuits de l'ordinateur utilisé. Ceci n'est raisonnable qu'à la condition que les opérandes puissent être manipulés directement par le matériel. Pour certaines applications, il est nécessaire de considérer de très grands entiers. La représentation de ces nombres en virgule flottante n'est adéquate que lorsque seuls l'ordre de grandeur et les chiffres les plus significatifs sont souhaités. Si tous les chiffres du résultat doivent être obtenus, il faut recourir à une implantation logicielle des opérations arithmétiques.

Des opérandes de plus de dix millions de chiffres décimaux furent manipulés au Japon en 1985 pour un calcul très précis des décimales de π et de leurs propriétés statistiques. Ce calcul a été étendu l'année suivante à près de trente millions de chiffres aux Etats-Unis, ce qui a nécessité une trentaine d'heures de calcul sur ordinateur CRAY-2. Toutefois, l'algorithme développé dans cette section n'est pas suffisamment efficace pour de telles tailles (voir à cet effet le chapitre 9). D'un point de vue plus pratique, les grands entiers sont d'une importance cruciale en cryptologie (section 4.8).

PROBLÈME 4.7.1. Déterminez une bonne structuration des données pour représenter les grands entiers dans un ordinateur. Votre représentation doit utiliser un nombre de bits dans $O(n)$ pour un entier de n chiffres décimaux. Elle doit également permettre les entiers négatifs, ainsi qu'une possibilité d'effectuer en temps linéaire la multiplication et la division entière par des puissances positives de 10 (ou d'une autre base de votre choix), l'addition et la soustraction. □

PROBLÈME 4.7.2. Donnez un algorithme capable de calculer la somme d'un entier de m chiffres et d'un entier de n chiffres en un temps dans $\theta(m + n)$. □

PROBLÈME 4.7.3. Implantez sur un ordinateur votre algorithme du problème 4.7.2 à l'aide de votre représentation du problème 4.7.1. Implantez également l'algorithme classique pour la multiplication de grands entiers (voir la section 1.1). □

Alors qu'une multiplication élémentaire ne coûte guère plus cher qu'une addition sur la plupart des ordinateurs, il n'en est plus de même lorsque les opérandes deviennent très grands. Votre solution au problème 4.7.2 montre comment additionner deux entiers en temps linéaire. Par contre, les algorithmes classique et *russe* requièrent un temps quadratique pour multiplier ces mêmes opérandes. Peut-on faire mieux ? Soient u et v deux entiers de n chiffres, à multiplier. La technique diviser-pour-régner suggère de séparer chacun des opérandes en deux sections aussi égales que possible : $u = 10^s w + x$ et $v = 10^s y + z$, où $0 \leqslant x < 10^s$, $0 \leqslant z < 10^s$ et $s = \lfloor n/2 \rfloor$. Les entiers w et y sont donc de $\lceil n/2 \rceil$ chiffres (par abus de langage, nous disons qu'un entier est de j chiffres s'il est plus petit que 10^j, même s'il n'est pas plus grand ou égal à 10^{j-1}).

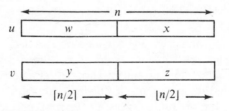

Le produit qui nous intéresse est
$$uv = 10^{2s} wy + 10^s(wz + xy) + xz.$$
Nous obtenons l'algorithme suivant :

fonction *mult*(u, v: *grands-entiers*): *grand-entier*
   $n \leftarrow$ plus petit entier tel que u et v soient de taille n
   si n est petit **alors** multiplier u et v par l'algorithme classique
                retourner le produit ainsi calculé
   $s \leftarrow n$ **div** 2
   $w \leftarrow u$ **div** 10^s; $x \leftarrow u$ **mod** 10^s
   $y \leftarrow v$ **div** 10^s; $z \leftarrow v$ **mod** 10^s
   retourner *mult*(w, y) $\times 10^{2s}$
            $+$ (*mult*(w, z) $+$ *mult*(x, y)) $\times 10^s$
            $+$ *mult*(x, z) .

Soit $t_b(n)$ le temps requis en pire cas par cet algorithme pour multiplier deux entiers de n chiffres. Si l'on utilise votre représentation du problème 4.7.1 et vos algorithmes du problème 4.7.2, les divisions entières et les multiplications par 10^{2s} et par 10^s, ainsi que les diverses additions, se font en un temps linéaire. Il en est de même des modulos, puisque ceux-ci peuvent se réduire à une division entière, une multiplication et une soustraction. La dernière instruction de l'algorithme consiste en quatre appels récursifs servant à multiplier des entiers de taille approximativement $n/2$. Nous avons donc que $t_b(n) \in 3t_b(\lceil n/2 \rceil) + t_b(\lfloor n/2 \rfloor) + \theta(n)$. Cette équation devient $t_b(n) \in 4t_b(n/2) + \theta(n)$ lorsque n est une puissance de deux. Par l'exemple 2.3.7, le temps pris par l'algorithme ci-dessus est donc quadratique, ce qui ne représente aucun gain par rapport à l'algorithme classique.

L'astuce permettant d'aller plus rapidement consiste à calculer wy, $wz + xy$ et xz en faisant moins de quatre multiplications de demi-longueur, quitte à faire plus d'additions. En effet, les additions se font beaucoup plus rapidement que les multiplications lorsque les opérandes sont grands. Soit le produit

$$r = (w + x)(y + z) = wy + (wz + xy) + xz.$$

Nous y retrouvons les trois termes nécessaires au calcul de uv, suite à une seule multiplication. Deux autres multiplications sont requises pour isoler ceux-ci. Ceci suggère de remplacer la dernière instruction de l'algorithme précédent par

$r \leftarrow \textit{mult}(w+x, y+z)$
$p \leftarrow \textit{mult}(w, y); \; q \leftarrow \textit{mult}(x, z)$
retourner $10^{2s}p + 10^s(r-p-q) + q$.

Soit $t(n)$ le temps requis par l'algorithme modifié pour multiplier deux entiers de n chiffres. Tenant compte du fait que $w + x$ et $y + z$ peuvent nécessiter $1 + \lceil n/2 \rceil$ chiffres, nous obtenons que

$$t(n) \in t(\lfloor n/2 \rfloor) + t(\lceil n/2 \rceil) + t(1 + \lceil n/2 \rceil) + \theta(n).$$

Ceci est semblable à l'équation $t_C(n) \in 3t_C(\lceil n/2 \rceil) + O(n)$ considérée au début de ce chapitre. La technique de l'induction constructive, telle qu'utilisée dans le problème 2.1.23, sert à prouver que $t(n) \in \theta(n^{\lg 3})$.

Il est donc possible de multiplier deux nombres de n chiffres en un temps dans $\theta(n^{\lg 3})$, ce qui est dans $O(n^{1,59})$. En raison des constantes cachées, cet algorithme ne devient cependant intéressant en pratique que lorsque n est grand. Une bonne implantation ne fonctionne probablement pas en base 10, mais plutôt dans la plus grande base permettant la multiplication directe de deux « chiffres » par les circuits de l'ordinateur. Rappelons que les performances de cet algorithme et de l'algorithme classique sont comparées empiriquement à la fin de la section 1.7.2.

EXEMPLE 4.7.1. Soient $u = 2\,345$ et $v = 6\,789$ à multiplier. La décomposition initiale des opérandes donne $n=4$, $s=2$, $w=23$, $x=45$, $y=67$ et $z=89$. Nous obtenons ensuite $p=23 \times 67=1\,541$, $q=45 \times 89=4\,005$ et $r=(23+45)(67+89)=68 \times 156=10\,608$. Finalement, le produit désiré uv est obtenu en calculant

$1\,541 \times 10^4 + (10\,608 - 1\,541 - 4\,005) \times 10^2 + 4\,005$

$$= 15\,410\,000 + 506\,200 + 4\,005 = 15\,920\,205.$$

Bien entendu, notre exemple est si petit qu'il aurait été plus rapide d'utiliser l'algorithme classique de multiplication.   □

* **PROBLÈME 4.7.4.** Soient u et v des entiers d'exactement m et n chiffres, respectivement. Supposons sans perte de généralité que $m \leqslant n$. L'algorithme classique obtient le produit de u par v en un temps dans $\theta(mn)$. Même dans le cas où $m \neq n$, l'algorithme que nous venons de voir peut multiplier u et v, car il considère également u comme étant de taille n. Ceci résulte en un temps dans $\theta(n^{\lg 3})$, ce qui est inacceptable si m est beaucoup plus petit que n. Montrez qu'il est possible dans ce cas de multiplier u et v en un temps dans $\theta(nm^{\lg(3/2)})$.   □

** **PROBLÈME 4.7.5.** Refaites le problème 2.2.11 (analyse de l'algorithme *fib*3) dans le contexte de ce nouvel algorithme et comparez de nouveau avec l'exemple 2.2.8.   □

* **PROBLÈME 4.7.6.** Faisant suite au problème 4.7.3, implantez sur un ordinateur l'algorithme qui vient d'être discuté. Votre algorithme doit tenir compte de la possibilité d'opérandes de tailles différentes. Faites une étude comparative empirique entre cette implantation et celle du problème 4.7.3.   □

* **PROBLÈME 4.7.7.** Montrez qu'il est possible de diviser chacun des opérandes à multiplier en trois parties plutôt qu'en deux, afin d'en obtenir le produit en cinq multiplications d'entiers approximativement trois fois plus petits (par contraste avec les neuf qui seraient évidentes). Analysez l'efficacité de l'algorithme suggéré par cette idée. (Remarque : il est possible d'effectuer la division entière d'un entier de n chiffres par une constante k quelconque en un temps dans $\theta(n)$, la constante cachée pouvant dépendre de la valeur de k.)   □

** **PROBLÈME 4.7.8.** Généralisez l'algorithme suggéré par le problème 4.7.7 en montrant l'existence, pour chaque nombre réel $\alpha > 1$, d'un algorithme A_α capable de multiplier deux entiers de n chiffres en un temps dans l'ordre de n^α.   □

PROBLÈME 4.7.9. Prouvez par un argument simple que le problème précédent est impossible si l'on insiste pour que l'algorithme A_α prenne un temps dans l'ordre *exact* de n_α.   □

PROBLÈME 4.7.10. Faisant suite au problème 4.7.8, considérez l'algorithme suivant pour la multiplication des grands entiers :

fonction *supermul*(u, v: *grands-entiers*): *grand-entier*
   $n \leftarrow$ plus petit entier tel que u et v soient de taille n
   si n est petit **alors** multiplier u et v par l'algorithme classique
   sinon $\alpha \leftarrow 1 + (\lg \lg n) / \lg n$
      multiplier u et v par l'algorithme A_α
   retourner le produit ainsi calculé .

A première vue, cet algorithme multiplie deux entiers de n chiffres en un temps dans l'ordre de n^α, où $\alpha = 1 + (\lg \lg n)/\lg n$, c'est-à-dire en un temps dans $O(n \log n)$. Trouvez deux erreurs fondamentales dans cette analyse de l'algorithme *supermul*. □

Bien que l'idée du problème 4.7.10 ne fonctionne pas, il est quand même possible de multiplier deux entiers de n chiffres en un temps dans $O(n \log n \log \log n)$, en séparant chaque opérande à multiplier en environ $\sqrt{n}$ parties de tailles approximativement égales, et en utilisant la transformée de Fourier (chap. 9).

La multiplication n'est pas la seule opération arithmétique intéressante pour la manipulation des grands entiers. La division entière, ainsi que le calcul du modulo et de la partie entière de la racine carrée peuvent tous être effectués en un temps dans l'ordre de celui requis pour la multiplication. Le dernier chapitre traite de ce sujet dans le contexte de l'arithmétique des polynômes. D'autres opérations importantes, comme le calcul du plus grand commun diviseur, ne sont pas considérées dans cet ouvrage.

4.8   L'exponentiation (introduction à la cryptologie)

Alice et Bob ne disposent à l'origine d'aucune information secrète commune. Pour une raison quelconque, ils décident d'établir une telle information. Le problème se complique du fait qu'ils désirent parvenir à ce résultat par une conversation téléphonique qui risque d'être épiée par Eve, une tierce personne. Bien entendu, ils ne veulent pas qu'Eve ait accès au secret fraîchement échangé entre eux. Pour simplifier, nous supposons qu'Eve peut écouter sur la ligne, mais qu'elle ne peut pas injecter ou modifier des messages.

** PROBLÈME 4.8.1.   Trouvez un protocole permettant à Alice et Bob de parvenir à leur fin. (Si vous désirez y réfléchir, abstenez-vous de lire la suite de cette section.) □

Une première solution à ce problème a été donnée en 1976 par W. Diffie et M. Hellman. Plusieurs autres protocoles ont été proposés par la suite. Dans une première étape, Alice et Bob se mettent publiquement d'accord sur un entier p de quelques centaines de chiffres décimaux et sur un autre entier g situé entre 2 et $p - 1$. La sécurité de leur secret à venir n'est pas compromise si Eve prend connaissance de ces deux entiers.

Dans une seconde étape, Alice et Bob choisissent aléatoirement et indépendamment l'un de l'autre deux entiers positifs A et B inférieurs à p. Puis, Alice calcule $a = g^A \bmod p$ et transmet ce résultat à Bob; similairement, Bob communique à Alice la valeur de $b = g^B \bmod p$. Finalement, Alice calcule $x = b^A \bmod p$ et Bob calcule $y = a^B \bmod p$. Il n'y a plus qu'à remarquer que $x = y$ puisqu'il s'agit simplement de $g^{AB} \bmod p$. Cette valeur peut donc être utilisée comme information commune. Bien entendu, ni Alice ni Bob n'ont de contrôle direct sur cette valeur. Ils ne peuvent donc pas utiliser ce protocole pour échanger directement un message choisi au préalable par l'un d'entre eux. La valeur échangée peut toutefois servir subséquemment comme clef cryptographique d'un système conventionnel.

PROBLÈME 4.8.2.   Soit p un nombre premier impair. Un entier g est un **générateur** du groupe cyclique $\mathbb{Z}_p^*$ si tous les entiers entre 1 et $p - 1$ sont exprimables sous la forme $g^i \bmod p$ pour un entier i approprié. Cette condition est clairement nécessaire pour que *toutes* les valeurs entre 1 et $p - 1$ puissent être obtenues comme secret échangé entre Alice et Bob par le protocole ci-dessus. Prouvez toutefois que certains secrets auront une probabilité plus grande que d'autres d'être obtenus quel que soit le choix de p et de g, même si A et B sont choisis aléatoirement de façon uniforme parmi tous les entiers entre 1 et $p - 1$.   ☐

A la fin du protocole, Eve n'a pu prendre connaissance directement que de p, g, a et b. Une façon d'en déduire x serait de trouver un entier A' tel que $a = g^{A'} \bmod p$, puis de procéder comme Alice pour calculer $x = b^{A'} \bmod p$. Si les conditions du problème 4.8.2 sont respectées et si $1 \leqslant A' < p$, alors A' est forcément égal à A.

PROBLÈME 4.8.3. . Montrez que même si $A \neq A'$, $b^A \bmod p = b^{A'} \bmod p$, en autant que $g^A \bmod p = g^{A'} \bmod p$ et qu'il existe un B tel que $b = g^B \bmod p$. La valeur calculée par Eve est donc toujours celle commune à Alice et Bob.   ☐

La détermination de A' à partir de p, g et a s'appelle le **problème du logarithme discret.** Il existe un algorithme évident pour le résoudre. (Si le logarithme n'existe pas, cet algorithme retourne p comme valeur ; par exemple, il n'existe pas d'entier A tel que $3 = 2^A \bmod 7$ et donc 2 n'est pas un générateur de $\mathbb{Z}_7^*$.)

```
fonction logd(g, a, p)
   A ← 0; x ← 1
   répéter
      A ← A + 1
      x ← xg
   jusque (a = x mod p) ou (A = p)
   retourner A  .
```

Cet algorithme prend un temps inacceptable puisqu'il fait en moyenne $p/2$ tours de boucle quand les conditions du problème 4.8.2 sont respectées. Si chaque tour de boucle se fait en une microseconde, ce temps est supérieur à cent cinquante milliards d'années même si p n'a que vingt-cinq chiffres décimaux. Bien qu'il existe des algorithmes plus efficaces pour le calcul du logarithme discret, aucun n'est connu qui soit capable de résoudre un exemplaire aléatoire en un temps raisonnable lorsque p est un nombre premier de plusieurs centaines de chiffres décimaux. De plus, aucune approche n'est connue pour retrouver x à partir de p, g, a et b sans calculer un logarithme discret. Il semble donc à l'heure actuelle que cette façon d'établir un secret entre Alice et Bob soit sûre, bien que la preuve de cette sécurité reste à établir.

Le lecteur attentif a peut-être l'impression qu'on se moque de lui. S'il faut qu'Eve puisse calculer efficacement un logarithme discret pour accéder au secret d'Alice et Bob, il faut en revanche que ceux-ci puissent calculer efficacement des exponentiations du genre $a = g^A \bmod p$. L'algorithme évident pour ce calcul n'est ni plus subtil ni plus efficace que celui pour le calcul du logarithme discret :

fonction *expod*1(g, A, p)
  $a \leftarrow 1$
  pour $i \leftarrow 1$ **jusqu'à** A **faire** $a \leftarrow ag$
  retourner $a \bmod p$.

Le fait que $xyz \bmod p = ((xy \bmod p) z) \bmod p$ pour tout x, y, z et p permet d'éviter l'accumulation de très grands entiers dans la boucle. (La même amélioration peut être apportée à l'algorithme *logd*. Elle est d'ailleurs nécessaire si l'on espère effectuer chaque tour de boucle en une microseconde) :

fonction *expod*2(g, A, p)
  $a \leftarrow 1$
  pour $i \leftarrow 1$ **jusqu'à** A **faire** $a \leftarrow ag \bmod p$
  retourner a .

* PROBLÈME 4.8.4.   Analysez et comparez les temps d'exécution de *expod*1 et *expod*2 en fonction de la valeur de A et de la taille de p. Supposez pour simplifier que g soit approximativement égal à $p/2$. Utilisez l'algorithme classique pour la multiplication des grands entiers. Refaites ce problème en utilisant l'algorithme diviser-pour-régner de la section 4.7 pour les multiplications. Dans les deux cas, considérez que le calcul du modulo prend un temps dans l'ordre exact de celui requis pour la multiplication. □

Heureusement pour Alice et Bob, il existe un algorithme plus efficace pour l'exponentiation discrète. Un exemple suffit à en exhiber l'idée de base :

$$x^{25} = (((x^2\, x)^2)^2)^2\, x\, .$$

Il suffit donc de deux multiplications et quatre mises au carré pour obtenir x^{25}. Nous laissons au lecteur le soin de comprendre le rapport entre 25 et la suite de bits 11001 obtenue de l'expression $(((x^2\, x)^2 \times 1)^2 \times 1)^2\, x$ en remplaçant chaque x par un 1 et chaque 1 par un 0.

La formule ci-dessus pour calculer x^{25} vient du fait que $x^{25} = x^{24}\, x$ et que $x^{24} = (x^{12})^2$. Cette idée se généralise sous forme d'un algorithme diviser-pour-régner :

fonction *expod*(g, A, p)
  si $A = 0$ **alors retourner** 1
  si A est impair **alors** $a \leftarrow$ *expod*(g, $A{-}1$, p)
            retourner $ag \bmod p$
        sinon $a \leftarrow$ *expod*(g, $A/2$, p)
            retourner $a^2 \bmod p$.

Soit $h(A)$ le nombre de multiplications modulo p effectuées lors du calcul de *expod*(g, A, p), incluant les mises au carré. Ces opérations dominent le temps d'exécution de l'algorithme, si bien que celui-ci prend un temps dans $O(h(A) \times M(p))$, où $M(p)$ est une borne supérieure sur le temps requis pour multiplier deux entiers positifs inférieurs à p, et pour en réduire le produit modulo p. Une inspection de l'algorithme nous donne l'équation suivante :

$$h(A) = \begin{cases} 0 & \text{si } A = 0 \\ 1 + h(A - 1) & \text{si } A \text{ est impair} \\ 1 + h(A/2) & \text{sinon}. \end{cases}$$

PROBLÈME 4.8.5. Trouvez une formulation explicite pour $h(A)$ et prouvez celle-ci par induction mathématique. (Ne tentez pas d'utiliser la technique de l'équation caractéristique.) $\square$

Sans donner la réponse au problème 4.8.5, disons que $h(A)$ est situé entre la longueur de la représentation binaire de A et son double, en autant que $A \geqslant 1$. Ceci signifie qu'Alice et Bob peuvent utiliser des nombres p, A et B de deux cents chiffres décimaux et compléter tout le protocole en moins de trois mille multiplications de nombres de deux cents chiffres et trois mille calculs d'un nombre de quatre cents chiffres modulo un nombre de deux cents chiffres, ce qui est tout à fait raisonnable. Plus généralement, le calcul de *expod*(g, A, p) se fait en un temps dans $O(M(p) \times \log A)$.

Comme dans le cas de la fouille dichotomique, l'algorithme *expod* ne nécessite qu'un seul appel récursif sur un exemplaire plus petit. Il s'agit donc plutôt d'un algorithme par simplification que diviser-pour-régner. Cet appel ne se situe toutefois pas à la fin dynamique de l'algorithme, ce qui complique la tâche de trouver une version itérative de l'algorithme. Il existe cependant un algorithme itératif semblable, correspondant intuitivement à calculer $x^{25} = x^{16} \, x^8 \, x^1$:

```
fonction expoditère(g, A, p)
    n ← A; y ← g; a ← 1
    tantque n > 0 faire
        si n est impair alors a ← ay mod p
        y ← y² mod p
        n ← n div 2
    retourner a  .
```

PROBLÈME 4.8.6. Les algorithmes *expod* et *expoditère* ne minimisent pas le nombre de multiplications nécessaires, incluant les mises au carré. Par exemple, *expod* calcule x^{15} comme $(((1 \, x)^2 \, x)^2 \, x)^2 \, x$, c'est-à-dire avec 7 multiplications. Quant à *expoditère*, il calcule x^{15} comme $1xx^2x^4x^8$, ce qui lui prend 8 multiplications. Dans les deux cas, le nombre de multiplications se réduit facilement à 6 en évitant les multiplications inutiles par la constante 1 et la dernière mise au carré de *expoditère*. Montrez qu'en fait 5 multiplications suffisent pour calculer x^{15}. $\square$

* PROBLÈME 4.8.7. Il suffit de supprimer les réductions modulo p dans les algorithmes précédents pour obtenir des algorithmes de manipulation de grands entiers capables de calculer efficacement tous les chiffres de g^A, pour une base g et un exposant A quelconques. L'efficacité de ces algorithmes dépend de l'algorithme utilisé pour la multiplication des grands entiers. En fonction de la taille de la base et de la valeur de l'exposant, combien de temps prennent les algorithmes correspondant à *expod2* et à *expoditère* lorsque l'algorithme classique de multiplication est utilisé ? Refaites ce problème en utilisant l'algorithme diviser-pour-régner de la section 4.7. ☐

Le problème précédent montre qu'il est parfois peu utile de n'être astucieux qu'à moitié.

4.9 La multiplication matricielle

Soient A et B deux matrices $n \times n$ à multiplier et soit C leur produit. L'algorithme classique provient directement de la définition :

$$C_{ij} = \sum_{k=1}^{n} A_{ik} B_{kj} .$$

Le calcul de chaque entrée de C se fait en un temps dans $\theta(n)$, en comptant comme élémentaires les opérations scalaires d'addition et de multiplication. Etant donné qu'il y a n^2 entrées à calculer pour obtenir C, le produit de A et B peut être calculé en un temps dans $\theta(n^3)$.

Vers la fin des années soixante, V. Strassen a causé une surprise considérable en améliorant cet algorithme. L'idée de base ressemble à celle de l'algorithme diviser-pour-régner de la section 4.7 pour la multiplication des grands entiers. Voyons d'abord qu'il est possible de multiplier deux matrices 2×2 en faisant moins que les huit multiplications scalaires apparemment requises par la définition. Soient

$$A = \begin{pmatrix} a_{11} & a_{12} \\ a_{21} & a_{22} \end{pmatrix} \quad \text{et} \quad B = \begin{pmatrix} b_{11} & b_{12} \\ b_{21} & b_{22} \end{pmatrix}$$

deux matrices à multiplier. Considérons les opérations suivantes :

$$
\begin{aligned}
m_1 &= (a_{21} + a_{22} - a_{11})(b_{22} - b_{12} + b_{11}) \\
m_2 &= a_{11} b_{11} \\
m_3 &= a_{12} b_{21} \\
m_4 &= (a_{11} - a_{21})(b_{22} - b_{12}) \\
m_5 &= (a_{21} + a_{22})(b_{12} - b_{11}) \\
m_6 &= (a_{12} - a_{21} + a_{11} - a_{22}) b_{22} \\
m_7 &= a_{22}(b_{11} + b_{22} - b_{12} - b_{21}) .
\end{aligned}
$$

Nous laissons au lecteur le soin de vérifier que le produit AB désiré est donné par la matrice suivante :

$$\begin{pmatrix} m_2 + m_3 & m_1 + m_2 + m_5 + m_6 \\ m_1 + m_2 + m_4 - m_7 & m_1 + m_2 + m_4 + m_5 \end{pmatrix}.$$

Il est donc possible de multiplier deux matrices 2×2 en n'utilisant que 7 multiplications scalaires. Cet algorithme ne semble pas très intéressant à première vue, en raison du grand nombre d'additions et de soustractions qu'il nécessite, comparé aux 4 additions suffisantes pour l'algorithme classique.

Si nous remplaçons maintenant chaque entrée de A et B par une matrice $n \times n$, nous obtenons un algorithme capable de multiplier deux matrices $2n \times 2n$ en faisant 7 multiplications de matrices $n \times n$, ainsi que des additions et des soustractions de matrices $n \times n$. Ceci est possible parce que les formules ci-haut n'utilisent pas la commutativité de la multiplication scalaire. Etant donné que les additions matricielles peuvent se faire beaucoup plus rapidement que les multiplications, les quelques additions supplémentaires par rapport à l'algorithme classique sont plus que compensées par la multiplication requise en moins, en autant que n soit suffisamment grand.

PROBLÈME 4.9.1.   Suite à la discussion précédente, montrez qu'il est possible de multiplier deux matrices $n \times n$ en un temps dans $O(n^{2,81})$. Comment traitez-vous les matrices dont la taille n'est pas une puissance de deux ?   □

PROBLÈME 4.9.2.   Le nombre d'additions et de soustractions requises pour calculer le produit de deux matrices 2×2 par l'algorithme ci-haut semble être 24. Montrez qu'on peut réduire ce nombre à 15 par l'emploi de variables intermédiaires permettant d'éviter de recalculer des résultats comme $m_1 + m_2 + m_4$. L'algorithme original de V. Strassen prend 18 additions et soustractions, en plus des 7 multiplications. L'algorithme discuté dans cette section est une variante découverte subséquemment par S. Winograd.   □

∗ PROBLÈME 4.9.3.   En supposant que n soit une puissance de deux, déterminez le nombre exact d'additions et de multiplications scalaires effectuées par votre algorithme du problème 4.9.1, tenant compte de l'idée du problème 4.9.2. Votre réponse dépendra du seuil utilisé pour couper la récursivité. Inspirez-vous de la section 4.2 pour proposer un seuil capable de minimiser le nombre d'opérations scalaires.   □

Suite à la publication de l'algorithme de V. Strassen, de nombreux chercheurs ont essayé d'améliorer la constante α telle qu'on puisse multiplier deux matrices $n \times n$ en un temps dans $O(n^\alpha)$. Il a fallu presqu'une décennie avant que V. Pan découvre un algorithme plus efficace, toujours basé sur une technique diviser-pour-régner : il a trouvé comment multiplier deux matrices 70×70 en ne faisant que 143 640 multiplications scalaires (comparez ceci à $70^3 = 343\,000$ et à $70^{2,81}$, qui est supérieur à 150 000). Maints algorithmes asymptotiquement de plus en plus efficaces ont été découverts par la suite. En raison de leur constante cachée, ceux-ci sont toutefois peu utiles en pratique.

4.10 Échange de deux sections d'un tableau

Voici un exemple supplémentaire d'algorithme par simplification. Délaissant sa contrepartie récursive, nous ne présentons ici que la version itérative de l'algorithme. Soit T un tableau de n éléments. Nous voulons en transposer les k premiers éléments et les $n - k$ derniers sans utiliser de tableau intermédiaire. Par exemple, si T est le tableau

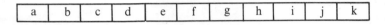

et $k = 3$, le résultat voulu dans T est

| d | e | f | g | h | i | j | k | a | b | c |

Il est facile de concevoir un algorithme

$$\text{échanger}(i, j, m)$$

qui échange les éléments $T[i..i + m - 1]$ et $T[j..j + m - 1]$ en un temps dans $\theta(m)$, en autant que $m < i + m \leqslant j \leqslant n - m + 1$ (voir la figure 4.10.1). Avec son aide, nous pouvons résoudre notre problème, tel qu'illustré dans la figure 4.10.2. Les flèches y délimitent la portion du tableau où il reste des ajustements à faire. Après chaque échange, cette partie est plus petite : nous pouvons donc affirmer que chaque échange *simplifie* la solution de l'exemplaire.

L'algorithme général est le suivant :

procédure *transposer*($T[1..n]$, k)

    procédure *échanger*(i, j, m)
      pour $p \leftarrow 0$ **jusqu'à** $m-1$ **faire**
        interchanger $T[i+p]$ et $T[j+p]$

    $i \leftarrow k$; $j \leftarrow n - k$; $k \leftarrow k + 1$
    tantque $i \neq j$ **faire**
      si $i > j$ **alors**
        échanger($k-i$, k, j)
        $i \leftarrow i - j$
      sinon
        $j \leftarrow j - i$
        échanger($k-i$, $k+j$, i)
    échanger($k-i$, k, i) .

L'analyse de cet algorithme est intéressante. Soit $T(i, j)$ le nombre d'échanges élémentaires à faire pour transposer un bloc de i éléments et un bloc de j éléments. Alors

$$T(i, j) = \begin{cases} i & i = j \\ j + T(i - j, j) & i > j \\ i + T(i, j - i) & i < j. \end{cases}$$

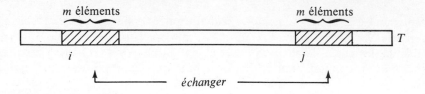

Figure 4.10.1.

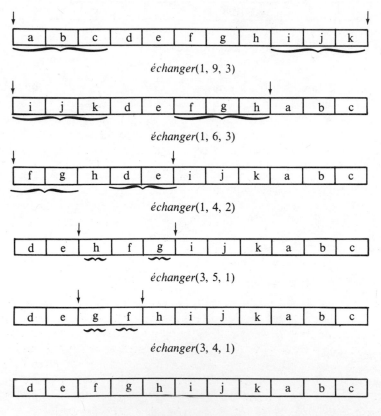

Figure 4.10.2.

Par exemple, la figure 4.10.2 montre la transposition d'un bloc de trois éléments et d'un bloc de huit éléments. Nous avons que

$$
\begin{aligned}
T(3,8) &= 3 + T(3,5) \\
&= 6 + T(3,2) \\
&= 8 + T(1,2) \\
&= 9 + T(1,1) \\
&= 10 .
\end{aligned}
$$

On reconnaît dans la progression des paramètres de la fonction T une application de l'algorithme d'Euclide. Ceci mène au résultat suivant.

PROBLÈME 4.10.1. Prouvez que $T(i,j) = i + j - (i,j)$, où (i,j) dénote le plus grand commun diviseur de i et j (section 1.7.4). $\square$

PROBLÈME 4.10.2. Peut-on faire mieux si l'on dispose d'un espace supplémentaire illimité ? $\square$

4.11 Problèmes supplémentaires

PROBLÈME 4.11.1 (suite de Fibonacci).

Considérez la matrice

$$
F = \begin{pmatrix} 0 & 1 \\ 1 & 1 \end{pmatrix} .
$$

Soient i et j deux entiers quelconques. Que vaut le produit du vecteur (i,j) par la matrice F ? Que se passe-t-il si i et j sont deux nombres consécutifs de la suite de Fibonacci ? Déduisez de ce qui précède un algorithme diviser-pour-régner pour le calcul de cette suite. Comprenez-vous maintenant l'algorithme *fib3* de la section 1.7.5 ? $\square$

PROBLÈME 4.11.2 (interpolation de polynômes).

Représentez le polynôme $p(n) = a_0 + a_1 n + a_2 n^2 + \cdots + a_d n^d$ de degré d par un tableau $P[O..d]$ contenant ses coefficients. Supposons que vous disposez déjà d'un algorithme capable de multiplier un polynôme de degré i par un polynôme de degré 1 en un temps dans $O(i)$, ainsi que d'un algorithme capable de multiplier deux polynômes de degré i en un temps dans $O(i \log i)$ (voir le chapitre 9). Soient n_1, n_2, ..., n_d des entiers quelconques. Donnez un algorithme efficace, basé sur la technique diviser-pour-régner, pour déterminer l'unique polynôme $p(n)$ de degré d tel que $p(n_1) = p(n_2) = \cdots = p(n_d) = 0$ et dont le coefficient de degré d soit 1. Analysez l'efficacité de votre algorithme. $\square$

PROBLÈME 4.11.3 (plus petit et plus grand éléments).

Soit T [$1..n$] un tableau de n éléments. Il est facile de déterminer le plus grand élément de T en faisant exactement $n - 1$ comparaisons entre éléments :

max ← $T[1]$; *ind* ← 1
pour i ← **2 jusqu'à** n **faire**
   si *max* < $T[i]$ **alors** *max* ← $T[i]$, *ind* ← i .

Seules les comparaisons entre éléments sont comptées ici, ce qui exclut les comparaisons implicites dans le contrôle de la boucle **pour.** On pourrait subséquemment déterminer le plus petit élément de T en $n - 2$ comparaisons supplémentaires :

$T[ind]$ ← $T[1]$
min ← $T[2]$
pour i ← **3 jusqu'à** n **faire**
   si *min* > $T[i]$ **alors** *min* ← $T[i]$.

Trouvez un algorithme basé sur la technique diviser-pour-régner capable de déterminer le plus petit et le plus grand élément d'un tableau de n éléments en faisant moins de $2n - 3$ comparaisons entre éléments. Vous pouvez supposer que n est une puissance de deux. Quel est le nombre exact de comparaisons que votre algorithme requiert ?   □

PROBLÈME 4.11.4.   Soit $T[1..n]$ un tableau trié d'entiers distincts dont certains peuvent être négatifs. Donnez un algorithme capable de déterminer un indice i tel que $1 \leqslant i \leqslant n$ et $T[i] = i$, en autant qu'un tel i existe. Votre algorithme doit prendre un temps dans $O(\log n)$.   □

PROBLÈME 4.11.5   (l'élément majoritaire).

Soit $T[1..n]$ un tableau de n éléments. Un élément x est dit **majoritaire** dans T si $\# \{ i \mid T[i] = x \} > n/2$. Le tableau T est dit majoritaire s'il contient un (et donc un seul) élément majoritaire. Donnez un algorithme capable de déterminer si un tableau $T[1..n]$ est majoritaire et d'en déterminer l'élément majoritaire, s'il y a lieu, en un temps linéaire.   □

∗ PROBLÈME 4.11.6.   Refaites le problème 4.11.5 avec la contrainte supplémentaire que les seules comparaisons permises entre éléments sont des tests d'égalité. Vous ne pouvez donc pas présumer de l'existence d'une relation d'ordre sur le domaine des éléments.   □

PROBLÈME 4.11.7.   Si vous n'avez pas réussi le problème précédent, essayez-le encore en permettant à votre algorithme de prendre un temps dans $O(n \log n)$.   □

PROBLÈME 4.11.8   (circuit de recensement).

Un *n*-**recenseur** est un circuit logique combinatoire, ayant *n* bits d'entrée et une sortie de $1 + \lceil \lg n \rceil$ bits, capable de compter en binaire le nombre de bits à 1 qui lui sont présentés en entrée. Par exemple, si $n = 10$ et si les entrées sont 0110010110, la sortie est 0101. Un (i, j)-**additionneur** est un circuit logique combinatoire, ayant une entrée de *i* bits, une entrée de *j* bits et une sortie de $[1 + \max(i, j)]$ bits, capable d'additionner ses deux entrées en binaire. Par exemple, si $i = 3, j = 5$ et si les entrées sont 101 et 10111, la sortie est 011100. Il est toujours possible de construire un (i, j)-additionneur avec exactement $\max(i, j)$ 3-recenseurs. Pour cette raison, le 3-recenseur est souvent appelé **additionneur complet.**

i) En utilisant les additionneurs complets et les (i, j)-additionneurs comme primitives, montrez comment construire un *n*-recenseur efficace. Votre construction ne doit pas supposer que *n* est d'une forme particulière.

ii) Donnez l'équation de récurrence, incluant les conditions initiales, pour le nombre de 3-recenseurs nécessaires à la construction de votre *n*-recenseur. N'oubliez pas de compter les 3-recenseurs se trouvant dans les (i, j)-additionneurs que vous pouvez avoir utilisés.

iii) En notation θ simplifiée, donnez le nombre de 3-recenseurs nécessaires à votre *n*-recenseur. Justifiez votre réponse.   □

∗ PROBLÈME 4.11.9   (aiguillage téléphonique).

Un **aiguilleur** est un circuit logique ayant deux entrées, un contrôle et deux sorties, capable de connecter soit l'entrée *A* avec la sortie *A* et l'entrée *B* avec la sortie *B*, soit l'entrée *A* avec la sortie *B* et l'entrée *B* avec la sortie *A*, dépendant de la position du contrôle :

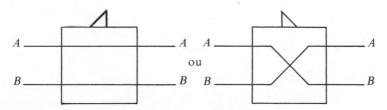

Utilisez ces aiguilleurs pour construire un réseau ayant *n* entrées et *n* sorties, capable de réaliser chacune des *n*! permutations possibles des entrées. Votre réseau doit utiliser un nombre d'aiguilleurs dans $O(n \log n)$.   □

∗ PROBLÈME 4.11.10   (circuit de fusion).

Un **comparateur** est un circuit logique combinatoire ayant deux entrées et deux sorties, dont la sortie du haut correspond à la plus petite entrée, alors que la sortie du bas correspond à la plus grande entrée. Pour un entier *n* donné, un **circuit de fusion** F_n possède deux groupes de *n* entrées et un groupe de 2*n* sorties. Ce circuit trie les sorties, en autant que chacun des deux groupes présentés en entrée soit trié au préalable. Voici par exemple un circuit F_4, sur lequel vous pouvez observer le flot des données. Chaque rectangle représente un comparateur. Par convention, les entrées sont placées à gauche et les sorties à droite.

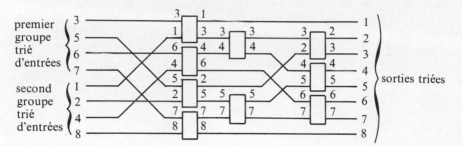

Il y a deux façons de mesurer la complexité d'un tel circuit : la **taille** du circuit est le nombre de comparateurs qu'il contient et sa **profondeur** est le plus grand nombre de comparateurs qu'une entrée doit traverser avant d'aboutir à la sortie correspondante. La profondeur est intéressante puisqu'elle correspond au temps de réaction du circuit. Par exemple, le circuit de fusion F_4 ci-dessus est de taille 9 et de profondeur 3.

En autant que n soit une puissance de deux, montrez comment construire un circuit de fusion F_n dont la taille et la profondeur sont exactement $1 + n \lg n$ et $1 + \lg n$, respectivement.   □

PROBLÈME 4.11.11   (circuit de tri).

Faisant suite au problème précédent, un **circuit de tri** S_n est un circuit logique combinatoire ayant n entrées et n sorties qui trie les entrées qui lui sont présentées. Voici, par exemple, un circuit S_4 de taille 5 et de profondeur 3 :

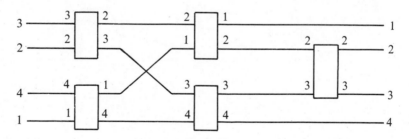

En autant que n soit une puissance de deux, montrez comment construire un circuit de tri efficace S_n. Par « efficace », nous entendons que la profondeur de votre circuit doit être significativement inférieure à n lorsque n est suffisamment grand. Vous pouvez utiliser des circuits de fusion à votre gré. Donnez les équations de récurrence, incluant les conditions initiales, pour la taille T_n et la profondeur P_n de votre circuit S_n. Résolvez exactement ces équations, et exprimez T_n et P_n en notation θ de façon aussi simple que possible.   □

∗∗ PROBLÈME 4.11.12.   Faisant suite aux deux problèmes précédents, montrez qu'il est possible de construire un circuit de tri pour n éléments dont la taille et la profondeur soient dans $\theta(n \log n)$ et $\theta(\log n)$, respectivement.   □

PROBLÈME 4.11.13 (tournois).

Vous organisez l'horaire d'un tournoi entre n joueurs. Chaque joueur doit jouer exactement une fois contre chacun de ses adversaires. De plus, chaque joueur doit jouer exactement un match par jour, à l'exception possible d'un seul jour au cours duquel il ne joue pas.

1) Si n est une puissance de deux, donnez un algorithme capable de construire un horaire qui permette de terminer le tournoi en $n - 1$ jours.

2) Pour n quelconque, donnez un algorithme capable de construire un horaire qui permette de terminer le tournoi en $n - 1$ jours si n est pair ou en n jours si n est impair et supérieur à 1. Par exemple, voici des horaires possibles pour des tournois comportant 5 et 6 joueurs :

		Joueur				
$n = 5$	Jour	1	2	3	4	5
	1	2	1	–	5	4
	2	3	5	1	–	2
	3	4	3	2	1	–
	4	5	–	4	3	1
	5	–	4	5	2	3

		Joueur					
$n = 6$	Jour	1	2	3	4	5	6
	1	2	1	6	5	4	3
	2	3	5	1	6	2	4
	3	4	3	2	1	6	5
	4	5	6	4	3	1	2
	5	6	4	5	2	3	1

□

* PROBLÈME 4.11.14. (détection des cycles).

Soit X un ensemble fini quelconque, soit $f : X \to X$ une fonction, et soit $x_0 \in X$ un point de départ. Définissons la suite $\{ x_i \}_{i \in \mathbb{N}}$ par $x_{i+1} = f(x_i)$. Etant donné que X est fini, il est clair que cette suite est ultimement périodique. La **queue** $q \geqslant 0$ et la **période** $p \geqslant 1$ de cette suite sont définies comme étant les deux plus petits entiers tels que $x_{i+p} = x_i$ pour tout $i \geqslant q$. En particulier, la suite se répète pour la première fois en x_{q+p}. Les algorithmes qui suivent doivent fonctionner en un espace dans $O(1)$: le nombre d'éléments de X pouvant être conservés en mémoire en tout temps doit être borné par une constante. Supposez que chaque évaluation de la fonction f prenne un temps constant.

i) Donnez un algorithme capable de trouver un entier r tel que $q \leqslant r < p + q$ en un temps dans $\theta(p + q)$. (Indices : utilisez deux pointeurs, dont un va au double de la vitesse de l'autre ; il n'y a pas de diviser-pour-régner ici.)

ii) Donnez un algorithme capable de trouver la valeur exacte de p en un temps dans $\theta(p + q)$.

iii) Donnez un algorithme capable de trouver la valeur exacte de q en un temps dans $O(p + q \log p)$. (Indice : utilisez les deux parties précédentes pour déterminer p et r ; pour déterminer q, le point d'attache de la queue sur le cycle, faites l'équivalent d'une fouille dichotomique sur le cycle.)

iv) Refaites la partie précédente en un temps dans $\theta(p + q)$.

(Remarque : il existe un algorithme classique pour résoudre ce problème de façon plus simple et plus élégante que celle suggérée ici. Cet algorithme n'utilise pas la technique diviser-pour-régner mais il requiert une observation pour le moins surprenante.) $\qquad\qquad\qquad\qquad\qquad\qquad\qquad\qquad\qquad\qquad\qquad\qquad\qquad\qquad\quad$ □

4.12   Remarques bibliographiques

L'origine du tri de Hoare est [Hoare 1962]. Le tri par fusion et le tri de Hoare sont discutés en détail dans [Knuth 1973]. Le problème 4.4.2 a été résolu par M. A. Kronrod ; voir la solution de l'exercice 18 de la section 5.2.4 de [Knuth 1973]. L'algorithme linéaire en pire cas pour la sélection et la médiane est dû à [Blum, Floyd, Pratt, Rivest et Tarjan 1972]. L'algorithme de multiplication des grands entiers en un temps dans $O(n^{1,59})$ est attribué à [Karatsuba et Ofman 1962]. L'algorithme capable de multiplier deux matrices $n \times n$ en un temps dans $O(n^{2,81})$ provient de [Strassen 1969]. L'effort subséquent pour battre l'algorithme de Strassen a débuté par la preuve de [Hopcroft et Kerr 1971] selon laquelle 7 multiplications sont nécessaires pour multiplier deux matrices 2×2 dans une structure non-commutative ; le premier succès positif a été obtenu par [Pan 1978] et l'algorithme asymptotiquement le plus efficace présentement connu est celui de [Coppersmith et Winograd 1986]. L'algorithme de la section 4.10 provient de [Gries 1981].

Le calcul de dix millions de décimales de π (mais pas par l'algorithme de la section 4.7 — voir la section 9.5) est décrit dans [Kanada, Tamura, Yoshino et Ushiro 1986]. Celui des (presque) trente millions de décimales est mentionné dans [Cray Research 1986]. La solution aux problèmes 4.7.7 et 4.7.8 est discutée dans [Knuth 1969]. L'article de synthèse de [Brassard, Monet et Zuffellato 1986] traite de la manipulation des très grands entiers.

La solution originale au problème 4.8.1 est due à [Diffie et Hellman 1976]. L'importance cryptologique de l'arithmétique des grands entiers et de la théorie des nombres a été mise en évidence par [Rivest, Shamir et Adleman 1978]. Pour plus de détails sur la cryptologie, consultez les articles de vulgarisation de [Gardner 1977, Hellman 1980] et les livres de [Kahn 1967, Denning 1983, Kranakis 1986]. Sachez toutefois que le cryptosystème basé sur le sac alpin, tel que décrit dans [Hellman 1980], a été subséquemment cassé. Notez également que les entiers manipulés par ces applications ne sont pas suffisamment grands pour que les algorithmes de la section 4.7 s'appliquent avec profit ; l'utilisation de l'exponentiation rapide de la section 4.8 est cependant cruciale. La généralisation naturelle du problème 4.8.6 est traitée dans [Knuth 1969].

La solution du problème 4.11.1 se trouve dans [Gries et Levin 1980, Urbanek 1980]. Le problème 4.11.3 est discuté dans [Pohl 1972]. Les problèmes 4.11.10 et 4.11.11 sont solutionnés dans [Batcher 1968]. Le problème 4.11.12 est résolu, du moins en théorie, dans [Ajtai, Komlós et Szemerédi 1983]. Pour le problème 4.11.14, voir la solution de l'exercice 6 de la section 3.1 de la deuxième édition de [Knuth 1969].

Chapitre 5

La programmation dynamique

5.1 Introduction

Au chapitre précédent, nous avons vu qu'il est souvent possible de diviser un exemplaire en sous-exemplaires, de résoudre les sous-exemplaires (éventuellement en faisant une nouvelle division), et de combiner ensuite les solutions des sous-exemplaires pour résoudre l'exemplaire de départ. Il se trouve parfois que la division naturelle suggérée par la structure d'un problème nous amène à créer un grand nombre de sous-exemplaires identiques. Si l'on résout chaque sous-exemplaire séparément, sans tenir compte de cette duplication, il en résulte un algorithme très inefficace ; si, par contre, on en profite pour ne résoudre chaque sous-exemplaire différent qu'une seule fois, en sauvegardant le résultat, on obtient un algorithme plus performant. L'idée de base de la programmation dynamique est donc simple : éviter de calculer la même chose deux fois, normalement en utilisant une table de résultats déjà calculés, remplie au fur et à mesure qu'on résout les sous-exemplaires.

La programmation dynamique est une méthode *ascendante*. On commence d'habitude par les sous-exemplaires les plus petits et donc les plus simples. En combinant leurs solutions, on obtient les solutions de sous-exemplaires de plus en plus grands, et enfin la solution de l'exemplaire original. Par contre, diviser-pour-régner est une méthode *descendante*. Quand on résout un problème par diviser-pour-régner, on attaque tout de suite l'exemplaire complet, qu'on divise en sous-exemplaires à résoudre au fur et à mesure que l'algorithme progresse.

EXEMPLE 5.1.1. Considérons le calcul du coefficient binomial :

$$\binom{n}{k} = \begin{cases} \binom{n-1}{k-1} + \binom{n-1}{k} & 0 < k < n \\ 1 & \text{autrement.} \end{cases}$$

Si nous calculons $\binom{n}{k}$ directement par :

fonction $C(n, k)$
  si $k = 0$ **ou** $k = n$ **alors retourner** 1
  sinon retourner $C(n-1, k-1) + C(n-1, k)$

beaucoup de valeurs $C(i, j)$, $i < n$, $j < k$ sont calculées et recalculées maintes fois. Puisque le résultat final est obtenu en faisant la somme d'un certain nombre de 1, le temps de calcul de l'algorithme est certainement dans $\Omega\left(\binom{n}{k}\right)$. Un phénomène semblable a déjà été rencontré dans l'algorithme *fib*1 pour le calcul de la suite de Fibonacci (voir la section 1.7.5 et l'exemple 2.2.7). $\square$

PROBLÈME 5.1.1.   Prouvez que le nombre total d'appels récursifs provoqués par un appel à $C(n, k)$ est exactement égal à $2\binom{n}{k} - 2$. $\square$

EXEMPLE 5.1.1 (suite).   Si, par contre, nous utilisons un tableau de résultats intermédiaires (c'est bien sûr le triangle de Pascal), nous obtenons un algorithme plus performant :

$$
\begin{array}{c|ccccccc}
 & 0 & 1 & 2 & 3 & \ldots & k-1 & k \\
\hline
0 & 1 \\
1 & 1 & 1 \\
2 & 1 & 2 & 1 \\
\vdots \\
n-1 & & & & & & C(n-1, k-1) & C(n-1, k) \\
n & & & & & & & C(n, k)
\end{array}
$$

On remplit le tableau ligne par ligne. En fait, point n'est besoin de maintenir une matrice : un vecteur de longueur k représentant la ligne courante, qu'on met à jour *de droite à gauche*, suffit. L'algorithme demande donc un espace dans $O(k)$ et un temps dans $O(nk)$ si l'on compte chaque addition à coût unitaire. $\square$

PROBLÈME 5.1.2.   Le calcul de la suite de Fibonacci offre un autre exemple de ce genre de technique. Lequel des algorithmes exposés à la section 1.7.5 est un algorithme de programmation dynamique ? $\square$

La programmation dynamique est souvent employée pour résoudre des problèmes d'optimisation satisfaisant le **principe d'optimalité** : dans une séquence optimale de décisions ou de choix, chaque sous-séquence doit aussi être optimale. Bien que ce principe puisse paraître évident, il ne s'applique pas toujours.

EXEMPLE 5.1.2.   Si le plus court chemin de Montréal à Toronto passe par Kingston, la partie du trajet de Montréal à Kingston doit également être le plus court chemin entre ces deux villes : le problème obéit au principe d'optimalité. Par contre, si pour se rendre à Toronto aussi rapidement que possible il faut passer par Kingston, on ne peut pas conclure qu'il faille conduire de Montréal à Kingston aussi rapidement que possible : peut-être qu'une consommation d'essence trop élevée sur la première partie du trajet nous obligera à faire le plein entre Kingston et Toronto, perdant ainsi plus de temps qu'on n'en a gagné. Les sous-séquences Montréal-

Kingston et Kingston-Toronto ne sont pas indépendantes, et le principe d'optimalité ne s'applique pas. □

PROBLÈME 5.1.3. Le principe d'optimalité s'applique-t-il au problème du plus *long* chemin simple entre deux villes ? (Un chemin est **simple** s'il va directement de ville en ville, sans jamais passer deux fois par la même ville ; sans cette restriction le plus long chemin pourrait être une boucle infinie.) □

5.2 La série mondiale

Imaginons une compétition où deux équipes A et B s'affrontent au plus $2n - 1$ fois, le gagnant étant la première équipe qui remporte n victoires. Supposons qu'il n'y a pas de match nul, que les résultats de chaque match sont indépendants, et qu'il y a une probabilité constante p que l'équipe A gagne un match donné et une probabilité constante $q = 1 - p$ que l'équipe B gagne.

Soit $P(i, j)$ la probabilité que l'équipe A gagne la série étant donné qu'elle a besoin de i victoires additionnelles pour l'emporter tandis que B a besoin de j victoires additionnelles. Par exemple, avant le premier match la probabilité que l'équipe A soit le vainqueur de la série est $P(n, n)$: les deux équipes ont besoin de n victoires. Si l'équipe A a déjà accumulé toutes les victoires nécessaires, elle est certaine de gagner la série : $P(0, i) = 1, 1 \leqslant i \leqslant n$. De la même façon $P(i, 0) = 0, 1 \leqslant i \leqslant n$. $P(0, 0)$ n'est pas défini. Finalement, puisque A gagne chaque match avec probabilité p et le perd avec probabilité q,

$$P(i, j) = pP(i - 1, j) + qP(i, j - 1) \qquad i \geqslant 1, j \geqslant 1.$$

Nous pouvons donc calculer $P(i, j)$ par

fonction $P(i, j)$
  si $i = 0$ **alors retourner** 1
  sinon si $j = 0$ **alors retourner** 0
      sinon retourner $pP(i-1, j) + qP(i, j-1)$.

Soit $T(k)$ le temps requis en pire cas pour calculer $P(i, j)$, où $k = i + j$. Avec la méthode ci-dessus, on voit que

$$T(1) = c$$

$$T(k) \leqslant 2T(k - 1) + d, \qquad k > 1$$

où c et d sont des constantes. $T(k)$ est donc dans $O(2^k)$. En fait, si l'on regarde les appels récursifs générés, on trouve le schéma de la figure 5.2.1, identique à celui généré par le calcul naïf du coefficient binomial $C(i + j, j)$. Par le problème 5.1.1, le nombre total d'appels récursifs est donc exactement $2\binom{i + j}{j} - 2$. Pour calculer

appelle $P(i, j)$ il reste k matches

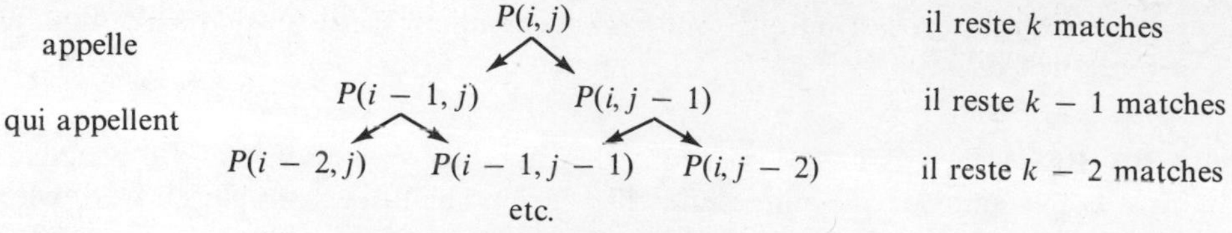

qui appellent $P(i - 1, j)$ $P(i, j - 1)$ il reste $k - 1$ matches

              $P(i - 2, j)$ $P(i - 1, j - 1)$ $P(i, j - 2)$ il reste $k - 2$ matches
                                          etc.

Figure 5.2.1.

$P(n, n)$, la probabilité de victoire de l'équipe A avant le début de la série, le temps requis est dans $\Omega\left(\binom{2n}{n}\right)$.

PROBLÈME 5.2.1. Prouvez que $\binom{2n}{n} \geqslant 2^{2n}/(2n + 1)$.   □

En combinant les résultats ci-dessus, on voit que le temps requis pour calculer $P(n, n)$ est dans $O(4^n)$ et $\Omega(4^n/n)$. Cette méthode de calcul n'est donc pas pratique pour de grandes valeurs de n. (Bien que les séries sportives avec $n > 4$ soient plutôt rares, ce problème a d'autres applications.)

* **PROBLÈME 5.2.2.** Prouvez qu'en fait, le temps requis pour calculer $P(n, n)$ par cet algorithme est dans $\theta(4^n/\sqrt{n})$.   □

Pour accélérer l'algorithme, on procède à peu près comme dans l'exemple 5.1.1 : on déclare un tableau de taille appropriée qu'on remplit ensuite. Cette fois-ci, cependant, on ne remplit pas le tableau ligne par ligne, mais diagonale par diagonale. Voici l'algorithme pour calculer $P(n, n)$:

```
fonction série(n: entier, p: réel): réel
   tableau P[0..n, 0..n]: réels
   q ← 1 − p
   pour s ← 1 jusqu'à n faire
     P[0, s] ← 1; P[s, 0] ← 0
     pour k ← 1 jusqu'à s−1 faire
       P[k, s−k] ← pP[k−1, s−k] + qP[k, s−k−1]
   pour s ← 1 jusqu'à n faire
     pour k ← 0 jusqu'à n−s faire
       P[s+k, n−k] ← pP[s+k−1, n−k] + qP[s+k, n−k−1]
   retourner P[n, n]  .
```

PROBLÈME 5.2.3. Calculez la probabilité que l'équipe A gagne la série si $p = 0,45$ et s'il faut quatre victoires pour gagner.   □

Puisque l'algorithme doit essentiellement remplir un tableau $n \times n$ et qu'il suffit d'un temps constant pour calculer chaque entrée, le temps de calcul est dans $\theta(n^2)$.

PROBLÈME 5.2.4. Montrez que cet algorithme peut être implanté en n'utilisant qu'un espace dans $\theta(n)$. □

5.3   Multiplication chaînée de matrices

Nous voulons calculer le produit matriciel
$$M = M_1 \, M_2 \dots M_n \, .$$
Puisque la multiplication de matrices est associative, nous pouvons calculer M de diverses manières :
$$\begin{aligned} M &= (\dots ((M_1 \, M_2) \, M_3) \dots M_n) \\ &= (M_1(M_2(M_3 \dots (M_{n-1} \, M_n) \dots))) \\ &= ((M_1 \, M_2) \, (M_3 \, M_4) \dots), \text{ etc} \, . \end{aligned}$$
Le choix d'une méthode de calcul peut influer considérablement sur le temps nécessaire.

PROBLÈME 5.3.1.   Montrez que le calcul du produit AB d'une matrice A de dimension $p \times q$ et d'une matrice B de dimension $q \times r$ par la méthode directe nécessite pqr multiplications de nombres scalaires. □

EXEMPLE 5.3.1.   Soit à calculer le produit $ABCD$ des matrices $A\,(13 \times 5)$, $B\,(5 \times 89)$, $C\,(89 \times 3)$ et $D\,(3 \times 34)$. Prenons comme mesure d'efficacité le nombre de multiplications de nombres scalaires qu'il faut faire. Si nous calculons, par exemple, $M = ((AB)\,C)\,D$ nous obtenons successivement

(AB)	5 785	multiplications
$(AB)\,C$	3 471	—
$((AB)\,C)\,D$	1 326	—

pour un total de 10 582 multiplications. Il y a cinq manières essentiellement différentes d'obtenir le produit. (Dans le deuxième cas ci-dessous, on ne distingue pas la méthode qui multiplie d'abord AB de celle qui commence par CD.) Dans chaque cas, voici le nombre correspondant de multiplications de nombres scalaires :

$((AB)\,C)\,D$	10 582
$(AB)\,(CD)$	54 201
$(A(BC))\,D$	2 856
$A((BC)\,D)$	4 055
$A(B(CD))$	26 418 .

La méthode la plus efficace est presque 19 fois plus rapide que la plus lente. □

Pour trouver directement la meilleure façon de calculer ce produit, il suffit d'insérer des parenthèses de toutes les manières possibles et de compter pour chacune le nombre de multiplications requises. Soit $T(n)$ le nombre de manières essentiellement différentes d'insérer des parenthèses dans un produit de n matrices. Supposons qu'on décide de couper d'abord entre la i-ième et la $(i + 1)$-ième matrice du produit :

$$M = (M_1 \ M_2 \ ... \ M_i) (M_{i+1} \ M_{i+2} \ ... \ M_n) \ .$$

Nous avons ensuite $T(i)$ manières de mettre des parenthèses dans la partie gauche et $T(n - i)$ manières d'en mettre dans la partie droite. Puisque i peut prendre une valeur quelconque entre 1 et $n - 1$, nous obtenons la récurrence suivante pour $T(n)$:

$$T(n) = \sum_{i=1}^{n-1} T(i) \ T(n - i) \ .$$

En ajoutant la condition initiale $T(1) = 1$, on peut ainsi calculer toutes les valeurs de T. On trouve entre autres les valeurs suivantes :

n	1	2	3	4	5	10	15
$T(n)$	1	1	2	5	14	4 862	2 674 440

Les valeurs de $T(n)$ s'appellent les **nombres de Catalan.**

PROBLÈME 5.3.2.   Prouvez que

$$T(n) = \frac{1}{n} \binom{2n - 2}{n - 1}. \qquad \qquad \square$$

Pour chaque manière de mettre les parenthèses, il faut un temps dans $\Omega(n)$ pour calculer le nombre de multiplications requises (du moins si l'on n'est pas trop subtil). Puisque $T(n)$ est dans $\Omega(4^n/n^2)$ (associez les problèmes 5.2.1 et 5.3.2), trouver la meilleure façon de calculer M par la méthode directe demande un temps dans $\Omega(4^n/n)$. Cette méthode n'est donc pas pratique pour de grandes valeurs de n : il y a trop de manières de mettre des parenthèses dans le produit pour les examiner toutes.

Heureusement, le principe d'optimalité s'applique à ce problème. En effet, si la meilleure façon de multiplier ces matrices demande de couper d'abord entre la i-ième et la $(i + 1)$-ième matrice du produit, les produits $M_1 \ M_2 \ ... \ M_i$ et $M_{i+1} \ M_{i+2} \ ... \ M_n$ devront tous deux être effectués de façon optimale. Ceci suggère de procéder par programmation dynamique. Construisons une table m_{ij}, $1 \leqslant i \leqslant j \leqslant n$, où m_{ij} donne la solution optimale (c'est-à-dire le nombre de multiplications de nombres scalaires requis) pour la partie $M_i \ M_{i+1} \ ... \ M_j$ du produit voulu. La solution du problème de départ est donc donnée par m_{1n}.

Supposons que les dimensions des matrices M_i soient données par un vecteur d_i, $0 \leqslant i \leqslant n$, tel que la matrice M_i soit de dimension d_{i-1} par d_i. Nous construisons la table m_{ij} diagonale par diagonale : la diagonale s contient les éléments m_{ij} tels que $j - i = s$. Nous obtenons ainsi successivement :

$s = 0$: $\quad m_{ii} = 0,\, i = 1, 2, ..., n$

$s = 1$: $\quad m_{i,i+1} = d_{i-1} d_i d_{i+1},\quad i = 1, 2, ..., n-1$ (voir le problème $5.3.1$)

$1 < s < n : m_{i,i+s} = \min_{i \leqslant k \leqslant i+s-1}\ (m_{ik} + m_{k+1,i+s} + d_{i-1} d_k d_{i+s}),\quad i = 1, 2, ..., n-s$.

Le troisième cas représente le fait que pour calculer $M_i M_{i+1} ... M_{i+s}$ on essaye toutes les possibilités $(M_i M_{i+1} ... M_k)(M_{k+1} ... M_{i+s})$ pour en choisir la meilleure.

EXEMPLE $5.3.2$ (suite de $5.3.1$). Nous avons
$$d = (13, 5, 89, 3, 34)\,.$$

Pour $s = 1$, on trouve $m_{12} = 5\ 785$, $m_{23} = 1\ 335$, $m_{34} = 9\ 078$.
Ensuite pour $s = 2$, on obtient

$$m_{13} = \min (m_{11} + m_{23} + 13 \times 5 \times 3, m_{12} + m_{33} + 13 \times 89 \times 3)$$
$$= \min (1\ 530, 9\ 256) = 1\ 530$$
$$m_{24} = \min (m_{22} + m_{34} + 5 \times 89 \times 34, m_{23} + m_{44} + 5 \times 3 \times 34)$$
$$= \min (24\ 208, 1\ 845) = 1\ 845\,.$$

Finalement, pour $s = 3$

$$m_{14} = \min (\ \{\ k = 1\ \} m_{11} + m_{24} + 13 \times 5 \times 34,$$
$$\{\ k = 2\ \} m_{12} + m_{34} + 13 \times 89 \times 34,$$
$$\{\ k = 3\ \} m_{13} + m_{44} + 13 \times 3 \times 34)$$
$$= \min (4\ 055, 54\ 201, 2\ 856) = 2\ 856\,.$$

Le tableau m est donc :

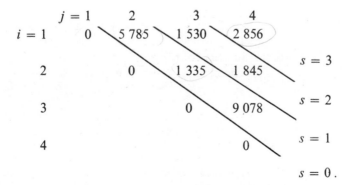

PROBLÈME $5.3.3$. Ecrivez l'algorithme qui calcule m_{1n}. ☐

PROBLÈME $5.3.4$. Comment faut-il modifier l'algorithme si l'on veut non seulement obtenir la valeur de m_{1n}, mais aussi savoir comment calculer le produit M de façon optimale ? ☐

Pour $s > 0$, il y a $n - s$ éléments à calculer dans la diagonale s; pour chacun, il faut choisir entre s possibilités (les différentes valeurs de k possibles). Le temps de calcul de l'algorithme est donc dans l'ordre exact de :

$$\sum_{s=1}^{n-1} (n - s)\, s = n \sum_{s=1}^{n-1} s - \sum_{s=1}^{n-1} s^2$$
$$= n^2(n-1)/2 - n(n-1)(2n-1)/6$$
$$= (n^3 - n)/6 .$$

Le temps de calcul est donc dans $\theta(n^3)$.

* PROBLÈME 5.3.5.   Combien de temps un appel à *minmat*$(1, n)$ prendrait-il avec l'algorithme récursif

fonction *minmat*(i, j)
  si $i = j$ **alors retourner** 0
  rép $\leftarrow \infty$
  pour $k \leftarrow i$ **jusqu'à** j–1 **faire**
    rép $\leftarrow$ min(*rép*, $d[i-1]d[k]d[j]$ + *minmat*(i, k) + *minmat*$(k+1, j)$)
  retourner *rép* ,

où le tableau $d[0..n]$ est global ? Donnez votre réponse en notation θ simplifiée et comparez-la avec le $\theta(n^3)$ obtenu par l'algorithme que nous venons d'analyser.   □

5.4   Les plus courts chemins

Soit $G = \langle N, A \rangle$ un graphe orienté; N est l'ensemble des sommets et A l'ensemble des arcs. A chaque arc est associée une longueur non négative. Nous voulons calculer la longueur du plus court chemin entre chaque paire de sommets (voir la section 3.2.2, où l'on cherchait les plus courts chemins d'un sommet particulier, la source, à tous les autres sommets).

Supposons encore une fois que les sommets de G sont numérotés de 1 à n, $N = \{ 1, 2, ..., n \}$, et qu'une matrice L nous donne la longueur de chaque arc, avec $L[i, i] = 0$, $L[i, j] \geqslant 0$ si $i \neq j$, et $L[i, j] = \infty$ si l'arc (i, j) n'existe pas.

Le principe d'optimalité s'applique : si k est un sommet intermédiaire sur le plus court chemin de i à j, alors la portion du trajet de i à k, ainsi que celle de k à j, doivent aussi être optimales.

Construisons une matrice D qui donne la longueur du plus court chemin entre chaque paire de sommets. L'algorithme initialise D à L. Ensuite, on fait n itérations. Après l'itération k, D donne les longueurs des plus courts chemins qui n'utilisent comme sommets intermédiaires que les sommets dans $\{ 1, 2, ..., k \}$. Après n itérations nous avons donc le résultat voulu. A l'itération k, il s'agit de vérifier pour chaque couple (i, j) de sommets si l'on peut trouver un chemin passant par le sommet k qui soit meilleur que le chemin actuel qui ne passe que par $\{ 1, 2, ..., k - 1 \}$. Soit D_k la matrice D après la k-ième itération. La vérification nécessaire s'exprime ainsi :

$$D_k[i, j] = \min(D_{k-1}[i, j], D_{k-1}[i, k] + D_{k-1}[k, j]),$$

où nous utilisons le principe d'optimalité pour calculer la longueur d'un chemin optimal passant par k. Nous avons utilisé implicitement le fait qu'un chemin optimal passant par k n'y passe pas deux fois.

A la k-ième itération, les valeurs dans la k-ième ligne et la k-ième colonne de D ne changent pas, puisque $D[k, k]$ est toujours zéro. Il n'est donc pas nécessaire de protéger ces valeurs durant la mise à jour de D. Ceci permet de se contenter d'une matrice D à deux dimensions, alors qu'à première vue, une matrice $n \times n \times 2$ (ou même $n \times n \times n$) semblait nécessaire.

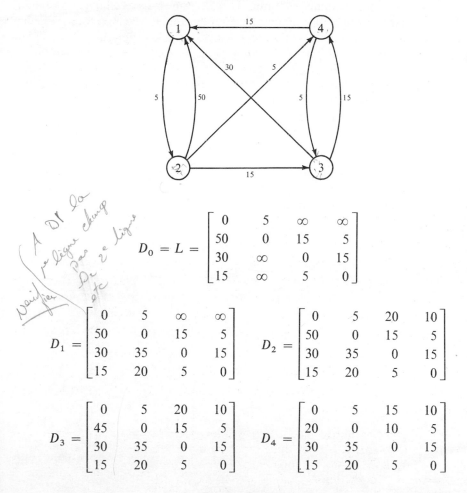

$$D_0 = L = \begin{bmatrix} 0 & 5 & \infty & \infty \\ 50 & 0 & 15 & 5 \\ 30 & \infty & 0 & 15 \\ 15 & \infty & 5 & 0 \end{bmatrix}$$

$$D_1 = \begin{bmatrix} 0 & 5 & \infty & \infty \\ 50 & 0 & 15 & 5 \\ 30 & 35 & 0 & 15 \\ 15 & 20 & 5 & 0 \end{bmatrix} \quad D_2 = \begin{bmatrix} 0 & 5 & 20 & 10 \\ 50 & 0 & 15 & 5 \\ 30 & 35 & 0 & 15 \\ 15 & 20 & 5 & 0 \end{bmatrix}$$

$$D_3 = \begin{bmatrix} 0 & 5 & 20 & 10 \\ 45 & 0 & 15 & 5 \\ 30 & 35 & 0 & 15 \\ 15 & 20 & 5 & 0 \end{bmatrix} \quad D_4 = \begin{bmatrix} 0 & 5 & 15 & 10 \\ 20 & 0 & 10 & 5 \\ 30 & 35 & 0 & 15 \\ 15 & 20 & 5 & 0 \end{bmatrix}$$

Figure 5.4.1.

L'algorithme, appelé **l'algorithme de Floyd,** est le suivant :

procédure *Floyd*(*L*[1..*n*, 1..*n*]: *réels*): **tableau**[1..*n*, 1..*n*]
   tableau *D*[1..*n*, 1..*n*]: *réels*
   D ← *L*
   pour *k* ← 1 **jusqu'à** *n* **faire**
     pour *i* ← 1 **jusqu'à** *n* **faire**
       pour *j* ← 1 **jusqu'à** *n* **faire**
         D[*i*, *j*] ← min(*D*[*i*, *j*], *D*[*i*, *k*]+*D*[*k*, *j*])
   retourner *D* .

La figure 5.4.1 donne un exemple du fonctionnement de l'algorithme.

De toute évidence, le temps de calcul de cet algorithme est dans $\theta(n^3)$. Pour résoudre le même problème, on peut aussi utiliser l'algorithme de Dijkstra (voir à la section 3.2.2). Il faut dans ce cas appliquer l'algorithme *n* fois, en choisissant chaque fois un nouveau sommet comme source. Si l'on se sert de la version de l'algorithme de Dijkstra qui utilise une matrice de distances, le temps total de calcul est dans $n \times \theta(n^2)$, c'est-à-dire dans $\theta(n^3)$. L'ordre est le même que pour l'algorithme de Floyd, mais la simplicité de l'algorithme de Floyd le rend probablement plus rapide en pratique. Par contre, si l'on se sert de la version de l'algorithme de Dijkstra qui utilise un monceau, et donc des listes de distances des sommets adjacents, le temps total est dans $n \times O((a + n) \log n)$, c'est-à-dire dans $O((an + n^2) \log n)$, où *a* est le nombre d'arcs dans le graphe. Si le graphe n'est pas très dense ($a \ll n^2$), il peut être préférable d'utiliser l'algorithme de Dijkstra *n* fois ; si le graphe est dense ($a \approx n^2$), l'utilisation de l'algorithme de Floyd est préférable.

Nous voulons normalement savoir non seulement la longueur du plus court chemin, mais aussi par où il passe. Dans ce cas, on se sert d'une deuxième matrice, disons *P*, initialisée à 0. L'énoncé de la boucle la plus intérieure de l'algorithme devient

$$\textbf{si } D[i, k] + D[k, j] < D[i, j] \textbf{ alors } D[i, j] \leftarrow D[i, k] + D[k, j]$$
$$P[i, j] \leftarrow k .$$

Lorsque l'algorithme se termine, $P[i, j]$ contient le numéro de la dernière itération qui a causé un changement de $D[i, j]$. Pour reconstituer le plus court chemin de *i* à *j*, on regarde $P[i, j]$. Si $P[i, j] = 0$, le plus court chemin est l'arc direct (i, j) ; si $P[i, j] = k$, le plus court chemin passe par le sommet *k* : il faut consulter récursivement $P[i, k]$ et $P[k, j]$ pour trouver les autres sommets intermédiaires, s'il y a lieu.

EXEMPLE 5.4.1.   Pour le graphe de la figure 5.4.1, *P* devient

$$\begin{bmatrix} 0 & 0 & 4 & 2 \\ 4 & 0 & 4 & 0 \\ 0 & 1 & 0 & 0 \\ 0 & 1 & 0 & 0 \end{bmatrix} .$$

Puisque $P[1, 3] = 4$, le plus court chemin de 1 à 3 passe par 4. En regardant maintenant $P[1, 4]$ et $P[4, 3]$, on découvre qu'entre 1 et 4 il faut passer par 2 mais que de 4 à 3, on procède directement. Finalement, on voit que les trajets (1, 2) et (2, 4) se font directement aussi. Le plus court chemin de 1 à 3 est donc 1, 2, 4, 3.   □

PROBLÈME 5.4.1. Supposons qu'on admette des arcs de longueur néga-
tive. Si *G* contient des circuits dont la longueur totale est négative, la notion de « plus
court chemin » perd beaucoup de son sens. (Plus on boucle dans le circuit négatif,
moins le chemin est long !). L'algorithme de Floyd fonctionne-t-il :

a) sur un graphe qui inclut un circuit négatif;

b) sur un graphe qui, tout en incluant des arcs de longueur négative, n'inclut pas un
circuit négatif ?

Prouvez votre réponse. □

Même si un graphe contient des arcs de longueur négative, la notion du plus
court chemin *simple* a du sens. Aucun algorithme efficace n'est connu pour trouver le
plus court chemin simple en présence d'arcs de longueur négative. La situation est
équivalente à celle de l'exercice 5.1.3. Ces problèmes sont **NP**-complets (voir le
dernier chapitre).

PROBLÈME 5.4.2. **(L'algorithme de Warshall).** La longueur des chemins
ne nous intéresse plus; seule leur existence importe. Initialement, $L[i, j] = vrai$
si un arc (i, j) existe et *faux* autrement. Nous désirons trouver une matrice *D* telle
que $D[i, j]$ soit *vrai* s'il existe au moins un chemin de *i* à *j* et *faux* autrement. (Il s'agit
de trouver la **fermeture transitive réflexive** du graphe *G*.) Adaptez l'algorithme de
Floyd pour ce cas légèrement différent. □

* PROBLÈME 5.4.3. Trouvez un algorithme plus efficace encore pour le
problème 5.4.2 dans le cas où la matrice *L* est symétrique ($L[i, j] = vrai$ si et seulement si $L[j, i] = vrai$). □

5.5 Arborescences de fouille optimales

Rappelons d'abord la définition d'une arborescence de fouille binaire. Une
arborescence binaire dont chaque nœud contient une clef est une **arborescence de
fouille** si la clef contenue dans tout nœud interne est plus grande ou égale (numériquement ou alphabétiquement) à celle de ses descendants de gauche et plus petite ou
égale à celle de ses descendants de droite.

PROBLÈME 5.5.1. Montrez par un exemple explicite que la définition
suivante est insuffisante : « une arborescence binaire est une arborescence de fouille si
la clef contenue dans tout nœud interne est plus grande ou égale à celle de son fils
gauche et plus petite ou égale à celle de son fils droit ». □

La figure 5.5.1 donne un exemple d'une arborescence de fouille binaire (pour le reste de cette section, le qualificatif « binaire » est sous-entendu) contenant les clefs *A, B, C, D, E, F, G* et *H*.

Pour déterminer si une clef *X* est présente dans une arborescence, on examine d'abord la clef contenue dans la racine. Disons que cette clef est *R*. Si *X = R*, nous avons trouvé la clef voulue et la fouille s'arrête ; si *X < R*, il suffit d'examiner la sous-arborescence gauche ; si *X > R*, il suffit d'examiner la sous-arborescence droite. Une implantation récursive de cette technique est évidente. (C'est un exemple de la technique de simplification du chapitre 4.)

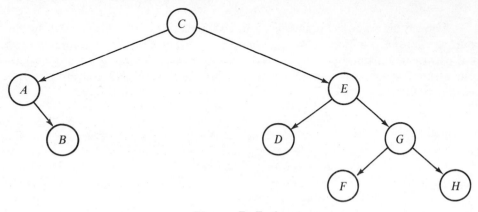

Figure 5.5.1.

PROBLÈME 5.5.2.   Ecrivez une procédure qui recherche une clef dans une arborescence de fouille et retourne *vrai* si la clef est présente et *faux* autrement.   □

Les nœuds peuvent aussi contenir d'autres informations reliées aux clefs : dans ce cas, une procédure de fouille ne retourne pas simplement *vrai* ou *faux*, mais plutôt l'information associée à la clef qu'on cherche.

Pour un ensemble de clefs donné, plusieurs arborescences de fouille sont possibles : par exemple, l'arborescence de la figure 5.5.2 contient les mêmes clefs que celle de la figure 5.5.1.

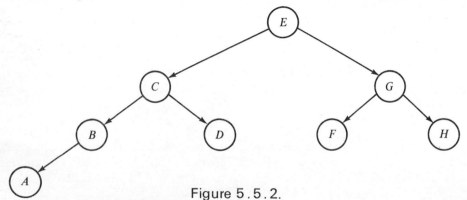

Figure 5.5.2.

PROBLÈME 5.5.3. Combien d'arborescences de fouille différentes sont possibles avec huit clefs ? □

* PROBLÈME 5.5.4. Si $T(n)$ est le nombre d'arborescences de fouille différentes contenant n clefs, trouvez soit une formule explicite pour exprimer $T(n)$, soit un algorithme pour le calculer. (Suggestion : relisez la section 5.3.) □

Dans la figure 5.5.1, deux comparaisons sont nécessaires pour trouver la clef E; dans la figure 5.5.2, par contre, une seule comparaison suffit. Si toutes les clefs sont demandées avec la même fréquence, il faut en moyenne $(2 + 3 + 1 + 3 + 2 + 4 + 3 + 4)/8 = 22/8$ comparaisons pour trouver une clef dans la figure 5.5.1, et $(4 + 3 + 2 + 3 + 1 + 3 + 2 + 3)/8 = 21/8$ comparaisons dans la figure 5.5.2.

PROBLÈME 5.5.5. Dans le cas de clefs équiprobables, donnez une arborescence qui minimise le nombre moyen de comparaisons requises. Résolvez ensuite ce problème de façon plus générale dans le cas de n clefs équiprobables. □

En fait, résolvons un problème plus général. Soit un ensemble ordonné de n clefs distinctes $c_1 < c_2 < \cdots < c_n$. Une requête ayant pour but de chercher une clef et l'information s'y rattachant vise la clef c_i avec probabilité p_i, $i = 1, 2, ..., n$. Pour le moment, supposons que $\sum_{i=1}^{n} p_i = 1$, c'est-à-dire que toutes les requêtes concernent des clefs qui se trouvent effectivement dans l'arborescence.

Rappelons que la profondeur de la racine d'une arborescence est 0, la profondeur de ses fils est 1, et ainsi de suite. Si une clef c_i se trouve dans un nœud de profondeur d_i, il faut faire $d_i + 1$ comparaisons pour la dépister. Pour une arborescence donnée, le nombre moyen de comparaisons nécessaires est

$$C = \sum_{i=1}^{n} p_i(d_i + 1).$$

C'est la fonction que nous voulons minimiser.

Considérons la suite de clefs consécutives c_i, c_{i+1}, ..., c_j, $j \geq i$. Supposons que dans une arborescence optimale contenant les n clefs, cette suite de $j - i + 1$ clefs occupe les nœuds d'une sous-arborescence. Si la clef c_k, $i \leq k \leq j$, se trouve dans un nœud de profondeur d_k^* dans la sous-arborescence, le nombre moyen de comparaisons effectuées *dans cette sous-arborescence* lorsqu'on cherche une clef de l'arborescence principale (donc possiblement une clef qui n'est pas dans cette sous-arborescence) est

$$C^* = \sum_{k=i}^{j} p_k(d_k^* + 1).$$

Nous constatons que
— cette expression a la même forme que celle pour C,
— un changement dans cette sous-arborescence n'affecte pas la contribution à C des autres sous-arborescences disjointes de celle-ci dans l'arborescence principale.

On en dégage le principe d'optimalité : dans une arborescence optimale, toutes les sous-arborescences sont également optimales par rapport aux clefs qu'elles contiennent.

Posons $m_{ij} = \sum_{k=i}^{j} p_k$. Soit C_{ij} le nombre moyen de comparaisons effectuées dans une sous-arborescence *optimale* contenant les clefs c_i, c_{i+1}, ..., c_j lors d'une recherche de clef dans l'arborescence principale. (Il est commode de définir $C_{ij} = 0$ si $j = i - 1$.) Une de ces clefs, disons k, doit occuper la racine de la sous-arborescence (voir la figure 5.5.3).

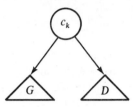

Figure 5.5.3.

G est une sous-arborescence optimale contenant les clefs c_i, c_{i+1}, ..., c_{k-1} et D une sous-arborescence optimale contenant c_{k+1}, ..., c_j. Lorsqu'on cherche une clef dans l'arborescence principale, la probabilité qu'elle soit dans la suite c_i, c_{i+1}, ..., c_j est m_{ij}. Dans ce cas, on fait une comparaison avec c_k suivie éventuellement des comparaisons dans G ou D. Le nombre de comparaisons effectuées en moyenne est donc

$$C_{ij}^k = m_{ij} + C_{i,k-1} + C_{k+1,j}$$

où les trois termes sont respectivement les contributions de la racine, de G et de D.

Pour obtenir un schéma de programmation dynamique, on remarque enfin que la racine k est choisie pour minimiser C_{ij} :

$$C_{ij} = m_{ij} + \min_{i \leqslant k \leqslant j} (C_{i,k-1} + C_{k+1,j}). \qquad (*)$$

En particulier, $C_{ii} = p_i$.

EXEMPLE 5.5.1. Pour trouver l'arborescence de fouille optimale si les probabilités associées aux cinq clefs c_1 à c_5 sont les suivantes :

i	1	2	3	4	5
p_i	0,30	0,05	0,08	0,45	0,12,

on calcule d'abord la matrice m :

$$m = \begin{bmatrix} 0,30 & 0,35 & 0,43 & 0,88 & 1,00 \\ & 0,05 & 0,13 & 0,58 & 0,70 \\ & & 0,08 & 0,53 & 0,65 \\ & & & 0,45 & 0,57 \\ & & & & 0,12 \end{bmatrix}.$$

On note maintenant que $C_{ii} = p_i$, $1 \leqslant i \leqslant 5$, et ensuite on utilise (*) pour calculer les autres valeurs de C_{ij} :

$$C_{12} = m_{12} + \min(C_{10} + C_{22}, C_{11} + C_{32})$$
$$= 0,35 + \min(0,05, 0,30) = 0,40.$$

De la même façon

$C_{23} = 0,18$, $C_{34} = 0,61$, $C_{45} = 0,69$.

Ensuite

$$C_{13} = m_{13} + \min(C_{10} + C_{23}, C_{11} + C_{33}, C_{12} + C_{43})$$
$$= 0,43 + \min(0,18, 0,38, 0,40) = 0,61$$
$$C_{24} = m_{24} + \min(C_{21} + C_{34}, C_{22} + C_{44}, C_{23} + C_{54})$$
$$= 0,58 + \min(0,61, 0,50, 0,18) = 0,76$$
$$C_{35} = m_{35} + \min(C_{32} + C_{45}, C_{33} + C_{55}, C_{34} + C_{65})$$
$$= 0,65 + \min(0,69, 0,20, 0,61) = 0,85$$
$$C_{14} = m_{14} + \min(C_{10} + C_{24}, C_{11} + C_{34}, C_{12} + C_{44}, C_{13} + C_{54})$$
$$= 0,88 + \min(0,76, 0,91, 0,85, 0,61) = 1,49$$
$$C_{25} = m_{25} + \min(C_{21} + C_{35}, C_{22} + C_{45}, C_{23} + C_{55}, C_{24} + C_{65})$$
$$= 0,70 + \min(0,85, 0,74, 0,30, 0,76) = 1,00$$
$$C_{15} = m_{15} + \min(C_{10} + C_{25}, C_{11} + C_{35}, C_{12} + C_{45}, C_{13} + C_{55}, C_{14} + C_{65})$$
$$= 1,00 + \min(1,00, 1,15, 1,09, 0,73, 1,49)$$
$$= 1,73.$$

L'arborescence optimale pour ces clefs (voir la figure 5.5.4) demande en moyenne 1,73 comparaisons pour trouver une clef. ☐

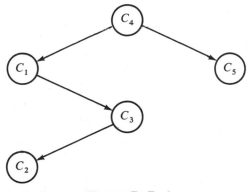

Figure 5.5.4.

PROBLÈME 5.5.6. Ayant trouvé le nombre moyen de comparaisons nécessaires dans l'arborescence optimale, comment trouve-t-on la forme de cette arborescence ? ☐

PROBLÈME 5.5.7. Ecrivez un algorithme qui accepte les valeurs n et p_i, $i = 1, 2, ..., n$, et qui produit une spécification de l'arborescence de fouille optimale pour ces probabilités. (Bien entendu, du moment que les clefs sont triées, nous n'avons pas besoin de leurs valeurs précises ; seules leurs probabilités importent.) □

Dans l'algorithme ci-dessus, on calcule toutes les valeurs de C_{ij}, d'abord pour $j - i = 1$, ensuite pour $j - i = 2$ et ainsi de suite. Lorsque $j - i = m$, il y a $n - m$ valeurs de C_{ij} à calculer, chacune impliquant un choix entre $m + 1$ possibilités. Le temps de calcul requis est donc dans

$$\theta\left(\sum_{m=1}^{n-1} (n - m)(m + 1)\right) = \theta(n^3).$$

PROBLÈME 5.5.8.   Prouvez cette dernière égalité.   □

* PROBLÈME 5.5.9.   Généralisez l'argument des paragraphes précédents pour tenir compte de la possibilité qu'une requête vise une clef qui ne se trouve pas dans l'arborescence. Plus spécifiquement, soit p_i, $i = 1, 2, ..., n$, la probabilité qu'une requête concerne la clef c_i et soit q_i, $i = 0, 1, 2, ..., n$, la probabilité qu'elle concerne une clef absente située entre c_i et c_{i+1} (avec l'interprétation évidente pour q_0 et q_n). Nous avons maintenant que

$$\sum_{i=1}^{n} p_i + \sum_{i=0}^{n} q_i = 1.$$

L'arborescence optimale doit minimiser le nombre moyen de comparaisons requises soit pour trouver une clef, si elle est présente dans l'arborescence, soit pour s'assurer de son absence.

Donnez un algorithme capable de déterminer l'arborescence de fouille optimale dans ce contexte.   □

** PROBLÈME 5.5.10.   Pour $1 \leqslant i \leqslant j \leqslant n$, soit
$$r_{ij} = \max \{ k \mid i \leqslant k \leqslant j \quad \text{et} \quad C_{ij} = m_{ij} + C_{i,k-1} + C_{k+1,j} \},$$
la racine d'une sous-arborescence optimale contenant c_i, c_{i+1}, ..., c_j. Posons également $r_{i,i-1} = i$. Prouvez que $r_{i,j-1} \leqslant r_{ij} \leqslant r_{i+1,j}$ pour tous les $1 \leqslant i \leqslant j \leqslant n$.   □

PROBLÈME 5.5.11.   Utilisez le résultat du problème 5.5.10 pour montrer comment calculer une arborescence de fouille optimale en un temps dans $O(n^2)$. (Les problèmes 5.5.10 et 5.5.11 se généralisent au cas discuté dans le problème 5.5.9.) □

PROBLÈME 5.5.12.   Il y avait une approche vorace évidente au problème de la construction de l'arborescence de fouille optimale : la clef la plus probable, disons c_k, est mise à la racine et les sous-arborescences de fouille pour $c_1, c_2, ..., c_{k-1}$ et pour $c_{k+1}, c_{k+2}, ..., c_n$ sont construites récursivement selon le même principe.

i) Combien de temps cet algorithme prend-il ?

ii) Montrez à l'aide d'un exemple explicite simple que cet algorithme ne trouve pas toujours l'arborescence de fouille optimale. Donnez une arborescence optimale pour votre exemple et donnez, pour chacune des deux arboréscences, le nombre moyen de comparaisons pour trouver une clef. □

5.6 Le commis voyageur

Nous avons déjà rencontré ce problème à la section 3.4.2. Etant donné un graphe avec des longueurs non négatives associées aux arcs, il s'agit de trouver un circuit de longueur minimale commençant et se terminant au même sommet, et qui passe une et une seule fois par chacun des autres sommets.

Soit un graphe orienté $G = \langle N, A \rangle$. Nous prenons comme d'habitude $N = \{ 1, 2, ..., n \}$. Les longueurs des arcs sont notées L_{ij} de sorte que $L_{ij} \geqslant 0$ et $L_{ij} = \infty$ si l'arc (i, j) n'existe pas.

Supposons sans perte de généralité que le circuit commence au sommet 1. Il est donc composé d'un arc $(1, j)$, $j \neq 1$, suivi d'un chemin de j à 1 qui passe une et une seule fois par chaque sommet dans $N \backslash \{ 1, j \}$. Si le circuit est optimal (de longueur minimale), le chemin de j à 1 doit être optimal aussi : le principe d'optimalité s'applique.

Soient un ensemble de sommets $S \subseteq N \backslash \{ 1 \}$ et un sommet $i \in N \backslash S$. Définissons $g(i, S)$ comme étant la longueur d'un plus court chemin du sommet i au sommet 1 qui passe exactement une fois par chaque sommet de S. En nous servant de cette définition et du principe d'optimalité, nous voyons que :

$$\text{longueur d'un circuit optimal}$$
$$= g(1, N \backslash \{ 1 \})$$
$$= \min_{2 \leqslant j \leqslant n} (L_{1j} + g(j, N \backslash \{ 1, j \})) . \tag{*}$$

Plus généralement, si $i \neq 1$, $S \neq \varnothing$ et $i \notin S$,

$$g(i, S) = \min_{j \in S} (L_{ij} + g(j, S \backslash \{ j \})) . \tag{**}$$

De plus,

$$g(i, \varnothing) = L_{i1} , \quad i = 2, 3, ..., n .$$

Les valeurs de $g(i, S)$ sont donc connues lorsque S est vide. Nous pouvons appliquer (**) pour calculer la fonction g pour tous les ensembles S qui contiennent un seul élément (autre que 1); ensuite, nous appliquons (**) de nouveau pour calculer g pour tous les ensembles S qui contiennent deux éléments (autres que 1), et ainsi de suite. Lorsque la valeur de g est connue sur tous les ensembles S auxquels il ne manque qu'un seul sommet autre que 1, il n'y a plus qu'à calculer $g(1, N \backslash \{ 1 \})$ par la formule (*).

EXEMPLE 5.6.1.   Soit G le graphe complet sur quatre points avec

$$L = \begin{bmatrix} 0 & 10 & 15 & 20 \\ 5 & 0 & 9 & 10 \\ 6 & 13 & 0 & 12 \\ 8 & 8 & 9 & 0 \end{bmatrix}$$

(voir figure 5.6.1).

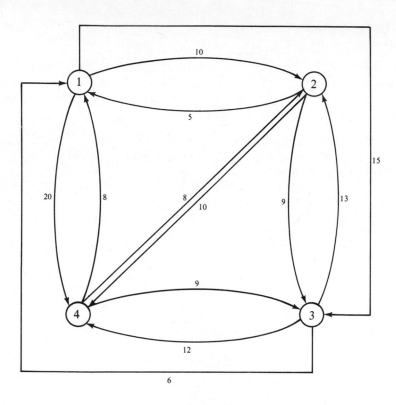

Figure 5.6.1.

On initialise

$$g(2, \varnothing) = 5 \qquad g(3, \varnothing) = 6 \qquad g(4, \varnothing) = 8\,.$$

En se servant de (**),

$$g(2, \{\,3\,\}) = L_{23} + g(3, \varnothing) = 15$$
$$g(2, \{\,4\,\}) = L_{24} + g(4, \varnothing) = 18$$

et de la même façon

$$g(3, \{\,2\,\}) = 18\,, \qquad g(3, \{\,4\,\}) = 20$$
$$g(4, \{\,2\,\}) = 13\,, \qquad g(4, \{\,3\,\}) = 15\,.$$

(Ce n'est qu'à la dernière étape que nous aurons besoin de $g(1, S)$.)

En se servant maintenant de (**) pour les ensembles de deux éléments :

$$g(2, \{ 3, 4 \}) = \min (L_{23} + g(3, \{ 4 \}), L_{24} + g(4, \{ 3 \}))$$
$$= \min (29, 25) = 25$$
$$g(3, \{ 2, 4 \}) = \min (L_{32} + g(2, \{ 4 \}), L_{34} + g(4, \{ 2 \}))$$
$$= \min (31, 25) = 25$$
$$g(4, \{ 2, 3 \}) = \min (L_{42} + g(2, \{ 3 \}), L_{43} + g(3, \{ 2 \}))$$
$$= \min (23, 27) = 23 .$$

Finalement, on applique (*) pour obtenir

$$g(1, \{ 2, 3, 4 \}) = \min (L_{12} + g(2, \{ 3, 4 \}),$$
$$L_{13} + g(3, \{ 2, 4 \}),$$
$$L_{14} + g(4, \{ 2, 3 \}))$$
$$= \min (35, 40, 43) = 35 .$$

Le circuit optimal dans la figure 5.6.1 est de longueur 35. $\qquad \Box$

Pour savoir par où passe ce circuit, nous devons utiliser une fonction supplémentaire : $J(i, S)$ est la valeur de j choisie pour minimiser g au moment où l'on applique (*) ou (**) pour calculer $g(i, S)$.

EXEMPLE 5.6.2   (suite de l'exemple 5.6.1). Dans cet exemple, on a

$$J(2, \{ 3, 4 \}) = \quad 4$$
$$J(3, \{ 2, 4 \}) = \quad 4$$
$$J(4, \{ 2, 3 \}) = \quad 2$$
$$J(1, \{ 2, 3, 4 \}) = 2$$

et le circuit optimal est donc

$$1 \to J(1, \{ 2, 3, 4 \}) = 2$$
$$\to J(2, \{ 3, 4 \}) \quad = 4$$
$$\to J(4, \{ 3 \}) \quad = 3$$
$$\to 1 . \qquad \qquad \qquad \Box$$

On peut estimer le temps de calcul requis comme suit :

— pour calculer $g(j, \varnothing)$: $n - 1$ consultations de table,

— pour calculer tous les $g(j, S)$ tels que $1 \leqslant \#S = k \leqslant n - 2 : (n - 1) \binom{n - 2}{k} k$ additions à faire au total,

— pour calculer $g(1, N \backslash \{ 1 \})$: $n - 1$ additions.

Ces opérations pouvant servir de baromètre, le temps de calcul est dans

$$\theta \left(2(n - 1) + \sum_{k = 1}^{n - 2} (n - 1) k \binom{n - 2}{k} \right) = \theta(n^2 \, 2^n) \quad \text{puisque} \quad \sum_{k = 1}^{r} k \binom{r}{k} = r2^{r - 1} .$$

Ceci est nettement mieux que d'avoir un temps dans $\Omega(n!)$, comme cela serait le cas si l'on essayait bêtement tous les circuits possibles, mais c'est encore loin d'être pratique. De plus...

PROBLÈME 5.6.1. Vérifiez que l'espace nécessaire pour stocker les valeurs de g et J est dans $\Omega(n2^n)$, ce qui n'est guère pratique non plus. ☐

PROBLÈME 5.6.2. L'analyse ci-dessus suppose qu'on puisse retrouver en temps constant les valeurs déjà calculées de $g(j, S)$. Puisque S est un ensemble, quelle structure de données suggérez-vous pour stocker les valeurs de g ? Avec la structure suggérée, quel sera le temps d'accès aux valeurs de g ? ☐

La table 5.6.1 illustre la croissance dramatique du temps et de l'espace nécessaires.

n	temps : méthode bête $n!$	temps : progr. dynamique $n^2 2^n$	espace : progr. dynamique $n 2^n$
5	120	800	160
10	3 628 800	102 400	10 240
15	$1{,}31 \times 10^{12}$	7 372 800	491 520
20	$2{,}43 \times 10^{18}$	419 430 400	20 971 520

Table 5.6.1.

5.7 Fonctions à mémoire

Si l'on veut implanter la méthode de la section 5.6 dans un ordinateur, il est facile d'écrire une fonction qui calcule g récursivement. Par exemple,

```
fonction g(i, S)
    si S = ∅ alors retourner L[i, 1]
    pluscourt ← ∞
    pour chaque j ∈ S faire
        distviaj ← L[i, j] + g(j, S \ {j})
        si distviaj < pluscourt alors pluscourt ← distviaj
    retourner pluscourt .
```

Malheureusement, en calculant de cette façon descendante, nous rencontrons de nouveau le problème évoqué au début du chapitre : certaines valeurs de g sont recalculées maintes fois et le programme est très inefficace. (En fait, il retombe dans $\Omega((n-1)!)$.)

Mais comment calculer *g* de la façon ascendante caractéristique de la programmation dynamique ? Nous aurons besoin d'un programme auxiliaire qui génère d'abord l'ensemble vide, ensuite tous les ensembles contenant un élément de $N \setminus \{ 1 \}$, ensuite tous les ensembles contenant deux éléments de $N \setminus \{ 1 \}$, etc. La conception d'un tel générateur n'est peut-être pas difficile, mais elle est certainement fastidieuse.

Une technique facile pour profiter de la simplicité de formulation de la méthode récursive tout en gardant l'efficacité de la programmation dynamique réside dans l'utilisation d'une **fonction à mémoire**. On adjoint à la fonction récursive une table de taille suffisante. Initialement, tous les éléments de cette table ont une valeur spéciale indiquant qu'ils ne sont pas encore définis. Ensuite, chaque fois qu'on appelle la fonction, on regarde dans la table pour voir si on l'a déjà calculée sur les mêmes paramètres. Si oui, on retourne la valeur stockée dans la table. Sinon, on procède au calcul de la fonction. Avant de retourner la valeur de la fonction, on la stocke dans la table à l'endroit approprié. De cette manière, on n'a jamais besoin de calculer la fonction plus d'une fois pour les mêmes valeurs des paramètres.

Pour l'algorithme de la section 5.6, soit *gtab* un tableau dont tous les éléments sont initialisés à -1 (puisqu'une distance ne peut pas être négative). Formulée ainsi,

fonction *g*(*i*, *S*)
    si $S = \emptyset$ **alors retourner** *L*[*i*, 1]
    si *gtab*[*i*, *S*] ≥ 0 **alors retourner** *gtab*[*i*, *S*]
    pluscourt $\leftarrow \infty$
    pour chaque $j \in S$ **faire**
        distviaj $\leftarrow$ *L*[*i*, *j*] + *g*(*i*, *S* \ {*j*})
        si *distviaj* < *pluscourt* **alors** *pluscourt* $\leftarrow$ *distviaj*   .
    gtab[*i*, *S*] $\leftarrow$ *pluscourt*
    retourner *pluscourt*   ,

la fonction *g* allie la clarté d'une conception récursive avec l'efficacité de la programmation dynamique.

PROBLÈME 5.7.1.   Montrez comment calculer (i) un coefficient binomial, (ii) la fonction *série*(*n*, *p*) de la section 5.2, en utilisant une fonction à mémoire.   □

Il faut parfois payer un prix pour l'utilisation de cette technique. Nous avons vu à la section 5.1, par exemple, que nous pouvons calculer un coefficient binomial $\binom{n}{k}$ avec un espace dans $O(k)$ et un temps dans $O(nk)$. Implanté par une fonction à mémoire, ce calcul demande le même temps mais un espace dans $\Omega(nk)$.

∗ PROBLÈME 5.7.2.   A la condition d'utiliser un peu plus d'espace, mais seulement par un facteur multiplicatif constant, il est possible d'éviter le temps d'initialisation de chaque entrée de la table à une valeur spéciale. Ceci peut être intéressant lorsque peu de valeurs de la fonction seront en fait calculées, mais qu'on ne sache prévoir lesquelles d'avance (pour un exemple, voir la section 6.7). Montrez comment un tableau $T[1..n]$ peut être **virtuellement initialisé** à l'aide de deux tableaux supplémentaires $B[1..n]$ et $P[1..n]$ et quelques pointeurs. Vous devez concevoir trois algorithmes :

procédure *init*
   {initialise virtuellement $T[1..n]$}

procédure *emmagasine(i, v)*
   {donne à $T[i]$ la valeur v}

fonction *val(i)*
   {retourne la dernière valeur donnée à $T[i]$, s'il y a lieu;
   une valeur de défaut (comme -1) sinon} .

Tout appel à l'une ou l'autre de ces procédures ou fonction doit se faire en temps constant, dans le pire cas.   □

5.8   Problèmes supplémentaires

* PROBLÈME 5.8.1.   Soient u et v deux chaînes de caractères. On veut transformer u en v avec le plus petit nombre possible d'opérations des types suivants :
— enlever un caractère;
— ajouter un caractère;
— changer un caractère.

Par exemple, on peut passer de *abbac* à *abcbc* en trois étapes :

$$abbac \rightarrow abac \qquad \text{(on a enlevé un } b\text{)}$$
$$\rightarrow ababc \qquad \text{(on a ajouté un } b\text{)}$$
$$\rightarrow abcbc \qquad \text{(on a changé un caractère)}.$$

Montrez que cette transformation n'est pas optimale.

Ecrivez un algorithme de programmation dynamique qui trouve le nombre minimum d'opérations requis pour transformer u en v, et qui nous indique quelles sont les opérations à effectuer. En fonction des longueurs de u et v, combien de temps votre algorithme prend-il ?   □

PROBLÈME 5.8.2.   Soient un alphabet $\Sigma = \{ a, b, c \}$ et la « table de multiplication » ci-dessous pour les éléments de Σ :

		symbole à droite		
		a	b	c
symbole	a	b	b	a
à gauche	b	c	b	a
	c	a	c	c

Ainsi, $ab = b$, $ba = c$, etc. Notez que la « multiplication » déterminée par cette table n'est ni commutative ni associative.

Trouvez un algorithme efficace qui examine une chaîne $x = x_1 \, x_2 \dots x_n$ de caractères de Σ et qui détermine si l'on peut insérer des parenthèses dans x de telle sorte que la valeur de l'expression résultante soit a. Par exemple, si $x = bbbba$, votre algorithme doit retourner « oui », puisque $(b(bb))(ba) = a$. (Cette expression n'est pas unique. Par exemple, $(b(b(b(ba)))) = a$ également.)

En termes de n, la longueur de la chaîne x, quel est le temps de calcul demandé par votre algorithme ? □

PROBLÈME 5.8.3. Modifiez votre algorithme du problème précédent pour qu'il retourne le nombre de façons différentes d'insérer des parenthèses dans x pour obtenir a. □

PROBLÈME 5.8.4. Il y a N postes de la compagnie de la Baie d'Hudson sur la rivière Koksoak. A chaque poste, on peut louer un canot qu'on retourne à n'importe quel poste en aval du point de départ. (Il est presque impossible de remonter le courant.) Le tarif indique pour chaque point de départ i et chaque point d'arrivée j, le coût d'une location entre i et j. Pourtant, il arrive qu'une location de i à j puisse coûter plus cher qu'une série de locations plus courtes, auquel cas on rend le premier canot à un poste k entre i et j et on prend un deuxième canot pour continuer le voyage. Il n'y a pas de coût supplémentaire si l'on change de canot de cette façon.

Trouvez un algorithme efficace qui détermine le coût minimal pour voyager en canot de i à j. En termes de N, quel est le temps de calcul demandé par votre algorithme ? □

PROBLÈME 5.8.5. Nous avons vu dans l'introduction du chapitre 3 un algorithme vorace pour retourner la monnaie. Cet algorithme fonctionne bien dans un pays où les pièces sont de 1, 5, 10 et 25 unités, mais il ne retourne pas forcément la solution optimale si l'on ajoute des pièces de 12 unités (voir le problème 3.1.1). Ce problème peut toutefois être résolu exactement par programmation dynamique. Soit n le nombre de pièces distinctes et soit $T[1 .. n]$ un tableau donnant la valeur de ces pièces. Supposons une quantité illimitée de chaque type de pièces. Soit L une limite sur le montant à obtenir.

i) Pour $1 \leqslant i \leqslant n$ et $1 \leqslant j \leqslant L$, soit c_{ij} le nombre minimum de pièces pour obtenir le montant j si l'on se limite aux pièces de type $T[1]$, $T[2]$, ..., $T[i]$, ou $+\infty$ si ce montant ne peut être ainsi obtenu. Donnez une équation de récurrence pour c_{ij}, incluant les conditions initiales.

ii) Donnez un algorithme de programmation dynamique pour calculer tous les c_{nj}, $1 \leqslant j \leqslant L$. Votre algorithme ne doit utiliser qu'un seul tableau de longueur L. Combien de temps votre algorithme prend-il en fonction de n et L ?

iii) Donnez un algorithme vorace capable de faire la monnaie en un nombre minimum de pièces, une fois les c_{nj} calculés, pour un montant quelconque

$M \leqslant L$. Votre algorithme doit prendre un temps dans $O(n + c_{nM})$ en autant que $c_{nM} \neq +\infty$. □

* **PROBLÈME** 5.8.6.   Vous disposez de n objets que vous désirez ordonner avec les relations « $<$ » et « $=$ ». Par exemple, il y a 13 ordonnancements différents entre 3 objets :

$$A = B = C \qquad A = B < C \qquad A < B = C \qquad A < B < C \qquad A < C < B$$
$$A = C < B \qquad B < A = C \qquad B < A < C \qquad B < C < A \qquad B = C < A$$
$$C < A = B \qquad C < A < B \qquad C < B < A \,.$$

Donnez un algorithme de programmation dynamique capable de déterminer, en fonction de n, le nombre d'ordonnancements différents. Votre algorithme doit prendre un temps dans $O(n^2)$ et un espace dans $O(n)$. □

** **PROBLÈME** 5.8.7.   La fonction d'Ackermann est définie récursivement de la façon suivante :

$$\begin{cases} A(0, n) = n + 1 \\ A(m, 0) = A(m - 1, 1) & \text{si } m > 0 \\ A(m, n) = A(m - 1, A(m, n - 1)) & \text{si } m, n > 0 \,. \end{cases}$$

Cette fonction croît très vite.

i) Déterminez $A(2, 5)$, $A(3, 3)$ et $A(4, 4)$.

ii) Donnez un algorithme de programmation dynamique pour calculer $A(m, n)$. Votre algorithme ne peut utiliser qu'un espace dans $O(m)$ et il doit être simplement composé de deux boucles imbriquées. (Suggestion : utilisez deux tableaux $val[0..m]$ et $ind[0..m]$ tels qu'en tout temps $val[i] = A(i, ind[i])$.) □

PROBLÈME 5.8.8.   Prouvez que le nombre de façons différentes de couper un polygone convexe à n côtés en $n - 2$ triangles par des diagonales qui ne se croisent pas, est $T(n - 1)$, le $(n - 1)$-ième nombre de Catalan (section 5.3).

Par exemple, on peut couper un hexagone de 14 façons :

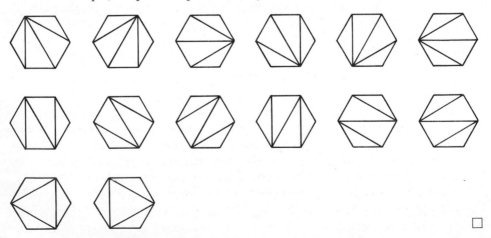

□

5.9   Remarques bibliographiques

Plusieurs livres sont dédiés à la programmation dynamique. Citons [Bellman 1957, Bellman et Dreyfus 1962, Nemhauser 1966, Laurière 1979]. L'algorithme de la section 5.3 est décrit dans [Godbole 1973]; un algorithme plus efficace, capable de résoudre le problème de la multiplication chaînée de matrices en un temps dans $O(n \log n)$, provient de [Hu et Shing 1982, 1984]. Les nombres de Catalan (problème 5.3.2) sont discutés en maints endroits, dont [Sloane 1973, Purdom et Brown 1985].

L'algorithme de Floyd pour calculer tous les plus courts chemins est dû à [Floyd 1962]. Un algorithme théoriquement plus efficace est connu : celui de [Fredman 1976] résout le problème en un temps dans $O(n^3 (\log \log n / \log n)^{1/3})$. La solution au problème 5.4.2 est donnée par l'algorithme de [Warshall 1962]. Les algorithmes de Floyd et de Warshall sont essentiellement identiques à celui de [Kleene 1956] pour déterminer l'expression régulière correspondant à un automate fini donné [Hopcroft et Ullman 1979]. Tous ces algorithmes (sauf celui de Fredman) sont unifiés dans [Tarjan 1981].

L'algorithme de la section 5.5 pour la construction d'arborescences de fouille optimales, incluant la solution au problème 5.5.9, provient de [Gilbert et Moore 1959]. Les améliorations suggérées par les problèmes 5.5.10 et 5.5.11 sont dues à [Knuth 1971, 1973]. L'arborescence de fouille optimale pour les 31 mots les plus communs de la langue anglaise est comparée avec l'arborescence obtenue par l'algorithme vorace suggéré au problème 5.5.12 dans [Knuth 1973]. Une solution à la fois plus simple et plus générale du problème 5.5.10 est donnée par [Yao 1980]; cet article présente une condition suffisant à transformer automatiquement certains algorithmes de programmation dynamique cubiques en algorithmes quadratiques.

L'algorithme de la section 5.6 pour le commis voyageur provient de [Held et Karp 1962]. Les fonctions à mémoire proviennent de [Michie 1968]; pour de plus amples détails, consultez [Marsh 1970]. Le problème 5.7.2, permettant d'éviter l'initialisation de la fonction à mémoire, est inspiré par l'exercice 2.12 de [Aho, Hopcroft et Ullman 1974].

Une solution au problème 5.8.1 est donnée dans [Wagner et Fischer 1974]. Le problème 5.8.5 est discuté dans [Wright 1975, Chang et Korsh 1976]. Le problème 5.8.6 s'est présenté aux auteurs un jour où ils ont donné en examen une question semblable au problème 2.1.11 : ils ont voulu savoir si les 69 réponses différentes obtenues formaient une proportion substantielle du nombre de possibilités. Le problème 5.8.7 est inspiré de [Ackermann 1928]. Le problème 5.8.8 est discuté dans [Sloane 1973]. Un algorithme de programmation dynamique important que nous n'avons pas mentionné est celui de [Kasimi 1965, Younger 1967] pour l'analyse syntaxique de tout langage hors-contexte [Hopcroft et Ullman 1979] en temps cubique.

Chapitre 6

Exploration de graphes

6.1 Introduction

Plusieurs problèmes peuvent être posés en termes de graphes. Nous avons vu, par exemple, le problème du plus court chemin et celui de l'arbre sous-tendant minimal. Pour résoudre de tels problèmes, il est souvent nécessaire d'inspecter tous les sommets ou tous les arcs d'un graphe. La structure du problème est parfois telle qu'on n'a besoin de visiter qu'une partie des sommets ou des arcs. Jusqu'ici, les algorithmes que nous avons vus imposent implicitement l'ordre de ces visites : on visite le sommet le plus proche, l'arc le plus court, et ainsi de suite. Dans ce chapitre, nous verrons quelques techniques générales dont on peut se servir si aucun ordre de visite n'est imposé.

Nous utiliserons le mot *graphe* dans deux sens différents. Un graphe peut être une *structure de données* dans la mémoire d'un ordinateur. Dans ce cas, les sommets sont représentés par un certain nombre d'octets et les arcs sont représentés par des pointeurs. Les opérations à faire sont plutôt concrètes : *marquer un sommet* consiste à changer un bit dans la mémoire, *trouver un sommet adjacent* à évaluer un pointeur et ainsi de suite.

Dans d'autres cas, le graphe n'existe qu'*implicitement*. Par exemple, on représente souvent des jeux par des graphes abstraits : chaque sommet correspond à une position particulière des pièces sur le tableau de jeu, et l'existence d'un arc entre deux sommets indique qu'il est possible de passer de la première à la deuxième position en faisant un seul coup légal dans le jeu. Lorsqu'on explore un tel graphe, il n'existe pas réellement dans l'ordinateur. La plupart du temps, on ne dispose que d'une représentation de la position courante (c'est-à-dire du sommet qu'on est en train de visiter) et possiblement de quelques autres positions. *Marquer un sommet* consiste à prendre des mesures quelconques pour pouvoir reconnaître une position déjà examinée, ou pour éviter de revenir deux fois à la même position ; *trouver un sommet adjacent* consiste à changer la position actuelle en faisant un coup légal, et ainsi de suite.

Cependant, que le graphe soit une structure de données ou une abstraction, les techniques d'exploration restent sensiblement les mêmes. Dans les paragraphes suivants nous n'aurons donc pas à distinguer les deux cas.

6.2 Exploration d'arborescences

Nous ne nous attarderons pas à détailler les techniques d'exploration d'arborescences. Rappelons seulement que dans le cas d'une arborescence binaire, trois techniques d'exploration sont souvent utilisées. Si à chaque nœud de l'arborescence, on visite d'abord le nœud lui-même, ensuite la sous-arborescence gauche et finalement la sous-arborescence droite, il s'agit d'une exploration en **pré-ordre** ; si l'on visite la sous-arborescence gauche, le nœud lui-même et ensuite la sous-arborescence droite, il s'agit de **en-ordre** ; et si l'on visite la sous-arborescence gauche, la sous-arborescence droite et finalement le nœud lui-même, il s'agit de **post-ordre**.

Ces trois techniques balaient l'arborescence de la gauche vers la droite. Trois techniques correspondantes balaient l'arborescence de la droite vers la gauche. Des implantations récursives de chaque technique sont évidentes.

LEMME 6.2.1. Pour chacune des six techniques mentionnées, le temps $T(n)$ requis pour explorer une arborescence qui contient n nœuds est dans $\theta(n)$.

PREUVE. Supposons que la visite d'un nœud demande un temps dans $\theta(1)$, c'est-à-dire qu'il est borné supérieurement par une constante c. Sans perte de généralité, choisissons $c \geqslant T(0)$.

Soit une arborescence contenant n nœuds à visiter, où $n > 0$, dont un des nœuds est la racine, g nœuds sont situés dans la sous-arborescence gauche, et $n - g - 1$ nœuds sont dans la sous-arborescence droite.

$$T(n) \leqslant \max_{0 \leqslant g \leqslant n-1} (T(g) + T(n - g - 1) + c) \qquad n > 0 \, .$$

Prouvons par induction mathématique que $T(n) \leqslant dn + c$, où d est une constante telle que $d \geqslant 2c$. Par le choix de c, l'hypothèse est vraie pour $n = 0$. Supposons qu'elle soit vraie pour tout $n, 0 \leqslant n < m$, pour $m > 0$ quelconque. Alors

$$\begin{aligned}
T(m) &\leqslant \max_{0 \leqslant g \leqslant m-1} (T(g) + T(m - g - 1) + c) \\
&\leqslant \max_{0 \leqslant g \leqslant m-1} (dg + c + d(m - g - 1) + c + c) \\
&= dm + 3c - d \\
&\leqslant dm + c
\end{aligned}$$

et l'hypothèse est vérifiée également pour $n = m$. Ceci prouve que $T(n) \leqslant dn + c$ pour tout $n \geqslant 0$, donc que $T(n)$ est dans $O(n)$.

D'un autre côté, il est clair que $T(n)$ est dans $\Omega(n)$ puisque chacun des n nœuds est visité. Donc $T(n)$ est dans $\theta(n)$.   □

PROBLÈME 6.2.1. Prouvez que pour chaque technique mentionnée, une implantation récursive nécessite un espace dans $\Omega(n)$. ☐

* PROBLÈME 6.2.2. Montrez comment implanter les techniques d'exploration ci-dessus de façon à ne nécessiter qu'un temps dans $\theta(n)$ et un espace dans $\theta(1)$, même si les nœuds n'ont pas de pointeur vers leurs parents (auquel cas le problème est sans intérêt). ☐

Les notions de pré-ordre et de post-ordre se généralisent à des arborescences quelconques.

6.3   La fouille en profondeur : graphes non orientés

Soit $G = \langle\, N, A\, \rangle$ un graphe non orienté dont nous voulons visiter tous les sommets. Supposons qu'il soit possible de marquer un sommet pour indiquer qu'il a déjà été visité. Initialement, aucun sommet n'est marqué.

Pour explorer le graphe **en profondeur,** choisissons un sommet quelconque $v \in N$ comme point de départ. Ce sommet est marqué pour indiquer qu'il a été visité. Ensuite, s'il y a un sommet adjacent à v qui n'a pas été visité, il est choisi comme nouveau point de départ et la procédure de fouille en profondeur est appelée récursivement. Au retour de l'appel récursif, si un autre sommet adjacent à v n'a pas été visité, il est choisi comme nouveau point de départ, un nouvel appel récursif est lancé, et ainsi de suite. Lorsque tous les sommets adjacents à v sont marqués, la fouille à partir de v est terminée.

S'il reste encore des sommets de G non visités, l'un d'eux est alors choisi comme nouveau point de départ et la fouille est relancée. On continue de cette façon jusqu'à ce que tous les sommets de G soient marqués. Voici l'algorithme récursif :

procédure *fep(v: sommet)*
   {le sommet *v* n'a pas encore été visité}
   marque[v] ← *visité*
   pour chaque sommet *w* adjacent à *v* **faire**
     si *marque[w]* ≠ *visité* **alors** *fep(w)*   ,

le programme principal étant :

   pour chaque $v \in N$ **faire** *marque[v]* ← *non-visité*
   pour chaque $v \in N$ **faire**
     si *marque[v]* ≠ *visité* **alors** *fep(v)*   .

L'algorithme porte le nom de fouille en profondeur parce qu'il essaie de lancer autant d'appels récursifs que possible avant d'en compléter un. La récursivité n'est arrêtée que lorsque l'exploration arrive dans un cul-de-sac. On remonte alors pour examiner d'autres possibilités à des niveaux supérieurs.

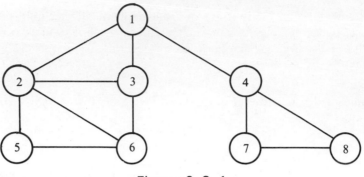

Figure 6.3.1

EXEMPLE 6.3.1.   En supposant que les voisins d'un sommet soient traités en ordre numérique et que le sommet 1 soit le point de départ, une fouille en profondeur dans le graphe de la figure 6.3.1 progresse comme suit :

1. *fep*(1)   appel initial
2. *fep*(2)   appel récursif
3. *fep*(3)   — —
4.   *fep*(6) — —
5.   *fep*(5) — — ; on est bloqué
6. *fep*(4)   sommet 1 a un voisin non visité
7. *fep*(7)   appel récursif
8.   *fep*(8) — — ; on est bloqué
9. Il ne reste plus de sommets à visiter.   □

PROBLÈME 6.3.1.   Montrez le progrès de la fouille en profondeur dans le graphe de la figure 6.3.1 si les voisins d'un sommet sont traités en ordre numérique et si l'on part du sommet 6.   □

Estimons le temps requis pour explorer un graphe ayant n sommets et a arêtes. Puisque chaque sommet est visité une et une seule fois, il y a n appels de la procédure *fep*. Lorsqu'on visite un sommet, on examine la marque de chacun des sommets adjacents. Si le graphe est représenté de façon à rendre les listes de sommets adjacents directement accessibles (type *lisgraphe* de la section 1.9.2), ce travail est proportionnel à a, au total. L'algorithme demande donc un temps dans $O(n)$ pour les appels de procédure et un temps dans $O(a)$ pour l'inspection des marques. Le temps de calcul est donc dans $O(\max(a, n))$.

PROBLÈME 6.3.2.   Qu'arrive-t-il si le graphe est représenté par une matrice d'incidence (type *adjgraphe* de la section 1.9.2) plutôt que par des listes de sommets adjacents ?   □

PROBLÈME 6.3.3.   Montrez comment une fouille en profondeur peut servir à trouver les composantes connexes d'un graphe non orienté.   □

Une fouille en profondeur dans un graphe connexe associe une arborescence sous-tendante au graphe. Aux arêtes utilisées par la fouille pour atteindre les sommets correspondent les arcs de l'arborescence, orientés du premier sommet visité au deuxième. Les arêtes non utilisées par la fouille n'ont pas d'arc correspondant dans l'arborescence. Le point de départ de la fouille devient la racine de l'arborescence.

EXEMPLE 6.3.2 (suite de l'exemple 6.3.1).   Les arêtes utilisées dans la fouille en profondeur de l'exemple 6.3.1 sont { 1, 2 }, { 2, 3 }, { 3, 6 }, { 6, 5 }, { 1, 4 }, { 4, 7 } et { 7, 8 }. Les arcs correspondants (1, 2), (2, 3), etc. constituent une arborescence sous-tendante pour le graphe de la figure 6.3.1. La racine de l'arborescence est le sommet 1. Voir la figure 6.3.2 (page 173).   □

Si le graphe examiné n'est pas connexe, une fouille en profondeur y associe non pas une seule arborescence, mais plutôt une forêt d'arborescences, une pour chaque composante connexe du graphe.

Une fouille en profondeur fournit également une façon de numéroter les sommets du graphe visité : le premier sommet visité (la racine de l'arborescence) porte le numéro 1, le deuxième porte le numéro 2 et ainsi de suite. Autrement dit, les sommets de l'arborescence produite sont numérotés en pré-ordre. Pour réaliser cette numérotation, il suffit d'ajouter au début de la procédure *fep* les deux énoncés suivants :

pnum ← *pnum* + 1
prénum[*v*] ← *pnum*

où *pnum* est une variable globale initialisée à zéro.

EXEMPLE 6.3.3 (suite de l'exemple 6.3.1).   La fouille en profondeur illustrée par l'exemple 6.3.1 numérote les sommets comme suit :

sommet	1	2	3	4	5	6	7	8
prénum	1	2	3	6	5	4	7	8 .

□

Bien entendu, l'arborescence et la numérotation engendrées par une fouille en profondeur dans un graphe ne sont pas uniques, mais dépendent du point de départ choisi et de l'ordre de considération des sommets.

PROBLÈME 6.3.4.   Montrez l'arborescence et la numérotation engendrées par la fouille du problème 6.3.1.   □

6.3.1   Points d'articulation

Un sommet v d'un graphe connexe est un **point d'articulation** si le sous-graphe obtenu en supprimant v et toutes les arêtes incidentes à v n'est plus connexe. Par exemple, dans le graphe de la figure 6.3.1, le sommet 1 est un point d'articulation : en le supprimant, il reste deux composantes connexes, { 2, 3, 5, 6 } et { 4, 7, 8 }. Un graphe G est dit **inarticulé** s'il est connexe et s'il n'a pas de point d'articulation. Il est **bicohérent** si chaque point d'articulation est relié par au moins deux arêtes à chacune des composantes du sous-graphe restant. Ces idées ont une importance pratique évidente : si le graphe G représente, par exemple, un réseau de télécommunications, le fait qu'il soit inarticulé nous assure que le reste du réseau peut continuer à fonctionner même si l'équipement dans un des nœuds tombe en panne ; si G est bicohérent, nous sommes sûrs que tous les nœuds pourront communiquer entre eux même si une des lignes ne fonctionne plus.

L'algorithme ci-dessous trouve les points d'articulation d'un graphe connexe G.

a) Effectuez une fouille en profondeur dans G à partir d'un sommet quelconque. Soit T l'arborescence engendrée par la fouille ; pour chaque sommet v du graphe, soit *prénum*[v] le numéro attribué par la fouille.

b) Parcourez l'arborescence T en post-ordre. Pour chaque nœud v visité, calculez *plusbas*[v] comme le minimum de :

   i) *prénum*[v] ;

   ii) *prénum*[w] pour tout sommet w tel qu'il existe une arête { v, w } qui soit dans G mais pas dans T ;

   iii) *plusbas*[x] pour tout sommet x qui est un fils de v dans T.

c)   i) La racine de T est un point d'articulation de G si et seulement si elle possède plus d'un fils.

   ii) Un sommet v autre que la racine de T est un point d'articulation de G si et seulement si v a un fils x tel que *plusbas*[x] $\geqslant$ *prénum*[v].

EXEMPLE 6.3.4 (suite des exemples 6.3.1, 6.3.2 et 6.3.3). La fouille décrite dans l'exemple 6.3.1 engendre l'arborescence illustrée à la figure 6.3.2. Les arêtes de G qui n'ont pas d'arc correspondant dans T sont représentées par des lignes pointillées. La valeur de *prénum*[v] paraît à gauche de chaque nœud v et la valeur de *plusbas*[v] à droite. Ces dernières valeurs sont calculées en post-ordre, c'est-à-dire successivement pour les sommets 5, 6, 3, 2, 8, 7, 4 et 1. Les points d'articulation de G sont les sommets 1 (par la règle c) i)) et 4 (par la règle c) ii)).   □

PROBLÈME 6.3.5.   Vérifiez que les mêmes points d'articulation sont obtenus si l'on commence la fouille au sommet 6.   □

PROBLÈME 6.3.6.   Prouvez qu'une arête de G qui n'a pas d'arc correspondant dans T (une ligne pointillée dans la figure 6.3.2) joint nécessairement un sommet v à l'un de ses ancêtres dans T.   □

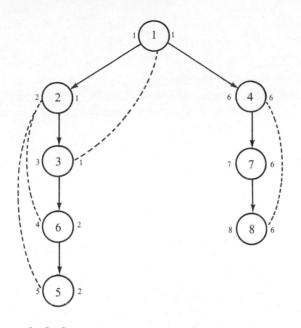

Figure 6.3.2.   A gauche, *prénum*[*v*] ; à droite, *plusbas*[*v*].

Informellement, on peut définir *plusbas*[*v*] par :

plusbas[*v*] = min { *prénum*[*w*] | on peut atteindre *w* de *v* en descendant
autant de lignes continues qu'on veut et en
remontant au plus une ligne pointillée } .

Si *x* est un fils de *v* et si *plusbas*[*x*] < *prénum*[*v*], il existe donc une chaîne d'arêtes qui lie *x* aux autres sommets du graphe même si *v* est supprimé. Par contre, aucune chaîne n'existe pour relier *x* au père de *v*, si *v* n'est pas la racine et si *plusbas*[*x*] ⩾ *prénum*[*v*].

PROBLÈME 6.3.7.   Complétez la preuve que l'algorithme fonctionne correctement.   ☐

PROBLÈME 6.3.8.   Montrez comment effectuer en parallèle les opérations des étapes (*a*) et (*b*) de l'algorithme ci-dessus et écrivez l'algorithme correspondant.   ☐

∗ PROBLÈME 6.3.9.   Ecrivez un algorithme qui décide si un graphe connexe donné est bicohérent ou non.   ☐

∗ PROBLÈME 6.3.10.   Donnez un algorithme efficace qui, étant donné un graphe non orienté connexe mais non bicohérent, trouve un ensemble d'arêtes qui, ajoutées au graphe, le rendraient bicohérent. Votre algorithme doit ajouter le plus petit nombre possible d'arêtes. Analysez l'efficacité de votre algorithme.   ☐

PROBLÈME 6.3.11.   Prouvez ou donnez un contre-exemple :
i) si un graphe *G* est inarticulé, il est bicohérent ;
ii) si un graphe *G* est bicohérent, il est inarticulé.   ☐

PROBLÈME 6.3.12.   Prouvez que dans un graphe connexe, un sommet *v* est un point d'articulation si et seulement s'il existe deux sommets *a* et *b* tels que toute chaîne reliant *a* et *b* passe par *v*.   ☐

PROBLÈME 6.3.13.   Prouvez que pour chaque paire de sommets distincts *v* et *w* dans un graphe inarticulé, il existe au moins deux chaînes reliant *v* et *w* qui n'ont que leurs extrémités comme sommets communs.   ☐

6.4   La fouille en profondeur : graphes orientés

L'algorithme est essentiellement le même que celui pour les graphes non orientés, la différence étant dans l'interprétation du terme *adjacent*. Dans un graphe orienté, le sommet *w* est adjacent au sommet *v* si l'arc (*v*, *w*) existe. Si (*v*, *w*) existe et (*w*, *v*) n'existe pas, *w* est adjacent à *v*, mais *v* n'est pas adjacent à *w*. Avec ce changement d'interprétation, la procédure *fep* et le programme principal correspondant de la section 6.3 s'appliquent aussi à un graphe orienté.

Le comportement de l'algorithme est cependant différent. Considérons une fouille en profondeur du graphe orienté de la figure 6.4.1. Si les voisins d'un sommet sont visités en ordre numérique, l'algorithme progresse comme suit :

1. *fep*(1)   appel initial
2.   *fep*(2)   appel récursif
3.   *fep*(3)   — — ; on est bloqué
4.   *fep*(4)   sommet 1 a un voisin non visité
5.   *fep*(8)   appel récursif
6.   *fep*(7)   — — ; on est bloqué
7. *fep*(5)   nouveau point de départ
8.   *fep*(6)   appel récursif; on est bloqué
9. Il ne reste plus de sommets à visiter.

PROBLÈME 6.4.1.   Montrez le progrès de l'algorithme si les voisins d'un sommet sont visités en ordre numérique décroissant et si l'on commence la fouille au sommet 1.   ☐

Un argument identique à celui de la section 6.3 montre que le temps requis par l'algorithme est également dans $O(\max(a, n))$. Dans ce cas, cependant, les arcs utilisés pour visiter tous les sommets d'un graphe orienté $G = \langle N, A \rangle$ peuvent former une forêt de plusieurs arborescences même si *G* est connexe. C'est le cas dans notre exemple : les arcs utilisés, soit (1, 2), (2, 3), (1, 4), (4, 8), (8, 7) et (5, 6), forment la forêt indiquée par les traits continus de la figure 6.4.2. (Les numéros à gauche des nœuds sont expliqués à la section 6.4.2.)

Soit *F* l'ensemble des arcs de la forêt. Dans le cas d'un graphe non orienté, les arêtes n'ayant pas d'arc correspondant dans de la forêt lient nécessairement un sommet à un de ses ancêtres (problème 6.3.6). Dans le cas d'un graphe orienté, il peut y avoir trois sortes d'arcs dans $A \setminus F$ (ces arcs sont indiqués par des traits pointillés dans la figure 6.4.2) :

i) ceux comme (3, 1) ou (7, 4) qui vont d'un sommet vers l'un de ses ancêtres ;

ii) ceux comme (1, 8) qui vont d'un sommet vers l'un de ses descendants ; et

iii) ceux comme (5,2) ou (6,3) qui lient un sommet à un autre qui n'est ni son ancêtre ni son descendant. Les arcs de ce type sont nécessairement orientés de la droite vers la gauche.

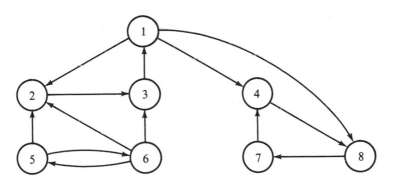

Figure 6.4.1.

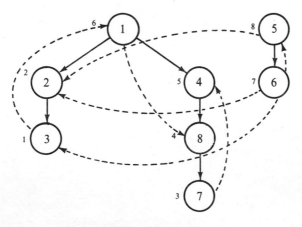

Figure 6.4.2.

PROBLÈME 6.4.2.   Prouvez que si (v, w) est un arc du graphe qui n'est pas dans la forêt et si v n'est ni l'ancêtre ni le descendant de w dans la forêt, alors *prénum*[v] > *prénum*[w], où les numéros *prénum* sont affectés comme dans la section 6.3.   □

6.4.1   Graphes sans circuit : le tri topologique

Plusieurs relations peuvent se représenter à l'aide de graphes orientés sans circuit. Cette classe d'objets inclut les arborescences mais est moins générale que celle des graphes orientés sans restriction. Par exemple, un graphe orienté sans circuit peut représenter la structure d'une expression arithmétique dont certaines sous-expressions sont répétées : ainsi la figure 6.4.3 représente la structure de l'expression

$$(a + b)(c + d) + (a + b)(c - d).$$

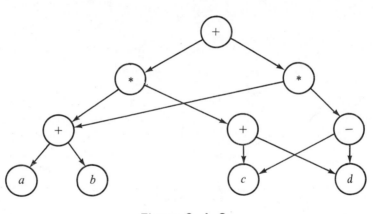

Figure 6.4.3.

Ces graphes offrent aussi une représentation naturelle pour les relations d'ordre partiel (telle que la relation « plus petit » définie sur les entiers et la relation d'inclusion d'ensembles). La figure 6.4.4 illustre partiellement une autre relation d'ordre définie sur les entiers (de quelle relation s'agit-il ?). Finalement, les graphes orientés

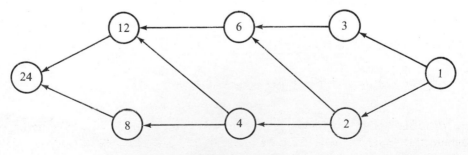

Figure 6.4.4.

sans circuit sont souvent utilisés pour représenter les étapes d'un projet : les sommets sont les états du projet, de l'état initial jusqu'à l'aboutissement du projet, et les arcs correspondent aux activités qu'il faut compléter pour passer d'un état à l'autre. La figure 6.4.5 offre un exemple de ce genre de schéma.

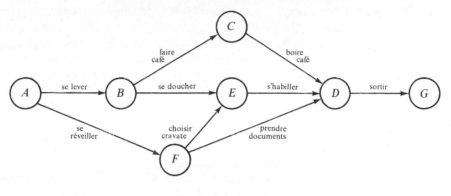

Figure 6.4.5.

La fouille en profondeur permet de détecter la présence de circuits dans un graphe orienté.

PROBLÈME 6.4.3. Soit F la forêt associée à une fouille en profondeur sur un graphe orienté $G = \langle N, A \rangle$. Prouvez que G est sans circuit si et seulement si $A \setminus F$ n'inclut aucun arc du type (i) ci-dessus (c'est-à-dire d'un sommet de G vers l'un de ses ancêtres dans la forêt). □

Un **tri topologique** des sommets d'un graphe orienté sans circuit consiste à les mettre en ordre de telle sorte que s'il existe un arc (i, j), alors i précède j dans la liste. Par exemple, pour le graphe de la figure 6.4.4, l'ordre naturel 1, 2, 3, 4, 6, 8, 12, 24 suffit ; mais l'ordre 1, 3, 2, 6, 4, 12, 8, 24 est également acceptable, ainsi que plusieurs autres. Pour le graphe de la figure 6.4.5, l'ordre A, B, F, C, E, D, G est adéquat.

La modification de la procédure *fep* pour faire un tri topologique est immédiate : en ajoutant à la fin de la procédure une ligne supplémentaire

écrire v ,

les numéros des sommets sont imprimés en ordre topologique *inversé*.

PROBLÈME 6.4.4. Prouvez cette remarque. □

PROBLÈME 6.4.5. Pour le graphe de la figure 6.4.4, quel est l'ordre topologique obtenu si les voisins d'un sommet sont traités en ordre numérique et si l'on commence la fouille au sommet 1 ? □

6.4.2   Composantes fortement connexes

Un graphe orienté est **fortement connexe** s'il existe un chemin allant de u à v et un chemin de v à u pour toute paire de sommets distincts u et v. Si un graphe orienté n'est pas fortement connexe, nous nous intéressons aux ensembles maximaux de sommets dont le sous-graphe induit soit fortement connexe. Chacun de ces sous-graphes s'appelle une **composante** fortement connexe du graphe original. Dans le graphe de la figure 6.4.1, par exemple, les sommets { 1, 2, 3 } et les arcs correspondants forment une composante fortement connexe. Une autre composante correspond aux sommets { 4, 7, 8 }. En dépit de l'existence des arcs (1, 4) et (1, 8), il est impossible de fusionner ces deux composantes fortement connexes en une seule puisqu'il n'existe pas de chemin du sommet 4 vers le sommet 1.

Pour détecter les composantes fortement connexes d'un graphe orienté, nous devons d'abord modifier la procédure *fep*. Dans la section 6.3, on affecte un numéro à un sommet au moment où la fouille de ce sommet débute. Cette fois, un sommet est numéroté au moment où la fouille de ce sommet se termine. Autrement dit, les sommets de l'arborescence produite sont numérotés en post-ordre. Pour ceci, il suffit d'ajouter à la fin de la procédure *fep* les deux énoncés suivants :

$nump \leftarrow nump + 1$
$postnum[v] \leftarrow nump$

où *nump* est une variable globale initialisée à zéro. La figure 6.4.2 montre à gauche de chaque sommet le numéro ainsi affecté.

L'algorithme suivant trouve les composantes fortement connexes d'un graphe orienté G :

i) Effectuez une fouille en profondeur dans le graphe à partir d'un sommet quelconque. Pour chaque sommet v du graphe, soit *postnum*[v] le numéro attribué par la fouille.

ii) Construisez un nouveau graphe G' : G' correspond à G, sauf que l'orientation de chaque arc est inversée.

iii) Effectuez une fouille en profondeur dans G'. Commencez la fouille au sommet w qui porte la plus grande valeur de *postnum*. (Si G contient n sommets, on a donc *postnum*[w] $= n$.) Si la fouille n'atteint pas tous les sommets, choisissez comme deuxième point de départ le sommet non visité qui porte la plus grande valeur de *postnum* et ainsi de suite.

iv) A chaque arborescence dans la forêt résultante correspond une composante fortement connexe de G.

EXEMPLE 6.4.1.   Sur le graphe de la figure 6.4.1, la première fouille en profondeur affecte les valeurs de *postnum* montrées à gauche de chaque sommet dans la figure 6.4.2. Le graphe G' est illustré à la figure 6.4.6, avec les valeurs de *postnum* à gauche de chaque sommet. On effectue une fouille en profondeur à partir du sommet 5 puisque *postnum*[5] $= 8$; la fouille atteint les sommets 5 et 6. Comme deuxième point de départ, on prend le sommet 1 avec *postnum*[1] = 6 ; on atteint les sommets 1, 3 et 2. Comme troisième point de départ, on choisit le sommet 4 avec *postnum*[4] = 5 ; cette fois, on atteint les sommets restants, 4, 7 et 8. La forêt correspondante est illustrée dans la figure 6.4.7. Les composantes fortement connexes du graphe original (figure 6.4.1) sont les sous-graphes correspondant aux ensembles de sommets { 5, 6 }, { 1, 3, 2 } et { 4, 7, 8 }. □

* PROBLÈME 6.4.6. Prouvez que si deux sommets *u* et *v* sont dans la même composante fortement connexe de *G*, ils sont dans la même arborescence lorsqu'on effectue la fouille dans *G'*. □

La preuve de la réciproque est moins immédiate. Soit *v* un sommet qui se trouve dans l'arborescence de racine *r* lorsqu'on effectue la fouille dans *G'*, avec *v* ≠ *r*. Ceci implique qu'il existe un chemin de *r* à *v* dans *G'* ; il existe donc un chemin de *v* à *r* dans *G*. Lors de la fouille dans *G'*, on choisit toujours comme point de départ (c'est-à-dire comme racine d'une nouvelle arborescence) le sommet non visité portant la plus grande valeur de *postnum*. Puisqu'on a choisi *r* plutôt que *v* comme racine de l'arborescence en question, *postnum*[*r*] > *postnum*[*v*].

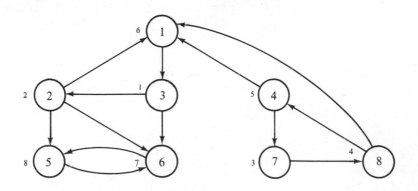

Figure 6.4.6.

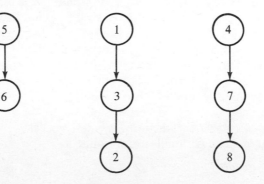

Figure 6.4.7.

Lorsqu'on a effectué la fouille dans G, trois cas semblent *a priori* possibles :
— r était un ancêtre de v ;
— r était un descendant de v ; ou
— r n'était ni un ancêtre ni un descendant de v.

La deuxième possibilité est exclue par le fait que $postnum[r] > postnum[v]$. Dans le troisième cas, il faudrait pour la même raison que r se trouve à la droite de v. Or, il existe au moins un chemin de v à r dans G. Puisque dans une fouille en profondeur il n'y a pas d'arcs pointillés de gauche à droite (problème 6.4.2), un tel chemin devrait remonter de v à un ancêtre commun (disons x) de v et r pour ensuite redescendre à r. Mais cela est impossible. On aurait $postnum[x] > postnum[r]$ puisque x est un ancêtre de r. Ensuite, puisqu'il existe un chemin de v à x dans G, il en existerait un de x à v dans G'. Avant de choisir r comme racine d'une arborescence dans la fouille de G', on aurait déjà visité x (sinon on choisirait x plutôt que r comme racine) et donc v. Ceci contredit l'hypothèse que v se trouve dans l'arborescence de racine r lors de la fouille de G'. Il ne reste que la première possibilité : r était un ancêtre de v lors de la fouille de G. Ceci implique qu'il existe un chemin de r à v dans G.

Nous avons ainsi prouvé que si le sommet v se trouve dans l'arborescence de racine r lors de la fouille dans G', alors il existe dans G un chemin de v à r et un chemin de r à v. Si deux sommets u et v se trouvent dans la même arborescence lorsqu'on effectue la fouille dans G', ils sont donc dans la même composante de G puisqu'il existe des chemins de u à v et de v à u dans G via le sommet r.

Avec le problème 6.4.6, ceci complète la preuve que l'algorithme fonctionne correctement.

PROBLÈME 6.4.7.   Estimez le temps et l'espace requis par cet algorithme. □

6.5   La fouille en largeur

Lorsque la fouille en profondeur visite un nœud v, elle essaie ensuite de visiter un voisin de v, puis un voisin de ce voisin et ainsi de suite. La fouille en largeur qui visite v, par contre, visite d'abord tous les voisins de v et seulement après commence à visiter des nœuds plus éloignés. Contrairement à la fouille en profondeur, la fouille en largeur n'est pas naturellement récursive. Pour faire ressortir les ressemblances et les différences entre les deux méthodes, commençons par une reformulation non récursive de l'algorithme de fouille en profondeur. Soit un type *pile* permettant deux opérations, *empiler* et *dépiler*, qui représente une liste d'éléments traités selon la règle *dernier entré, premier sorti*. La fonction *haut* désigne l'élément en haut de la pile. Voici l'algorithme modifié de fouille en profondeur :

procédure *fep'(v: sommet)*
  P ← pile-vide
  marque[v] ← visité

empiler *v* sur *P*
tantque *P* n'est pas vide **faire**
   tantqu'il existe un sommet *w* adjacent à *haut(P)*
     tel que *marque[w]* ≠ *visité* **faire**
       marque[w] ← *visité*
       empiler *w* sur *P* {*w* est maintenant *haut(P)*}
   dépiler *haut(P)* .

Pour l'algorithme de fouille en largeur, par contraste, nous avons besoin d'un type *file* permettant deux opérations, *mettre en file* et *sortir de la file*, qui représente une liste d'éléments traités selon la règle *premier entré, premier sorti*. La fonction *premier* désigne le premier élément de la file. Voici maintenant l'algorithme de fouille en largeur :

procédure *fel(v: sommet)*
  Q ← *file-vide*
  marque[v] ← *visité*
  mettre *v* dans *Q*
  tantque *Q* n'est pas vide **faire**
    u ← *premier(Q)*
    sortir *u* de la file *Q*
    pour chaque sommet *w* adjacent à *u* **faire**
      si *marque[w]* ≠ *visité* **alors** *marque[w]* ← *visité*
                   mettre *w* dans *Q* .

Dans les deux cas, on emploie un programme principal pour lancer la fouille :

pour chaque *v* ∈ *N* **faire** *marque[v]* ← *non-visité*
pour chaque *v* ∈ *N* **faire**
  si *marque[v]* ≠ *visité* **alors** *fouille(v)*
               {*fep'* ou *fel*, selon le cas} .

EXEMPLE 6.5.1. Sur le graphe de la figure 6.3.1, si les voisins d'un sommet sont traités en ordre numérique et si le sommet 1 sert comme point de départ, l'algorithme de fouille en largeur progresse comme suit :

	Visite à	Q
1.	1	2, 3, 4
2.	2	3, 4, 5, 6
3.	3	4, 5, 6
4.	4	5, 6, 7, 8
5.	5	6, 7, 8
6.	6	7, 8
7.	7	8
8.	8	—

Comme pour la fouille en profondeur, associons une arborescence à la fouille en largeur. La figure 6.5.1 montre l'arborescence engendrée par la fouille de l'exemple 6.5.1. Les arêtes du graphe qui n'ont pas d'arc correspondant dans l'arborescence sont représentées par des lignes pointillées.

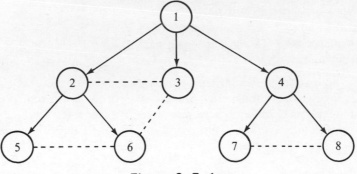

Figure 6.5.1.

PROBLÈME 6.5.1. Après une fouille en largeur dans un graphe non orienté $G = \langle N, A \rangle$, soit F l'ensemble des arêtes qui ont un arc correspondant dans la forêt d'arborescences engendrée. Prouvez que les arêtes $\{ u, v \} \in A \setminus F$ sont telles que u et v sont dans la même arborescence, mais que ni u ni v n'est ancêtre de l'autre. □

Il est facile de démontrer que le temps requis pour une fouille en largeur est dans le même ordre que celui pour une fouille en profondeur, c'est-à-dire $O(\max{(a, n)})$. Avec une interprétation appropriée du mot *adjacent*, l'algorithme de fouille en largeur s'applique sans modification aux graphes orientés ou non orientés.

PROBLÈME 6.5.2. Montrez le progrès d'une fouille en largeur dans le graphe de la figure 6.4.1, en supposant que les voisins d'un sommet soient toujours traités en ordre numérique et qu'on choisisse les points de départ nécessaires également en ordre numérique. □

PROBLÈME 6.5.3 (suite du problème 6.5.2). Dessinez la forêt correspondante ainsi que les autres arcs du graphe. Quelles sont les sortes d'arcs « pointillés » possibles ? (voir la section 6.4). □

La fouille en largeur est surtout utilisée pour explorer partiellement certains graphes infinis ou pour obtenir un plus court chemin d'un point à un autre.

6.6 Algorithmes à retour arrière

Les algorithmes à **retour arrière,** généralement connus sous le nom de **backtracking,** utilisent une technique d'exploration de graphe orienté implicite, le plus souvent sans circuit ou même arborescent. Il s'agit d'une méthode de fouille systématique pour la recherche d'une solution. Ce principe connaît une application remontant à l'antiquité : comment retrouver son chemin dans un labyrinthe et ainsi éviter de tourner en rond. Afin d'illustrer le principe général, considérons le problème classique consistant à placer huit reines sur un échiquier de telle sorte qu'aucune d'entre elles ne soit en prise par une autre. (Deux reines sont en prise si elles se trouvent sur une même ligne, une même colonne ou une même diagonale.)

PROBLÈME 6.6.1.   Trouvez une solution à ce problème sans utiliser l'ordinateur.   □

Une première idée pour résoudre ce problème consiste à essayer systématiquement chaque façon de placer huit reines sur un échiquier, puis de vérifier si une solution a été obtenue. Cette approche est inutilisable en pratique, le nombre de cas possibles étant $\binom{64}{8} = 4\ 426\ 165\ 368$. Une première amélioration consiste à ne jamais tenter de mettre plus d'une reine sur la même ligne. Ceci permet de réduire la représentation de l'échiquier à un simple vecteur de huit éléments, chacun donnant la position de la reine dans la ligne correspondante. Par exemple, le vecteur (3, 1, 6, 2, 8, 6, 4, 7) ne représente *pas* une solution puisque les reines des troisième et sixième lignes sont sur une même colonne, et deux paires de reines sont sur une même diagonale. L'algorithme s'écrit simplement avec huit boucles imbriquées :

pour $i_1 \leftarrow 1$ **jusqu'à 8 faire**
  pour $i_2 \leftarrow 1$ **jusqu'à 8 faire**

  ·
  ·
  ·

        pour $i_8 \leftarrow 1$ **jusqu'à 8 faire**
            essai $\leftarrow (i_1, i_2, \cdots, i_8)$
            si *solution*(*essai*) **alors écrire** *essai*
                                stop
écrire "il n'y a pas de solution" .

Cette fois, le nombre de cas possibles est réduit à $8^8 = 16\ 777\ 216$ bien qu'en fait l'algorithme trouve une solution et se termine après n'avoir considéré que 1 299 852 cas.

PROBLÈME 6.6.2.   Si vous n'avez pas encore réussi le problème précédent, vous avez maintenant un indice substantiel !   □

Une fois qu'on a eu l'idée de représenter l'échiquier par un vecteur, ce qui empêche de mettre deux reines sur la même ligne, il est naturel d'être également systématique au sujet des colonnes. Représentons l'échiquier par un vecteur de huit nombres *différents* entre 1 et 8, c'est-à-dire par une permutation des huit premiers entiers. L'algorithme devient :

essai ← *permutation-initiale*
tantque ¬ *solution*(*essai*) **et** *essai* ≠ *permutation-finale* **faire**
  essai ← *permutation-suivante*
si *solution*(*essai*) **alors écrire** *essai*
                sinon écrire "il n'y a pas de solution" .

Il y a plusieurs façons naturelles de générer systématiquement toutes les permutations des n premiers entiers. Par exemple, on peut mettre successivement chacune des valeurs en première position, en générant récursivement pour chacun de ces points de départ toutes les permutations des $n - 1$ autres éléments :

procédure *perm*(*i*)
  si $i = n$ **alors** *traiter*(*T*) {*T* est une nouvelle permutation}
        sinon pour j ← i **jusqu'à** n **faire**
                interchanger $T[i]$ et $T[j]$
                perm(*i*+1)
                interchanger $T[i]$ et $T[j]$,

où $T[1 \mathinner{.\,.} n]$ est un tableau global initialisé à $[1, 2, ..., n]$ et l'appel initial est à *perm*(1).

PROBLÈME 6.6.3. Si *traiter*(*T*) consiste simplement à imprimer le tableau *T* sur une nouvelle ligne, montrez le résultat d'un appel à *perm*(1) lorsque $n = 4$. □

PROBLÈME 6.6.4. En supposant que *traiter*(*T*) prenne un temps constant, combien de temps faut-il, en fonction de n, pour un appel à *perm*(1) ? Refaites ce problème si *traiter*(*T*) prend un temps dans $\theta(n)$. □

Cette approche réduit à 8 ! = 40 320 le nombre de cas possibles et à 2 830 le nombre de cas effectivement considérés avant l'obtention d'une solution, en supposant que l'algorithme ci-dessus soit utilisé pour générer les permutations. S'il est plus compliqué de ne générer que les permutations plutôt que tous les vecteurs de huit entiers entre 1 et 8, il est en revanche plus simple de tester ensuite si un essai donné est une solution. Il suffit, en effet, de vérifier les diagonales puisqu'on sait déjà que deux reines ne sont jamais ni sur une même ligne ni sur une même colonne.

Nous sommes passés d'une méthode obtuse consistant à mettre les reines n'importe où à une méthode ne générant que les positions où deux reines ne sont jamais sur la même ligne, pour en arriver à une méthode considérant uniquement les positions où deux reines ne sont ni sur la même ligne ni sur la même colonne. Toutefois, ces algorithmes ont en commun un défaut majeur : ils ne vérifient la pertinence d'un essai qu'après que toutes les reines aient été placées. Par exemple, l'algorithme ne considérant que les permutations essaie inutilement 720 façons de placer les six dernières reines après avoir placé les deux premières sur la diagonale principale, donc en prise l'une sur l'autre !

Un algorithme à retour arrière permet d'améliorer cette situation. Dans une première étape, reformulons le problème des huit reines sous la forme d'un problème d'exploration d'arborescence. Un vecteur $V[1 \mathinner{.\,.} k]$ d'entiers entre 1 et 8 est k-**pro-**

metteur, pour $0 \leqslant k \leqslant 8$, si aucune des k reines placées en positions $(1, V[1])$, $(2, V[2])$, ..., $(k, V[k])$ n'est en prise par une autre. Mathématiquement, un vecteur V est k-prometteur si, pour tout $i \neq j$ entre 1 et k, $V[i] - V[j] \notin \{ i - j, 0, j - i \}$. Pour $k < 2$, on voit que tous les vecteurs V sont k-prometteurs. Les solutions au problème des huit reines correspondent aux vecteurs 8-prometteurs.

Soit N l'ensemble des vecteurs k-prometteurs, $0 \leqslant k \leqslant 8$. Soit le graphe orienté $G = \langle N, A \rangle$ où $(U, V) \in A$ si et seulement si U est k-prometteur, V est $(k + 1)$-prometteur (pour $0 \leqslant k < 8$) et $U[i] = V[i]$ pour chaque $i \in [1 . . k]$. Ce graphe est une arborescence. Sa racine est le vecteur vide $(k = 0)$. Ses feuilles sont soit des solutions $(k = 8)$, soit des culs-de-sac $(k < 8)$ comme $[1, 4, 2, 5, 8]$ auxquels il est impossible d'ajouter une reine sur la ligne suivante sans qu'elle ne soit en prise d'au moins une reine déjà placée. Les solutions au problème des huit reines sont obtenues par une simple exploration de cette arborescence. Celle-ci n'est pas générée explicitement pour être parcourue ensuite : les nœuds sont générés et abandonnés au fur et à mesure de l'exploration. La fouille en profondeur est toute désignée comme méthode d'exploration, surtout si une seule solution est recherchée.

Cette technique a deux avantages sur l'algorithme précédent qui essaie systématiquement chaque permutation. Premièrement, le nombre de nœuds dans l'arborescence est plus petit que $8 ! = 40\,320$. Bien qu'il ne soit pas facile de déterminer ce nombre mathématiquement, on peut le compter grâce à l'ordinateur : $\# N = 2\,057$. En fait, il suffit d'explorer 114 nœuds avant de trouver la première solution. Deuxièmement, pour décider si un vecteur est k-prometteur, sachant qu'il est une extension d'un vecteur $(k - 1)$-prometteur, une vérification de la reine placée sur la dernière ligne suffit. Cette vérification est accélérée si à chaque nœud prometteur sont associés les ensembles de colonnes, de diagonales positives (45 degrés) et de diagonales négatives (135 degrés) contrôlées par les reines en place. Par opposition, pour décider si une permutation quelconque est une solution, il faut à première vue vérifier chacune des 28 paires de reines sur l'échiquier.

Pour imprimer toutes les solutions au problème des huit reines, il suffit d'appeler $test(0, \emptyset, \emptyset, \emptyset)$, où $essai[1 . . 8]$ est un tableau global.

```
procédure test(k, col, diag45, diag135)
   {essai[1..k] est k-prometteur,
     col = {essai[i] | 1 ≤ i ≤ k},
     diag45 = {essai[i] − i + 1 | 1 ≤ i ≤ k}, et
     diag135 = {essai[i] + i − 1 | 1 ≤ i ≤ k} }
   si k = 8
   alors {un vecteur 8-prometteur est une solution}
          écrire essai
   sinon {explorons les extensions (k+1)-prometteuses à essai}
          pour j ← 1 jusqu'à 8 faire
             si j ∉ col et j−k ∉ diag45 et j+k ∉ diag135
             alors essai[k+1] ← j
                   {essai[1..k+1] est (k+1)-prometteur}
                   test(k+1, col ∪ {j}, diag45 ∪ {j−k}, diag135 ∪ {j+k})  .
```

Bien entendu, le problème se généralise à un nombre quelconque de reines : il s'agit alors de placer *n* reines sur un « échiquier » $n \times n$ sans qu'aucune ne soit en prise par une autre.

PROBLÈME 6.6.5.   Montrez qu'il se peut que le problème des *n* reines n'ait pas de solution. Trouvez un cas plus intéressant que $n = 2$.   □

Ainsi qu'on pourrait s'y attendre, l'avantage de l'algorithme à retour arrière sur l'approche exhaustive est d'autant plus marqué que *n* est grand. Par exemple, pour $n = 12$, il y a 479 001 600 permutations différentes et la première solution correspond à la 4 546 044-ième d'entre elles ; par contre, l'arborescence explorée par l'algorithme à retour arrière ne contient que 856 189 nœuds dont le 262-ième est déjà une solution.

** PROBLÈME 6.6.6.   En fonction du nombre *n* de reines, analysez mathématiquement le nombre de nœuds dans l'arborescence des vecteurs *k*-prometteurs. Comment ce nombre se compare-t-il à $n!$?   □

Les algorithmes à retour arrière peuvent également être utilisés lorsque les solutions ne sont pas nécessairement toutes de la même longueur. En voici le schéma général :

procédure *retarr*($v[1..k]$)
    {*v* est un vecteur *k*-prometteur}
    si *v* est une solution **alors écrire** *v*
    {**sinon**} **pour** chaque vecteur *w* (k+1)-prometteur
                    tel que $w[1..k] = v[1..k]$ **faire** *retarr*(*w*) .

Le **sinon** devrait être absent si et seulement si deux solutions différentes peuvent exister telles que l'une soit un préfixe de l'autre.

PROBLÈME 6.6.7.   *Instant Insanity* est un casse-tête se présentant sous la forme de quatre cubes de couleur. Chacune des 24 faces est colorée soit bleue, rouge, verte ou blanche. Il s'agit de placer les quatre cubes côte à côte de telle sorte que chaque couleur se retrouve sur les faces du dessus, du dessous et de chacun des flancs. Montrez comment résoudre ce problème par un algorithme à retour arrière.   □

Le problème des *n* reines a été résolu en faisant une fouille en profondeur de l'arborescence correspondante. Certains problèmes pouvant se formuler comme une exploration de graphe implicite ont la propriété de correspondre à un graphe infini. Il est alors nécessaire de fouiller le graphe en largeur afin d'éviter l'exploration interminable d'une branche infructueuse. La fouille en largeur est également appropriée s'il faut trouver une solution correspondant au plus petit nombre possible de manipulations. (Cette dernière contrainte ne s'applique pas au problème des huit reines puisque chaque solution compte le même nombre de reines.) Les deux prochains problèmes illustrent ces notions.

∗ **PROBLÈME 6.6.8.** Donnez un algorithme capable de transformer un entier initial *n* en un entier final *m* par l'application du plus petit nombre possible de transformations $f(i) = 3i$ et $g(i) = \lfloor i/2 \rfloor$. Par exemple, 15 se transforme en 4 par quatre applications des fonctions : $4 = gfgg(15)$. Toutefois, s'il est impossible de transformer *n* en *m*, votre algorithme doit s'en rendre compte plutôt que de boucler à l'infini. □

∗ **PROBLÈME 6.6.9.** Donnez un algorithme qui détermine la plus courte manipulation permettant de passer d'une configuration à une autre dans le contexte du cube de Rubik. Votre algorithme doit détecter l'impossibilité éventuelle d'une telle transformation. □

PROBLÈME 6.6.10. Trouvez d'autres applications de la technique des algorithmes à retour arrière. □

6.7 Introduction aux graphes de jeu

La plupart des jeux de stratégie peuvent se représenter sous forme de graphes orientés. Un nœud du graphe correspond à chaque configuration possible du jeu et un arc à chaque transition légale entre deux configurations. Ce graphe est infini dans le cas d'un jeu sans limite préalable sur le nombre de configurations possibles. Supposons pour simplifier que le jeu se joue en alternance entre deux joueurs, et qu'il soit symétrique (les deux joueurs sont soumis aux mêmes règles) et déterministe (le hasard n'intervient pas) ; les idées présentées s'adaptent sans peine à des contextes plus généraux. Supposons également qu'une partie ne puisse pas durer indéfiniment et qu'aucune configuration du jeu n'ait un nombre infini de successeurs possibles. En particulier, certains nœuds du graphe n'ont pas de successeur : ce sont les **configurations terminales.**

Afin de déterminer une stratégie gagnante pour un jeu de cette sorte, il suffit d'attribuer à chaque nœud du graphe une étiquette choisie parmi { *gagne, perd, nul* }. L'étiquette correspond à la situation d'un joueur placé devant cette configuration, en supposant que personne ne fera d'erreur. Les étiquettes s'attribuent systématiquement de la façon suivante.

i) Les étiquettes attribuées aux configurations terminales dépendent du jeu considéré. Dans la plupart des cas, une configuration terminale veut dire qu'on ne peut plus rien faire et qu'on a donc perdu, mais tel n'est pas nécessairement le cas (pensez au pat des échecs).

ii) Une configuration non terminale est gagnante si *au moins un* de ses successeurs est perdant.

iii) Une configuration non terminale est perdante si *tous* ses successeurs sont gagnants.

iv) Toutes les autres configurations sont nulles.

PROBLÈME 6.7.1. Comprenez intuitivement les règles ci-dessus. Est-ce qu'un joueur placé devant une configuration gagnante peut en fait perdre suite à une « erreur » de son adversaire ? □

PROBLÈME 6.7.2. Dans le cas d'un graphe fini sans circuit (correspondant à un jeu qui ne peut pas durer indéfiniment), trouvez un rapport entre l'attribution des étiquettes aux nœuds du graphe et le tri topologique de la section 6.4.1. □

Illustrons ces idées à l'aide d'une variante du célèbre jeu de Nim ou de Marienbad. Au départ, au moins deux allumettes se trouvent placées entre deux joueurs. Le premier joueur en enlève autant qu'il le désire, sauf qu'il doit en enlever au moins une et en laisser au moins une. Par la suite, chaque joueur à tour de rôle enlève au moins une allumette, mais pas plus du double du nombre d'allumettes enlevées lors du coup précédent. Le joueur qui enlève la dernière allumette gagne la partie. Il n'y a jamais de partie nulle.

EXEMPLE 6.7.1. Il y a sept allumettes au départ. Si j'en enlève deux, mon adversaire peut en enlever une, deux, trois ou quatre. S'il en enlève plus d'une, je ramasse tout ce qui reste et je gagne. S'il en enlève une seule, laissant quatre allumettes sur le tas, il me suffit d'en enlever une pour le forcer à me laisser gagner au coup suivant. Par contre, si je choisis au départ de n'enlever qu'une seule allumette ou d'en enlever plus de deux, vous pouvez vérifier que mon adversaire a une stratégie gagnante.

Le joueur qui commence devant la configuration initiale à sept allumettes est donc assuré de la victoire, à la condition de ne pas faire d'erreur. Inversement, vous pouvez vérifier qu'un joueur commençant devant une configuration initiale à huit allumettes ne peut gagner que si son adversaire fait une erreur. □

∗ PROBLÈME 6.7.3. Pour $n \geqslant 2$, donnez une condition nécessaire et suffisante sur n pour que le joueur qui commence devant la configuration initiale à n allumettes dispose d'une stratégie gagnante. Votre caractérisation doit être aussi simple que possible. Prouvez votre réponse. □

Une configuration de ce jeu ne consiste pas simplement dans le nombre d'allumettes restant entre les deux joueurs. Il faut également connaître la limite supérieure sur le nombre d'allumettes qu'il est permis d'enlever au prochain coup. Les nœuds du graphe correspondant à ce jeu sont donc des couples $\langle i, j \rangle$. En général $\langle i, j \rangle$, $1 \leqslant j \leqslant i$, veut dire qu'il reste i allumettes et qu'il est permis d'en enlever un nombre quelconque entre 1 et j. Les arcs quittant le nœud $\langle i, j \rangle$ vont vers les j nœuds $\langle i - k, \min(2k, i - k) \rangle$, $1 \leqslant k \leqslant j$. Le nœud correspondant à la configuration initiale à n allumettes, pour $n \geqslant 2$, est $\langle n, n - 1 \rangle$. Tous les nœuds dont la deuxième composante est zéro sont des configurations terminales mais seul $\langle 0, 0 \rangle$ est intéressant puisque les nœuds $\langle i, 0 \rangle$ pour $i > 0$ sont isolés. De même, les nœuds $\langle i, j \rangle$ pour j impair et $j < i - 1$ ne sont pas accessibles à partir des configurations initiales.

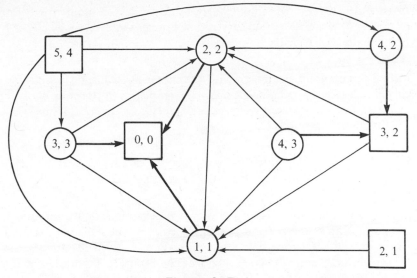

Figure 6.7.1.

La figure 6.7.1 montre une portion du graphe correspondant à ce jeu. Les nœuds carrés sont perdants et les nœuds ronds sont gagnants. Les arcs gras correspondent aux coups gagnants : à partir d'une configuration gagnante, il suffit d'emprunter un arc gras pour gagner. L'absence d'arc gras quittant une position perdante reflète le fait qu'il n'y a pas de coup gagnant à partir de ces positions.

Nous observons par exemple que le joueur qui commence devant la position initiale à 2, 3 ou 5 allumettes n'a pas de stratégie de victoire alors qu'il en a une s'il est placé devant 4 allumettes.

PROBLÈME 6.7.4. Ajoutez les nœuds $\langle 8, 7 \rangle$, $\langle 7, 6 \rangle$, $\langle 6, 5 \rangle$ et leurs descendants au graphe de la figure 6.7.1. ☐

PROBLÈME 6.7.5. Une configuration gagnante peut-elle avoir plus d'une configuration perdante comme successeur ? En d'autres termes, peut-on se trouver dans une position où plusieurs coups gagnants distincts sont possibles ? Ce phénomène est-il possible pour une configuration gagnante initiale $\langle n, n - 1 \rangle$? ☐

L'algorithme évident pour déterminer si une position est gagnante est le suivant :

```
fonction rec(i, j): booléen
   {retourne vrai si et seulement si le noeud <i, j> est gagnant;
    on suppose que 0 ≤ j ≤ i}
   pour k ← 1 jusqu'à j faire
      si ¬ rec(i–k, min(2k, i–k))
      alors retourner vrai
   retourner faux .
```

PROBLÈME 6.7.6. Modifiez l'algorithme ci-dessus pour qu'il retourne plutôt un entier k tel que $k = 0$ si la position est perdante et $1 \leqslant k \leqslant j$ s'il suffit d'enlever k allumettes pour gagner.   □

Cet algorithme souffre du même défaut que l'algorithme *fib*1 de la section 1.7.5 : il recalcule maintes fois les mêmes valeurs. Par exemple, *rec*(5, 4) retourne *faux* après avoir appelé successivement *rec*(4, 2), *rec*(3, 3), *rec*(2, 2) et *rec*(1, 1) mais *rec*(3, 3) appelle lui aussi *rec*(2, 2) et *rec*(1, 1).

PROBLÈME 6.7.7. Trouvez deux façons de régler cette inefficacité. (Ne lisez pas la suite si vous désirez travailler ce problème.)   □

Une première approche consiste à utiliser la programmation dynamique pour la création d'un tableau booléen G tel que $G[i, j] = vrai$ si et seulement si $\langle i, j \rangle$ est une position gagnante. Comme d'habitude en programmation dynamique, on procède de façon ascendante en calculant toutes les valeurs de $G[l, k]$ pour $1 \leqslant k \leqslant l < i$, ainsi que toutes les valeurs de $G[i, k]$ pour $1 \leqslant k < j$, avant de calculer $G[i, j]$:

```
fonction dyn(n)
   {pour chaque 1 ≤ j ≤ i ≤ n, G[i, j] est mis à vrai
    si et seulement si la configuration <i, j> est gagnante}
   G[0, 0] ← faux
   pour i ← 1 jusqu'à n faire
     pour j ← 1 jusqu'à i faire
       k ← 1
       tantque k < j et G[i–k, min(2k, i–k)] faire k ← k + 1
       G[i, j] ← ¬ G[i–k, min(2k, i–k)]   .
```

PROBLÈME 6.7.8. L'algorithme précédent n'utilise que $G[0, 0]$ ainsi que des valeurs de $G[l, k]$, $1 \leqslant k \leqslant l < i$, pour calculer $G[i, j]$. Montrez comment en améliorer l'efficacité en utilisant également des valeurs de $G[i, k]$ pour $1 \leqslant k < j$.   □

La programmation dynamique dans ce contexte nous fait calculer inutilement certaines entrées du tableau G. Par exemple, on sait que $\langle 15, 14 \rangle$ est gagnant dès qu'on découvre que son deuxième successeur $\langle 13, 4 \rangle$ est perdant. Que le successeur suivant $\langle 12, 6 \rangle$ soit gagnant ou perdant n'est d'aucune pertinence à la chose. En fait, il n'y a que 27 nœuds utiles au calcul de $G[15, 14]$ alors que l'algorithme de programmation dynamique en examine 121. Environ la moitié de ce travail est évité si l'on ne calcule pas $G[i, j]$ lorsque j est impair et $j < i - 1$ puisque de tels nœuds sont toujours inutiles, mais il n'y a aucune raison *ascendante* de ne pas calculer $G[12, 6]$.

L'algorithme récursif donné précédemment est inefficace parce qu'il recalcule plusieurs fois la même valeur. De par sa nature descendante, par contre, il ne calcule jamais de valeur inutile. Une solution qui regroupe les avantages des deux algorithmes déjà proposés consiste à utiliser une fonction à mémoire (section 5.7). Il s'agit de se souvenir des nœuds déjà visités dans le processus récursif grâce à un tableau booléen global *init*[0..*n*, 0..*n*], initialisé à *faux*, où *n* est une borne supérieure sur le nombre d'allumettes utilisées :

fonction *gagne*(*i*, *j*): *booléen*
  si *init*[*i*, *j*] **alors retourner** *G*[*i*, *j*]
  init[*i*, *j*] ← *vrai*
  pour *k* ← 1 **jusqu'à** *j* **faire**
    si ¬ *gagne*(*i*–*k*, min(2*k*, *i*–*k*)) **alors** *G*[*i*, *j*] ← *vrai*
                         retourner *vrai*
  G[*i*, *j*] ← *faux*
  retourner *faux* .

A première vue, cette approche n'est pas tellement préférable à l'algorithme par programmation dynamique puisqu'il faut prendre le temps d'initialiser tout le tableau *init*[0..*n*, 0..*n*]. L'utilisation du problème 5.7.2 permet toutefois un gain considérable dans le temps d'exécution en rendant cette initialisation superflue.

Le jeu considéré jusqu'à maintenant est si simple qu'on peut le résoudre sans faire intervenir le graphe associé. Voici sans explication un algorithme plus efficace que tous les précédents pour déterminer une stratégie gagnante. Si l'on commence avec *n* allumettes, il faut d'abord appeler *précond*(*n*) pour qu'ensuite un appel à *quoijouer*(*i*, *j*), $1 \leq j \leq i$, détermine en un temps dans $\theta(1)$ le coup à jouer s'il reste *i* allumettes et si l'on a le droit d'en enlever un maximum de *j*. Le tableau *T*[0..*n*] est global. L'appel initial à *précond*(*n*) est une application de la technique du préconditionnement dont il est question au chapitre 7.

procédure *précond*(*n*)
  T[0] ← ∞
  pour *i* ← 1 **jusqu'à** *n* **faire**
    k ← 1
    tantque *T*[*i*–*k*] ≤ 2*k* **faire** *k* ← *k* + 1
    T[*i*] ← *k*

fonction *quoijouer*(*i*, *j*)
  si *j* < *T*[*i*] **alors** {faisons durer l'agonie}
                  retourner 1
  retourner *T*[*i*] .

* PROBLÈME 6.7.9. Prouvez que cet algorithme fonctionne correctement et que *précond*(*n*) prend un temps dans $\theta(n)$. ☐

Considérons maintenant un jeu plus complexe : les échecs. A première vue, le graphe associé à ce jeu contient des circuits puisque si deux positions *u* et *v* des pièces ne diffèrent que par le déplacement légal d'une tour, les rois n'étant pas en échec dans ces positions, on peut aussi bien aller de *u* à *v* que de *v* à *u*. Ce problème n'est qu'apparent. Rappelons d'abord qu'une configuration dans le jeu étudié précédemment consiste non seulement dans le nombre visible d'allumettes entre les deux joueurs, mais aussi dans une information invisible sur le nombre d'allumettes pouvant être enlevées au coup suivant. Similairement, une configuration aux échecs ne se restreint pas à la position visible des pièces sur l'échiquier. Il faut également savoir entre autres à qui est le tour de jouer, quels rois et tours ont bougé depuis le début de la partie (pour savoir quels roques sont légaux) et quel pion vient d'avancer de deux cases, s'il y a lieu (pour savoir si la prise en passant est possible). De plus, un règlement de la Fédération internationale des échecs empêche les fins de partie intolérablement longues : une partie est déclarée nulle après cinquante coups sans action irréversible (mouvement d'un pion ou prise d'une pièce). Il faut donc ajouter à la notion de configuration le nombre de coups depuis la dernière action irréversible. Grâce à ce règlement, les circuits sont impossibles dans le graphe du jeu. (Pour simplifier, nous ignorons les exceptions à la règle des cinquante coups ainsi que le règlement plus ancien décrétant la nullité par troisième retour dans une même position.)

Nous pouvons maintenant, en adaptant les règles générales données au début de cette section, étiqueter chaque nœud du graphe comme correspondant à une configuration gagnante pour les Blancs, gagnante pour les Noirs, ou nulle. Une fois construit, ce graphe permet de jouer aux échecs de façon parfaite, c'est-à-dire de gagner dans tous les cas où la chose est possible et de ne perdre que si c'est inévitable. Malheureusement (ou heureusement pour l'avenir du jeu d'échecs), il contient un tel nombre de nœuds qu'il est illusoire d'espérer le parcourir en entier, même avec les ordinateurs les plus rapides.

* PROBLÈME 6.7.10. Estimez le nombre de façons possibles de placer les pièces sur l'échiquier. Pour simplifier, ignorez que certaines positions sont impossibles en ce sens qu'elles ne peuvent pas être obtenues suite à des coups légaux (sauf pour la couleur des fous et la présence des rois) et ignorez le règlement sur la promotion des pions.   □

La fouille complète du graphe associé au jeu d'échecs étant inconcevable, l'approche par programmation dynamique est irréaliste. C'est précisément dans ce contexte que l'approche récursive prend toute sa puissance. Bien qu'elle ne permette pas de jouer à coup sûr, elle est à la base d'une heuristique importante connue sous le nom du **minimax.** Cette technique détermine un coup qu'on espère être parmi les meilleurs en ne fouillant qu'une portion du graphe accessible à partir de la configuration donnée. La fouille est généralement interrompue avant d'atteindre les feuilles, suivant divers critères, et les positions ainsi atteintes sont heuristiquement évaluées. On joue alors le coup qui embête le plus notre adversaire. Il s'agit d'une systématisation d'une méthode employée par les joueurs humains, consistant à regarder quelques coups d'avance. Nous nous contentons ici d'en esquisser sommairement le principe.

6.7.1   Le principe du minimax

La première étape consiste à définir une fonction d'évaluation statique *éval* qui associe une valeur à chaque configuration. Idéalement, nous voudrions que *éval*(u) soit d'autant plus grand que la configuration u est favorable aux Blancs. Il est coutumier d'attribuer une valeur proche de zéro aux configurations de force égale et une valeur d'autant plus négative que la configuration est favorable aux Noirs. Cette évaluation doit tenir compte de divers facteurs, tels le nombre et la qualité des pièces de part et d'autre, le contrôle du centre, la liberté de mouvement, etc. Il faut accepter un compromis entre la pertinence de cette fonction et le temps pris pour son calcul. Appliquée à une configuration terminale, cette fonction d'évaluation doit retourner $+\infty$ si les Noirs sont mat, $-\infty$ si les Blancs sont mat et zéro s'il y a nullité. Par exemple, une fonction d'évaluation qui montre bien l'aspect statique, mais trop simpliste pour être vraiment utile, pourrait être la suivante : pour les configurations non terminales, compter 1 point pour chaque pion blanc, 3 1/4 points pour chaque fou ou cavalier blanc, 5 points pour chaque tour blanche et 10 points pour chaque reine blanche ; soustraire un nombre similaire de points pour chaque pièce noire.

Si la fonction d'évaluation statique était parfaite, il serait facile de déterminer le meilleur coup à jouer. Supposons que ce soit aux Blancs à jouer dans la configuration u. Leur meilleur coup consisterait à passer dans la configuration v maximisant *éval*(w), parmi tous les successeurs w de u :

val $\leftarrow -\infty$
pour chaque configuration w successeur de u **faire**
   si *éval*(w) $\geq$ *val* **alors** *val* $\leftarrow$ *éval*(w)
                 $v \leftarrow w$.

Il est clair que cette approche simpliste n'aurait guère de succès avec notre fonction d'évaluation puisqu'elle n'hésiterait pas à sacrifier une reine pour prendre un pion !

Si la fonction d'évaluation n'est pas parfaite, une meilleure stratégie pour les Blancs consiste à supposer que les Noirs riposteront par le coup qui minimise la valeur de la fonction *éval*, puisqu'une position est présumément d'autant meilleure pour eux que cette fonction prend une petite valeur (si possible une « grande » valeur négative). Il s'agit en quelque sorte de prévoir un demi-coup à l'avance :

val $\leftarrow -\infty$
pour chaque configuration w successeur de u **faire**
   si w n'a pas de successeur
   alors *valw* $\leftarrow$ *éval*(w)
   sinon *valw* $\leftarrow$ min$\{$*éval*(x) $\mid x$ succède à $w\}$
   si *valw* $\geq$ *val* **alors** *val* $\leftarrow$ *valw*
              $v \leftarrow w$.

Cette fois plus question d'échanger une reine contre un pion, ce qui peut justement faire rater aux Blancs le coup gagnant puisqu'ils ne regardent pas suffisamment de coups à l'avance pour qu'un tel gambit puisse sembler profitable. On évite par contre, autant que possible, les coups donnant aux Noirs l'occasion de mater immédiatement.

Afin d'ajouter davantage de dynamique à l'aspect statique de la fonction *éval*, il est préférable de regarder plusieurs coups à l'avance. Pour considérer n demi-coups à l'avance à partir de la configuration u, il suffit aux Blancs de passer à la configuration v donnée par

$val \leftarrow -\infty$
pour chaque configuration w successeur de u **faire**
  si $Noirs(w, n) \geq val$ **alors** $val \leftarrow Noirs(w, n)$
                                  $v \leftarrow w$

où les fonctions *Noirs* et *Blancs* sont les suivantes :

fonction *Noirs(w, n)*
  si $n = 0$ **ou** w n'a pas de successeur
  alors retourner *éval(w)*
  sinon retourner min$\{Blancs(x, n-1) \mid x$ succède à $w\}$

fonction *Blancs(x, n)*
  si $n = 0$ **ou** x n'a pas de successeur
  alors retourner *éval(x)*
  sinon retourner max$\{Noirs(w, n-1) \mid w$ succède à $x\}$.

On voit d'où vient le nom de minimax : les Noirs essaient de minimiser l'avantage qu'ils concèdent aux Blancs et les Blancs au contraire essaient de maximiser l'avantage qu'ils tirent de chaque coup.

PROBLÈME 6.7.11.   Soit u la configuration correspondant à la position initiale des pièces. Que peut-on dire de *Blancs(u,* 12800), à part que cela est trop long à calculer en pratique ? Justifiez votre réponse.   □

EXEMPLE 6.7.2.   La figure 6.7.2 représente une partie du graphe correspondant à un certain jeu. Si les valeurs associées aux feuilles sont obtenues en appliquant la fonction *éval* aux configurations correspondantes, les valeurs pour les autres

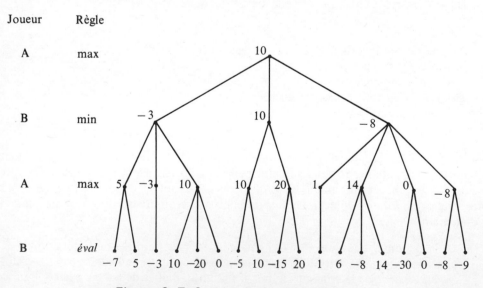

Figure 6.7.2.   La règle du minimax.

nœuds peuvent se calculer par la règle du minimax. On a supposé pour les fins de l'exemple que le joueur A cherche à maximiser la fonction d'évaluation et que B cherche à la minimiser.

Si A joue pour maximiser son avantage, il choisira le deuxième coup parmi les trois possibilités. Ceci lui assure une valeur de 10. □

6.7.2 La procédure alpha-bêta

Cette technique de base peut être améliorée de diverses façons. Par exemple, il peut être profitable d'explorer plus en profondeur les coups les plus prometteurs. Certaines branches peuvent également être abandonnées avant la fin de leur exploration si l'information obtenue est déjà suffisante pour s'assurer qu'elles ne peuvent en aucun cas influencer la valeur de leur ancêtre. Cette seconde amélioration est généralement connue sous le nom de **procédure alpha-bêta.** On parle aussi parfois de **l'élagage** ou de **l'émondage** de l'arborescence. Nous nous contentons de donner un exemple simple de cette technique.

EXEMPLE 6.7.3. Retournons à la figure 6.7.2. Soit ⟨ i, j ⟩, le j-ième nœud de la i-ième ligne de l'arborescence. Nous voulons calculer la valeur de la racine ⟨ 1, 1 ⟩ à partir des valeurs calculées par la fonction *éval* pour les feuilles ⟨ 4, j ⟩, $1 \leqslant j \leqslant 18$. Pour cela, faisons une fouille en profondeur de l'arborescence en traitant les successeurs d'un nœud de la gauche vers la droite.

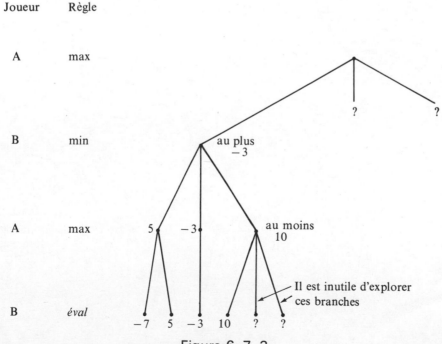

Figure 6.7.3.

Afin de pouvoir abandonner l'exploration inutile de certaines branches, il s'agit de transmettre immédiatement aux niveaux supérieurs l'information obtenue par l'évaluation d'une feuille. Ainsi, dès que la première feuille ⟨ 4, 1 ⟩ est évaluée, nous savons que ⟨ 4, 1 ⟩ vaut − 7 et que ⟨ 3, 1 ⟩ (un nœud qui maximise *éval*) vaut au moins − 7. Après l'évaluation de la deuxième feuille ⟨ 4, 2 ⟩, nous savons que ⟨ 4, 2 ⟩ vaut 5, ⟨ 3, 1 ⟩ vaut 5 et ⟨ 2, 1 ⟩ (un nœud qui minimise *éval*) vaut au plus 5.

Continuant de cette façon, on obtient après évaluation du nœud ⟨ 4, 4 ⟩ la situation illustrée à la figure 6.7.3. Puisque le nœud ⟨ 3, 3 ⟩ vaut au moins 10 et que le nœud ⟨ 2, 1 ⟩ vaut au plus − 3, la valeur exacte du nœud ⟨ 3, 3 ⟩ ne peut en aucun cas influencer la valeur du nœud ⟨ 2, 1 ⟩. Il est donc inutile d'évaluer les autres fils du nœud ⟨ 3, 3 ⟩ ; on dit alors que les branches correspondantes de l'arborescence ont été élaguées.

De la même façon, après évaluation de la feuille ⟨ 4, 11 ⟩, on obtient la situation illustrée à la figure 6.7.4. Le nœud ⟨ 2, 3 ⟩ vaut au plus 1. Puisque nous savons déjà que ⟨ 1, 1 ⟩ vaut au moins 10, il est inutile d'évaluer les autres fils du nœud ⟨ 2, 3 ⟩.

Pour établir que la racine ⟨ 1, 1 ⟩ vaut 10, il suffit donc de visiter seulement 19 des 31 nœuds que contient l'arborescence.   □

∗ **PROBLÈME 6.7.12.** Ecrivez un programme capable de jouer brillamment à votre jeu de stratégie préféré.   □

∗ **PROBLÈME 6.7.13.** Quelles modifications doit-on apporter aux principes exposés dans cette section pour tenir compte des jeux de stratégie dans lesquels le hasard joue un certain rôle ? Des jeux à plus de deux joueurs ?   □

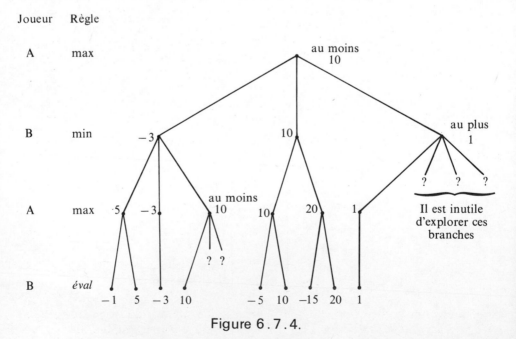

Figure 6.7.4.

** PROBLÈME 6.7.14. Ecrivez un programme capable de battre le champion du monde au backgammon. (Cela a déjà été fait !) ☐

6.8 Branch and bound

Comme le *backtracking*, le **branch and bound** (aux inconditionnels du français, nous ne pouvons offrir que **séparation et évaluation progressive**) est une technique d'exploration de graphe orienté implicite, le plus souvent sans circuit ou même arborescent. Cette fois, nous sommes à la recherche d'une solution optimale d'un certain problème. A chaque nœud, on calcule une borne sur les valeurs des solutions éventuelles situées plus loin dans le graphe. Si cette borne démontre que de telles solutions seront nécessairement pires qu'une solution déjà trouvée, on abandonne l'exploration de cette partie du graphe.

Dans sa version la plus simple, le calcul d'une borne se combine avec une fouille en largeur ou en profondeur et ne sert, ainsi qu'on vient de l'expliquer, qu'à élaguer certaines branches d'une arborescence ou à fermer certains chemins dans un graphe. Plus souvent, cependant, la borne calculée sert non seulement à fermer des chemins, mais aussi à choisir celui qui est le plus prometteur, afin de l'explorer en priorité.

En termes généraux, on peut dire qu'une fouille en profondeur termine l'exploration des nœuds dans l'ordre inverse de leur création, utilisant une pile pour conserver les nœuds générés mais non encore explorés complètement (voir la section 6.5) ; une fouille en largeur termine l'exploration des nœuds dans l'ordre de leur création, utilisant plutôt une file pour conserver ceux qui sont générés mais non encore explorés. Le *branch and bound* se sert de calculs supplémentaires pour décider à chaque moment quel est le prochain nœud à explorer, utilisant une liste pour conserver ceux qui sont générés mais non encore examinés.

Illustrons ce principe à l'aide d'un exemple.

EXEMPLE 6.8.1. Revenons au problème du commis voyageur (voir les sections 3.4.2 et 5.6).

Soit G le graphe complet sur cinq points avec la matrice de distances suivante :

$$\begin{bmatrix} 0 & 14 & 4 & 10 & 20 \\ 14 & 0 & 7 & 8 & 7 \\ 4 & 5 & 0 & 7 & 16 \\ 11 & 7 & 9 & 0 & 2 \\ 18 & 7 & 17 & 4 & 0 \end{bmatrix}$$

Nous cherchons le chemin le plus court partant du sommet 1 qui passe une et une seule fois par chaque autre sommet et qui revient finalement au sommet 1.

Les nœuds de notre arborescence implicite correspondent à des chemins partiellement spécifiés. Par exemple, le nœud (1, 4, 3) correspond aux deux chemins complets (1, 4, 3, 2, 5, 1) et (1, 4, 3, 5, 2, 1). Les successeurs d'un nœud donné correspondent aux chemins dont un élément additionnel est déterminé. A chaque nœud, on associe une borne inférieure sur la longueur des chemins complets correspondants.

Pour calculer cette borne, supposons que la moitié de la distance entre deux points i et j soit comptabilisée au départ de i, et l'autre moitié à l'arrivée à j. Par exemple, un départ du sommet 1 coûte au moins 2, ce qui est le minimum entre 14/2, 4/2, 10/2 et 20/2. De la même façon, un passage par le sommet 2 coûte au moins 6 (au moins 5/2 à l'arrivée et au moins 7/2 au départ). Un retour au sommet 1 coûte au moins 2, le minimum entre 14/2, 4/2, 11/2 et 18/2. Pour obtenir une borne sur la longueur d'un chemin, il suffit d'additionner des éléments de ce type. Par exemple, le circuit complet doit inclure un départ de 1, un passage par chacun des sommets 2, 3, 4 et 5 (pas forcément dans cet ordre) et un retour à 1. Sa longueur est donc au moins

$$2 + 6 + 4 + 3 + 3 + 2 = 20\,.$$

Dans la figure 6.8.1, la racine de l'arborescence spécifie que le point de départ du circuit est le sommet 1. Bien entendu, ce choix arbitraire ne change rien au circuit le plus court. Nous venons de calculer la borne qui figure dans ce nœud. Notre fouille commence par générer en largeur les quatre successeurs possibles de la racine, c'est-à-dire les nœuds (1, 2), (1, 3), (1, 4) et (1, 5). La borne pour le nœud (1, 2), par exemple, est calculée de la façon suivante : un tour qui commence par (1, 2) doit inclure

— le trajet 1-2 : 14
— un départ de 2 vers 3, 4 ou 5 : minimum 7/2
— un passage par 3 ne provenant pas de 1 et n'aboutissant pas à 2 : minimum 11/2
— un passage similaire par 4 : minimum 3
— un passage similaire par 5 : minimum 3
— un retour à 1 de 3, 4 ou 5 : minimum 2.

Un tel circuit a donc une longueur d'au moins 31. Les autres bornes sont calculées de façon similaire.

Ensuite, le nœud le plus prometteur semble être (1, 3) dont la borne est 24. On génère donc les trois fils (1, 3, 2), (1, 3, 4) et (1, 3, 5) de ce nœud. A titre d'exemple, la borne pour le nœud (1, 3, 2) est calculée comme suit :

— le trajet 1-3-2 : 9
— un départ de 2 vers 4 ou 5 : minimum 7/2
— un passage par 4 ne provenant ni de 1 ni de 3 et n'aboutissant ni à 2 ni à 3 : minimum 3
— un passage similaire par 5 : minimum 3
— un retour à 1 de 4 ou 5 : minimum 11/2 ;

ce qui fait une longueur totale d'au moins 24.

Le nœud le plus prometteur est maintenant (1, 3, 2). Ses deux fils (1, 3, 2, 4) et (1, 3, 2, 5) sont générés. Cette fois, puisque le nœud (1, 3, 2, 4), par exemple, ne correspond qu'à un seul circuit, c'est-à-dire (1, 3, 2, 4, 5, 1), nous n'avons pas besoin d'estimer une borne mais nous pouvons calculer immédiatement la longueur exacte du circuit.

Nous trouvons que la longueur du circuit (1, 3, 2, 5, 4, 1) est 31. Si l'on ne cherche qu'une seule solution optimale, il est inutile de continuer l'exploration des nœuds (1, 2), (1, 5) et (1, 3, 5) qui ne peuvent en aucun cas mener à une meilleure solution. Même l'exploration du nœud (1, 3, 4) est inutile. (Pourquoi ?) Il ne reste donc que le nœud (1, 4) à explorer. Seul le fils (1, 4, 5) offre des possibilités intéressantes. Après examen des circuits complets (1, 4, 5, 2, 3, 1) et (1, 4, 5, 3, 2, 1), nous trouvons que le circuit (1, 4, 5, 2, 3, 1) de longueur 30 est optimal. Cet exemple illustre que le point de départ (1, 3), bien qu'il fût le plus prometteur, n'était pas optimal.

Pour obtenir ce résultat, nous n'avons examiné que 15 des 41 nœuds que contient une arborescence complète du type illustré à la figure 6.8.1. □

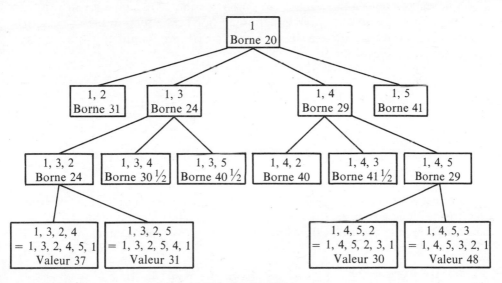

Figure 6.8.1.

PROBLÈME 6.8.1. Résolvez le même problème à l'aide de la méthode de la section 5.6. □

* **PROBLÈME 6.8.2.** Implantez cet algorithme sur ordinateur et testez-le sur notre exemple. □

PROBLÈME 6.8.3. Montrez comment résoudre le même problème par un algorithme à retour arrière en utilisant une borne calculée comme ci-dessus pour décider si un chemin partiellement défini est prometteur ou non. □

La nécessité de maintenir à jour une liste de nœuds générés mais non encore examinés, dispersés dans tous les niveaux de l'arborescence et de préférence triés selon la valeur de la borne correspondante, rend la technique du *branch and bound* difficile à programmer. Le monceau est une bonne structure de données pour conserver cette liste. Contrairement à la fouille en profondeur et aux techniques apparentées, aucune implantation récursive et élégante ne s'offre au programmeur. Néanmoins, la puissance de la technique est telle qu'on y recourt souvent pour des applications pratiques.

Il est presque impossible de chiffrer la performance de cette technique pour un problème et une borne donnés. Il y a toujours un compromis à faire concernant la qualité de la borne : une meilleure borne nous amène à examiner moins de nœuds mais, par contre, on passe probablement plus de temps à chaque nœud pour calculer la borne correspondante. En pire cas, même une excellente borne peut ne rien couper dans l'arborescence et tout ce travail supplémentaire est inutile. En pratique, pour des problèmes de taille réelle, il est presque toujours rentable d'investir le temps nécessaire dans le calcul de la meilleure borne possible. C'est ainsi qu'on voit, par exemple, des problèmes de programmation en nombres entiers traités par *branch and bound*, en résolvant à chaque nœud un problème de programmation linéaire pour borner les valeurs des solutions possibles.

6.9   Problèmes supplémentaires

PROBLÈME 6.9.1.   Ecrivez deux algorithmes pour déterminer si un graphe non orienté est en fait un arbre : i) en utilisant une fouille en profondeur ; ii) en utilisant une fouille en largeur. Quel est le temps requis par vos algorithmes ?   □

PROBLÈME 6.9.2.   Ecrivez un algorithme pour déterminer si un graphe orienté est en fait une arborescence et si oui, pour savoir quelle en est la racine. Quel est le temps requis par vos algorithmes ?   □

PROBLÈME 6.9.3.   Un sommet p d'un graphe orienté $G = \langle N, A \rangle$ s'appelle un **puits** si pour chaque sommet $v \in N$, $v \neq p$, l'arc (v, p) existe et l'arc (p, v) n'existe pas. Donnez un algorithme qui détecte la présence d'un puits dans G en un temps dans $O(n)$. Le graphe est donné à l'algorithme sous forme de matrice booléenne (type *adjgraphe* de la section 1.9.2).   □

∗PROBLÈME 6.9.4 (le problème d'Euler).   Une chaîne **eulérienne** dans un graphe non orienté est une chaîne qui utilise chaque arête du graphe exactement une fois. Ecrivez un algorithme qui détermine si un graphe donné admet une chaîne eulérienne, et qui, le cas échéant, imprime une telle chaîne. Quel est le temps requis par votre algorithme ?   □

∗PROBLÈME 6.9.5. Répétez le problème 6.9.4 pour le cas d'un graphe orienté. □

PROBLÈME 6.9.6. La valeur 1 est disponible. Pour construire d'autres valeurs, on dispose des deux opérations ∗2 (multiplication par 2) et /3 (division par 3, le résultat étant tronqué). Les opérations sont effectuées de la gauche vers la droite. Par exemple,

$$10 = 1 * 2 * 2 * 2 * 2 / 3 * 2.$$

On désire exprimer 13 de cette façon. Montrez comment le problème peut s'exprimer en termes d'une fouille dans un graphe et trouvez une solution de longueur minimum. □

∗ PROBLÈME 6.9.7. Montrez que le problème de l'analyse syntaxique des langages de programmation peut être résolu de façon descendante par un algorithme à retour arrière. (Cette approche est utilisée dans plusieurs compilateurs.) □

PROBLÈME 6.9.8. Une matrice booléenne $M[1..n, 1..n]$ représente un labyrinthe carré. En général, à partir d'une case donnée, on peut atteindre les cases adjacentes sur la même ligne ou la même colonne. Si $M[i, j]$ est *vrai*, on a le droit de passer par la case (i, j); si $M[i, j]$ est *faux*, on ne peut pas passer par (i, j). La figure 6.9.1 en donne un exemple.

i) Donnez un algorithme à retour arrière qui trouve un chemin, s'il en existe un, de la case $(1, 1)$ à la base (n, n). Sans être formel à outrance (par exemple, n'hésitez pas à utiliser des énoncés comme « **pour** chaque case V voisine de x **faire**... »), votre algorithme doit être clair et précis.

ii) Sans donner tous les détails de l'algorithme, suggérez comment le problème ci-dessus pourrait être résolu par *branch and bound*. □

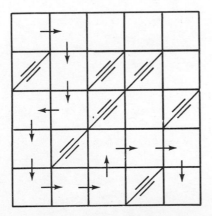
 vrai
 faux

Figure 6.9.1.

6.10   Remarques bibliographiques

Plusieurs livres se spécialisent dans les algorithmes de graphes ou dans les algorithmes combinatoires faisant souvent intervenir la notion de graphe. Mentionnons en ordre chronologique : [Christofides 1975, Lawler 1976, Reingold, Nievergelt et Deo 1977, Even 1980, Papadimitriou et Steiglitz 1982, Tarjan 1983, Gondran et Minoux 1984]. Rappelons que la notion de graphe est traitée au sens mathématique dans [Berge 1967, 1970].

Une solution au problème 6.2.2 est donnée dans [Robson 1973].

Plusieurs applications de la fouille en profondeur proviennent de [Tarjan 1972, Hopcroft et Tarjan 1973]. Le problème 6.3.10 est résolu dans [Rosenthal et Goldner 1977]. Un algorithme linéaire pour tester la planarité des graphes est donné dans [Hopcroft et Tarjan 1974]. D'autres algorithmes basés sur la fouille en profondeur sont présentés dans [Aho, Hopcroft et Ullman 1974, 1983].

La technique du retour arrière est décrite dans [Golomb et Baumert 1965] et des techniques d'analyse sont données dans [Knuth 1975a]. Des algorithmes pour jouer aux échecs sont présentés dans [Good 1968]. Le livre de [Nilsson 1971] est une mine d'idées sur les graphes de jeux, le principe du minimax et la procédure alpha-bêta. La procédure alpha-bêta est analysée dans [Knuth 1975b]. La technique du *branch and bound* est exposée dans [Lawler et Wood 1966]. Son utilisation pour résoudre le problème du commis voyageur est décrite dans [Bellmore et Nemhauser 1968].

Chapitre 7
Préconditionnement et sujets connexes

Si nous savons qu'il faudra résoudre plusieurs exemplaires similaires d'un même problème, il est parfois payant d'investir une certaine quantité de travail dans l'élaboration de résultats auxiliaires qui serviront ensuite à accélérer la solution de chaque exemplaire. C'est le préconditionnement. Même s'il n'est question que d'un seul exemplaire à résoudre, la construction préalable de tables auxiliaires peut mener à un algorithme plus performant. Dans ce chapitre, cette technique est illustrée par quelques algorithmes pour le traitement des chaînes de caractères.

7.1   Préconditionnement

7.1.1   Introduction

Soit I l'ensemble des exemplaires d'un problème donné. Supposons que chaque exemplaire $i \in I$ puisse se séparer en deux composantes $j \in J$ et $k \in K$ (c'est-à-dire $I \subseteq J \times K$).

Un algorithme de préconditionnement pour ce problème est un algorithme A qui prend comme entrée un élément j de J, et qui produit comme résultat un nouvel algorithme B_j. Cet algorithme B_j doit être tel que si $k \in K$ et $\langle j, k \rangle \in I$, alors l'application de B_j sur k fournit la solution de l'exemplaire $\langle j, k \rangle$ du problème original.

EXEMPLE 7.1.1.   Soit J un ensemble de grammaires pour une famille de langages de programmation. Par exemple, J pourrait être un ensemble de grammaires en *forme normale de Backus* pour des langages comme Algol, Pascal, Simula, etc. Soit K un ensemble de programmes. Le problème général est de savoir si un programme donné est syntaxiquement légal dans un langage spécifié. Ici, I est l'ensemble des exemplaires du type « $k \in K$ est-il un programme dans le langage défini par la grammaire $j \in J$? ».

Un algorithme de préconditionnement possible pour cet exemple est un générateur de compilateurs : appliqué sur la grammaire $j \in J$, il génère un compilateur B_j pour le langage en question. Ensuite, pour savoir si un programme $k \in K$ appartient au langage j, il suffit d'appliquer le compilateur B_j sur k.   □

Soient

$$a(j) = \text{le temps requis pour produire } B_j \text{ à partir de } j$$
$$b_j(k) = \text{le temps requis pour appliquer } B_j \text{ sur } k$$
$$t(j, k) = \text{le temps requis pour résoudre } \langle j, k \rangle \text{ directement .}$$

Nous avons alors normalement que $b_j(k) \leqslant t(j, k) \leqslant a(j) + b_j(k)$. En effet, le préconditionnement aurait été bien mal pensé si $b_j(k) > t(j, k)$, et une façon de résoudre $\langle j, k \rangle$ « directement » consiste à produire B_j à partir de j, puis appliquer B_j sur k. Le préconditionnement peut être utile dans deux situations :

a) S'il faut pouvoir résoudre rapidement tout exemplaire $i \in I$, par exemple, pour assurer un temps de réponse suffisamment bas pour une application en temps réel. Dans ce cas, il est parfois impraticable de calculer d'avance et de conserver les $\#I$ solutions de tous les exemplaires intéressants. On peut, par contre, calculer d'avance et conserver $\#J$ algorithmes préconditionnés. Une telle application du préconditionnement peut être intéressante même si un seul exemplaire crucial sera résolu dans toute l'histoire du système : par exemple, celui qui permettra d'arrêter à temps la centrale nucléaire. L'étude préalable à un examen est également un exemple de ce type de préconditionnement.

b) Si nous avons à résoudre toute une série d'exemplaires $\langle j, k_1 \rangle$, $\langle j, k_2 \rangle$, ..., $\langle j, k_n \rangle$ avec le même j. Dans ce cas, le temps pour résoudre tous les exemplaires est

$$t_1 = \sum_{j=1}^{n} t(j, k_i)$$

si l'on travaille sans préconditionnement, et

$$t_2 = a(j) + \sum_{i=1}^{n} b_j(k_i)$$

avec préconditionnement. Il arrive souvent que t_2 soit beaucoup plus petit que t_1, en autant que n soit suffisamment grand.

EXEMPLE 7.1.2.   Soit J un ensemble d'ensembles de mots-clefs, par exemple,
$$J = \{ \{ \text{ if, then, else, endif } \}, \{ \text{ si, alors, sinon, finsi } \},$$
$$\{ \text{ for, to, by } \}, \{ \text{ pour, jusqu'à, pas } \} \} .$$

Soit K un ensemble de mots-clefs, par exemple,
$$K = \{ \text{ si, begin, jusqu'à, fonction } \} .$$

Nous avons à résoudre un grand nombre d'exemplaires du type « Le mot-clef $k \in K$ appartient-il à l'ensemble $j \in J$? ». Si nous résolvons chaque exemplaire directement, nous avons

$$t(j, k) \in \theta(n_j) ,$$

où n_j est le nombre d'éléments de l'ensemble j. Par contre, si nous commençons par trier j (c'est le préconditionnement), nous pouvons ensuite résoudre $\langle j, k \rangle$ par un algorithme de fouille binaire :

$$a(j) \in \theta(n_j \log n_j) \qquad \text{pour le tri}$$
$$b_j(k) \in \theta(\log n_j) \qquad \text{pour la fouille}.$$

S'il y a beaucoup d'exemplaires à résoudre pour le même j, la deuxième approche est nettement préférable. □

EXEMPLE 7.1.3. Nous devons résoudre le système d'équations $Ax = b$, où A est une matrice carrée non singulière et b est un vecteur colonne. Si l'on s'attend à avoir plusieurs systèmes d'équations à résoudre avec la même matrice A mais des vecteurs b différents, il est probablement rentable de calculer d'abord l'inverse de A, qu'on utilisera subséquemment avec chaque b. □

EXEMPLE 7.1.4. Le problème 5.8.5 suggère comment obtenir un algorithme vorace efficace pour retourner la monnaie. Le calcul des valeurs c_{nj} est un exemple de préconditionnement permettant par la suite de faire la monnaie rapidement chaque fois que c'est nécessaire. □

EXEMPLE 7.1.5. La création d'une arborescence de fouille optimale (section 5.5) est également un exemple de préconditionnement. □

7.1.2 Ascendance dans une arborescence

Soit J l'ensemble des arborescences et soit K l'ensemble des couples $\langle v, w \rangle$ de sommets. Pour un couple $k = \langle v, w \rangle$ et une arborescence j donnés, nous voulons savoir si le sommet v est un ancêtre du sommet w dans l'arborescence j.

Si l'arborescence j contient n sommets, toute solution directe de l'exemplaire prend en pire cas un temps dans $\Omega(n)$.

PROBLÈME 7.1.1. Pourquoi ? □

Il est toutefois possible de préconditionner l'arborescence en un temps dans $\theta(n)$, pour pouvoir ensuite résoudre chaque exemplaire particulier en un temps dans $\theta(1)$.

Pour illustrer cette approche, nous utilisons l'arborescence de la figure 7.1.1. Elle contient treize sommets. Pour préconditionner l'arborescence, nous la balayons d'abord en pré-ordre et ensuite en post-ordre (voir la section 6.2), en numérotant les sommets au fur et à mesure qu'ils sont visités. Pour un sommet v, soit *prénum*[v] le numéro affecté au sommet lors du balayage en pré-ordre, et *postnum*[v] le numéro affecté lors du balayage en post-ordre. Dans la figure 7.1.1, ces deux numéros apparaissent respectivement à gauche et à droite du sommet.

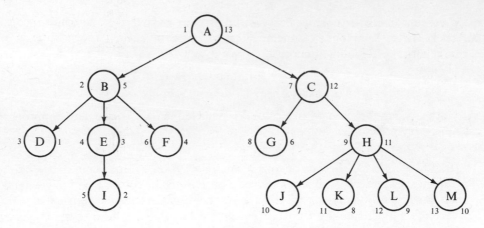

Figure 7.1.1.   A gauche du sommet *v*, *prénum*[*v*] ; à droite, *postnum*[*v*].

Soient *v* et *w* deux sommets de l'arborescence. En pré-ordre, on numérote un sommet d'abord et ensuite, ses sous-arborescences de gauche à droite. Donc

prénum[*v*] ⩽ *prénum*[*w*] ⇔ *v* est un ancêtre de *w*

ou *v* est à la gauche de *w* dans l'arborescence.

En post-ordre, on numérote d'abord les sous-arborescences d'un sommet de gauche à droite et ensuite on numérote le sommet lui-même. Donc

postnum[*v*] ⩾ *postnum*[*w*] ⇔ *v* est un ancêtre de *w*

ou *v* est à la droite de *w* dans l'arborescence.

Il s'ensuit que

prénum[*v*] ⩽ *prénum*[*w*] **et** *postnum*[*v*] ⩾ *postnum*[*w*] ⇔ *v* est un ancêtre de *w* .

Une fois toutes les valeurs de *prénum* et *postnum* calculées en un temps dans $\theta(n)$, la condition se vérifie en un temps dans $\theta(1)$.

PROBLÈME 7.1.2.   Il existe plusieurs façons semblables de préconditionner une arborescence pour pouvoir vérifier rapidement si un sommet est ancêtre d'un autre. Prouvez, par exemple, qu'on peut le faire avec un balayage en pré-ordre suivi d'un balayage en pré-ordre inversé qui visite d'abord un sommet et ensuite ses sous-arborescences de la droite vers la gauche.   □

7.1.3   Évaluation répétée d'un polynôme

Soit *J* l'ensemble de tous les polynômes à une seule variable *x* et soit *K* l'ensemble des valeurs que cette variable peut prendre. Le problème consiste à évaluer un polynôme donné en un point donné.

Pour simplifier l'exposé, restreignons-nous aux polynômes à coefficients entiers, évalués pour des valeurs entières de *x*. Comme baromètre de l'efficacité d'un algorithme, comptons le nombre de multiplications d'entiers qu'il faut effectuer (sans tenir compte de la taille des opérandes).

Dans un premier temps, restreignons-nous même davantage, en ne considérant que les polynômes unitaires (dont le coefficient de la plus grande puissance de x est 1) de degré $n = 2^k - 1$, pour un entier $k \geqslant 0$.

EXEMPLE 7.1.6.   Soit le polynôme
$$p(x) = x^7 - 5x^6 + 4x^5 - 13x^4 + 3x^3 - 10x^2 + 5x - 17 \,.$$
Une méthode naïve pour évaluer ce polynôme consiste à calculer d'abord la série de valeurs $x^2, x^3, ..., x^7$, à partir desquelles on peut calculer $5x, 10x^2, ..., 5x^6$ et finalement, $p(x)$. Cette méthode demande 12 multiplications et 7 additions (les soustractions étant considérées ici comme des additions).

Il est facile de faire mieux. Si l'on calcule $p(x)$ par
$$p(x) = (((((x - 5)\,x + 4)\,x - 13)\,x + 3)\,x - 10)\,x + 5)\,x - 17 \,,$$
on n'a besoin que de 6 multiplications et 7 additions. Encore mieux, on peut calculer
$$p(x) = (x^4 + 2)\,[(x^2 + 3)\,(x - 5) + (x + 2)] + [(x^2 - 4)\,x + (x + 9)]$$
avec seulement 5 multiplications (dont 2 pour calculer x^2 et x^4) plus 9 additions. $\square$

En général, si $p(x)$ est un polynôme de degré $2^k - 1$, nous l'exprimons d'abord sous la forme
$$p(x) = (x^{2^{k-1}} + a)\,q(x) + r(x) \,,$$
où a est une constante, et $q(x)$ et $r(x)$ sont des polynômes unitaires de degré $2^{k-1} - 1$. Ensuite, nous appliquons récursivement la même procédure à $q(x)$ et $r(x)$. A la fin, $p(x)$ est exprimé uniquement en termes de polynômes de la forme $x^{2^i} + c$.

Dans l'exemple ci-dessus, nous exprimons d'abord $p(x)$ sous la forme
$$(x^4 + a)\,(x^3 + q_2\,x^2 + q_1\,x + q_0) + (x^3 + r_2\,x^2 + r_1\,x + r_0) \,.$$
Par équation des coefficients de $x^6, x^5, ..., 1$, nous obtenons successivement $q_2 = -5$, $q_1 = 4$, $q_0 = -13$, $a = 2$, $r_2 = 0$, $r_1 = -3$ et $r_0 = 9$. *Donc*
$$p(x) = (x^4 + 2)\,(x^3 - 5x^2 + 4x - 13) + (x^3 - 3x + 9) \,.$$
De la même manière, on trouve que
$$x^3 - 5x^2 + 4x - 13 = (x^2 + 3)\,(x - 5) + (x + 2)$$
$$x^3 - 3x + 9 = (x^2 - 4)\,x + (x + 9) \,,$$
pour aboutir à l'expression de $p(x)$ donnée dans l'exemple 7.1.6. Cette expression est la forme **préconditionnée** du polynôme.

PROBLÈME 7.1.3.   Exprimez $p(x) = x^7 + 2x^6 - 5x^4 + 2x^3 - 6x^2 + 6x - 32$ en forme préconditionnée. $\square$

PROBLÈME 7.1.4.   Exprimez $p(x) = x^7$ en forme préconditionnée. $\square$

Analyse de la méthode

Soit $M(k)$ le nombre de multiplications requises pour évaluer $p(x)$, un polynôme unitaire préconditionné de degré $2^k - 1$. Soit $M'(k) = M(k) - k + 1$ le nombre de multiplications requises si l'on ne compte pas celles nécessaires au calcul de x^2, x^4, ..., $x^{2^{k-1}}$. On obtient l'équation de récurrence

$$M'(k) = \begin{cases} 0 & k = 0 \text{ ou } 1 \\ 2\,M'(k-1) + 1 & k \geqslant 2. \end{cases}$$

Par conséquent, $M'(k) = 2^{k-1} - 1$, pour $k \geqslant 1$, et donc $M(k) = 2^{k-1} + k - 2$. Autrement dit, il suffit de faire $(n - 3)/2 + \lg(n + 1)$ multiplications pour évaluer un polynôme préconditionné de degré $n = 2^k - 1$.

* PROBLÈME 7.1.5.   Prouvez que si le polynôme unitaire $p(x)$ de degré n est donné par ses coefficients, aucun algorithme ne peut calculer $p(x)$ en moins de $n - 1$ multiplications en pire cas. En d'autres termes, le temps investi au préconditionnement du polynôme permet toute évaluation subséquente en essentiellement deux fois moins de multiplications. □

PROBLÈME 7.1.6.   Montrez que l'évaluation d'un polynôme préconditionné de degré $n = 2^k - 1$ requiert $(3n - 1)/2$ additions en pire cas. □

PROBLÈME 7.1.7.   Généralisez la méthode du préconditionnement à des polynômes qui ne sont pas unitaires. Votre généralisation doit donner une réponse exacte, sans risque d'erreur d'arrondi due à l'emploi de l'arithmétique en virgule flottante. □

PROBLÈME 7.1.8 (suite du problème 7.1.7).   Généralisez la méthode de nouveau à des polynômes de degré quelconque. □

PROBLÈME 7.1.9.   Montrez à l'aide d'un exemple explicite que la méthode ne donne pas nécessairement une solution optimale (c'est-à-dire, ne minimise pas nécessairement le nombre de multiplications requises) même dans le cas de polynômes unitaires de degré $n = 2^k - 1$. □

PROBLÈME 7.1.10.   La méthode est-elle appropriée pour des polynômes à coefficients réels et pour des variables réelles ? Justifiez votre réponse. □

7.2   Recherche d'une chaîne

Considérons un problème qui se pose souvent dans la conception de systèmes de traitement de texte (éditeurs, macroprocesseurs, systèmes de dépistage de l'information, etc.). Etant donné une **chaîne cible** de n caractères, $S = s_1 s_2 \ldots s_n$, et un **modèle** de m caractères, $P = p_1 p_2 \ldots p_m$, nous voulons savoir si P est une sous-chaîne de S et, le cas échéant, où elle se trouve dans S. Supposons sans perte de généralité que $n \geq m$. Dans les analyses qui suivent, nous utilisons le nombre de comparaisons entre paires de caractères comme baromètre de l'efficacité des algorithmes.

On pense tout de suite à l'algorithme naïf suivant qui retourne r si la première occurrence de P dans S commence à la position r (c'est-à-dire que r est le plus petit entier tel que $s_{r+i-1} = p_i$, $i = 1, 2, \ldots, m$), et qui retourne 0 si P n'est pas une sous-chaîne de S.

```
pour i ← 0 jusqu'à n–m faire
  ok ← vrai
  j ← 1
  tantque ok et j ≤ m faire
    si p[j] ≠ s[i+j] alors ok ← faux
                     sinon j ← j + 1
  si ok alors retourner i+1
retourner 0  .
```

L'algorithme essaie de trouver le modèle P à chaque position de S. Dans le pire cas, il fait m comparaisons à chaque position pour vérifier s'il a trouvé une occurrence de P (imaginez $S = $ aaa $\ldots$ b, $P = $ aaab). Le nombre de comparaisons à faire au total est donc dans $\Omega(m(n - m))$, ce qui est dans $\Omega(mn)$ si n est substantiellement plus grand que m. Est-il possible de faire mieux ?

7.2.1   Signatures

Supposons que la chaîne cible S se décompose d'une façon naturelle en sous-chaînes, $S = S_1 S_2 \ldots S_t$ et que le modèle P, s'il se trouve dans S, doive se trouver à l'intérieur d'une de ces sous-chaînes (on exclut donc la possibilité que P chevauche plusieurs sous-chaînes consécutives). Cette situation se présente, par exemple, si les S_i sont les lignes d'un fichier de texte S et si nous recherchons les lignes qui contiennent le modèle P.

L'idée de base consiste à exploiter une fonction booléenne $T(P, S_i)$ qu'on peut calculer rapidement pour faire un test préalable. Si $T(P, S_i)$ est *faux*, P ne peut pas être une sous-chaîne de S_i; si $T(P, S_i)$ est *vrai*, cependant, il est possible que P soit une sous-chaîne de S_i, mais il faut faire une vérification détaillée pour s'en assurer (par exemple, avec l'algorithme naïf ci-dessus). Les **signatures** offrent une façon simple de réaliser une telle fonction.

Supposons que le jeu de caractères utilisé pour les chaînes S et P soit { A, B, C, ..., X, Y, Z, *autre* } où nous avons regroupé tous les caractères non alphabétiques. Supposons aussi que nous travaillons sur un ordinateur qui a des mots de 32 bits. Voici une façon courante de définir une signature :

i) Définir $val(\text{« A »}) = 0$, $val(\text{« B »}) = 1$, ..., $val(\text{« Z »}) = 25$, $val(autre) = 26$.

ii) Si c_1 et c_2 sont des caractères, définir
$$B(c_1, c_2) = (27\ val(c_1) + val(c_2))\ \textbf{mod}\ 32\ .$$

iii) Définir la signature $sig(C)$ d'une chaîne $C = c_1\ c_2\ ...\ c_r$ comme un mot de 32 bits où les bits $B(c_1, c_2)$, $B(c_2, c_3)$, ..., $B(c_{r-1}, c_r)$ sont mis à 1 et les autres bits sont à 0.

EXEMPLE 7.2.1.   Si C est la chaîne « FREDONNER », nous calculons $B(\text{« F »}, \text{« R »}) = 27 \times 5 + 17\ \textbf{mod}\ 32 = 24$, $B(\text{« R »}, \text{« E »}) = 27 \times 17 + 4\ \textbf{mod}\ 32 = 15$, ..., $B(\text{« E »}, \text{« R »}) = 27 \times 4 + 17\ \textbf{mod}\ 32 = 29$. Si les bits d'un mot sont numérotés de 0 (à gauche) à 31 (à droite), la signature de cette chaîne est le mot
$$0001\ 0001\ 0000\ 1001\ 0000\ 0000\ 1000\ 0101\ .$$
Seulement 7 bits sont mis à 1 dans la signature puisque
$$B(\text{« R »}, \text{« E »}) = B(\text{« E »}, \text{« D »}) = 15\ . \qquad \square$$

Nous calculons une signature pour chaque sous-chaîne S_i et pour le modèle P. Si S_i contient le modèle P, alors tous les bits qui sont 1 dans la signature de P sont aussi 1 dans la signature de S_i. Ceci nous fournit la fonction T dont nous avons besoin :
$$T(P, S_i) = ((sig(P)\ \textbf{et}\ sig(S_i)) = sig(P))\ ,$$
où l'opération **et** représente la conjonction bit par bit de deux mots complets. Le calcul de T est très rapide une fois toutes les signatures calculées.

C'est un nouvel exemple de préconditionnement. Le calcul des signatures pour S demande un temps dans $O(n)$. Pour chaque modèle P donné, nous avons encore besoin d'un temps dans $O(m)$ pour calculer sa signature, mais nous espérons ensuite que le test préalable permettra d'accélérer la recherche. Le gain réalisé en pratique dépend du choix judicieux d'une méthode de calcul des signatures.

* PROBLÈME 7.2.1.   Si les signatures sont calculées comme ci-dessus et si les caractères A, B, ..., Z et *autre* sont équiprobables, quelle est la probabilité que la signature d'une chaîne aléatoire de n caractères contienne les bits qui sont 1 dans la signature d'une autre chaîne aléatoire de m caractères ? Calculez la valeur numérique de cette probabilité pour quelques valeurs plausibles de n et m (par exemple, $n = 40$, $m = 5$). $\qquad \square$

PROBLÈME 7.2.2.   La méthode illustrée est-elle intéressante si la chaîne cible est très longue et si elle ne se divise pas en sous-chaînes ? $\qquad \square$

PROBLÈME 7.2.3.   Si $T(P, S_i)$ est *vrai* avec probabilité $\varepsilon > 0$ même si S_i n'inclut pas P, quel est l'ordre du nombre d'opérations requises en pire cas pour trouver P dans S ou pour vérifier son absence ?   □

Maintes variations sur ce thème sont possibles. Dans le cas ci-dessus, la fonction B prend comme paramètres deux caractères consécutifs dans la chaîne. On peut facilement inventer de telles fonctions basées sur trois caractères consécutifs, etc. Quant au nombre de bits dans la signature, il peut être plus ou moins grand.

PROBLÈME 7.2.4.   Peut-on définir une fonction B basée sur un seul caractère ? Si c'est possible, est-ce utile ?   □

PROBLÈME 7.2.5.   Si le jeu de caractères contient les 128 caractères du code ASCII et si notre ordinateur possède des mots de 32 bits, on pourrait définir B par

$$B(c_1, c_2) = (128 \; val(c_1) + val(c_2)) \bmod 32 \,.$$

Est-ce à recommander ? Sinon, que suggérez-vous à la place ?   □

7.2.2   L'algorithme de Knuth, Morris et Pratt

Contentons-nous de donner une description informelle de cet algorithme (dorénavant : l'algorithme KMP) qui trouve les occurrences de P dans S en un temps dans $O(n)$.

EXEMPLE 7.2.2.   Soient
$$S = \text{babcbabcabcaabcabcabcacabc}$$
et
$$P = \text{abcabcacab}\,.$$

Imaginons que pour trouver P dans S, nous allons glisser P de gauche à droite sur S en examinant les caractères qui sont l'un vis-à-vis de l'autre. Initialement, nous essayons la configuration suivante :

```
S    babcbabcabcaabcabcabcacabc
P    abcabcacab.
     ↑
```

Nous vérifions les caractères de P de gauche à droite. Les flèches indiquent les comparaisons effectuées avant de trouver un caractère qui ne corresponde pas. Dans ce cas, il n'y en a qu'une seule. Après cet échec, nous essayons

```
S    babcbabcabcaabcabcabcacabc
P     abcabcacab
      ↑↑↑↑
```

Cette fois-ci, les trois premiers caractères de P sont les mêmes que leurs vis-à-vis dans S mais le quatrième ne correspond pas. Jusqu'à maintenant, nous avons procédé exactement comme l'algorithme naïf. Nous savons cependant que les quatre derniers caractères examinés dans S sont abc$x$ où $x \neq$ a. Sans faire d'autre comparaisons avec S, nous pouvons conclure qu'il est inutile de glisser P de un, deux ou trois caractères : un tel positionnement ne peut pas être bon. Essayons alors de glisser P quatre caractères plus loin.

$$S \quad \text{babcbabcabcaabcabcabcacabc}$$
$$P \quad \text{abcabcacab}$$
$$\quad\quad \uparrow\uparrow\uparrow\uparrow\uparrow\uparrow\uparrow\uparrow$$

Suite à l'échec, nous savons que les huit derniers caractères examinés dans S sont abcabca$x$ où $x \neq$ c. Un glissement de P de une ou deux places ne peut pas être bon ; par contre, un glissement de trois places pourrait fonctionner :

$$S \quad \text{babcbabcabcaabcabcabcacabc}$$
$$P \quad \text{abcabcacab}$$
$$\quad\quad\quad\quad \uparrow$$

Il est inutile de revérifier les quatre premiers caractères de P : le déplacement de P était justement calculé pour qu'ils soient nécessairement corrects. Il suffit de reprendre la vérification à la position actuelle du pointeur. Dans ce cas, nous avons encore un échec au même endroit. Cette fois-ci, un déplacement de P de quatre caractères pourrait fonctionner. (Un déplacement de trois n'est pas suffisant : nous savons que les derniers caractères examinés dans S sont ax, où x n'est pas un b.)

$$S \quad \text{babcbabcabcaabcabcabcacabc}$$
$$P \quad \text{abcabcacab}$$
$$\quad\quad\quad\quad \uparrow\uparrow\uparrow\uparrow\uparrow\uparrow\uparrow\uparrow$$

Encore un échec, un déplacement de trois caractères est nécessaire :

$$S \quad \text{babcbabcabcaabcabcabcacabc}$$
$$P \quad \text{abcabcacab}$$
$$\quad\quad\quad\quad\quad\quad \uparrow\uparrow\uparrow\uparrow\uparrow\uparrow$$

Nous complétons la vérification à partir de la position du pointeur et, cette fois-ci, la confrontation de la cible et du modèle réussit. □

Pour implanter l'algorithme esquissé ci-dessus, nous avons besoin d'un tableau *suivant*[1..m]. Ce tableau nous indique quoi faire lorsqu'une comparaison échoue à la position j du modèle. Si *suivant*[j] = 0, il est inutile de comparer d'autres caractères du modèle à la chaîne cible dans la position courante. Il faut plutôt aligner P sur le premier caractère non encore examiné de S et recommencer les comparaisons au début de P. Si *suivant*[j] = i > 0, nous devons aligner le i-ème caractère de P sur le caractère courant de S et recommencer les comparaisons à cette même position. Dans les deux cas, nous déplaçons P sur une distance de $j - $ *suivant*[j] caractères vers la droite. Dans l'exemple ci-dessus, on a

j	1	2	3	4	5	6	7	8	9	10
$p[j]$	a	b	c	a	b	c	a	c	a	b
suivant[j]	0	1	1	0	1	1	0	5	0	1

En autant que le tableau *suivant* soit déjà calculé, voici l'algorithme de recherche de P dans S :

```
j, k ← 1
tantque j ≤ m et k ≤ n faire
    tantque j > 0 et s[k] ≠ p[j] faire
        j ← suivant[j]
    k ← k + 1
    j ← j + 1
si j > m alors retourner k−m
        sinon retourner 0  .
```

Il retourne soit la position de la première occurrence de P dans S, soit 0 si P n'est pas une sous-chaîne de S.

PROBLÈME 7.2.6. Suivez pas à pas l'exécution de cet algorithme sur les chaînes de l'exemple 7.2.2. □

Après chaque comparaison de caractères, nous déplaçons soit le pointeur (la flèche dans les diagrammes ; la variable k dans l'algorithme ci-dessus), soit le modèle P. Chacun peut être déplacé un maximum de n fois. Le temps demandé par l'algorithme est donc dans $O(n)$. Le calcul du tableau *suivant*$[1..m]$ peut se faire en un temps dans $O(m)$, ce qui est négligeable puisque $m \leqslant n$. Globalement, le temps de calcul est donc dans $O(n)$.

Nous ne pouvons parler ici de préconditionnement que si le même modèle est recherché dans plusieurs chaînes cibles distinctes, ce qui peut se produire lors de certaines applications littéraires. Il n'y a, par contre, pas lieu de préconditionner s'il faut chercher plusieurs modèles distincts dans une même chaîne cible.

* PROBLÈME 7.2.7. Trouvez une façon de calculer le tableau *suivant*$[1..m]$ en un temps dans $O(m)$. □

PROBLÈME 7.2.8. Modifiez l'algorithme KMP pour qu'il trouve *toutes* les occurrences de P dans S en un temps total dans $O(n)$. □

7.2.3 L'algorithme de Boyer et Moore

Comme l'algorithme KMP, l'algorithme de Boyer et Moore (dorénavant : l'algorithme BM) trouve les occurrences de P dans S en un temps dans $O(n)$ en pire cas. Toutefois, puisque l'algorithme KMP examine chaque caractère de la chaîne cible S au moins une fois en cas d'échec, il fait au moins n comparaisons. Par contre, l'algorithme BM est sous-linéaire : il n'examine pas nécessairement chaque caractère de S, et le nombre de comparaisons à effectuer est souvent inférieur à n. De plus, l'algorithme BM tend à devenir plus efficace à mesure que m, le nombre de caractères dans le modèle P, augmente. En meilleur cas, l'algorithme BM trouve toutes les occurrences de P dans S en un temps dans $O(m + n/m)$.

Comme pour l'algorithme KMP, nous glissons P sur S de la gauche vers la droite, en examinant les caractères en vis-à-vis. Cette fois-ci, cependant, la vérification des caractères de P se fait de droite à gauche après chaque déplacement du modèle. Nous utilisons deux règles pour décider du déplacement qu'il faut faire après un échec.

i) Si nous avons un échec immédiatement après un déplacement, soit c le caractère vis-à-vis de $p[m]$. Nous savons que $c \neq p[m]$. Si c paraît ailleurs dans le modèle, nous déplaçons ce dernier de façon à aligner la dernière occurrence de c dans le modèle et le caractère c dans la cible; si c ne paraît pas dans le modèle, nous plaçons ce dernier juste après l'occurrence de c dans la cible.

ii) Si un certain nombre de caractères à la fin de P correspondent aux caractères de S, nous profitons de cette connaissance partielle de S (comme dans le cas de l'algorithme KMP) pour glisser P à une nouvelle position compatible avec les informations que nous possédons.

EXEMPLE 7.2.3.   Soient

$S =$ Il exécute un entrechat rapide

et $P =$ chat

La cible et le modèle sont initialement alignés comme suit :

S Il exécute un entrechat rapide

P chat

↑

On examine P de droite à gauche. Il y a un échec immédiat, à l'endroit indiqué par la flèche. Le caractère en face de $p[m]$ est « e ». Puisque le modèle n'inclut pas ce caractère, nous replaçons le modèle juste à droite de la flèche :

S Il exécute un entrechat rapide

P chat

↑

De nouveau, nous avons un échec immédiat. Puisque « u » ne paraît pas dans P, nous essayons

S Il exécute un entrechat rapide

P chat

↑

et ensuite,

S Il exécute un entrechat rapide

P chat

↑

et

S Il exécute un entrechat rapide

P chat

Cette fois-ci, l'échec est toujours immédiat mais le caractère « c » en face de $p[m]$ paraît ailleurs dans P. Nous déplaçons P pour aligner les occurrences de « c ».

$$S \quad \text{Il exécute un entrechat rapide}$$
$$P \quad \quad \quad \quad \quad \quad \quad \quad \text{chat}$$
$$\uparrow\uparrow\uparrow\uparrow$$

Maintenant la vérification (toujours faite de droite à gauche) réussit.

Dans cet exemple, nous avons trouvé P sans faire appel à la règle (ii). Nous avons fait seulement 9 comparaisons d'un caractère de P avec un caractère de S. □

EXEMPLE 7.2.4. Prenons les mêmes chaînes que dans l'exemple 7.2.2 :

$$S \quad \text{babcbabcabcaabcabcabcacabc}$$
$$P \quad \text{abcabcacab}$$
$$\uparrow\uparrow\uparrow\uparrow$$

Nous examinons P de la droite vers la gauche. La flèche à gauche indique donc la position du premier échec. Nous savons qu'à partir de cette position, S contient les caractères $x$cab où $x \neq$ a. En déplaçant P de 5 caractères vers la droite, cette information n'est pas contredite (le soulignement indique les caractères alignés) :

$$S \quad \text{babcbabcabcaabcabcabcacabc}$$
$$P \quad \quad \quad \quad \quad \text{abcabcacab}$$
$$\uparrow$$

Contrairement à l'algorithme KMP, nous vérifions toutes les positions de P après un déplacement. Des comparaisons superflues (correspondant aux caractères soulignés de S) peuvent être effectuées à l'occasion. Dans notre exemple, lorsqu'on reprend l'examen de P de droite à gauche, l'échec est immédiat. Nous déplaçons P pour aligner le « c » trouvé dans S avec le dernier « c » de P.

$$S \quad \text{babcbabcabcaabcabcabcacabc}$$
$$P \quad \quad \quad \quad \quad \text{abcabcacab}$$
$$\uparrow\uparrow\uparrow\uparrow$$

Après quatre comparaisons entre P et S (dont une superflue), toujours faites de droite à gauche, nous avons un nouvel échec. Une deuxième application de la règle (ii) nous donne

$$S \quad \text{babcbabcabcaabcabcabcacabc}$$
$$P \quad \quad \quad \quad \quad \quad \quad \quad \text{abcabcacab}$$
$$\uparrow$$

Finalement, nous appliquons la règle (i) pour aligner les « a » :

$$S \quad \text{babcbabcabcaabcabcabcacabc}$$
$$P \quad \quad \quad \quad \quad \quad \quad \quad \quad \text{abcabcacab}$$
$$\uparrow$$

et une dernière fois pour aligner les « c » :

$$S \quad \text{babcbabcabcaabcabcabcacabc}$$
$$P \quad \text{abcabcac\underline{a}b}$$
$$\qquad\qquad \uparrow\uparrow\uparrow\uparrow\uparrow\uparrow\uparrow\uparrow\uparrow\uparrow\uparrow$$

Nous avons fait 21 comparaisons au total pour trouver P, dont 2 superflues. □

Pour implanter l'algorithme, nous avons besoin de deux tableaux, $d_1[\{$ *jeu de caractères* $\}]$ et $d_2[1 .. m - 1]$, le premier pour réaliser la règle (i) et le deuxième pour la règle (ii).

Le tableau d_1, indexé par le jeu de caractères qui nous intéresse, est facile à calculer. Pour tout caractère c,

$$d_1[c] \leftarrow \mathbf{si}\ c\ \text{ne paraît pas dans } p[1..m]\ \mathbf{alors}\ m$$
$$\mathbf{sinon}\ m - \max\{\, i \mid p[i] = c\,\}.$$

C'est la distance sur laquelle il faut déplacer P selon la règle (i) en cas d'un échec immédiat.

Le calcul de d_2 est plus compliqué. Nous n'en donnons pas ici les détails, mais seulement un exemple. L'interprétation de d_2 est la suivante : après un échec à la position i du modèle, nous recommençons à vérifier à la position m (c'est-à-dire à la fin) du modèle, $d_2[i]$ caractères plus loin dans S.

EXEMPLE 7.2.5. Soit le modèle $P = $ « attente ». Supposons qu'à un certain moment dans notre recherche de la chaîne P dans S nous avons un échec à la position $p[6]$. Puisque nous examinons toujours les caractères de P de la droite vers la gauche, nous savons qu'à partir de la position de l'échec les caractères de S commençant par xe, où $x \neq$ t :

$$S \quad \text{?????}xe\text{???????} \qquad x \neq \text{t}$$
$$P \quad \text{attente}$$
$$\qquad\quad \uparrow\uparrow$$

Le fait que $x \neq$ t écarte la possibilité d'aligner le « e » dans $p[4]$ et le « e » trouvé dans S. Il est donc impossible d'aligner P sous ces caractères, et il faut glisser P complètement à droite, sous les caractères non encore examinés de S :

$$S \quad \text{?????}xe\text{???????} \qquad x \neq \text{t}$$
$$P \qquad\qquad \text{attente}$$
$$\qquad\qquad\qquad \uparrow$$

Nous recommençons nos comparaisons à la fin de P, c'est-à-dire 8 caractères plus loin dans S que la comparaison précédente : ainsi $d_2[6] = 8$.

De la même façon, supposons maintenant que nous ayons un échec à la position $p[5]$. A partir de la position de l'échec, les caractères de S commencent par xte, où $x \neq$ n :

$$S \quad \text{????}xte\text{???????} \qquad x \neq \text{n}$$
$$P \quad \text{attente}$$
$$\qquad\quad \uparrow\uparrow\uparrow$$

Le fait que $x \neq$ n n'écarte pas la possibilité d'aligner le « t » et le « e » dans $p[3]$ et $p[4]$ avec le « t » et le « e » trouvés dans S. Il est donc éventuellement possible d'aligner P sous S en le glissant de trois positions vers la droite :

$$S \quad ????x\text{te}??????? \qquad x \neq n$$
$$P \qquad a t \underline{t} e n t e$$
$$\uparrow$$

Nous recommençons nos comparaisons à la fin de P, c'est-à-dire 5 caractères plus loin dans S que la comparaison précédente : ainsi $d_2[5] = 5$.

Pour cet exemple, on trouve

i	1	2	3	4	5	6	7
$p[i]$	a	t	t	e	n	t	e
$d_2[i]$	13	12	11	10	5	8	

On a aussi $d_1[\text{« e »}] = 0$, $d_1[\text{« t »}] = 1$, $d_1[\text{« n »}] = 2$, $d_1[\text{« a »}] = 6$, $d_1[autre] = 7$. Notez que $d_1[\text{« e »}]$ ne correspond à rien puisque l'échec immédiat est impossible si l'on est positionné sur le caractère « e ». □

PROBLÈME 7.2.9. Calculez d_1 et d_2 pour le P de l'exemple 7.2.4. □

PROBLÈME 7.2.10. Calculez d_1 et d_2 pour
$$P = \text{« abracadabraaa »}.$$ □

Voici maintenant l'algorithme BM :

```
j, k ← m
tantque k ≤ n et j > 0 faire
  tantque j > 0 et s[k] = p[j] faire
    k ← k − 1
    j ← j − 1
  si j ≠ 0 alors
    si j = m alors k ← k + d₁[s[k]]
            sinon k ← k + d₂[j]
              j ← m
si j = 0 alors retourner k+1
        sinon retourner 0 .
```

Il retourne soit la position de la première occurrence de P dans S, soit 0 si P n'est pas une sous-chaîne de S.

PROBLÈME 7.2.11. Dans notre discussion, tout comme dans l'algorithme explicite ci-haut, le choix entre l'utilisation de la règle (i) ou (ii) est dicté par le test « $j = m$? ». Pourtant, même si $j < m$, il est possible que la règle (i) permette d'avancer k davantage que la règle (ii). Suite à l'exemple 7.2.5, considérez la situation suivante :

$$S \quad ??\text{joute}???????$$
$$P \quad a t \text{tente}$$
$$\uparrow$$

L'échec de la comparaison entre « u » et « n » est du deuxième type, ce qui fait augmenter k de $d_2[5] = 5$ pour produire

$$S \qquad \text{??joute???????}$$
$$P \qquad \quad \text{at}\underline{\text{t}}\text{ente}$$
$$\uparrow$$

Pourtant, le fait que « u » ne se trouve pas dans P aurait pu permettre d'augmenter k directement de $d_1[\text{« u »}] = 7$ positions.

$$S \qquad \text{??jout e???????}$$
$$P \qquad \qquad \text{att ent e}$$
$$\uparrow$$

Montrez que l'algorithme demeure correct si l'on remplace

si $j = m$ **alors** $k \leftarrow k + d_1[s[k]]$
$\qquad$ **sinon** $k \leftarrow k + d_2[j]$
$\qquad\qquad j \leftarrow m$

par

$\quad k \leftarrow k + \max(d_1[s[k]], d_2[j])$
$\quad j \leftarrow m$,

à la condition de définir $d_2[m] = 1$ et $d_1[p[m]] = 0$.

Cette modification correspond à l'algorithme connu sous le nom de *Boyer-Moore* (bien que ces auteurs suggèrent également d'autres améliorations). $\qquad\square$

PROBLÈME 7.2.12. Montrez le progrès de l'algorithme si l'on cherche la chaîne

$$P = \text{« attente »}$$

dans

$\qquad S = \text{« Il plante sa tante violente sous une tente dans la salle d'attente »}$. $\quad\square$

* PROBLÈME 7.2.13. Trouvez une façon de calculer le tableau d_2 en un temps dans $O(m)$. $\qquad\square$

** PROBLÈME 7.2.14. Prouvez que le temps de calcul total de l'algorithme (calcul de d_1 et d_2, et recherche de P) est dans $O(n)$ en pire cas. $\qquad\square$

PROBLÈME 7.2.15. Modifiez l'algorithme BM pour qu'il trouve *toutes* les occurrences de P dans S en un temps dans $O(n)$. $\qquad\square$

On peut comprendre intuitivement pourquoi l'algorithme est souvent plus efficace pour des modèles plus longs. Pour un jeu de caractères de taille normale (disons 52 lettres si l'on compte les majuscules et les minuscules séparément, 10 chiffres et une douzaine de caractères divers) et un modèle relativement petit, $d_1[c]$

est égal à m pour la plupart des caractères c. Nous examinons donc environ 1 caractère sur m de la chaîne cible. Tant que m reste petit comparé à la taille du jeu de caractères, le nombre de caractères à examiner diminue quand m augmente. Boyer et Moore donnent quelques résultats empiriques approximatifs : si la chaîne S est un texte en anglais, environ 20 % des caractères sont examinés quand $m = 6$; quand $m = 12$, seulement 15 % des caractères de S sont examinés.

7.3   Remarques bibliographiques

Le préconditionnement de polynômes pour évaluation répétée est suggéré dans [Belaga 1961]. Les algorithmes KMP et BM des sections 7.2.2 et 7.2.3 proviennent de [Knuth, Morris et Pratt 1977, Boyer et Moore 1977] mais lisez également [Rytter 1980]. Les automates finis [Hopcroft et Ullman 1979] peuvent être utilisés pour introduire l'algorithme KMP d'une façon intuitivement intéressante ; voir par exemple [Baase 1978]. Pour un algorithme efficace capable de trouver toutes les occurrences d'un ensemble fini de modèles dans une chaîne cible, consultez [Aho et Corasick 1975].

Chapitre 8

Algorithmes probabilistes

8.1 Introduction

Imaginez que vous êtes le héros (ou l'héroïne) d'un conte de fées. Un trésor est caché en un lieu décrit par une carte que vous n'arrivez pas complètement à déchiffrer. Vous avez néanmoins réussi à limiter les possibilités à deux endroits bien précis, se trouvant dans des parages fort éloignés. Si vous étiez en l'un de ces deux endroits, vous pourriez immédiatement reconnaître si c'est le bon. Il vous faut compter cinq jours pour accéder à l'un ou l'autre de ces lieux, ou pour voyager entre eux. Le problème se complique du fait qu'un Dragon se rend chaque nuit au trésor afin d'en prélever son butin quotidien. Vous estimez qu'il vous suffirait de quatre jours supplémentaires de calculs pour résoudre l'énigme de la carte et déterminer avec certitude l'emplacement du trésor, mais vous ne pouvez pas y travailler une fois le voyage commencé. Un Elfe propose de vous en révéler la clef, moyennant paiement d'une somme équivalente au butin prélevé en trois nuits par le Dragon.

PROBLÈME 8.1.1.   Sans tenir compte des risques et des coûts inhérents à l'expédition, acceptez-vous l'offre de l'Elfe ?   □

Il serait bien entendu préférable de payer trois butins à l'Elfe que de laisser quatre jours supplémentaires au Dragon. A la condition d'aimer le risque calculé, il y a pourtant mieux à faire. Pour se fixer les idées, soit x la valeur actuelle du trésor et y la valeur du butin quotidien du Dragon. Supposons que $x > 9y$. Tenant compte des cinq jours nécessaires pour se rendre au trésor, vous reviendrez avec $x - 9y$ si vous passez quatre jours à déchiffrer la carte. Si vous acceptez l'offre de l'Elfe, vous pourrez partir immédiatement et revenir avec $x - 5y$, dont $3y$ sont pour l'Elfe ; il vous restera donc $x - 8y$. Une meilleure stratégie consiste à tirer à pile ou face pour décider du lieu à visiter en premier, quitte à reprendre la route si le trésor n'y est pas. Ceci vous donne une chance sur deux de revenir avec $x - 5y$ et une chance sur deux de revenir avec $x - 10y$; votre espérance de gain est donc de $x - 7,5y$. C'est un peu comme de jouer à une loterie dont l'espérance mathématique de gain serait positive.

Cette allégorie se traduit en algorithmique par l'affirmation suivante : lorsqu'un algorithme se trouve devant une alternative, il est parfois préférable de choisir aléatoirement la prochaine action à prendre que de s'efforcer à emprunter la voie la plus rapide. Une telle situation se produit lorsque le temps employé à déterminer le choix optimal est prohibitif, comparé au temps qui sera économisé en moyenne suite à ce choix. Bien entendu, l'algorithme probabiliste ne peut être plus efficace que dans le sens de l'espérance mathématique du temps d'exécution. Il est toujours possible que la malchance s'acharne à lui faire choisir les voies les moins prometteuses.

EXEMPLE 8.1.1.   La section 4.6 décrit un algorithme capable de déterminer le k-ième plus petit élément d'un tableau de n éléments en un temps linéaire en pire cas. Rappelons que cet algorithme commence par partitionner les éléments du tableau autour d'un pivot, puis qu'il s'appelle récursivement sur la portion idione du tableau, si nécessaire. Un principe fondamental de la technique diviser-pour-régner nous suggère que l'algorithme est d'autant plus efficace que le pivot choisi s'approche de la médiane. Malgré cela, il n'est pas question de choisir la médiane exacte comme pivot puisque cela provoquerait une récursivité infinie (problème 4.6.3). Nous choisissons donc une pseudo-médiane sous-optimale. C'est mieux, mais ce choix prend quand même pas mal de temps. D'autre part, nous avons vu que l'algorithme est beaucoup plus rapide en moyenne, au prix d'un pire cas quadratique, si le premier élément du tableau est systématiquement choisi comme pivot. Nous verrons à la section 8.4.1 qu'un choix carrément aléatoire du pivot améliore substantiellement l'espérance mathématique du temps d'exécution, en comparaison avec l'algorithme qui utilise la pseudo-médiane, sans toutefois introduire d'exemplaires catastrophiques.

Les auteurs ont déjà demandé aux étudiants d'un cours d'algorithmique d'implanter l'algorithme de sélection de leur choix, n'ayant exposé en cours que les algorithmes de la section 4.6. Les étudiants ne sachant pas sur quel exemplaire leur programme serait testé, personne n'a pris le risque d'utiliser un algorithme déterministe dont le pire cas serait quadratique. Pourtant, trois étudiants ont pensé à une approche probabiliste. Grâce à cette idée, ils ont battu leurs confrères de façon spectaculaire, en ne prenant qu'une moyenne de 300 millisecondes sur l'exemplaire soumis, alors que la majorité des algorithmes déterministes nécessitaient entre 1 500 et 2 600 millisecondes.   □

EXEMPLE 8.1.2.   La section 6.6 décrit une façon systématique de parcourir un arbre implicite pour résoudre le problème des huit reines. Si l'on ne désire qu'une seule solution, on peut améliorer cette technique de retour arrière en plaçant les premières reines aléatoirement. La section 8.5.1 approfondit cette idée.   □

EXEMPLE 8.1.3.   Aucun algorithme déterministe n'est connu pour déterminer en un temps raisonnable si un nombre de quelques centaines de chiffres décimaux est premier ou composé. Toutefois, la section 8.6.2 décrit un algorithme probabiliste efficace pour résoudre ce problème, à la condition de tolérer une probabilité d'erreur arbitrairement faible. Ce problème a d'importantes applications en cryptologie (section 4.8).   □

L'exemple 8.1.2 soulève un aspect particulier des algorithmes probabilistes : ils sont parfois utilisés pour résoudre des problèmes admettant plusieurs solutions correctes. D'une exécution à l'autre du même algorithme sur le même exemplaire, différentes solutions correctes peuvent ainsi être obtenues. Un autre exemple de cette situation est : « trouver un facteur non trivial de tel entier composé ». Bien entendu, de tels problèmes peuvent également être traités par des algorithmes déterministes, mais alors l'algorithme détermine de façon unique la solution obtenue à chaque exemplaire.

L'analyse des algorithmes probabilistes est souvent complexe, et elle demande parfois des connaissances en probabilité, en statistiques et en théorie des nombres qui sortent du cadre de ce livre. Pour cette raison, plusieurs faits sont mentionnés sans démonstration dans la suite. Consultez les références données en fin de chapitre pour plus de détails.

Dans la suite de ce chapitre, nous supposons la disponibilité d'un générateur aléatoire pouvant être appelé à coût unitaire. Soient a, $b \in \mathbb{R}$ tels que $a < b$. Un appel à *uniforme*(a, b) retourne un nombre réel x choisi aléatoirement, uniformément et indépendamment tel que $a \leqslant x < b$. Pour la génération d'entiers aléatoires, cette notation est étendue à *uniforme*$(i . . j)$, où $i, j \in \mathbb{Z}$ et $i \leqslant j$, qui retourne un entier k choisi aléatoirement, uniformément et indépendamment tel que $i \leqslant k \leqslant j$. Similairement, *uniforme*(X), où X est un ensemble fini et non vide, retourne un élément choisi aléatoirement, uniformément et indépendamment dans X.

PROBLÈME 8.1.2. Montrez comment obtenir l'effet de *uniforme*$(i . . j)$ à partir de la primitive *uniforme*(a, b). □

EXEMPLE 8.1.4. Soient p un nombre premier et a un entier tels que $1 \leqslant a < p$. L'**indice** de a modulo p est le plus petit exposant $i > 0$ tel que $a^i \equiv 1$ (mod p). Il s'agit donc de la cardinalité de $X = \{ a^j \bmod p \mid j \geqslant 1 \}$. Par exemple, l'indice de 2 modulo 31 est 5, celui de 3 est 30 et celui de 5 est 3. Par le théorème de Fermat, cet indice divise toujours $p - 1$ sans reste. Ceci suggère une méthode pour puiser aléatoirement dans X de façon uniforme et indépendante :

fonction *puiser*(a, p)
  $j \leftarrow$ *uniforme*$(1 . . p{-}1)$
  retourner *expoditère*(a, j, p) {voir section 4.8} . □

PROBLÈME 8.1.3. Donnez d'autres exemples d'ensembles dans lesquels on puisse puiser aléatoirement efficacement, de façon uniforme et indépendante. □

De tels générateurs aléatoires ne sont habituellement pas disponibles en pratique. Il faut le plus souvent se contenter de générateurs **pseudo-aléatoires,** c'est-à-dire de processus *déterministes* capables d'émettre une longue chaîne d'*apparence* aléatoire à partir d'un court **germe** choisi par l'utilisateur ou dépendant, par exemple, de la date et de l'heure. La plupart des langages de programmation offrent un tel générateur, bien que certaines implantations soient peu satisfaisantes. L'utilisation

d'un bon générateur pseudo-aléatoire ne provoque généralement aucune détério-
ration sensible par rapport à l'efficacité théoriquement prévue des algorithmes présentés dans ce chapitre. L'hypothèse irréaliste de la disponibilité d'un générateur
purement aléatoire est, par contre, indispensable à leur analyse.

La théorie des générateurs pseudo-aléatoires est plutôt complexe. Contentons-
nous ici d'en esquisser le principe. La plupart des générateurs sont basés sur une
paire de fonctions $S : X \to X$ et $R : X \to Y$, où X est un ensemble suffisamment
vaste et Y est le domaine des valeurs pseudo-aléatoires à produire. Soit $g \in X$ un
germe. A l'aide de la fonction S, ce germe définit une suite : $x_0 = g$ et $x_i = S(x_{i-1})$
pour $i > 0$. Finalement, la fonction R permet d'en extraire la suite pseudo-aléatoire
$y_0, y_1, y_2, \ldots$ définie par $y_i = R(x_i)$, $i \geqslant 0$. Cette suite est ultimement périodique et
sa période ne peut excéder $\# X$. Toutefois, si S et R (et parfois g) sont bien choisis,
la période peut être très longue, et la suite à toutes fins pratiques statistiquement
indistinguable d'une suite purement aléatoire d'éléments de Y. Les remarques bibliographiques suggèrent des lectures complémentaires sur ce sujet.

8.2   Classification des algorithmes probabilistes

Par définition, un algorithme probabiliste laisse au hasard le soin de prendre
certaines de ses décisions. Nous ne ferons aucun cas du fait qu'un tel concept entre
en conflit avec la définition d'« algorithme » donnée au début du premier chapitre.
La caractéristique fondamentale de ces algorithmes est qu'ils peuvent réagir diffé-
remment lorsqu'appliqués deux fois sur un même exemplaire. Le temps d'exécution,
et parfois même le résultat obtenu, peuvent varier considérablement d'une fois à
l'autre. Les algorithmes probabilistes se divisent en quatre grandes catégories :
numériques, *Monte Carlo*, *Las Vegas* et *Sherwood*. Certains auteurs utilisent l'appellation « Monte Carlo » pour tout algorithme probabiliste, et plus particulièrement
pour ceux que nous appelons « numériques ».

Les premières utilisations du hasard en algorithmique ont été conçues pour
la solution *approximative* de problèmes **numériques.** Les techniques de simulation
permettent, par exemple, d'estimer la longueur moyenne d'une file d'attente dans
un système complexe qui défie toute analyse mathématique rigoureuse. La réponse
obtenue d'un tel algorithme est toujours approximative, mais sa *précision* est en
moyenne d'autant meilleure que le temps dont l'algorithme dispose est grand. Pour
certains problèmes concrets, le calcul d'une solution exacte est impossible de toute
façon, ne serait-ce que parce qu'il y a de l'incertitude au niveau des données expérimentales à traiter, ou parce qu'on attend une réponse numérique binaire ou décimale
alors que celle-ci est irrationnelle. Dans certains cas, la réponse est donnée sous la
forme d'un intervalle de confiance.

Par contre, les algorithmes de **Monte Carlo** sont utilisés lorsqu'il n'est pas
question de se contenter d'une approximation et que seule une réponse exacte soit

valable. Dans le cas d'un problème de décision, par exemple, on n'aurait que faire d'une « approximation », puisqu'il n'y a que deux réponses possibles. De même, s'il s'agit de factoriser un entier, il n'y a guère d'intérêt à trouver un facteur « à peu près ». Un algorithme de Monte Carlo donne toujours une réponse, mais celle-ci n'est pas toujours exacte ; sa *probabilité de succès* est d'autant meilleure que le temps dont il dispose est grand. Le principal inconvénient de ces algorithmes est qu'il n'est en général pas possible de déterminer efficacement si la réponse obtenue est correcte. Il peut donc toujours subsister une certaine incertitude.

Quant aux algorithmes de **Las Vegas,** ils ne retournent jamais de réponse inexacte, mais ils peuvent parfois ne pas trouver de réponse du tout. Comme pour les algorithmes de Monte Carlo, la probabilité de succès d'un tel algorithme est d'autant meilleure que le temps dont il dispose est grand. Toutefois, une réponse obtenue est forcément exacte. Quel que soit l'exemplaire à traiter, la probabilité d'échec peut être réduite arbitrairement près de zéro. Il ne faut pas confondre ces algorithmes avec ceux, tels le simplexe en programmation linéaire, qui sont très efficaces sur la vaste majorité des exemplaires à traiter, mais catastrophiques sur quelques-uns.

Finalement, les algorithmes de **Sherwood** retournent toujours une réponse, laquelle est forcément exacte. Ils se retrouvent lorsqu'un algorithme déterministe déjà connu pour résoudre le même problème va beaucoup plus vite en moyenne qu'en pire cas. L'utilisation du hasard permet à l'algorithme de Sherwood de diminuer, voire d'éliminer, cette différence entre bons et mauvais exemplaires. Il ne s'agit pas d'empêcher l'occurrence fortuite d'un comportement de pire cas, mais de rompre le lien entre une telle occurrence et l'exemplaire spécifique à traiter. Etant plus uniforme que l'algorithme déterministe, l'algorithme de Sherwood est moins à la merci d'une distribution de probabilités imprévue des exemplaires qu'une application particulière pourrait lui demander de résoudre (voir la fin de la section 1.4).

PROBLÈME 8.2.1.   Un problème est **bien caractérisé** s'il est toujours possible de vérifier efficacement l'exactitude d'une solution présumée d'un exemplaire. Montrez que le problème de trouver un diviseur non trivial (section 8.5.3) d'un nombre composé est bien caractérisé. Remarquez que ceci n'implique aucunement qu'il soit facile de résoudre ce problème. Que pensez-vous intuitivement du problème de trouver le *plus petit* diviseur non trivial d'un nombre composé ?   □

PROBLÈME 8.2.2.   Montrez comment obtenir un algorithme de Las Vegas pour résoudre un problème bien caractérisé pour lequel on dispose déjà d'un algorithme de Monte Carlo. Inversement, montrez comment obtenir un algorithme de Monte Carlo pour résoudre un problème quelconque pour lequel on dispose déjà d'un algorithme de Las Vegas.   □

PROBLÈME 8.2.3.   D'où vient l'appellation « Sherwood » ?   □

8.3   Algorithmes probabilistes numériques

Rappelons qu'il s'agit d'obtenir une réponse approximative à un problème de nature numérique.

8.3.1   L'expérience du comte de Buffon

Vous échappez sur votre plancher de bois le contenu d'une boîte de cure-dents. Ceux-ci se répandent par terre en des positions et des angles aléatoires, indépendamment les uns des autres. Sachant qu'il y avait 355 cure-dents dans la boîte et que ceux-ci sont deux fois moins longs que les lattes de votre plancher sont larges, combien de cure-dents chevaucheront deux lattes ?

Bien sûr, toutes les réponses entre 0 et 355 sont possibles, et cette incertitude est le propre des algorithmes probabilistes. Toutefois, par un théorème de G. L. Leclerc, comte de Buffon (1707-1788), l'espérance mathématique du nombre de cure-dents qui chevauchent deux lattes, peut être calculée : c'est presque exactement 113.

PROBLÈME 8.3.1.   Pourquoi 113 ? Prouvez-le.   ☐

En fait, chaque cure-dent a une chance sur π de chevaucher deux lattes. Ceci suggère un « algorithme » probabiliste pour estimer la valeur de π, en échappant par terre un nombre suffisamment grand de cure-dents. Bien sûr, cette méthode n'est pas pratique puisqu'il existe des techniques beaucoup plus efficaces pour le calcul des décimales de π. De toutes façons, la précision de votre estimé de π sera limitée par la précision du rapport entre la longueur des cure-dents et la largeur des lattes.

∗ PROBLÈME 8.3.2.   En supposant que la largeur des lattes soit exactement du double de la longueur des cure-dents, combien de ceux-ci devez-vous échapper pour avoir une probabilité d'au moins 90 % d'obtenir un estimé de π dont l'erreur absolue ne dépasse pas 0,001 ?   ☐

PROBLÈME 8.3.3.   A l'aide du générateur aléatoire dont nous supposons l'existence, donnez un algorithme *Buffon(n)* qui simule l'expérience de jeter n cure-dents, qui compte le nombre k d'entre eux chevauchant deux lattes, et qui retourne n/k comme estimé de π. Essayez votre algorithme sur ordinateur avec $n = 1\,000$ et $n = 10\,000$ en utilisant un générateur pseudo-aléatoire. Quels estimés de π obtenez-vous ? (Vous aurez probablement besoin de la valeur de π pour générer l'angle aléatoire (en radians) des cure-dents qui tombent. Ceci montre une fois de plus le peu d'intérêt pratique de cette méthode !)   ☐

Considérons maintenant l'expérience consistant à jeter n dards sur une cible carrée et à compter le nombre k d'entre eux tombant à l'intérieur du cercle inscrit dans ce carré. Supposons que tous les points du carré aient la même probabilité d'être frappés par un dard. (Il est plus facile de simuler cette expérience sur l'ordinateur que de trouver un joueur de dards avec exactement le degré d'expertise — ou d'ineptie — requis.) Puisque l'aire du cercle est πr^2, alors que celle du carré est $4r^2$, où r est le rayon du cercle, la proportion moyenne de dards à l'intérieur du cercle est $\pi r^2 / 4r^2 = \pi/4$. Ceci permet d'estimer $\pi \approx 4k/n$. La figure 8.2.1 illustre cette expérience.

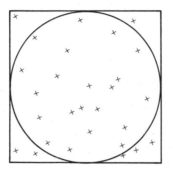

Figure 8.2.1.

Dans notre exemple, 28 dards ayant été lancés, nous ne sommes pas surpris d'en retrouver 21 à l'intérieur du cercle, puisque nous en attendions en moyenne $28 \pi/4 \approx 22$. L'algorithme suivant simule cette expérience (sauf qu'il n'envoie des dards que dans le quadrant supérieur droit de la cible) :

```
fonction dards(n)
    k ← 0
    pour i ← 1 jusqu'à n faire
        x ← uniforme(0, 1)
        y ← uniforme(0, 1)
        si x² + y² ≤ 1 alors k ← k + 1
    retourner 4k / n  .
```

PROBLÈME 8.3.4. Quelle valeur est estimée si l'on fait « $x \leftarrow uniforme(0, 1)$; $y \leftarrow x$ » au lieu de « $x \leftarrow uniforme(0, 1)$; $y \leftarrow uniforme(0, 1)$ » dans l'algorithme ci-dessus ? → affecte même valeur à x et y. □

8.3.2 Intégration numérique

Ceci nous amène au plus classique des algorithmes probabilistes numériques : l'*intégration de Monte Carlo* (cette appellation est malheureuse puisqu'il ne s'agit justement *pas* d'un algorithme de Monte Carlo d'après notre terminologie). Rappelons d'abord que si $f : [0, 1] \rightarrow [0, 1]$ est une fonction continue, alors l'aire de la surface délimitée par la courbe $y = f(x)$, par l'axe des x, par l'axe des y et par la droite $x = 1$, est donnée par

$$\int_0^1 f(x)\, dx.$$

Pour estimer cette intégrale, il suffit donc de lancer un nombre suffisant de dards dans le carré unitaire, et de compter combien d'entre eux tombent sous la courbe :

fonction *hitormiss(f, n)*
  $k \leftarrow 0$
  pour $i \leftarrow 1$ **jusqu'à** n **faire**
    $x \leftarrow$ *uniforme*(0, 1)
    $y \leftarrow$ *uniforme*(0, 1)
    si $y \leq f(x)$ **alors** $k \leftarrow k + 1$
  retourner $k\,/\,n$.

Ainsi, l'algorithme des dards pour estimer π est équivalent à l'évaluation de

$$4 \int_0^1 (1 - x^2)^{1/2}\, dx$$

par l'intégration de Monte Carlo.

PROBLÈME 8.3.5.   Soient a, b, c et d, quatre nombres réels tels que $a \leqslant b$ et $c \leqslant d$, et soit $f : [a, b] \to [c, d]$ une fonction continue. Généralisez l'algorithme précédent pour estimer

$$\int_a^b f(x)\, dx.$$

Votre algorithme doit accepter comme paramètre, outre f, a et b, le nombre n d'itérations à effectuer, ainsi que les valeurs de c et d. $\square$

Il existe des façons probabilistes plus efficaces pour estimer la valeur d'une intégrale définie. La plus simple consiste à générer aléatoirement et uniformément un certain nombre de points à l'intérieur de l'intervalle concerné. La valeur estimée de l'intégrale est obtenue en multipliant la largeur de l'intervalle par la moyenne arithmétique de la valeur de la fonction en ces points :

fonction *crude(f, n, a, b)*
  somme $\leftarrow 0$
  pour $i \leftarrow 1$ **jusqu'à** n **faire**
    $x \leftarrow$ *uniforme*(a, b)
    somme $\leftarrow$ *somme* $+ f(x)$
  retourner $(b{-}a) \times (somme\,/\,n)$.

En autant que $\int_a^b f(x)\, dx$ et $\int_a^b f^2(x)\, dx$ existent, la variance de l'estimé calculé par cet algorithme est inversement proportionnelle au nombre de points générés aléatoirement, et la distribution de l'estimé est approximativement normale lorsque *n* est grand.

Telle que présentée jusqu'à maintenant, l'intégration de Monte Carlo n'est pas d'une grande utilité pratique. Un meilleur estimé de l'intégrale peut généralement être obtenu par diverses méthodes déterministes, dont l'une des plus simples est l'algorithme du trapèze :

fonction *trapèze(f, n, a, b)*
   {on suppose *n* ≥ 2}
   delta ← (*b*–*a*) / (*n*–1)
   somme ← (*f*(*a*) + *f*(*b*)) / 2
   pour *x* ← *a* + *delta* **pas** *delta* **jusqu'à** *b* – *delta* **faire**
      somme ← *somme* + *f*(*x*)
   retourner *somme* × *delta* .

PROBLÈME 8.3.6. Comprenez intuitivement pourquoi l'algorithme ci-dessus fonctionne. Pourquoi s'appelle-t-il l'algorithme du trapèze ? ☐

PROBLÈME 8.3.7. Comparez expérimentalement l'algorithme du trapèze et les deux algorithmes d'intégration probabilistes que nous avons vus. Dans les trois cas, estimez la valeur de π en calculant $\int_0^1 4(1 - x^2)^{1/2}\,\mathrm{d}x$. ☐

Il faut en général beaucoup moins d'itérations à l'algorithme du trapèze qu'à l'intégration de Monte Carlo afin d'obtenir une précision comparable. Cette situation est typique de la plupart des fonctions naturelles que l'on désire intégrer. Cependant, correspondant à tout algorithme déterministe d'intégration, quelle qu'en soit la sophistication, il existe des fonctions continues faites sur mesure pour le berner. Considérez, par exemple, la fonction $f(x) = \sin^2((100\,!)\,\pi x)$. Tout appel à *trapèze*(*f, n*, 0, 1) avec $2 \leqslant n \leqslant 101$ retourne la valeur zéro, bien que cette intégrale vaille exactement 1/2. Aucune fonction ne peut jouer ce genre de tour à l'intégration de Monte Carlo (bien que l'algorithme puisse se jouer lui-même un tour semblable, avec faible probabilité, même sur une fonction parfaitement honnête).

En pratique, l'intégration de Monte Carlo est intéressante lorsqu'il s'agit d'évaluer une intégrale multiple. Si un algorithme d'intégration numérique fonctionnant par échantillonnage systématique et déterministe est généralisé à plusieurs dimensions, le nombre de points nécessaires pour l'obtention d'une précision donnée croît exponentiellement avec le nombre de dimensions de l'intégrale à évaluer. S'il faut 100 points pour évaluer une intégrale simple, il faut utiliser tous les points d'une grille 100 × 100, donc 10 000 points, pour obtenir la même précision lors de l'évaluation d'une intégrale double, 1 000 000 de points pour une intégrale triple, et ainsi de suite. Par contraste, le nombre de dimensions ne joue aucun rôle sur la précision obtenue par l'intégration de Monte Carlo. En pratique, l'intégration de Monte Carlo est utilisée pour évaluer des intégrales multiples de dimension supérieure à trois.

La précision du résultat peut être améliorée par l'emploi de techniques hybrides, en partie systématiques et en partie probabilistes.

PROBLÈME 8.3.8. Adaptez l'intégration de Monte Carlo et l'algorithme du trapèze pour l'évaluation d'intégrales multiples. □

8.3.3 Comptage probabiliste

Dans les exemples précédents, les algorithmes probabilistes numériques servent à approximer un nombre réel. Cette technique peut également servir à estimer la valeur d'un entier. Soit X un ensemble fini dont nous aimerions connaître la cardinalité, mais dont le nombre d'éléments est trop grand pour pouvoir raisonnablement les compter un par un. Supposons, par contre, que nous puissions puiser dans X d'une façon aléatoire, uniforme et indépendante (voir l'exemple 8.1.4). Une petite devinette classique aide à comprendre en quoi la possibilité de puiser ainsi dans l'ensemble X permet d'en estimer la cardinalité.

PROBLÈME 8.3.9. Une salle contient 25 personnes choisies aléatoirement. Seriez-vous prêt à parier qu'au moins deux d'entre elles ont le même anniversaire ? (Ne lisez pas la suite du texte si vous désirez y penser.) □

La réponse intuitive au problème précédent est presqu'invariablement : « bien sûr que *non* ! ». Et pourtant, la probabilité d'une telle occurrence est supérieure à 56 %. Plus généralement, il y a $n!/(n-k)!$ façons différentes de piger successivement k objets distincts parmi n. Puisqu'il y a n^k façons différentes de piger k objets quelconques, les répétitions étant permises, la probabilité est donc de $n!/((n-k)!\,n^k)$ pour que k objets pigés avec remise de façon aléatoire, uniforme et indépendante parmi n soient tous distincts.

PROBLÈME 8.3.10. Calculez $365!/(340!\,365^{25})$ à quatre chiffres significatifs. □

PROBLÈME 8.3.11. Le calcul du problème 8.3.10 ne correspond pas exactement à la devinette du problème 8.3.9, parce que les naissances ne sont pas réparties de façon uniforme à travers l'année. Dans quelle direction cette considération influence-t-elle le pari sur les 25 personnes ? Justifiez votre réponse. Même question si l'on tient compte des années bissextiles. □

L'approximation de Stirling, $n! \approx \sqrt{2\pi n}(n/e)^n$, et celle du logarithme, $\ln(1+x) \approx x - x^2/2$ lorsque x est près de zéro, permettent d'approximer cette probabilité.

PROBLÈME 8.3.12. Montrez que $n!/((n-k)!\,n^k) \approx e^{-k^2/2n}$. □

* **PROBLÈME 8.3.13.** Utilisez des formules plus précises :

$$n! \in \sqrt{2\pi n}(n/e)^n[1 + 1/12n + \theta(n^{-2})]$$

et

$$\ln(1 + x) \in x - x^2/2 + x^3/3 - \theta(x^4) \qquad \text{lorsque} \qquad -1 < x < 1,$$

pour conclure que

$$n!/((n - k)! \, n^k) \in e^{-k(k-1)/2n - k^3/6n^2 \pm O(\max(k^2/n^2, k^4/n^3))},$$

en autant que $1 \ll k \ll n$. $\square$

En particulier, c'est lorsque $k \approx \alpha\sqrt{n}$, où $\alpha = \sqrt{2\ln 2} \approx 1{,}177$, que la probabilité d'avoir eu une répétition excède 50 %. Il est plus compliqué de déterminer la valeur moyenne de k correspondant à la *première* répétition.

** **PROBLÈME 8.3.14.** Soit X un ensemble de n éléments dans lequel nous puisons avec remise de façon aléatoire, uniforme et indépendante. Soit k le nombre de piges avant l'occurrence de la première répétition. Lorsque n est grand, prouvez que l'espérance mathématique de la valeur de k tend vers $\beta\sqrt{n}$, où $\beta = \sqrt{\pi/2} \approx 1{,}253$. $\square$

Ceci suggère l'algorithme probabiliste suivant pour estimer le nombre d'éléments d'un ensemble X :

fonction *compte*(X: *ensemble*)
  $k \leftarrow 0$
  $S \leftarrow \varnothing$
  $a \leftarrow uniforme(X)$
  répéter
    $k \leftarrow k + 1$
    $S \leftarrow S \cup \{a\}$
    $a \leftarrow uniforme(X)$
  jusqu'à $a \in S$
  retourner $2k^2/\pi$.

** **PROBLÈME 8.3.15.** Faites une étude statistique plus approfondie de la variable aléatoire k en fonction de la valeur de n. Donnez un algorithme *compte2*(X, p) capable de retourner non seulement un estimé du nombre d'éléments de X, mais aussi un intervalle de confiance (a, b) tel que le nombre d'éléments de X soit entre a et b, avec une probabilité supérieure à p, pour $0 < p < 1$. $\square$

L'algorithme *compte*(X) permet d'estimer le nombre n d'éléments de X en un temps moyen et un espace dans $\theta(\sqrt{n})$, en autant que les opérations sur l'ensemble S comptent à coût unitaire. Une telle quantité d'espace peut être prohibitive si n est grand. L'utilisation d'un générateur pseudo-aléatoire permet de réduire cet espace à une constante sans augmentation du temps d'exécution. Il s'agit d'un rare exemple pour lequel l'utilisation d'un générateur vraiment aléatoire serait un handicap plutôt qu'un avantage. Il faut non seulement puiser aléatoirement dans X, mais aussi y effectuer une marche pseudo-aléatoire, donc déterministe.

* PROBLÈME 8.3.16. Soient $f : X \to X$ une fonction pseudo-aléatoire et $x_0 \in X$ un point de départ choisi aléatoirement. Ceci définit une marche $x_0, x_1, x_2, \ldots$ à travers X, où $x_i = f(x_{i-1})$, $i > 0$. Utilisez le problème 4.11.14 pour déduire un algorithme efficace capable de déterminer la plus petite valeur de k telle que $x_k \in \{ x_i \mid 0 \leqslant i < k \}$. Incorporez toutes ces idées dans un algorithme capable d'estimer la cardinalité n de X en un temps espéré dans $O(\sqrt{n})$ et un espace constant. $\qquad\square$

PROBLÈME 8.3.17 (suite du problème 8.3.11).

L'algorithme de comptage probabiliste ne fonctionne plus si la génération d'éléments de X n'est pas uniforme, c'est-à-dire si elle favorise certains éléments de X au détriment de certains autres. Montrez qu'il peut néanmoins être utilisé tel quel pour estimer une borne inférieure sur le nombre d'éléments de X. $\qquad\square$

La variance de l'estimé obtenu par cet algorithme est malheureusement trop grande pour la plupart des applications pratiques. L'exemple suivant montre toutefois qu'il peut servir pour décider si X contient moins de a éléments ou plus que b, en autant que a soit beaucoup plus petit que b.

EXEMPLE 8.3.1. Un **système cryptographique endomorphe** consiste en un ensemble fini $\mathcal{K}$ de clefs, un ensemble fini $\mathcal{M}$ de messages et deux permutations $E_k : \mathcal{M} \to \mathcal{M}$ et $D_k : \mathcal{M} \to \mathcal{M}$ pour chaque $k \in \mathcal{K}$, telles que $D_k(E_k(m)) = m$ pour tout $m \in \mathcal{M}$ et $k \in \mathcal{K}$. Un tel système est **fermé** (une propriété peu souhaitable) si

$$(\forall k_1, k_2 \in \mathcal{K}) \, (\exists k_3 \in \mathcal{K}) \, (\forall m \in \mathcal{M}) \, \left[E_{k_1}(E_{k_2}(m)) = E_{k_3}(m) \right].$$

Pour chaque $m \in \mathcal{M}$, considérons l'ensemble $X_m = \{ E_{k_1}(E_{k_2}(m)) \mid k_1, k_2 \in \mathcal{K} \}$. Il est clair que $\# X_m \leqslant \# \mathcal{K}$ si le système est fermé. Par contre, si le système n'est pas fermé, on peut raisonnablement espérer que $\# X_m \gg \# \mathcal{K}$ en autant que $\# \mathcal{M} \gg \# \mathcal{K}$. Il suffit de choisir aléatoirement k_1 et k_2 dans $\mathcal{K}$ et de calculer $E_{k_1}(E_{k_2}(m))$ pour puiser aléatoirement (mais pas nécessairement uniformément) dans X_m.

Tout ceci suggère une approche probabiliste pour tester si un système cryptographique est fermé. Soit m choisi aléatoirement dans $\mathcal{M}$. Le comptage probabiliste est utilisé pour estimer une borne inférieure sur la cardinalité de X_m. (On ne peut qu'estimer une borne inférieure puisque rien ne permet de croire que la génération d'éléments de X_m soit uniforme ; voir le problème 8.3.17). Il est peu probable que le système soit fermé si cet estimé est significativement supérieur à la cardinalité de $\mathcal{K}$.

Une approche semblable a été utilisée pour conclure que le « Data Encryption Standard » du gouvernement américain n'est presque certainement pas fermé. Dans cette application, $\# \mathcal{K} = 2^{56}$ et $\# \mathcal{M} = 2^{64}$, ce qui rend impensable une vérification exhaustive de l'hypothèse selon laquelle $\# X_m > 2^{56}$. (Il y a plus de deux mille ans dans 2^{56} microsecondes.) Implanté sur du matériel spécialisé, l'algorithme probabiliste est néanmoins arrivé à cette conclusion en moins d'un jour. $\qquad\square$

8.3.4 Comptage probabiliste (bis)

Vous disposez de l'œuvre complète de Molière sur bande magnétique. Comment feriez-vous pour déterminer le nombre de mots différents qu'il a utilisés, en comptant les différentes formes d'un même mot (pluriel, féminin, etc.) comme des mots distincts ?

Deux solutions évidentes à ce problème sont basées sur des techniques de tri et de fouille. Soit N le nombre total de mots sur la bande et soit n le nombre de mots distincts. Une première approche consiste à trier les mots sur la bande, afin d'amener ensemble les mots identiques, puis à parcourir séquentiellement la bande triée pour compter le nombre de mots distincts. Cette méthode requiert un temps dans $\theta(N \log N)$ mais se contente d'une quantité modeste d'espace de mémoire centrale, grâce à certaines techniques de tri externe sortant du cadre de ce livre. L'autre approche consiste à parcourir la bande une seule fois, et à maintenir en mémoire centrale une table d'adressage dispersé (voir la section 8.4.4) contenant une seule occurrence de chaque mot rencontré jusqu'alors. Il suffit donc d'un temps dans $O(N)$ en moyenne, mais le temps est dans $\Omega(Nn)$ en pire cas. De plus, cette seconde approche requiert une quantité de mémoire centrale dans $\Omega(n)$, ce qui risque d'être prohibitif.

Si l'on peut tolérer une légère imprécision sur l'estimé de n, et si une borne supérieure M sur la valeur de n (ou, à défaut, de N) est connue d'avance, il existe un algorithme probabiliste efficace en temps comme en espace pour résoudre ce problème. Nous devons d'abord définir quelles suites de caractère sont potentiellement considérées comme des mots. (Ceci peut dépendre non seulement du jeu de caractères disponible, mais aussi, par exemple, de notre désir de classer des suites comme « a-t-il » ou « porte-à-faux » comme un, deux ou trois mots.) Soit U l'ensemble de ces suites. Soit m un paramètre légèrement supérieur à $\lg M$ (une analyse détaillée montre que $m = 5 + \lceil \lg M \rceil$ suffit). Soit $h : U \to \{ 0, 1 \}^m$ une fonction d'adressage dispersé capable de transformer pseudo-aléatoirement une chaîne de U en une chaîne binaire de longueur m. Si y est une chaîne binaire de longueur k, dénotons par $y[i]$ le i-ième bit de y, $1 \leqslant i \leqslant k$; dénotons par $\pi(y, b)$, $b \in \{ 0, 1 \}$, le plus petit i tel que $y[i] = b$, ou $k + 1$ si aucun bit de y n'est égal à b. Considérez l'algorithme suivant :

```
{initialisation}
y ← chaîne de (m+1) bits à zéro
{passage séquentiel à travers la bande}
pour chaque mot x sur la bande faire
    i ← π(h(x), 1)
    y[i] ← 1
{premier estimé sur lg n}
retourner π(y, 0) .
```

Supposons, par exemple, que la valeur retournée par cet algorithme soit 4. Ceci veut dire que le y final commence par 1110. Par conséquent, il y a des mots x_1, x_2 et x_3 sur la bande tels que $h(x_i)$ commence par 1, 01 et 001, respectivement, mais aucun mot x_4 n'est tel que $h(x_4)$ commence par 0001. Puisque la probabilité qu'une chaîne binaire aléatoire commence par 0001 est 2^{-4}, $n = 16$ est un estimé très grossier du nombre de mots distincts sur la bande.

✱✱ **PROBLÈME 8.3.18.** Soit R_n la variable aléatoire retournée par cet algorithme lorsque la bande contient n mots distincts et que la fonction $h : U \to \{\, 0,1\,\}^m$ est choisie aléatoirement avec distribution uniforme. Prouvez que l'espérance mathématique de R_n est dans $\lg n + \theta(1)$, où la constante cachée dans $\theta(1)$ oscille légèrement autour de 0,62950 lorsque n est suffisamment grand. Prouvez également que l'écart-type de R_n oscille autour de 1,12127. ☐

Ceci nous donne une première approche pour approximer le nombre de mots distincts : calculer R par l'algorithme ci-haut et estimer n par $2^R/1,54703$. Malheureusement, l'écart-type sur la valeur de R correspond à une erreur inacceptable d'environ un ordre de magnitude binaire.

✱✱ **PROBLÈME 8.3.19.** Montrez comment obtenir un estimé arbitrairement précis en utilisant un peu plus d'espace, mais sans augmentation sensible du temps d'exécution, en autant que n soit suffisamment grand. (Indice : l'utilisation de t chaînes de m bits y_1, y_2, ..., y_t permet d'obtenir une précision relative d'environ $0,78/\sqrt{t}$ lorsque t est suffisamment grand ($t \geqslant 64$) ; votre fonction d'adressage dispersé devra produire des chaînes de $m + \lg t$ bits.) ☐

8.4   Algorithmes de Sherwood

La section 1.4 mentionne que l'analyse en moyenne de l'efficacité d'un algorithme induit parfois en erreur. En effet, toute analyse en moyenne doit être basée sur une hypothèse concernant la distribution de probabilité des exemplaires à traiter. Une hypothèse valable pour une application donnée de l'algorithme peut s'avérer désastreuse pour une autre application. Supposons, par exemple, que le tri de Hoare (section 4.5) soit utilisé comme sous-algorithme d'un algorithme plus complexe. L'analyse de ce tri nous assure qu'il fonctionne en un temps moyen dans $\theta(n \log n)$, en autant que les exemplaires à trier soient aléatoires. Cette analyse ne correspond plus à aucune réalité si l'on a plutôt tendance à vouloir trier des exemplaires déjà presque en ordre croissant. Les algorithmes de **Sherwood** permettent de s'affranchir de telles considérations par l'uniformisation du temps qu'ils requièrent sur les différents exemplaires d'une taille donnée.

Soit A un algorithme déterministe et soit $t_A(x)$ le temps qu'il requiert pour résoudre l'exemplaire x. Pour tout entier n, soit X_n l'ensemble des exemplaires de taille n. En supposant que chaque exemplaire d'une taille donnée soit équiprobable, cet algorithme prend en moyenne un temps

$$\overline{t}_A(n) = \frac{1}{\# X_n} \sum_{x \in X_n} t_A(x)$$

pour résoudre un exemplaire de taille n. Ceci n'exclut aucunement l'existence d'un exemplaire x de taille n tel que $t_A(x)$ soit beaucoup plus grand que $\overline{t}_A(n)$. Nous désirons obtenir un algorithme probabiliste B tel que $t_B(x) \approx \overline{t}_A(n) + s(n)$ pour *chaque* exemplaire x de taille n, où $t_B(x)$ est l'espérance mathématique du temps pris par l'algorithme B sur l'exemplaire x et $s(n)$ est le coût à payer pour cette uniformisation.

L'algorithme B peut prendre à l'occasion plus de temps que $\overline{t}_A(n) + s(n)$ sur un exemplaire x de taille n, mais cette occurrence fortuite n'est due qu'aux choix probabilistes faits par l'algorithme, indépendamment de l'exemplaire spécifique à résoudre. Il n'y a donc plus d'exemplaires pire-cas mais seulement des exécutions pire-cas. Si l'on définit

$$\overline{t}_B(n) = \frac{1}{\# X_n} \sum_{x \in X_n} t_B(x),$$

le temps espéré moyen pris par l'algorithme B sur un exemplaire aléatoire de taille n, il est clair que $\overline{t}_B(n) \approx \overline{t}_A(n) + s(n)$. L'algorithme de Sherwood n'implique donc qu'une petite augmentation du temps moyen d'exécution si $s(n)$ est négligeable.

8.4.1 La sélection et le tri

Revenons au problème de la détermination du k-ième plus petit élément d'un tableau de n éléments (section 4.6 et exemple 8.1.1). Le choix d'un pivot autour duquel tous les éléments du tableau sont partitionnés constitue le cœur de cet algorithme. L'utilisation de la pseudo-médiane comme pivot nous assure d'un temps d'exécution linéaire en pire cas, bien que la détermination de ce pivot soit relativement coûteuse. Par contre, le choix du premier élément du tableau comme pivot nous assure d'un temps d'exécution linéaire en moyenne, au risque de prendre un temps quadratique en pire cas (problèmes 4.6.5 et 4.6.6). Malgré son pire cas prohibitif, l'algorithme simplifié a l'avantage d'une constante cachée beaucoup plus petite, en raison du temps sauvé en ne calculant pas la pseudo-médiane. C'est en fonction de l'application qu'il faut décider s'il est plus important d'être efficace en moyenne ou en pire cas. Si l'on choisit d'aller plus vite en moyenne, il faut s'assurer que les exemplaires à traiter suivent bien une distribution aléatoire uniforme.

Supposons que les éléments de T soient distincts et que nous en recherchions la médiane. Le temps d'exécution des algorithmes de la section 4.6 ne dépend pas de la valeur des éléments du tableau, mais seulement de leur ordre relatif. Plutôt que d'exprimer ce temps en fonction de n seulement, ce qui nous force à distinguer le pire cas du cas moyen, nous pouvons l'exprimer en fonction de n et de la permutation σ des n premiers entiers correspondant à l'ordre relatif des éléments du tableau.

Soient $t_p(n, \sigma)$ et $t_s(n, \sigma)$ les temps pris par l'algorithme utilisant la pseudo-médiane et par l'algorithme simplifié, respectivement. L'algorithme simplifié est généralement plus rapide : pour chaque n, $t_s(n, \sigma) < t_p(n, \sigma)$ pour la plupart des σ. Par contre, l'algorithme simplifié est parfois désastreux : $t_s(n, \sigma)$ est beaucoup plus grand que $t_p(n, \sigma)$ à l'occasion. Plus précisément, soit S_n l'ensemble des $n!$ permutations des n premiers entiers. Nous avons les équations suivantes :

$$(\exists c_p)\,(\exists n_1 \in \mathbb{N})\,(\forall n \geqslant n_1)\,(\forall \sigma \in S_n)\,[t_p(n, \sigma) \leqslant c_p\,n]$$

$$(\exists c_s \ll c_p)\,(\exists n_2 \in \mathbb{N})\,(\forall n \geqslant n_2)\left[\overline{t}_s(n) = \left(\sum_{\sigma \in S_n} t_s(n, \sigma)\right)\!\Big/ n! \leqslant c_s\,n\right]$$

mais

$$(\exists c_s')\,(\exists n_3 \in \mathbb{N})\,(\forall n \geqslant n_3)\,(\exists \sigma \in S_n)\,[t_s(n, \sigma) \geqslant c_s'\,n^2 \gg c_p\,n \geqslant t_p(n, \sigma)]\,.$$

Pour que le temps d'exécution soit indépendant de la permutation σ, il suffit de choisir le pivot de façon aléatoire parmi les n éléments du tableau T. Le fait de ne plus calculer la pseudo-médiane simplifie l'algorithme et évite la récursivité. L'algorithme résultant rappelle la fouille dichotomique itérative de la section 4.3 :

```
fonction sélectionRB(T[1..n], k)
    {retourne le k-ième plus petit élément du tableau T;
     on suppose que 1 ≤ k ≤ n}
    i ← 1; j ← n
    tantque i < j faire
        m ← T[uniforme(i..j)]
        partitionner(T, i, j, m, u, v)
        si k < u alors j ← u − 1
        sinon si k > v alors i ← v + 1
             sinon i, j ← k
    retourner T[i]   ,
```

où *partitionner*(T, i, j, m, u, v) fait pivoter les éléments de $T[i..j]$ autour de la valeur m : après cette opération, les éléments de $T[i..u-1]$ sont inférieurs à m, ceux de $T[u..v]$ sont égaux à m et ceux de $T[v+1..j]$ sont supérieurs à m. Les valeurs de u et v sont calculées et retournées par cet algorithme de pivotage (voir le problème 4.6.1).

Une analyse semblable à celle du problème 4.6.5 montre que l'espérance mathématique du temps que prend l'algorithme probabiliste de sélection est linéaire, indépendamment de l'exemplaire soumis. Son efficacité n'est donc pas sensible aux particularités de l'application qui en fait usage. Il est toujours possible qu'une exécution de l'algorithme prenne un temps quadratique, mais la probabilité d'une telle occurrence est d'autant plus négligeable que n est grand et, encore une fois, indépendante de l'exemplaire concerné. Soit $t_{RB}(n, \sigma)$ l'espérance mathématique du temps pris par l'algorithme de Sherwood pour déterminer la médiane d'un tableau de n éléments arrangés selon la permutation σ. L'aspect probabiliste de l'algorithme fait que $t_{RB}(n, \sigma)$ est indépendant de σ. Sa simplicité fait que

$$(\exists n_0)\,(\forall n \geqslant n_0)\,(\forall \sigma \in S_n)\,[t_{RB}(n, \sigma) < t_p(n, \sigma)]\,.$$

Pour résumer, nous sommes partis d'un excellent algorithme lorsqu'on considère la moyenne de son temps d'exécution sur tous les exemplaires de chaque taille, mais très inefficace sur certains exemplaires spécifiques. Grâce à l'approche probabiliste, cet algorithme a été transformé en un algorithme de Sherwood efficace quel que soit l'exemplaire considéré.

PROBLÈME 8.4.1. Montrez comment appliquer l'approche probabiliste de Sherwood au tri de Hoare de la section 4.5. (Il faut d'abord modifier l'algorithme de Hoare suivant les lignes du problème 4.5.4.) □

8.4.2 Prétraitement stochastique

Les modifications apportées aux algorithmes déterministes de sélection et de tri, afin d'en tirer des algorithmes de Sherwood, sont simples. Il y a pourtant des cas où un algorithme déterministe efficace en moyenne nous est donné sans qu'il soit raisonnable de le modifier. Ceci peut se produire, par exemple, s'il fait partie d'un progiciel compliqué et mal documenté. Le prétraitement stochastique permet d'obtenir un algorithme de Sherwood sans modifier l'algorithme déterministe. Il s'agit de transformer l'exemplaire à résoudre en un exemplaire aléatoire, d'utiliser l'algorithme déterministe donné pour solutionner l'exemplaire aléatoire, puis d'en déduire la solution de l'exemplaire original.

Supposons que le problème à résoudre consiste dans le calcul d'une fonction $f : X \to Y$ pour lequel nous disposons d'un algorithme efficace en moyenne. Pour chaque entier n, soit X_n l'ensemble des exemplaires de taille n et soit A_n un ensemble de même cardinalité. Soit A l'union des A_n. Un **prétraitement stochastique** consiste en une paire de fonctions $u : X \times A \to X$ et $v : A \times Y \to Y$ telles que

1) $(\forall n \in \mathbb{N})\,(\forall x, y \in X_n)\,(\exists !\, r \in A_n)\,[u(x, r) = y]$;
2) $(\forall n \in \mathbb{N})\,(\forall x \in X_n)\,(\forall r \in A_n)\,[f(x) = v(r, f(u(x, r)))]$; et
3) les fonctions u et v peuvent être calculées efficacement en pire cas.

Nous obtenons alors l'algorithme de Sherwood suivant :

fonction $RB(x)$
{calcul de $f(x)$ par Sherwood}
soit n la taille de l'exemplaire x
$r \leftarrow uniforme(A_n)$
$y \leftarrow u(x, r)$ {exemplaire aléatoire de taille n}
$s \leftarrow f(y)$ {résolu par l'algorithme déterministe}
retourner $v(r, s)$.

Quel que soit l'exemplaire x à résoudre, la première propriété nous assure que celui-ci est transformé en un exemplaire y choisi aléatoirement et uniformément parmi tous ceux de même taille. Grâce à la seconde propriété, la solution de cet exemplaire aléatoire permet de retrouver la solution de l'exemplaire original.

EXEMPLE 8.4.1. Le prétraitement stochastique pour la sélection ou le tri est identique. Il s'agit simplement de permuter aléatoirement le tableau concerné. Il n'y a pas lieu d'effectuer de post-traitement (fonction v) dans ce cas. Il suffit d'appeler la procédure suivante avant l'algorithme déterministe de sélection ou de tri.

procédure *mélanger*$(T[1..n])$
pour $i \leftarrow 1$ **jusqu'à** $n-1$ **faire**
$j \leftarrow uniforme(i..n)$
interchanger $T[i]$ et $T[j]$.

□

EXEMPLE 8.4.2.   Rappelons qu'aucun algorithme efficace n'est connu pour le calcul du logarithme discret (section 4.8). Supposons pour les besoins de l'illustration qu'un algorithme efficace en moyenne soit découvert, mais que celui-ci soit prohibitif en pire cas. Dénotons le logarithme discret de x modulo p en base g par $\log_{g,p} x$. Les équations suivantes permettent de transformer notre algorithme hypothétique en algorithme de Sherwood :

1) $\log_{g,p}(xy \bmod p) = (\log_{g,p} x + \log_{g,p} y) \bmod (p - 1)$;

2) $\log_{g,p}(g^r \bmod p) = r$,   pour $0 \leqslant r \leqslant p - 2$.

Voici l'algorithme de Sherwood :

fonction *logdRB*(*g*, *x*, *p*)
  $r \leftarrow uniforme(0..p{-}2)$
  $b \leftarrow expoditère(g, r, p)$ {section 4.8}
  $a \leftarrow bx \bmod p$
  $s \leftarrow \log_{g,p} a$ {par l'algorithme hypothétique}
  retourner $(s{-}r) \bmod (p{-}1)$.   □

PROBLÈME 8.4.2.   Pourquoi l'algorithme *logdRB* fonctionne-t-il ? Identifiez les fonctions *u* et *v* correspondantes.   □

PROBLÈME 8.4.3.   Trouvez d'autres exemples de problèmes susceptibles de prétraitement stochastique.   □

8.4.3   Fouille dans une liste triée

Une liste de n clefs triée en ordre croissant est implantée par deux tableaux *val*[1..*n*] et *ptr*[1..*n*], et par un entier *tête*. La plus petite clef est dans *val*[*tête*], la suivante dans *val*[*ptr*[*tête*]], etc. En général, si *val*[*i*] n'est pas la plus grande clef, *ptr*[*i*] donne l'indice de la clef suivante. La fin de la liste est indiquée par *ptr*[*i*] = 0. Le **rang** d'une clef est le nombre de clefs inférieures ou égales à celle-ci dans la liste. Voici, par exemple, une façon de représenter la liste 1, 2, 3, 5, 8, 13, 21 :

i	1	2	3	4	5	6	7
val[*i*]	2	3	13	1	5	21	8
ptr[*i*]	2	5	6	1	7	0	3 .

Dans cet exemple, *tête* = 4 et le rang de 13 est 6.

La fouille dichotomique permet de retrouver efficacement une clef dans un tableau trié. Ici cependant, il n'y a pas de façon évidente de repérer le milieu de la liste. En fait, tout algorithme déterministe prend en pire cas un temps dans $\Omega(n)$ pour chercher une clef dans ce type de liste.

* PROBLÈME 8.4.4.   Démontrez l'assertion ci-dessus. (Indice : montrez comment construire systématiquement un exemplaire pire-cas à partir des questions posées sur la liste par un algorithme déterministe quelconque.)   □

Malgré ce pire cas inévitable, il existe un algorithme déterministe capable d'effectuer une telle fouille en un temps moyen dans $O(\sqrt{n})$. Ceci donne lieu à un algorithme de Sherwood dont l'espérance mathématique du temps de calcul est dans $O(\sqrt{n})$, quel que soit l'exemplaire à résoudre. Comme d'habitude, l'algorithme de Sherwood n'est pas plus rapide en moyenne que l'algorithme déterministe, mais il ne connaît pas d'exemplaire pire-cas.

Supposons pour l'instant que la clef demandée soit toujours dans la liste et que les éléments de la liste soient distincts. Etant donné une clef x, il s'agit de trouver l'indice i, $1 \leqslant i \leqslant n$, tel que $val[i] = x$. Tout exemplaire est caractérisé par une permutation σ des n premiers entiers et par le rang k de la clef recherchée. Soit S_n l'ensemble des $n!$ permutations. Si A est un algorithme déterministe quelconque, $t_A(n, k, \sigma)$ dénote le temps requis par cet algorithme pour chercher la clef de rang k parmi les n clefs de la liste si l'ordre de celles-ci est donné par la permutation σ. Dans le cas d'un algorithme probabiliste, $t_A(n, k, \sigma)$ dénote l'espérance mathématique de ce temps. Que l'algorithme soit déterministe ou probabiliste, $p_A(n)$ et $m_A(n)$ dénotent son pire cas et sa moyenne, respectivement :

$$p_A(n) = \max \{ t_A(n, k, \sigma) \mid 1 \leqslant k \leqslant n \text{ et } \sigma \in S_n \}, \quad \text{et}$$

$$m_A(n) = \frac{1}{n \times n!} \sum_{\sigma \in S_n} \sum_{k=1}^{n} t_A(n, k, \sigma) .$$

Le problème 8.4.4 implique que $p_A(n) \in \Omega(n)$ pour tout algorithme déterministe A. Nous voulons un algorithme déterministe B tel que $m_B(n) \in O(\sqrt{n})$ et un algorithme de Sherwood C tel que $p_C(n) \approx m_B(n)$.

L'algorithme suivant retrouve une clef x à partir d'une position i dans la liste, en autant que $x \geqslant val[i]$ et que x se trouve effectivement dans la liste :

fonction *chercher*(x, i)
  tantque $x > val[i]$ **faire** $i \leftarrow ptr[i]$
  retourner i .

Voici l'algorithme évident de fouille déterministe :

fonction $A(x)$
  retourner *chercher*$(x, tête)$.

PROBLÈME 8.4.5. Soit $\hat{t}_A(n, k)$ le nombre exact d'accès au tableau *val* effectués par l'algorithme A pour chercher la clef de rang k parmi les n clefs de la liste (l'ordre de celles-ci n'est pas important pour cet algorithme). Soient $\hat{p}_A(n)$ et $\hat{m}_A(n)$ définis de façon analogue. Déterminez $\hat{t}_A(n, k)$ pour tout entier n et tout k entre 1 et n. Déterminez $\hat{p}_A(n)$ et $\hat{m}_A(n)$ pour tout entier n. ☐

Voici un premier algorithme probabiliste :

fonction $D(x)$
  $i \leftarrow$ *uniforme*$(1..n)$
  $y \leftarrow val[i]$

cas $x < y$: **retourner** *chercher*(x, *tête*)
    $x > y$: **retourner** *chercher*(x, *ptr*[i])
autrement: retourner i .

PROBLÈME 8.4.6.   Déterminez $\hat{t}_D(n, k)$ pour tout entier n et tout k entre 1 et n (voir le problème 8.4.5 pour la définition de $\hat{t}$). Déterminez $\hat{p}_D(n)$ et $\hat{m}_D(n)$ pour tout entier n. En fonction de n, quelles valeurs de k maximisent $\hat{t}_D(n, k)$? Comparez $\hat{p}_D(n)$ avec $\hat{m}_A(n)$. Donnez explicitement une fonction $f(n)$ telle que $\hat{t}_D(n, k) < \hat{t}_A(n, k)$ si et seulement si $k > f(n)$.   □

PROBLÈME 8.4.7.   Les mesures $\hat{t}$, $\hat{p}$ et $\hat{m}$ introduites dans les deux problèmes précédents en facilitent l'analyse. Montrez toutefois qu'elles ne suffisent pas en exhibant un algorithme déterministe E tel que $\hat{p}_E(n) \in O(\log n)$.   □

Voici maintenant un algorithme déterministe efficace en moyenne :

fonction $B(x)$
  $i \leftarrow$ *tête*
  $max \leftarrow val[i]$
  pour $j \leftarrow 1$ **jusqu'à** $\lfloor \sqrt{n} \rfloor$ **faire**
    $y \leftarrow val[j]$
    si $max < y \le x$ **alors** $i \leftarrow j$, $max \leftarrow y$
  retourner *chercher*(x, i) .

PROBLÈME 8.4.8.   Intuitivement, pourquoi a-t-on choisi d'effectuer la boucle **pour** $\lfloor \sqrt{n} \rfloor$ fois dans l'algorithme B ?   □

* PROBLÈME 8.4.9.   Prouvez que $m_B(n) \in O(\sqrt{n})$. (Indice : soit $M_{l,n}$ la variable aléatoire correspondant au minimum de l entiers choisis avec remise de façon aléatoire, uniforme et indépendante parmi $\{ 1, 2, ..., n \}$. Faites un lien entre cette variable aléatoire et l'analyse en moyenne de l'algorithme B. Montrez que l'espérance mathématique de $M_{l,n}$ est environ $n/(l + 1)$ lorsque l est une constante et environ $\sqrt{n}$ lorsque $l = \lfloor \sqrt{n} \rfloor$.)   □

PROBLÈME 8.4.10.   Montrez, par contre, que $p_B(n) \in \Omega(n)$. Pour ceci, donnez explicitement une permutation σ et un rang k tels que $t_B(n, k, \sigma) = p_B(n)$.   □

PROBLÈME 8.4.11.   En vous inspirant de l'algorithme déterministe B, donnez un algorithme de Sherwood C tel que $p_C(n) \in O(\sqrt{n})$.   □

* PROBLÈME 8.4.12 (suite du problème 8.4.11).   Montrez de façon plus précise que $\hat{p}_C(n) \in 2\sqrt{n} + \theta(1)$, où le sens de $\hat{p}$ est donné dans le problème 8.4.5.   □

PROBLÈME 8.4.13.   Donnez un algorithme de Sherwood efficace qui tienne compte de la possibilité que la clef recherchée ne soit pas dans la liste et que les clefs ne soient pas toutes distinctes. Analysez votre algorithme.   □

PROBLÈME 8.4.14.   Utilisez la structure et les algorithmes que nous venons d'étudier pour obtenir un algorithme de tri de Sherwood capable de trier n éléments en un temps espéré dans $O(n^{3/2})$. Est-ce meilleur que $O(n \log n)$? Justifiez votre réponse.   □

8.4.4   Adressage dispersé universel

La technique d'adressage dispersé (*hashing*) est utilisée dans presque tous les compilateurs pour implanter la table des symboles. Soit X l'ensemble des identificateurs possibles du langage à compiler et soit N un paramètre d'efficacité. Une **fonction de hachage** est une fonction $h : X \rightarrow \{ 1, 2, ..., N \}$. Une telle fonction est bien choisie si elle disperse efficacement les identificateurs probables, c'est-à-dire si $h(x) \neq h(y)$ pour la plupart des $x \neq y$ ayant une bonne chance de se retrouver dans le même programme. Lorsque $x \neq y$ mais que $h(x) = h(y)$, nous disons qu'il y a une **collision** entre x et y. La **table d'adressage dispersé** est un tableau de listes $T[1 .. N]$ dans lequel $T[i]$ est la liste des identificateurs $x \in X$ rencontrés tels que $h(x) = i$. Le **facteur de chargement** de la table est le rapport $\alpha = n/N$, où n est le nombre d'identificateurs distincts dans la table (rien n'empêche que α soit supérieur à 1). En supposant que chaque identificateur et chaque pointeur prenne un espace constant, cette table occupe un espace dans $\theta(N + n)$ et la longueur moyenne des listes est α. Nous voyons donc qu'augmenter la valeur de N réduit le temps moyen de fouille mais augmente l'espace occupé par la table.

PROBLÈME 8.4.15.   Il existe une pléthore de variations sur le traitement des collisions, en plus de l'utilisation esquissée ici d'une table de listes. Suggérez-en quelques-unes.   □

PROBLÈME 8.4.16.   Que dites-vous de la « solution » consistant à ignorer le problème ? Si l'on dispose *a priori* d'une borne supérieure sur le nombre d'identificateurs, suffit-il de choisir N un peu plus grand que n pour que la probabilité de collision soit négligeable ? (Indice : solutionnez d'abord le problème 8.3.9.)   □

PROBLÈME 8.4.17.   Montrez que n requêtes à la table des symboles peuvent prendre un temps total dans $\Omega(n^2)$ en pire cas.   □

Cette technique est très efficace en autant que la fonction h disperse bien les identificateurs. En supposant que $\# X$ soit beaucoup plus grand que N, rien ne peut cependant éviter que certains programmes produisent un grand nombre de collisions. Ceux-ci seront lents à chaque compilation ; ils paieront donc la note pour la compilation rapide des autres programmes. L'approche de Sherwood permet de conserver l'efficacité en moyenne de l'adressage dispersé, sans favoriser arbitrairement certains programmes par rapport à d'autres.

L'idée de base est de choisir la fonction de hachage aléatoirement au début de la compilation. Un programme causant beaucoup de collisions lors d'une compilation donnée sera probablement plus chanceux à la compilation suivante. Malheureusement, il y a beaucoup trop de fonctions de X dans $\{ 1, 2, ..., N \}$ pour qu'il soit raisonnable d'en choisir une aléatoirement.

PROBLÈME 8.4.18.   Combien y a-t-il de fonctions $f : A \to B$ si les cardinalités de A et B sont a et b, respectivement ?   □

L'adressage dispersé universel résout ce problème. Par définition, une classe **H** de fonctions de A dans B est **universelle-2** si $\#\{ h \in \mathbf{H} \mid h(x) = h(y) \} \leqslant \#\mathbf{H}/\#B$ pour tout $x, y \in A$ tels que $x \neq y$. Soit **H** une classe universelle-2 de fonctions de X dans $\{ 1, 2, ..., N \}$ et soient x et y deux identificateurs distincts quelconques. Si l'on choisit une fonction d'adressage dispersé h aléatoirement et uniformément dans **H**, la probabilité de collision entre $h(x)$ et $h(y)$ est donc au plus $1/N$. Le problème suivant généralise cette situation.

* PROBLÈME 8.4.19.   Soit $S \subseteq X$ un ensemble de n identificateurs déjà dans la table. Soit $x \in X \setminus S$ un nouvel identificateur. Prouvez que l'espérance mathématique du nombre de collisions entre x et les éléments de S (c'est-à-dire l'espérance de la longueur de la liste $T[h(x)]$) est plus petite ou égale au facteur de chargement $\alpha = n/N$. Prouvez de plus que la probabilité pour que le nombre de collisions soit supérieur à $t\alpha$ est inférieure à $1/t$, pour tout $t \geqslant 1$.   □

Plusieurs classes universelle-2 efficaces sont connues. Contentons-nous ici d'en mentionner une.

* PROBLÈME 8.4.20.   Soit $X = \{ 0, 1, 2, ..., a - 1 \}$ et soit p un nombre premier supérieur ou égal à N. Soient m et n deux entiers. Définissons $h_{m,n} : X \to \{ 0, 1, ..., N - 1 \}$ par $h_{m,n}(x) = ((mx + n) \bmod p) \bmod N$. Prouvez que $\mathbf{H} = \{ h_{m,n} \mid 1 \leqslant m < p$ et $0 \leqslant n < p \}$ est une classe universelle-2 de fonctions. (Remarques : nous choisirons en pratique une puissance de 2 pour N, de telle sorte que la seconde opération **mod** soit plus efficace. Le tout peut également être effectué plus efficacement dans un corps fini dont la cardinalité est une puissance de 2.)   □

* PROBLÈME 8.4.21.   Trouvez des applications de l'adressage dispersé universel qui n'aient rien à voir avec la compilation, ni même avec la gestion d'une table de symboles.   □

8.5   Algorithmes de Las Vegas

Bien que de comportement plus uniforme, un algorithme de Sherwood n'est pas plus rapide en moyenne que l'algorithme déterministe dont il est issu. L'algorithme de **Las Vegas** permet au contraire d'obtenir une efficacité accrue, parfois sur *chaque* exemplaire. Il peut résoudre en pratique certains problèmes pour lesquels aucun algorithme déterministe efficace n'est connu. Il n'y a, par contre, aucune limite sur le temps nécessaire à l'obtention d'une solution, bien que l'espérance mathématique du temps soit bonne pour chaque exemplaire et que la probabilité d'un temps excessif soit négligeable. Ceci contraste avec l'algorithme de Sherwood dont on peut prévoir le temps maximum pour résoudre un exemplaire donné. Par exemple, la variation de Sherwood sur le tri de Hoare (problème 8.4.1) n'excède jamais un temps dans $O(n^2)$ pour trier n éléments, quoi qu'il arrive.

Le trait caractéristique des algorithmes de Las Vegas est de se permettre le risque occasionnel d'une décision aléatoire qui rende la solution inaccessible. Ces algorithmes réagissent donc soit en retournant une solution correcte, soit en admettant l'échec de leurs décisions probabilistes. Dans ce dernier cas, il suffit de re-soumettre le même exemplaire au même algorithme, pour avoir une autre chance indépendante d'arriver à une solution. La probabilité de succès est donc d'autant meilleure que le temps dont on dispose est grand.

Considérons un algorithme $LV(x, \textbf{var } y, \textbf{var } succès)$ qui essaye de résoudre l'exemplaire x. Le paramètre *succès* retourne *vrai* si une solution est obtenue et *faux* en cas d'échec. De plus, une solution à l'exemplaire x est retournée dans y si *succès* = *vrai*. Soit $p(x)$ la probabilité de succès de l'algorithme chaque fois que l'exemplaire x lui est soumis. Pour un algorithme correct, il faut que $p(x) > 0$ pour chaque exemplaire x. Soient $s(x)$ et $e(x)$ les espérances mathématiques des temps requis par l'algorithme sur l'exemplaire x en cas de succès et d'échec, respectivement. Considérons maintenant l'algorithme suivant :

fonction *obstiné*(x)
  répéter
    LV(x, y, succès)
  jusqu'à *succès*
  retourner y .

Soit $t(x)$ l'espérance mathématique du temps pris par l'algorithme *obstiné* pour trouver une solution exacte à l'exemplaire x. Négligeant le temps de contrôle de la boucle **répéter,** on obtient l'équation de récurrence suivante :
$$t(x) = p(x)\, s(x) + (1 - p(x))\,(e(x) + t(x))\,.$$

En effet, l'algorithme y arrive du premier coup, prenant un temps espéré $s(x)$, avec probabilité $p(x)$. Avec probabilité $1 - p(x)$, il doit d'abord constater l'échec en un temps espéré $e(x)$, avant de tout recommencer en un temps espéré qui est encore $t(x)$.

L'équation de récurrence se résout pour donner :

$$t(x) = s(x) + \frac{1 - p(x)}{p(x)}\, e(x).$$

Il y a un compromis à faire entre $p(x)$, $s(x)$ et $e(x)$ si l'on désire optimiser $t(x)$. Par exemple, il peut être préférable de diminuer la probabilité de succès si le temps pour constater l'échec diminue en conséquence.

PROBLÈME 8.5.1. En supposant que $s(x)$ et $e(x)$ soient les temps exacts pris par un appel à $LV(x, ...)$ en cas de succès et d'échec, respectivement (plutôt que l'espérance mathématique), quelle est la probabilité pour que l'algorithme *obstiné* obtienne une réponse en un temps qui ne dépasse pas t pour $t \geqslant s(x)$ quelconque ? Exprimez votre réponse en fonction de t, $s(x)$, $e(x)$ et $p(x)$. ☐

8.5.1 Le problème des huit reines

Le problème des huit reines (section 6.6) fournit un bel exemple de ce genre d'algorithme. Rappelons que la technique du retour arrière consiste à explorer systématiquement les nœuds de l'arborescence implicite constituée par les vecteurs k-prometteurs. Rappelons également qu'une première solution est ainsi obtenue après l'examen de seulement 114 des 2 057 nœuds de l'arborescence. C'est bien, mais cet algorithme ne tient pas compte d'un fait significatif : la position des reines dans la plupart des solutions n'a rien de systématique. Au contraire, les reines semblent plutôt placées de façon aléatoire. Cette constatation donne l'idée d'un algorithme vorace de Las Vegas qui place les reines aléatoirement sur les lignes successives, mais en prenant soin que les reines déjà placées ne soient pas en prise les unes des autres. L'algorithme se termine soit avec succès si toutes les reines sont placées, soit par un échec s'il n'y a pas moyen de placer la reine suivante. L'algorithme résultant n'est pas récursif (voir *ReinesLV* sur la page suivante).

Pour analyser l'efficacité de cet algorithme, il faut déterminer sa probabilité p de succès, le nombre moyen s de nœuds qu'il explore en cas de succès et le nombre moyen e de nœuds qu'il explore en cas d'échec. Il est clair que $s = 9$ (en comptant le vecteur vide 0-prometteur). Un calcul par ordinateur montre que $p = 12,934..\%$ et $e = 6,971...$ Une solution est donc obtenue plus d'une fois sur 8 en procédant de façon complètement aléatoire ! L'espérance mathématique du nombre de nœuds explorés en répétant l'algorithme jusqu'à l'obtention d'un succès est donnée par la formule générale $s + (1 - p)\,e/p = 55,927..$, moins de la moitié du nombre de nœuds explorés par la méthode systématique du retour arrière.

PROBLÈME 8.5.2. Lorsqu'il y a plus d'une position possible pour la $(k + 1)$-ième reine, l'algorithme *ReinesLV* en choisit une aléatoirement, sans d'abord compter le nombre (nb) de possibilités. Prouvez que ce choix est fait avec probabilité uniforme. ☐

procédure *ReinesLV*(**var** succès)
   {si *succès* = *vrai* au retour, alors *essai*[1..8] (un tableau global)
    contient une solution au problème des huit reines}
   col, *diag*45, *diag*135 ← ∅
   $k \leftarrow 0$
   répéter
      {*essai*[1..k] est *k*-prometteur}
      $nb \leftarrow 0$
      pour $i \leftarrow 1$ **jusqu'à** 8 **faire**
         si $i \notin col$ et $i-k \notin diag45$ et $i+k \notin diag135$
         alors {la colonne *i* est disponible pour la (*k*+1)-ième reine}
               $nb \leftarrow nb + 1$
               si *uniforme*(1..*nb*) = 1
               alors {essayons peut-être la colonne *i*}
                     $j \leftarrow i$
      si $nb > 0$
      alors {parmi les *nb* possibilités pour la (*k*+1)-ième reine,
            c'est la colonne *j* qui a été choisie (avec probabilité 1/*nb*)}
            essai[k+1] ← *j*
            col ← *col* ∪ {*j*}
            *diag*45 ← *diag*45 ∪ {*j–k*}
            *diag*135 ← *diag*135 ∪ {*j+k*}
            {*essai*[1..k+1] est (*k*+1)-prometteur}
            $k \leftarrow k + 1$
   jusqu'à $nb = 0$ ou $k = 8$
   succès ← (*nb* > 0) .

Il est possible d'améliorer encore les choses. L'algorithme de Las Vegas est trop défaitiste : il abandonne tout pour recommencer à zéro dès le premier échec. Par contre, l'algorithme par retour arrière cherche systématiquement une solution qui n'est justement pas systématique. Une combinaison heureuse de ces deux algorithmes place un certain nombre de reines de façon aléatoire, puis procède par retour arrière pour tenter de placer les autres, sans toutefois revenir sur la position des reines placées aléatoirement.

Un choix aléatoire initial malheureux de quelques reines rend impossible la mise en place des autres. Ceci se produit, par exemple, si les deux premières reines sont mises en positions 1 et 3, respectivement. Plus le nombre de reines placées aléatoirement est grand, plus l'espérance mathématique du temps passé au retour arrière subséquent est petite, mais plus la probabilité d'échec est grande.

L'algorithme résultant est semblable à *ReinesLV*, sauf que les deux dernières lignes sont remplacées par :

jusqu'à $nb = 0$ ou $k = stopVegas$
si $nb > 0$ **alors** *backtrack*(*k*, *col*, *diag*45, *diag*135, *succès*)
         sinon *succès* ← *faux* ,

où $1 \leqslant stopVegas \leqslant 8$ indique le nombre de reines à placer aléatoirement avant de passer à un algorithme par retour arrière. Celui-ci ressemble à l'algorithme *test* de la section 6.6 sauf qu'il a un paramètre *succès* supplémentaire et qu'il retourne après n'avoir trouvé que la première solution, s'il y a lieu.

Le tableau suivant donne, pour chaque valeur de *stopVegas*, la probabilité p de succès (en pourcentage), le nombre moyen s de nœuds parcourus en cas de succès, le nombre moyen e de nœuds parcourus en cas d'échec, et l'espérance mathématique $t = s + (1 - p)\,e/p$ du nombre de nœuds qu'il faut parcourir si l'algorithme est répété jusqu'à l'obtention d'un premier succès (*stopVegas* $= 0$ correspond à utiliser directement l'algorithme déterministe).

stopVegas	p	s	e	t
0	100,00	114,00	—	114,00
1	100,00	39,63	—	39,63
2	87,50	22,53	39,67	28,20
3	49,31	13,48	15,10	29,01
4	26,18	10,31	8,79	35,10
5	16,24	9,33	7,29	46,92
6	13,57	9,05	6,98	53,50
7	12,93	9,00	6,97	55,93
8	12,93	9,00	6,97	55,93 .

Ces différents algorithmes ont été essayés sur un ordinateur CYBER 835. L'algorithme à retour arrière pur trouve la première solution en 40 millisecondes, alors qu'il suffit en moyenne de 10 millisecondes si les deux ou trois premières reines sont placées aléatoirement. Quant à l'algorithme vorace *ReinesLV* original, consistant à placer toutes les reines aléatoirement, son temps moyen par solution est de 23 millisecondes. Ceci est légèrement plus que la moitié du temps pris par l'algorithme par retour arrière parce qu'il faut également tenir compte du temps requis pour produire les choix pseudo-aléatoires.

PROBLÈME 8.5.3. Que le lecteur qui n'est pas convaincu par l'intérêt de cette méthode tente sans ordinateur de résoudre le problème des douze reines. Après avoir essayé systématiquement, nous lui suggérons d'essayer de placer les cinq premières reines aléatoirement. ☐

La recherche systématique d'une solution commençant avec la première reine en première colonne est longue au jeu des huit reines. En effet, les arborescences sous les nœuds 2-prometteurs [1, 3] et [1, 4] sont explorées en vain. Même une fois la fouille sous [1, 5] amorcée, on perd son temps avec [1, 5, 2] et [1, 5, 7]. Pour cette raison, il est plus efficace de placer la première reine aléatoirement, plutôt que de procéder directement par retour arrière. Par contre, la fouille systématique commençant par la première reine en cinquième colonne est d'une rapidité étonnante (essayez-la !). Cette caractéristique négative du coin supérieur gauche n'est qu'un accident non significatif. Il s'agit, par exemple, d'un départ meilleur que la moyenne aux problèmes des cinq et douze reines. Ce qui *est* significatif, c'est qu'une solution soit obtenue plus rapidement en moyenne si l'on place *plusieurs* reines aléatoirement avant de procéder par retour arrière. Ceci s'explique intuitivement, encore une fois, par le manque de régularité des solutions (du moins lorsque le nombre de reines n'est pas congru à 2 modulo 4).

Voici les valeurs de p (en pourcentage), s, e et t pour quelques valeurs de *stop-Vegas* dans le cas du problème des douze reines.

stopVegas	p	s	e	t
0	100,00	262,00	—	262,00
5	50,39	33,88	47,23	80,39
12	4,65	13,00	10,20	222,11.

Sur l'ordinateur CYBER 835, l'algorithme de Las Vegas consistant à placer les cinq premières reines au hasard avant de continuer par retour arrière se contente de 37 millisecondes en moyenne pour trouver une solution, alors que l'algorithme par retour arrière pur nécessite 125 millisecondes. Quant à l'algorithme de Las Vegas vorace, il perd tellement de temps à calculer des choix pseudo-aléatoires qu'il lui faut essentiellement le même temps en moyenne que l'algorithme par retour arrière.

Une étude comparative empirique du problème des vingt reines a également été conduite sur ordinateur personnel Apple II. L'algorithme déterministe par retour arrière pur a nécessité au-delà de deux heures de temps réel pour découvrir une première solution. De façon probabiliste, en plaçant les dix premières reines au hasard, trente-six solutions différentes ont été découvertes en moins de cinq minutes et demie. L'algorithme probabiliste s'est donc avéré presque mille fois plus rapide par solution que l'algorithme déterministe.

** PROBLÈME 8.5.4. Si l'on cherche une solution au problème général des n reines, il est bien entendu ridicule d'analyser exhaustivement toutes les possibilités pour trouver la valeur optimale de *stopVegas*, puis d'appliquer l'algorithme de Las Vegas ainsi obtenu. La détermination optimale de *stopVegas* prend en effet plus de temps que la simple recherche d'une solution par retour arrière. (Il nous a fallu au-delà de 50 minutes de calcul sur CYBER 835 pour établir que *stopVegas* = 5 est optimal pour le problème des douze reines !) Déterminez analytiquement une façon rapide de choisir un bon (mais pas nécessairement optimal) *stopVegas* en fonction de n. □

** PROBLÈME 8.5.5. Techniquement, l'algorithme général obtenu par le problème précédent (d'abord déterminer *stopVegas* en fonction du nombre n de reines, puis essayer de placer les reines) n'est un algorithme de Las Vegas que si sa probabilité de succès est strictement positive pour tout n. Tel est le cas si et seulement s'il existe au moins une solution. S'il n'y a aucune solution, l'algorithme probabiliste obstiné boucle à l'infini sans jamais s'en rendre compte. Prouvez ou infirmez que le problème des n reines peut être résolu pour tout $n \geqslant 4$. □

8.5.2   Extraction de racines carrées modulo *p*

Soit p un nombre premier impair. Un entier x est un **résidu quadratique** modulo p si $1 \leqslant x \leqslant p - 1$ et s'il existe un entier y tel que $x \equiv y^2 \pmod{p}$. Un tel y est une **racine carrée** de x modulo p en autant que $1 \leqslant y \leqslant p - 1$. Par exemple, 63 est une racine carrée de 55 modulo 103. Un entier z est un **non-résidu quadratique** modulo p si $1 \leqslant z \leqslant p - 1$ et si z n'est pas un résidu quadratique modulo p. Tout résidu quadratique possède au moins deux racines carrées distinctes puisque $(p - y)^2 = p^2 - 2py + y^2 \equiv y^2 \pmod{p}$.

PROBLÈME 8.5.6.   Prouvez que $p - y \neq y$ et que $1 \leqslant p - y \leqslant p - 1$. □

PROBLÈME 8.5.7.   Prouvez d'autre part qu'aucun résidu quadratique n'a plus de deux racines carrées distinctes. (Indice : en supposant que $a^2 \equiv b^2 \pmod{p}$, considérez $a^2 - b^2$.) □

PROBLÈME 8.5.8.   Concluez de ce qui précède qu'exactement la moitié des entiers entre 1 et $p - 1$ sont résidus quadratiques modulo p. □

∗ PROBLÈME 8.5.9.   Prouvez que $x^{(p-1)/2} \equiv \pm 1 \pmod{p}$ pour tout entier $1 \leqslant x \leqslant p - 1$ et tout nombre premier impair p. Prouvez également que x est un résidu quadratique modulo p si et seulement si $x^{(p-1)/2} \equiv + 1 \pmod{p}$. (Indice : une direction découle immédiatement du théorème de Fermat : $x^{p-1} \equiv 1 \pmod{p}$; l'autre direction demande des connaissances en théorie des groupes.) □

Le problème précédent suggère un algorithme efficace pour tester si x est un résidu quadratique modulo p : il suffit d'utiliser l'exponentiation rapide de la section 4.8 pour calculer $x^{(p-1)/2} \bmod p$. Etant donné un nombre premier impair p et un résidu quadratique x modulo p, existe-t-il un algorithme efficace pour calculer les deux racines carrées de x modulo p ? Ce problème est facile lorsque $p \equiv 3 \pmod{4}$, mais aucun algorithme déterministe efficace n'est connu pour le résoudre lorsque $p \equiv 1 \pmod{4}$.

PROBLÈME 8.5.10.   Supposez que $p \equiv 3 \pmod{4}$ et soit x un résidu quadratique modulo p. Prouvez que $\pm x^{(p+1)/4} \bmod p$ sont les deux racines carrées de x modulo p. Calculez $55^{26} \bmod 103$ et vérifiez que son carré modulo 103 est bien 55. □

Il existe toutefois un algorithme de Las Vegas efficace pour résoudre ce problème lorsque $p \equiv 1 \pmod{4}$. Choisissons arbitrairement de dénoter par $\sqrt{x}$ la plus petite des deux racines carrées de x. Même si la valeur de $\sqrt{x}$ est inconnue, il est possible de calculez *symboliquement* la multiplication modulo p de $a + b\sqrt{x}$ et $c + d\sqrt{x}$, où a, b, c et d sont des entiers entre 0 et $p - 1$. Ce produit est $(ac + bdx) \bmod p + ((ad + bc) \bmod p)\sqrt{x}$. Notez la similitude avec le produit des nombres complexes.

L'exponentiation symbolique $(a + b\sqrt{x})^i$ se calcule efficacement par une adaptation des algorithmes de la section 4.8.

EXEMPLE 8.5.1. Soient $p = 53 \equiv 1 \pmod 4$ et $x = 7$. Un premier calcul montre que x est un résidu quadratique modulo p puisque $7^{26} \equiv 1 \pmod{53}$. Calculons symboliquement $(1 + \sqrt{7})^{26} \bmod 53$ (tous les calculs ci-dessous sont modulo 53).

$$
\begin{aligned}
(1 + \sqrt{7})^2 &= (1 + \sqrt{7})(1 + \sqrt{7}) &&= 8 + 2\sqrt{7} \\
(1 + \sqrt{7})^3 &= (1 + \sqrt{7})(8 + 2\sqrt{7}) &&= 22 + 10\sqrt{7} \\
(1 + \sqrt{7})^6 &= (22 + 10\sqrt{7})(22 + 10\sqrt{7}) &&= 18 + 16\sqrt{7} \\
(1 + \sqrt{7})^{12} &= (18 + 16\sqrt{7})(18 + 16\sqrt{7}) &&= 49 + 46\sqrt{7} \\
(1 + \sqrt{7})^{13} &= (1 + \sqrt{7})(49 + 46\sqrt{7}) &&= 0 + 42\sqrt{7} \\
(1 + \sqrt{7})^{26} &= (0 + 42\sqrt{7})(0 + 42\sqrt{7}) &&= 52 + 0\sqrt{7}.
\end{aligned}
$$
□

Nous voyons donc que $(1 + \sqrt{7})^{26} \equiv -1 \pmod{53}$. Etant donné que $26 = (p - 1)/2$, nous en concluons que $(1 + \sqrt{7}) \bmod 53$ est un non-résidu quadratique modulo 53 (problème 8.5.9). Mais 7 a deux racines carrées modulo 53 et le calcul symbolique que nous venons d'effectuer est valable qu'on ait arbitrairement choisi l'une ou l'autre comme $\sqrt{7}$. Par conséquent, $(1 - \sqrt{7}) \bmod 53$ est également un non-résidu quadratique modulo 53. Que se passe-t-il si l'on calcule symboliquement $(a + \sqrt{7})^{26} \equiv c + d\sqrt{7} \pmod{53}$ alors que $(a + \sqrt{7}) \bmod 53$ est un résidu quadratique modulo 53 mais que $(a - \sqrt{7}) \bmod 53$ n'en est pas un ? Dans ce cas, $c + d\sqrt{7} \equiv 1 \pmod{53}$ et $c + d(-\sqrt{7}) = c - d\sqrt{7} \equiv -1 \pmod{53}$. En additionnant ces deux équations, nous obtenons $2c \equiv 0 \pmod{53}$ et donc $c = 0$ puisque $0 \leqslant c \leqslant 52$. En les soustrayant, nous obtenons $2d\sqrt{7} \equiv 2 \pmod{53}$, donc $d\sqrt{7} \equiv 1 \pmod{53}$.

PROBLÈME 8.5.11. Inspirez-vous de l'exemple 8.5.1 pour faire les détails du calcul symbolique $(2 + \sqrt{7})^{26} \equiv 0 + 41\sqrt{7} \pmod{53}$. □

Afin d'obtenir une racine carrée de 7, le problème précédent indique qu'il suffit de trouver l'unique entier y tel que $1 \leqslant y \leqslant 52$ et $41y \equiv 1 \pmod{53}$. Ceci peut se faire efficacement grâce à une modification à l'algorithme d'Euclide pour le calcul du plus grand commun diviseur (section 1.7.4).

∗ PROBLÈME 8.5.12. Soient u et v deux entiers positifs et soit d leur plus grand commun diviseur.

i) Prouvez l'existence d'entiers a et b tels que $au + bv = d$. (Indice : supposons sans perte de généralité que $u \geqslant v$. Si $v = d$, c'est évident ($a = 0$ et $b = 1$). Sinon, soit $w = u \bmod v$. Montrez d'abord que d est également le plus grand commun diviseur de v et w (c'est la base de l'algorithme d'Euclide). Par induction mathématique, soient a' et b' tels que $a'v + b'w = d$; il suffit de prendre $a = b'$ et $b = a' - b'\lfloor u/v \rfloor$.)

ii) Donnez un algorithme itératif efficace pour calculer d, a et b à partir de u et v. Votre algorithme ne doit pas calculer d avant de s'attaquer à a et b.

iii) Si p est premier et si $1 \leqslant a \leqslant p - 1$, prouvez l'existence d'un unique y tel que $1 \leqslant y \leqslant p - 1$ et $ay \equiv 1 \,(\mathrm{mod}\, p)$. Donnez un algorithme efficace pour calculer y à partir de p et a. $\qquad\square$

Dans notre exemple (suite du problème 8.5.11), nous trouvons $y = 22$ car $41 \times 22 \equiv 1 \,(\mathrm{mod}\, 53)$. C'est bien une racine carrée de 7 modulo 53 puisque $22^2 \equiv 7$ (mod 53). L'autre racine carrée est $53 - 22 = 31$. Ceci suggère l'algorithme de Las Vegas suivant pour le calcul des racines carrées.

procédure *racLV*(x, p, **var** y, **var** *succès*)
   {trouve peut-être un y tel que $y^2 \equiv x \,(\mathrm{mod}\, p)$
   en autant que $p \equiv 1 \,(\mathrm{mod}\, 4)$ soit premier
   et que x soit un résidu quadratique modulo p}
   $a \leftarrow$ *uniforme*$(1..p{-}1)$
   si $a^2 \equiv x \,(\mathrm{mod}\, p)$ {très improbable}
   alors *succès* $\leftarrow$ *vrai*
       $y \leftarrow a$
   sinon calculer c et d tels que $0 \leq c \leq p{-}1$, $0 \leq d \leq p{-}1$
           et $(a + \sqrt{x})^{(p-1)/2} \equiv c + d\sqrt{x} \,(\mathrm{mod}\, p)$
       si $d = 0$ **alors** *succès* $\leftarrow$ *faux*
       sinon {$c = 0$}
           succès $\leftarrow$ *vrai*
           calculer y tel que $1 \leq y \leq p{-}1$ et $dy \equiv 1 \,(\mathrm{mod}\, p)$.

Il reste à déterminer la probabilité de succès de cet algorithme.

$*$ **PROBLÈME 8.5.13.**   Soit $p \equiv 1 \,(\mathrm{mod}\, 4)$ un nombre premier et soit x un résidu quadratique modulo p. Un entier a, $1 \leqslant a \leqslant p - 1$, **donne la clef** de $\sqrt{x}$ si $(a^2 - x) \bmod p$ n'est pas un résidu quadratique modulo p. Prouvez que

i) l'algorithme de Las Vegas trouve une racine carrée de x si et seulement s'il choisit aléatoirement un a qui donne la clef de $\sqrt{x}$; et

ii) exactement $(p + 3)/2$ des $(p - 1)$ choix aléatoires possibles donnent la clef de $\sqrt{x}$. (Indice : considérez la fonction

$$f : \{\, 1, 2, ..., p - 1 \,\} \backslash \{\, \sqrt{x}, p - \sqrt{x} \,\} \to \{\, 2, 3, ..., p - 2 \,\}$$

définie par l'équation $(a - \sqrt{x})\, f(a) \equiv a + \sqrt{x} \,(\mathrm{mod}\, p)$. Prouvez que cette fonction est bijective et que $f(a)$ est un résidu quadratique modulo p si et seulement si a ne donne pas la clef de $\sqrt{x}$.) $\qquad\square$

Ceci montre que l'algorithme de Las Vegas réussit avec une probabilité légèrement supérieure à 50 %, donc qu'il suffit de l'appeler en moyenne deux fois pour obtenir une racine carrée de x. Malgré la proportion importante de clefs, il est curieux qu'aucun algorithme déterministe efficace ne soit connu pour en localiser avec certitude ne fut-ce qu'une.

PROBLÈME 8.5.14. Le problème précédent suggère une modification à l'algorithme *racLV* : ne calculer symboliquement $(a + \sqrt{x})^{(p-1)/2}$ que si $(a^2 - x)$ **mod** p est un non-résidu quadratique. Ceci permet de constater l'échec plus rapidement, mais requiert plus de temps en cas de succès. Donnez explicitement l'algorithme modifié. Est-il préférable à l'algorithme initial ? Justifiez votre réponse. □

* PROBLÈME 8.5.15. L'algorithme suivant augmente la probabilité de succès si $p \equiv 1 \pmod 8$:

procédure *racLV2*(x, p, **var** y, **var** *succès*)
   {on suppose que $p \equiv 1 \pmod 4$ est un nombre premier}
   $a \leftarrow$ *uniforme*$(1..p-1)$
   si $a^2 \equiv -x \pmod p$ {très improbable et malheureux}
   alors *succès* $\leftarrow$ *faux*
   sinon soient t impair et $k \geq 2$ tels que $p = 2^k t + 1$
       calculer c et d tels que $0 \leq c \leq p-1$, $0 \leq d \leq p-1$
          et $(a + \sqrt{p-x})^t \equiv c + d\sqrt{p-x} \pmod p$
      si $c = 0$ **ou** $d = 0$
      alors *succès* $\leftarrow$ *faux*
      sinon tantque $c^2 \not\equiv d^2 x \pmod p$ **faire**
          $b \leftarrow (c^2 - d^2 x)$ **mod** p
          $d \leftarrow 2cd$ **mod** p
          $c \leftarrow b$
          calculer y tel que $1 \leq y \leq p-1$ et $yd \equiv 1 \pmod p$
          $y \leftarrow cy$ **mod** p
          succès $\leftarrow$ *vrai* .

Prouvez que la probabilité d'échec de cet algorithme est exactement $1/2^{k-1}$ et que la boucle **tantque** se fait au plus $k-2$ fois, où k est donné par l'algorithme. □

PROBLÈME 8.5.16. Un problème encore plus élémentaire pour lequel aucun algorithme déterministe efficace n'est connu est celui de trouver un non-résidu quadratique modulo p, lorsque $p \equiv 1 \pmod 4$ est un nombre premier.

i) Donnez un algorithme de Las Vegas efficace pour résoudre ce problème.

ii) Montrez que ce problème n'est pas plus difficile que celui de l'extraction efficace de la racine carrée par un algorithme déterministe. Supposez pour ceci l'existence d'un algorithme déterministe *rac2*(x, p) capable de calculer efficacement $\sqrt{x}$ **mod** p, où $p \equiv 1 \pmod 4$ est un nombre premier et x est un résidu quadratique modulo p. Montrez qu'il suffit d'appeler cet algorithme moins de $\lfloor \lg p \rfloor$ fois pour obtenir à coup sûr, de façon déterministe et efficace, un non-résidu quadratique modulo p. (Indice : soit k le plus grand entier tel que 2^k divise $(p-1)$ sans reste. Considérez la suite $x_1 = p-1$, $x_i = \sqrt{x_{i-1}}$ **mod** p pour $2 \leq i \leq k$. Prouvez que x_i est un résidu quadratique modulo p pour $1 \leq i < k$ mais que x_k n'en est pas un.) □

** PROBLÈME 8.5.17 (réciproque du problème 8.5.16). Donnez un algorithme déterministe efficace *racDET*(x, p, z) pour calculer une racine carrée de x modulo p, en autant que p soit un nombre premier impair, que x soit un résidu quadratique modulo p et que z soit un quelconque non-résidu quadratique modulo p.   □

Les deux problèmes précédents montrent l'équivalence entre l'extraction déterministe efficace de racines carrées modulo p et la recherche déterministe efficace d'un non-résidu quadratique modulo p. Il s'agit d'un exemple de la technique de *réduction* étudiée au dernier chapitre.

8.5.3   La factorisation entière

Soit un entier $n > 1$. Le problème de la **factorisation** de n consiste à trouver l'unique décomposition $n = p_1^{m_1} p_2^{m_2} ... p_k^{m_k}$ telle que $m_1, m_2, ..., m_k$ soient des entiers positifs et $p_1 < p_2 < \cdots < p_k$ soient des nombres premiers. Un **facteur non trivial** de n est un entier x, $1 < x < n$, qui divise n sans reste.

PROBLÈME 8.5.18.   Supposez la disponibilité d'un algorithme *premier(n)* pour tester si n est premier et d'un algorithme *fact(n)* pour trouver un facteur non trivial de n, en autant que n soit composé. En utilisant ces deux algorithmes comme primitives, donnez un algorithme pour calculer la factorisation d'un entier $n > 1$ quelconque.   □

La section 8.6.2 traite d'un algorithme de Monte Carlo efficace pour la détection de la primalité. L'exercice précédent montre donc que le problème de la factorisation se réduit à celui de la détermination d'un facteur non trivial d'un nombre composé. Voici l'algorithme naïf pour résoudre ce dernier problème :

fonction *fact(n)*
    {trouve le plus petit facteur non-trivial de n si n est composé
    (si n est premier, cet algorithme retourne 1 comme valeur)}
    pour $i \leftarrow 2$ **jusqu'à** $\lfloor \sqrt{n} \rfloor$ **faire**
        si $(n \bmod i) = 0$ **alors retourner** i
    retourner 1   .

PROBLÈME 8.5.19.   Pourquoi suffit-il de faire la boucle jusqu'à $\lfloor \sqrt{n} \rfloor$?   □

L'algorithme ci-dessus prend en pire cas un temps dans $\Omega(\sqrt{n})$ pour trouver un facteur non trivial de n. Il est donc inutilisable même sur des entiers de taille moyenne : il prendrait au-delà de trois millions d'années en pire cas pour trouver un facteur non trivial d'un nombre d'une quarantaine de chiffres décimaux, en comptant une microseconde par tour de boucle. Aucun algorithme n'est connu, déterministe ou probabiliste, pour trouver un facteur non trivial de n en un temps dans $O(p(m))$ en pire cas, où p est un polynôme et $m = \lceil \log(1 + n) \rceil$ est la taille de n. Notez que $\sqrt{n} \approx 10^{m/2}$, ce qui n'est pas un polynôme en m. L'algorithme probabiliste de Dixon est néanmoins capable de trouver un facteur non trivial de n en un temps espéré dans $O(2^{O(\sqrt{m \log m})})$.

PROBLÈME 8.5.20. Prouvez que $O(m^k) \subset O(2^{O(\sqrt{m \log m})}) \subset O(10^{m/b})$ quelles que soient les constantes positives k et b. □

La notion de résidu quadratique modulo un nombre premier (section 8.5.2) se généralise aux nombres composés. Soit n un entier positif quelconque. Un entier x, $1 \leqslant x \leqslant n - 1$, est un **résidu quadratique** modulo n s'il est relativement premier à n et s'il existe un entier y, $1 \leqslant y \leqslant n - 1$, tel que $x \equiv y^2 \pmod{n}$. Un tel y est une **racine carrée** de x modulo n. Nous avons vu qu'un résidu quadratique modulo p admet exactement deux racines carrées distinctes modulo p lorsque p est premier. Il n'en est plus de même modulo n lorsque n est composé d'au moins deux facteurs premiers impairs distincts. Par exemple, $8^2 \equiv 13^2 \equiv 22^2 \equiv 27^2 \equiv 29 \pmod{35}$.

* PROBLÈME 8.5.21. Prouvez que si $n = pq$, où p et q sont deux nombres premiers impairs distincts, chaque résidu quadratique modulo n admet exactement quatre racines carrées. Prouvez également qu'exactement le quart des entiers x relativement premiers à n tels que $1 \leqslant x \leqslant n - 1$ sont des résidus quadratiques modulo n. □

Nous avons également vu des algorithmes efficaces pour tester si x est un résidu quadratique modulo p, et pour en trouver les racines le cas échéant. Ces deux problèmes peuvent également être résolus efficacement modulo un nombre composé n si la factorisation de n est donnée. Aucun algorithme efficace n'est cependant connu en l'absence d'une telle factorisation. Le cœur de l'algorithme de factorisation de Dixon consiste à trouver deux entiers a et b relativement premiers à n tels que $a^2 \equiv b^2 \pmod{n}$ mais $a \not\equiv \pm b \pmod{n}$. Ceci implique que $a^2 - b^2 = (a - b)(a + b) \equiv 0 \pmod{n}$. Etant donné que n ne divise exactement ni $a + b$ ni $a - b$, il faut qu'un facteur non trivial de n divise $a - b$ et qu'un autre divise $a + b$. Par conséquent, le plus grand commun diviseur de n et $a + b$ est un tel facteur. Dans l'exemple précédent, $a = 8$, $b = 13$ et $n = 35$, et le plus grand commun diviseur de $a + b = 21$ et $n = 35$ est 7, un facteur non trivial de 35. Voici un aperçu de l'algorithme de Dixon :

procédure *Dixon*(n, **var** x, **var** *succès*)
  {essaye de trouver un facteur non-trivial x du nombre composé n}
  si n est pair **alors** $x \leftarrow 2$, *succès* $\leftarrow$ *vrai*
  sinon pour $i \leftarrow 2$ **jusqu'à** $\lfloor \log_3 n \rfloor$ **faire**
      si $n^{1/i}$ est un entier **alors** $x \leftarrow n^{1/i}$
                   succès $\leftarrow$ *vrai*
                  retourner
    {puisque n est supposé composé, nous savons maintenant qu'il
     l'est d'au moins deux facteurs premiers impairs distincts}
    $a, b \leftarrow$ deux entiers tels que $a^2 \equiv b^2 \pmod{n}$
    si $a \equiv \pm b \pmod{n}$ **alors** *succès* $\leftarrow$ *faux*
    sinon $x \leftarrow pgcd(a+b, n)$ {par l'algorithme d'Euclide}
       succès $\leftarrow$ *vrai* .

Il reste à voir comment obtenir a et b tels que $a^2 \equiv b^2 \pmod{n}$. Soit k un entier qui sera spécifié plus loin. Un entier est k-**uniforme** si tous ses facteurs premiers sont parmi les k premiers nombres premiers. Par exemple, $120 = 2^3 \times 3 \times 5$ est 3-uniforme mais $35 = 5 \times 7$ ne l'est pas. Lorsque k est petit, les entiers k-uniformes sont factorisés efficacement par une adaptation de l'algorithme naïf *fact(n)* donné précédemment. Dans une première phase, l'algorithme de Dixon choisit aléatoirement des entiers x entre 1 et $n - 1$. Un facteur non trivial de n est obtenu par une chance improbable si x n'est pas relativement premier à n. Autrement, soit $y = x^2 \bmod n$. Si y est k-uniforme, x et la factorisation de y sont conservés dans une table. On répète ce processus jusqu'à l'obtention de $k + 1$ nombres distincts dont on connaisse la factorisation du carré modulo n.

EXEMPLE 8.5.2. Soit $n = 2\,537$ et $k = 7$. Nous nous restreignons donc aux nombres premiers 2, 3, 5, 7, 11, 13 et 17. Un premier entier $x = 1\,769$ est choisi aléatoirement. Son carré modulo n est calculé : $y = 1\,240$. Une tentative de factorisation $1\,240 = 2^3 \times 5 \times 31$ échoue car 31 n'est divisible par aucun des facteurs premiers admissibles. Une seconde tentative $x = 2\,455$ est plus heureuse : son carré modulo n est $y = 1\,650 = 2 \times 3 \times 5^2 \times 11$. Nous obtenons de cette façon :

$$
\begin{aligned}
x_1 &= 2\,455 & y_1 &= 1\,650 = 2 \times 3 \times 5^2 \times 11 \\
x_2 &= 970 & y_2 &= 2\,210 = 2 \times 5 \times 13 \times 17 \\
x_3 &= 1\,105 & y_3 &= 728 = 2^3 \times 7 \times 13 \\
x_4 &= 1\,458 & y_4 &= 2\,295 = 3^3 \times 5 \times 17 \\
x_5 &= 216 & y_5 &= 990 = 2 \times 3^2 \times 5 \times 11 \\
x_6 &= 80 & y_6 &= 1\,326 = 2 \times 3 \times 13 \times 17 \\
x_7 &= 1\,844 & y_7 &= 756 = 2^2 \times 3^3 \times 7 \\
x_8 &= 433 & y_8 &= 2\,288 = 2^4 \times 11 \times 13 \,. \qquad \square
\end{aligned}
$$

PROBLÈME 8.5.22. Sachant qu'il existe 512 entiers x entre 1 et 2 536 tels que $x^2 \bmod 2\,537$ soit 7-uniforme, quelle est l'espérance mathématique du nombre d'échecs avant l'obtention de huit succès comme ceux de l'exemple 8.5.2 ? $\square$

La seconde phase de l'algorithme de Dixon trouve un sous-ensemble non vide des $k + 1$ équations tel que le produit des factorisations correspondantes donne chacun des k nombres premiers à une puissance paire (pouvant inclure la puissance zéro).

EXEMPLE 8.5.3. Il y a 7 solutions possibles dans l'exemple 8.5.2, incluant
$$y_1\, y_2\, y_4\, y_8 = 2^6 \times 3^4 \times 5^4 \times 7^0 \times 11^2 \times 13^2 \times 17^2$$
et $\qquad y_1\, y_3\, y_4\, y_5\, y_6\, y_7 = 2^8 \times 3^{10} \times 5^4 \times 7^2 \times 11^2 \times 13^2 \times 17^2 \,.$ $\square$

PROBLÈME 8.5.23. Donnez les 5 autres solutions possibles de l'exemple précédent. $\square$

PROBLÈME 8.5.24. Pourquoi y a-t-il toujours au moins une solution ? Donnez un algorithme efficace pour en trouver une. (Indice : formez une matrice binaire $(k + 1) \times k$ contenant les parités des exposants. Les lignes de cette matrice ne peuvent pas être indépendantes (dans l'arithmétique modulo 2) puisqu'il y a plus de lignes que de colonnes. Dans l'exemple 8.5.3, la première dépendance est

$$(1, 1, 0, 0, 1, 0, 0) + (1, 0, 1, 0, 0, 1, 1) + (0, 1, 1, 0, 0, 0, 1) + (0, 0, 0, 0, 1, 1, 1, 0)$$
$$\equiv (0, 0, 0, 0, 0, 0, 0) \, (\mathrm{mod}\, 2) \, .$$

Il s'agit d'utiliser l'élimination de Gauss-Jordan pour trouver une dépendance linéaire entre les lignes.) $\qquad\square$

Ceci nous donne deux entiers a et b tels que $a^2 \equiv b^2 \,(\mathrm{mod}\, n)$. L'entier a est obtenu en multipliant les x_i correspondants et l'entier b est obtenu en divisant par deux les puissances obtenues des nombres premiers dans le produit des y_i. Si $a \not\equiv \pm b$ $(\mathrm{mod}\, n)$, il ne reste plus qu'à calculer le plus grand commun diviseur de $a + b$ et de n pour obtenir un facteur non-trivial. Ceci se produit avec une probabilité d'au moins 50 %.

EXEMPLE 8.5.4.   La première solution de l'exemple 8.5.3 donne

$$a = x_1\, x_2\, x_4\, x_8 \,\mathbf{mod}\, n = 2\,455 \times 970 \times 1\,458 \times 433 \,\mathbf{mod}\, 2\,537 = 1\,127$$
et $b = 2^3 \times 3^2 \times 5^2 \times 11 \times 13 \times 17 \,\mathbf{mod}\, 2\,537 = 2\,012 \not\equiv \pm a\,(\mathbf{mod}\, n).$

Le plus grand commun diviseur de $a + b = 3\,139$ et $n = 2\,537$ est 43, un facteur non trivial de n. Par contre, la deuxième solution donne

$$a = x_1\, x_3\, x_4\, x_5\, x_6\, x_7 \,\mathbf{mod}\, n = 564$$
et $b = 2^4 \times 3^5 \times 5^2 \times 7 \times 11 \times 13 \times 17 \,\mathbf{mod}\, 2\,537 = 1\,973 \equiv -a\,(\mathrm{mod}\, n),$

ce qui ne révèle aucun facteur. $\qquad\square$

PROBLÈME 8.5.25.   Pourquoi a-t-on au moins une chance sur deux pour que $a \not\equiv \pm b \,(\mathrm{mod}\, n)$? Dans le cas où $a \equiv \pm b \,(\mathrm{mod}\, n)$, y a-t-il mieux à faire que de tout recommencer ? $\qquad\square$

Il reste à déterminer la valeur idéale pour le paramètre k. Plus il est grand, plus la probabilité que $x^2 \,\mathbf{mod}\, n$ soit k-uniforme est grande, pour x choisi aléatoirement. Par contre, plus il est petit, plus le test de k-uniformité et la factorisation des y k-uniformes sont rapides, et moins il en faut avant de s'assurer d'une dépendance linéaire. Posons $L = \mathrm{e}^{\sqrt{\ln n \ln \ln n}}$ et soit $b \in \mathbb{R}^+$. Il peut être démontré que si $k \approx L^b$, il y a environ $L^{1/2b}$ échecs pour chaque succès lors des tentatives de factoriser $x^2 \,\mathbf{mod}\, n$. Puisque chaque tentative infructueuse demande k divisions et puisqu'il faut $k + 1$ succès pour terminer la première phase, celle-ci prend un temps espéré approximatif dans $O(L^{2b + (1/2b)})$, ce qui est minimisé par $b = 1/2$. La seconde phase prend un temps dans $O(k^3) \approx O(L^{3b})$ par le problème 8.5.24 (il serait possible d'aller plus vite), ce qui est négligeable par rapport à la première phase. La troisième phase est également négligeable. L'algorithme de Dixon trouve donc un facteur non trivial de n avec probabilité au moins 50 % en un temps espéré approximatif dans $O(L^2) = O(\mathrm{e}^{2\sqrt{\ln n \ln \ln n}})$ et en un espace dans $O(k^2) \approx O(L)$.

Plusieurs approches rendent cet algorithme plus pratique. Par exemple, la probabilité que y soit k-uniforme est améliorée si x est choisi près de $\lceil \sqrt{n} \rceil$, plutôt que d'être choisi aléatoirement entre 1 et $n - 1$. Une généralisation de cette approche, connue sous le nom de l'*algorithme des fractions continues*, a été utilisée avec succès. Contrairement à l'algorithme de Dixon, cependant, nous ne savons pas comment l'analyser rigoureusement. Il s'agit donc plutôt d'une heuristique. Une autre heuristique, le crible quadratique, permet d'atteindre un temps dans $O(L^{\sqrt{9/8}})$ et un espace dans $O(L^{\sqrt{1/2}})$.

PROBLÈME 8.5.26. Soient $n = 10^{40}$ et $L = e^{\sqrt{\ln n \ln \ln n}}$. Comparez $L^{\sqrt{9/8}}$, L^2 et $\sqrt{n}$ microsecondes. Refaites cette question avec $n = 10^{50}$. ☐

8.5.4 Le choix d'un chef

Plusieurs processeurs synchrones identiques constituent un réseau en forme d'anneau, comme sur la figure 8.5.1. Chaque processeur peut communiquer directement avec ses deux voisins immédiats. Ils démarrent tous dans le même état avec le même programme et le même contenu de leur mémoire. Un tel réseau est inutile tant que tous les processeurs font exactement la même chose en même temps, puisqu'un seul processeur suffirait à la même tâche. Nous voulons un protocole permettant au réseau de se *choisir un chef* de façon à ce que tous les processeurs s'accordent sur l'identité de celui-ci. Le processeur élu comme chef pourra briser à sa guise la symétrie du réseau en donnant des tâches distinctes aux différents processeurs.

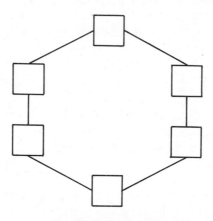

Figure 8.5.1.

Aucun algorithme déterministe ne peut résoudre ce problème, quel que soit le temps disponible. Quoi qu'il advienne, les processeurs font tous la même chose en même temps. Si l'un se déclare le chef, par exemple, ils le font tous simultanément. Cette situation est similaire à celle de deux personnes d'une politesse identique voulant passer la même porte étroite en même temps. Pourtant, si le nombre de processeurs est connu d'avance par chacun d'entre eux, il existe un algorithme de

Las Vegas capable de résoudre ce problème en un temps espéré linéaire. La symétrie peut ainsi être brisée à la condition que les générateurs aléatoires des processeurs soient indépendants. Si les générateurs sont pseudo-aléatoires et si chaque processeur utilise le même germe, la technique ne fonctionne pas.

Supposons qu'il y a n processeurs dans le réseau. Dans la phase zéro, chaque processeur initialise sa variable locale m à la valeur n et son indicateur booléen *actif* à *vrai*. Lors de la phase k, $k > 0$, chaque processeur actif choisit un entier aléatoire uniformément entre 1 et m. Ceux qui choisissent « 1 » le font savoir aux autres en faisant circuler le message autour de l'anneau (les processeurs qui ne sont plus actifs transmettent quand même les messages). Après $n - 1$ coups d'horloge, chaque processeur connaît le nombre l de processeurs ayant choisi « 1 ». Il y a trois possibilités. Si $l = 0$, aucun changement n'est produit par la phase k. Si $l > 1$, seuls les processeurs ayant choisi « 1 » demeurent actifs et ils affectent à leur variable m la valeur l. La phase $k + 1$ est amorcée suite à ces deux cas. Le protocole se termine si $l = 1$, avec l'élection de l'unique processeur ayant choisi « 1 ».

Ce protocole probabiliste est de Las Vegas, malgré le fait qu'il n'arrête jamais en admettant son échec, parce qu'il n'y a aucune limite sur le temps nécessaire à son succès. Il ne retourne cependant jamais de solution incorrecte : il ne peut pas se terminer en ayant élu plus qu'un chef ou en n'en ayant élu aucun. De plus, les étreintes fatales (*deadlock*) ne sont possibles qu'avec probabilité zéro.

Soit $l(n)$ l'espérance mathématique du nombre de phases requises pour choisir un chef parmi n processeurs par l'algorithme ci-dessus (sans compter la phase zéro d'initialisation). Soit $p(n, j) = \binom{n}{j} n^{-j} (1 - 1/n)^{n-j}$ la probabilité que j processeurs parmi n choisissent aléatoirement le nombre « 1 » lors de la première phase. Avec probabilité $p(n, 1)$, une seule phase est nécessaire ; avec probabilité $p(n, 0)$, il faut tout recommencer ; et avec probabilité $p(n, j)$, $l(j)$ phases supplémentaires sont nécessaires en moyenne (pour $2 \leqslant j \leqslant n$). Par conséquent,

$$l(n) = 1 + p(n, 0) \, l(n) + \sum_{j=2}^{n} p(n, j) \, l(j), \qquad n \geqslant 2.$$

Quelques manipulations algébriques donnent :

$$l(n) = \left(1 + \sum_{j=2}^{n-1} p(n, j) \, l(j)\right) \bigg/ (1 - p(n, 0) - p(n, n)).$$

* **PROBLÈME 8.5.27.** Montrez que $l(n) < e \approx 2{,}718$ pour $n \geqslant 2$. □

* **PROBLÈME 8.5.28.** Montrez que $\lim_{n \to \infty} l(n) < 2{,}442$. □

Puisque chaque phase prend un temps linéaire, les problèmes précédents montrent que le choix d'un chef se fait également en un temps espéré linéaire.

** **PROBLÈME 8.5.29.** Prouvez qu'aucun protocole (même de Las Vegas) ne peut résoudre le problème du choix d'un chef dans un anneau de n processeurs

identiques si n n'est pas donné aux processeurs. Toutefois, étant donné un paramètre $p > 0$ quelconque, donnez un algorithme de Monte Carlo capable de déterminer n exactement avec une probabilité d'erreur inférieure à p, indépendamment
du nombre de processeurs.   ☐

8.6   Algorithmes de Monte Carlo

Il y a des problèmes pour lesquels aucun algorithme efficace n'est connu, qu'il
soit déterministe ou de Las Vegas, pour obtenir à coup sûr une solution correcte.
Un algorithme de **Monte Carlo** peut se tromper occasionnellement, mais il trouve
une solution correcte avec bonne probabilité, quel que soit l'exemplaire à traiter.
Il ne s'agit pas de fonctionner sur la majorité des exemplaires, quitte à se tromper
sur quelques-uns. Aucun avertissement n'est généralement donné en cas d'erreur.

PROBLÈME 8.6.1.   Prouvez que l'algorithme suivant décide correctement
de la primalité de plus de 80 % des entiers. Montrez, par contre, qu'il ne s'agit pas
d'un algorithme de Monte Carlo en exhibant un exemplaire sur lequel il se trompe
systématiquement.

fonction *premier*(*n*)
  si *pgcd*(*n*, 30030) = 1   {par l'algorithme d'Euclide}
  alors retourner *vrai*
  sinon retourner *faux* .

Quelle constante doit-on utiliser à la place de 30 030 pour hausser la proportion
de succès au-delà de 85 % ?   ☐

Soit p un nombre réel tel que $\frac{1}{2} < p < 1$. Un algorithme de Monte Carlo est
p-**correct** s'il retourne une solution correcte avec une probabilité d'au moins p,
quel que soit l'exemplaire à traiter. L'**avantage** de cet algorithme est $p - \frac{1}{2}$. L'algorithme est **consistant** s'il ne retourne jamais deux solutions correctes distinctes au
même exemplaire. Certains algorithmes de Monte Carlo acceptent en argument,
outre l'exemplaire à traiter, une borne supérieure sur la probabilité d'erreur tolérée.
Le temps pris par ces algorithmes est alors exprimé en fonction de la taille de l'exemplaire et de l'inverse de la probabilité d'erreur. Afin d'augmenter la probabilité de
succès d'un algorithme consistant et p-correct, il suffit de le faire fonctionner plusieurs
fois et de choisir la réponse la plus fréquente.

PROBLÈME 8.6.2.   Soit $MC(x)$ un algorithme de Monte Carlo consistant
et 75 %-correct. Considérez l'algorithme suivant :

fonction $MC3(x)$
  $t \leftarrow MC(x)$; $u \leftarrow MC(x)$; $v \leftarrow MC(x)$
  si $t = u$ **ou** $t = v$ **alors retourner** t
  retourner v .

Prouvez que cet algorithme est consistant et (27/32)-correct, donc 84 %-correct. Montrez, par contre, qu'il pourrait ne même pas être 71 %-correct si *MC*, bien que 75 %-correct, n'était pas consistant. $\qquad\square$

De façon plus générale, soient ε et δ deux nombres réels positifs tels que $\varepsilon + \delta < \frac{1}{2}$. Soit $MC(x)$ un algorithme de Monte Carlo consistant et $(\frac{1}{2} + \varepsilon)$-correct. Soit x un exemplaire à résoudre. Il suffit d'appeler $MC(x)$ au moins $\lceil c_\varepsilon \lg 1/\delta \rceil$ fois et de retourner la réponse la plus fréquente (les égalités sont brisées arbitrairement) pour obtenir un algorithme consistant et $(1 - \delta)$-correct, où $c_\varepsilon = -2/\lg(1 - 4\varepsilon^2)$. Ceci permet d'**amplifier** l'avantage d'un algorithme, aussi petit soit-il, afin d'obtenir un nouvel algorithme dont la probabilité d'erreur est aussi petite que voulue.

Afin de prouver l'énoncé ci-dessus, soit $n \geqslant c_\varepsilon \lg 1/\delta$ le nombre de fois que l'algorithme $(\frac{1}{2} + \varepsilon)$-correct est appelé. Soit $m = \lfloor n/2 \rfloor$, $p = \frac{1}{2} + \varepsilon$ et $q = 1 - p = \frac{1}{2} - \varepsilon$. L'algorithme répétitif trouve la bonne réponse si celle-ci est obtenue plus de m fois. Sa probabilité d'erreur est donc d'au plus $\displaystyle\sum_{i=0}^{m} \text{prob}\,[i \text{ bonnes réponses en } n \text{ essais}]$

$$\leqslant \sum_{i=0}^{m} \binom{n}{i} p^i q^{n-i}$$

$$= (pq)^m \sum_{i=0}^{m} \binom{n}{i} p^{i-m} q^{(n-m)-i}$$

$$= (pq)^m q^{n \bmod 2} \sum_{i=0}^{m} \binom{n}{i} (q/p)^{m-i}$$

$$\leqslant (pq)^m q^{n \bmod 2} \sum_{i=0}^{m} \binom{n}{i} \qquad \text{car} \qquad q/p < 1$$

$$\leqslant (pq)^m q^{n \bmod 2} \sum_{i=0}^{n} \binom{n}{i} = (pq)^{n/2}(q/p)^{(n \bmod 2)/2}\, 2^n$$

$$\leqslant (4pq)^{n/2} = (1 - 4\varepsilon^2)^{n/2}$$

$$\leqslant (1 - 4\varepsilon^2)^{(c_\varepsilon/2)\lg 1/\delta} \qquad \text{car} \qquad 0 < 1 - 4\varepsilon^2 < 1$$

$$= 2^{-\lg 1/\delta} \qquad \text{car} \qquad \alpha^{1/\lg \alpha} = 2 \qquad \text{pour tout} \qquad \alpha > 0$$

$$= \delta\,.$$

La probabilité de succès de l'algorithme répétitif est donc d'au moins $1 - \delta$.

PROBLÈME 8.6.3. Prouvez que $c_\varepsilon < (\ln 2)/2\varepsilon^2$. $\qquad\square$

L'amplification de l'avantage suggérée par ce résultat n'est pas très attrayante en pratique, la constante c_ε étant souvent prohibitive. Il faut en effet répéter presque 600 fois un algorithme de Monte Carlo consistant dont l'avantage est de 5 % afin d'en obtenir un dont la probabilité d'erreur soit de 5 % (c'est-à-dire pour passer d'un algorithme 55 %-correct à un algorithme 95 %-correct). Heureusement, la plupart des algorithmes de Monte Carlo rencontrés en pratique permettent d'augmenter plus rapidement la confiance que l'on peut avoir dans le résultat obtenu.

Un algorithme de Monte Carlo est y_0-**biaisé** s'il y a un sous-ensemble X des exemplaires et une solution connue y_0 tels que

1) la réponse donnée par l'algorithme est toujours correcte lorsque l'exemplaire à traiter est dans X, et

2) la bonne réponse à tous les exemplaires qui ne sont pas dans X est y_0, mais l'algorithme peut se tromper sur ces exemplaires.

Soit MC un algorithme de Monte Carlo consistant, y_0-biaisé et p-correct, soit x un exemplaire et soit y la valeur retournée par $MC(x)$. Que peut-on dire si $y = y_0$?

— Si $x \in X$, l'algorithme retourne toujours la bonne réponse, donc y_0 est effectivement correct ; et

— si $x \notin X$, la solution correcte est nécessairement y_0.

Dans les deux cas, nous pouvons conclure que y_0 est correct. Que se passe-t-il, par contre, si $y \neq y_0$?

— Si $x \in X$, y est effectivement correct ; et

— si $x \notin X$, l'algorithme s'est trompé puisque la bonne réponse est y_0 ; la probabilité d'une telle erreur est d'au plus $1 - p$ étant donné que l'algorithme est p-correct.

Supposons maintenant qu'on répète k fois l'exécution de $MC(x)$ et qu'on obtienne les réponses $y_1, y_2, ..., y_k$.

— S'il existe un i tel que $y_i = y_0$, l'argument précédent montre que c'est bien la solution correcte ;

— s'il existe $i \neq j$ tels que $y_i \neq y_j$, la seule explication possible est que $x \notin X$ et donc que y_0 est la solution correcte ; et

— si $y_i = y \neq y_0$ pour tous les i, il est encore possible que la solution soit y_0 et que l'algorithme se soit trompé k fois successives sur $x \notin X$, mais la probabilité d'une telle occurrence est d'au plus $(1 - p)^k$.

Supposons, par exemple, que $p = \frac{1}{2}$ (ce qui n'était pas permis pour les algorithmes généraux de Monte Carlo mais qui ne pose aucun problème avec les algorithmes biaisés). Il suffit de répéter l'algorithme au plus 20 fois pour être soit sûr que la bonne réponse est y_0 (si l'un des deux premiers cas se présente), soit confiant que la bonne réponse est celle obtenue lors de chacun des essais successifs (puisque le phénomène observé aurait autrement eu une probabilité d'occurrence inférieure à un millionième). Si une probabilité d'erreur de 10^{-6} n'est pas acceptable, il suffit de répéter l'algorithme 30 fois pour que sa probabilité d'erreur tombe en deçà d'un milliardième. En général, k répétitions d'un algorithme p-correct et y_0-biaisé résultent en un algorithme $(1 - (1 - p)^k)$-correct, toujours y_0-biaisé.

Nous ne connaissons aucun algorithme de Monte Carlo non biaisé suffisamment simple pour figurer dans cette introduction. La suite consiste en quelques exemples d'algorithmes de Monte Carlo biaisés. Chacun résout un problème de décision ; c'est-à-dire que les seules réponses possibles sont *vrai* et *faux*.

PROBLÈME 8.6.4. Soient *A* et *B* deux algorithmes de Monte Carlo efficaces pour résoudre un même problème de décision. L'algorithme *A* est *p*-correct et *vrai*-biaisé, et l'algorithme *B* est *q*-correct et *faux*-biaisé. Donnez un algorithme de Las Vegas efficace *LV*(*x*, **var** *y*, **var** *succès*) pour résoudre ce même problème. Quelle est la probabilité de succès en pire cas d'une itération de votre algorithme ? □

8.6.1 Le problème du tableau majoritaire

Il s'agit de déterminer si un tableau $T[1..n]$ est majoritaire (voir le problème 4.11.5). Considérez l'algorithme suivant :

fonction *maj*($T[1..n]$)
  $i \leftarrow uniforme(1..n)$
  $x \leftarrow T[i]$
  $k \leftarrow 0$
  pour $j \leftarrow 1$ **jusqu'à** n **faire si** $T[j] = x$ **alors** $k \leftarrow k + 1$
  retourner $(k > n/2)$.

Nous voyons que *maj*(*T*) choisit aléatoirement un élément du tableau, puis qu'il vérifie si cet élément est majoritaire dans *T*. Si la réponse retournée est *vrai*, l'élément choisi est majoritaire, ce qui implique que le tableau est effectivement majoritaire. Par contre, si la réponse retournée est *faux* il est quand même possible que le tableau soit majoritaire, bien que l'élément choisi aléatoirement soit minoritaire. Toutefois, si le tableau est majoritaire et si l'un de ses éléments est choisi aléatoirement, la probabilité que le choix tombe sur un élément minoritaire est inférieure à 1/2, plus de la moitié des éléments du tableau étant majoritaires. Si la réponse retournée par *maj*(*T*) est *faux*, nous pouvons donc suspecter que le tableau n'est pas majoritaire. En conclusion, cet algorithme est *vrai*-biaisé et $\frac{1}{2}$-correct, c'est-à-dire que

$$T \text{ est majoritaire} \quad \Rightarrow maj(T) = vrai, \text{ avec probabilité} > 1/2$$
$$T \text{ n'est pas majoritaire} \Rightarrow maj(T) = faux, \text{ avec certitude .}$$

Une probabilité d'erreur de 50 % est intolérable en pratique. La technique générale des algorithmes de Monte Carlo biaisés permet de diminuer arbitrairement et efficacement cette probabilité. Considérez d'abord l'algorithme :

fonction *maj*2(*T*)
  si *maj*(*T*) **alors retourner** *vrai*
             sinon retourner *maj*(*T*) .

Si le tableau n'est pas majoritaire, chaque appel à *maj*(*T*) retourne *faux* avec certitude, donc *maj*2(*T*) retourne *faux* également. Si le tableau est majoritaire, la probabilité que le premier appel à *maj*(*T*) retourne *vrai* est $p > 1/2$, auquel cas *maj*2(*T*) retourne *vrai* aussi ; par contre, si le premier appel à *maj*(*T*) retourne *faux*, ce qui arrive avec une probabilité $1 - p$, le deuxième appel à *maj*(*T*) retourne quand même *vrai* avec une probabilité *p*, auquel cas *maj*2(*T*) retourne *vrai* également. En résumé, la probabilité que *maj*2(*T*) retourne *vrai* si le tableau *T* est majoritaire est

$$p + (1 - p)p = 1 - (1 - p)^2 > 3/4 .$$

L'algorithme *maj*2 est donc également *vrai*-biaisé mais $\frac{3}{4}$-correct. La probabilité d'erreur diminue parce que les différents appels à *maj*(T) sont indépendants : le fait que *maj*(T) retourne *faux* sur un tableau majoritaire ne change pas la probabilité qu'il retourne *vrai* lors de l'appel suivant sur le même tableau.

PROBLÈME 8.6.5.   Montrez que la probabilité que k appels successifs à *maj*(T) retournent tous la valeur *faux* est inférieure à 2^{-k} si T est majoritaire. Par contre, dès qu'un appel retourne *vrai*, on peut affirmer avec certitude que T est majoritaire.   □

L'algorithme de Monte Carlo suivant résout le problème de l'élément majoritaire avec une probabilité d'erreur inférieure à ε, pour tout ε > 0 :

fonction *majMC*(T, ε)
  $k \leftarrow \lceil \lg(1/ε) \rceil$
  pour $i \leftarrow 1$ **jusqu'à** k **faire**
    si *maj*(T) **alors retourner** *vrai*
  retourner *faux* .

Cet algorithme fonctionne en un temps dans $O(n \log(1/ε))$, où n est le nombre d'éléments dans le tableau et ε est la probabilité tolérée d'erreur. Ceci n'est intéressant que comme illustration d'algorithme de Monte Carlo puisqu'un algorithme linéaire déterministe est connu (problèmes 4.11.5 et 4.11.6).

8.6.2   Test probabiliste de primalité

Cet algorithme classique de Monte Carlo rappelle l'algorithme servant à déterminer si un tableau est majoritaire. Il s'agit de décider si un entier donné est premier ou composé. Aucun algorithme déterministe ou de Las Vegas capable de résoudre ce problème en un temps raisonnable n'est connu dès que le nombre à tester dépasse plusieurs centaines de chiffres décimaux.

Une première idée d'algorithme probabiliste pourrait être :

fonction *premier*(n)
  $d \leftarrow$ *uniforme*($2..\lfloor \sqrt{n} \rfloor$)
  retourner ((n **mod** d) $\neq 0$) .

Si la réponse retournée est *faux*, l'algorithme a trouvé par hasard un facteur non trivial de n, et nous sommes assurés que ce nombre est composé. Malheureusement, la réponse *vrai* est retournée avec une grande probabilité, même si n est en fait composé. Considérez, par exemple, $n = 2\,623 = 43 \times 61$. L'algorithme choisit aléatoirement un entier d entre 2 et 51. Il n'a donc qu'une maigre probabilité de 2 % de tomber sur $d = 43$ et de retourner *faux*. Dans 98 % des cas, l'algorithme nous porte à croire faussement que n est premier. La situation empire pour de plus grandes valeurs de n. Cet algorithme peut être amélioré en testant plutôt si n et d sont relativement premiers (par l'algorithme d'Euclide), mais ce n'est pas encore satisfaisant.

Afin d'obtenir un algorithme de Monte Carlo efficace pour le problème de la primalité, nous avons besoin d'un théorème dont la preuve sort du cadre de ce livre. Soit n un entier impair supérieur à 4 et soient s et t des entiers positifs tels que $n - 1 = 2^s t$, où t est impair. Soit a un entier tel que $2 \leqslant a \leqslant n - 2$. Par définition, n est **fortement pseudo-premier** à la base a si $a^t \equiv 1 \pmod{n}$ ou s'il existe des entiers i et x tels que $0 \leqslant i < s$, $x = 2^i$ et $a^{xt} \equiv -1 \pmod{n}$.

Si n est premier, il est fortement pseudo-premier à n'importe quelle base. Il existe cependant des nombres composés qui sont fortement pseudo-premiers à certaines bases. Une telle base est alors un **faux-témoin de primalité** pour ce nombre composé. Par exemple, 158 est un faux-témoin de primalité pour 289 puisque $288 = 9 \times 2^5$, $158^9 \equiv 131 \pmod{289}$, $158^{9 \times 2} \equiv 131^2 \equiv 110 \pmod{289}$, $158^{9 \times 4} \equiv 110^2 \equiv 251 \pmod{289}$ et finalement, $158^{9 \times 8} \equiv 251^2 \equiv -1 \pmod{289}$.

Le théorème nous assure que si n est composé, il ne peut pas être fortement pseudo-premier à plus de $(n - 9)/4$ bases différentes. La situation est encore meilleure si n est composé d'un grand nombre r de facteurs premiers distincts : il ne peut alors pas être fortement pseudo-premier à plus de $\phi(n)/2^{r-1} - 2$ bases différentes, où $\phi(n) < n - 1$ est la fonction d'Euler. Ce théorème est généralement pessimiste. Par exemple, 289 n'admet que 14 faux-témoins de primalité alors que 737 n'en admet même pas un.

** **PROBLÈME 8.6.6.** Prouvez ce théorème. □

PROBLÈME 8.6.7. Donnez un algorithme efficace pour tester si n est fortement pseudo-premier à la base a. Votre algorithme ne doit pas prendre significativement plus de temps (et parfois même moins de temps) qu'un simple calcul de $a^{(n-1)/2} \bmod n$. □

Ceci suggère l'algorithme suivant :

fonction *premier(n)*
  {cet algorithme n'est appelé que si $n > 4$ est impair}
  $a \leftarrow$ *uniforme*$(2..n-2)$
  si n est fortement pseudo-premier à la base a
  alors retourner *vrai*
  sinon retourner *faux* .

Pour un entier $n > 4$ impair, le théorème nous assure que n est composé si *premier(n)* retourne *faux*. Cette certitude ne donne toutefois aucune idée des facteurs non triviaux de n. Inversement, nous pouvons suspecter que n est premier si *premier(n)* retourne *vrai*. Il s'agit d'un algorithme de Monte Carlo *faux*-biaisé et $\frac{3}{4}$-correct pour décider de la primalité.

Comme d'habitude, la probabilité d'erreur peut être diminuée arbitrairement en répétant l'algorithme. Une remarque philosophique est de mise ici : l'algorithme ne répond pas « ce nombre est premier avec probabilité $1 - \varepsilon$ », mais bien « je crois que ce nombre est premier ; sinon, j'ai observé un phénomène naturel dont la probabilité d'occurrence était inférieure ou égale à ε ». La première réponse n'aurait en effet aucun sens, tout nombre étant soit premier, soit composé. Si l'on désire *générer* un nombre premier aléatoire avec une probabilité donnée d'erreur, il faut tenir compte de la probabilité *a priori* qu'un nombre aléatoire de la longueur voulue soit premier.

Ce test de primalité possède plusieurs points communs avec l'algorithme de Las Vegas pour l'extraction de racines carrées modulo *p* (section 8.5.2). Dans les deux cas, un entier *a* est choisi aléatoirement. Si *n* est composé, il y a au moins 75 % des chances pour que *n* ne soit pas fortement pseudo-premier à la base *a*, auquel cas la solution est obtenue avec certitude. Similairement, il y a plus de 50 % des chances pour que *a* soit une clef pour $\sqrt{x}$. Pourtant, l'algorithme de primalité n'est que de Monte Carlo alors que celui d'extraction de racines carrées est de Las Vegas. Cette différence s'explique par le fait que l'algorithme de Las Vegas sait reconnaître lorsqu'il a été malchanceux : le fait que *a* ne soit pas une clef pour $\sqrt{x}$ est facile à tester. Par contre, si *n* est fortement pseudo-premier à la base *a*, ceci peut être dû à la primalité de *n* ou au fait que *a* est un faux-témoin de primalité pour le nombre composé *n*. Cette différence s'explique également par le problème 8.2.2.

8.6.3   Test probabiliste d'égalité d'ensembles

Nous disposons d'un univers *U* de *N* éléments et d'une collection de *n* ensembles pas nécessairement disjoints, qui au départ sont tous vides. Nous supposons que *N* est très grand mais que *n* est petit. L'opération de base consiste à ajouter *x* à l'ensemble S_i, où $x \in U \setminus S_i$ et $1 \leqslant i \leqslant n$. A n'importe quel moment, la question « est-ce que $S_i = S_j$? » peut être posée.

La solution naïve à ce problème consiste à conserver les ensembles dans des tableaux, des listes, des arborescences de fouille ou des tables d'adressage dispersé. Quelle que soit la structure choisie, chaque test d'égalité prend un temps dans $\Omega(k)$ si ce n'est pas dans $\Omega(k \log k)$, où *k* est la cardinalité du plus grand des deux ensembles concernés.

Pour tout $\varepsilon > 0$ fixé d'avance, il existe un algorithme de Monte Carlo capable de traiter une séquence de *m* requêtes en un temps espéré total dans $O(m)$. L'algorithme ne se trompe jamais lorsque $S_i = S_j$; dans le cas contraire, sa probabilité d'erreur n'excède pas ε. Cet algorithme démontre une application intéressante de l'adressage dispersé universel (section 8.4.4).

Soit $\varepsilon > 0$ la probabilité d'erreur tolérée pour chaque requête de test d'égalité. Soit $k = \lceil \lg (\max (m, 1/\varepsilon)) \rceil$. Soit **H** une classe universelle-2 de fonctions de *U* dans $\{ 0, 1 \}^k$, l'ensemble des chaînes de *k* bits. L'algorithme de Monte Carlo commence par choisir aléatoirement une fonction dans cette classe et il initialise une table d'adressage dispersé dont *U* est le domaine. Cette table sert à implanter une fonction aléatoire $f : U \rightarrow \{ 0, 1 \}^k$ comme suit :

fonction *f(x)*
    si *x* est dans la table
    alors retourner la valeur associée à *x* dans la table
    y ← chaîne aléatoire de *k* bits
    associer *y* à *x* dans la table
    retourner *y* .

Chaque appel à $f(x)$ retourne une chaîne aléatoire choisie uniformément parmi toutes celles de longueur k. Deux appels différents sur le même argument retournent la même valeur et deux appels sur des arguments distincts sont indépendants. Grâce à l'adressage dispersé universel, chaque appel à $f(x)$ prend un temps espéré constant. □

A chaque ensemble S_i est associée une variable $v[i]$ initialisée à la chaîne binaire consistant de k zéros. Voici l'algorithme pour ajouter l'élément x à l'ensemble S_i. Il suppose que x n'est pas dans S_i au préalable.

procédure *ajoute(i, x)*
  $v[i] \leftarrow v[i] \oplus f(x)$,

où $t \oplus u$ dénote le ou-exclusif bit par bit des chaînes binaires u et v. L'algorithme de test d'égalité entre S_i et S_j est :

fonction *test(i, j)*
  si $v[i] = v[j]$
  alors retourner *vrai*
  sinon retourner *faux* .

Il est évident que $S_i \neq S_j$ si $v[i] \neq v[j]$. Quelle est la probabilité pour que $v[i] = v[j]$ lorsque $S_i \neq S_j$? Supposons sans perte de généralité qu'il existe un $x_0 \in S_i$ tel que $x_0 \notin S_j$. Soit $S_i' = S_i \setminus \{ x_0 \}$. Pour un ensemble $S \subseteq U$, soit $OUX(S)$, le ou-exclusif des $f(x)$ pour les $x \in S$. Par définition, $v[i] - OUX(S_i) - f(x_0) \oplus OUX(S_i')$ et $v[j] = OUX(S_j)$. Soit $y_0 = OUX(S_i') \oplus OUX(S_j)$. Le fait que $v[i] = v[j]$ implique que $f(x_0) = y_0$, ce qui n'avait qu'une probabilité 2^{-k} de se produire puisque la valeur de $f(x_0)$ a été choisie indépendamment de celles entrant dans la composition de y_0. Notez la similitude avec les signatures de la section 7.2.1.

Cet algorithme de Monte Carlo se distingue de ceux des deux sections précédentes en ce que la confiance dans une réponse « $S_i = S_j$ » ne peut pas être améliorée en répétant l'appel à *test(i, j)*. On ne peut qu'augmenter la confiance dans l'ensemble des réponses obtenues à une *séquence* de requêtes, en répétant l'application de l'algorithme sur la séquence en entier. De plus, les différents tests d'égalité ne sont pas indépendants. Par exemple, si $S_i \neq S_j$, $x \notin S_i \cup S_j$, $S_k = S_i \cup \{ x \}$, $S_l = S_j \cup \{ x \}$ et si une application de l'algorithme trouve par erreur que $S_i = S_j$, elle trouvera également que $S_k = S_l$.

PROBLÈME 8.6.8. Que se passe-t-il avec cet algorithme si un appel à *ajoute(i, x)* est effectué par erreur alors que x est déjà dans S_i ? □

PROBLÈME 8.6.9. Montrez comment implanter également la requête *élim(i, x)* consistant à éliminer l'élément x de l'ensemble S_i. Un appel à *élim(i, x)* n'est permis que si $x \in S_i$ au préalable. □

PROBLÈME 8.6.10. Modifiez cet algorithme pour qu'il fonctionne correctement (avec probabilité d'erreur ε) même si un appel à *ajoute(i, x)* est effectué alors que $x \in S_i$. Implantez également une requête *membre*(i, x) qui décide sans jamais se tromper si $x \in S_i$. Une séquence de m requêtes doit toujours être traitée en un temps espéré dans $O(m)$. ☐

** PROBLÈME 8.6.11. L'adressage dispersé universel permet d'implanter une fonction aléatoire $f : U \to \{0, 1\}^k$. La possibilité que $f(x_1) = f(x_2)$ pour $x_1 \neq x_2$, qui n'est pas gênante pour le test d'égalité d'ensembles, pourrait l'être pour d'autres applications. Montrez comment implanter une *permutation* aléatoire. Plus précisément, soit un entier N et soit $U = \{1, 2, ..., N\}$. Vous devez accepter deux types de requêtes : *init* et $p(i)$ pour $1 \leqslant i \leqslant N$. Un appel à *init* initialise une nouvelle permutation $\pi : U \to U$. Un appel à $p(i)$ retourne la valeur de $\pi(i)$ pour la permutation courante. Deux appels $p(i)$ et $p(j)$ qui ne sont pas séparés par un appel à *init* doivent donc retourner deux réponses différentes si et seulement si $i \neq j$. Deux tels appels séparés par un appel à *init* doivent, par contre, être indépendants. Supposez qu'un appel à *uniforme*$(u..v)$ se fasse en temps constant pour $1 \leqslant u \leqslant v \leqslant N$. Votre implantation doit satisfaire chaque requête en un temps constant en pire cas, quoi qu'il advienne. Vous pouvez disposer d'un espace de mémoire dans $O(N)$, mais aucune requête ne peut consulter ou modifier plus qu'un nombre constant de ces emplacements ; il n'est donc pas possible de créer la permutation en entier lors des appels à *init*. (Indice : relisez le problème 5.7.2 et l'exemple 8.4.1). ☐

8.7   Remarques bibliographiques

L'expérience du comte de Buffon [Leclerc 1777] a été réalisée plusieurs fois au XIXe siècle [Hall 1873]. C'est sans doute le premier algorithme probabiliste de l'histoire. Le terme « Monte Carlo » a été introduit dans la littérature par [Metropolis et Ulam 1949], mais il circulait déjà dans les milieux classifiés da la recherche atomique lors de la deuxième guerre mondiale, en particulier à Los Alamos, New Mexico. Rappelons qu'il est souvent utilisé pour dénoter tout algorithme probabiliste. Le terme « Las Vegas » a été introduit par [Babaï 1979] afin de distinguer les algorithmes probabilistes pouvant se tromper occasionnellement de ceux dont la réponse éventuelle est toujours exacte. Le terme « Sherwood » est original au présent ouvrage. Pour la solution du problème 8.2.3, consultez [Dumas 1872].

Une source encyclopédique de techniques de génération pseudo-aléatoire est [Knuth 1969] ; vous y trouverez également des tests pour tenter de distinguer une séquence pseudo-aléatoire d'une séquence vraiment aléatoire. Un générateur plus intéressant d'un point de vue cryptologique est donné par [Blum et Micali 1984] ; cet article et [Yao 1982] introduisent la notion de générateur imprévisible pouvant passer tous les tests statistiques de durée polynomiale.

Pour plus d'informations sur les algorithmes probabilistes numériques, consultez le livre de [Sobol 1974]. Plusieurs aspects de l'intégration numérique « de Monte Carlo » sont discutés dans [Fox 1987]. Le problème 8.3.14 est résolu dans [Klamkin et Newman 1967]. L'application du comptage probabiliste au « Data Encryption

Standard » (exemple 8.3.1) est décrite dans [Kaliski, Rivest et Sherman 1985]. Le comptage probabiliste (bis) est dû à [Flajolet et Martin 1985].

La technique de fouille dans une liste triée et son application au tri (problème 8.4.14) proviennent de [Janko 1976]. Une analyse de cette technique (problème 8.4.12) est donnée dans [Bentley, Stanat et Steele 1981]; on y trouve également l'énoncé du problème 8.4.4. L'adressage dispersé classique est décrit dans [Knuth 1968]; on y trouve maintes solutions au problème 8.4.15. L'adressage dispersé universel a été inventé par [Carter et Wegman 1979]; plusieurs classes universelles-2 y sont présentées, incluant celle du problème 8.4.20. Pour des solutions au problème 8.4.21, consultez [Wegman et Carter 1981, Bennett, Brassard et Robert 1987].

L'approche probabiliste au problème des huit reines a été suggérée aux auteurs par M. Blum. Les expériences sur le problème des vingt reines ont été effectuées par P. Beauchemin. L'algorithme de la section 8.5.2 pour l'extraction de racines carrées modulo un nombre premier, incluant le problème 8.5.15, est dû à [Peralta 1986]. Le premier algorithme pour résoudre ce problème provient de [Lehmer 1969, Berlekamp 1970]. Pour une solution au problème 8.5.12, consultez [Aho, Hopcroft et Ullman 1974]. La solution au problème 8.5.17 est donnée par l'algorithme de [Shanks 1972, Adleman, Manders et Miller 1977]. L'algorithme probabiliste de factorisation origine de [Dixon 1981]; pour une comparaison avec d'autres méthodes, consultez [Pomerance 1982]. L'algorithme pour l'élection d'un chef dans un réseau, incluant le problème 8.5.29, provient de [Itai et Rodeh 1981].

L'amplification de l'avantage d'un algorithme de Monte Carlo non biaisé sert des fins cryptologiques dans [Goldwasser et Micali 1984]. Le test probabiliste de primalité présenté ici est équivalent à celui de [Rabin 1976]. Le test de [Solovay et Strassen 1977] a été découvert indépendamment. Pour une discussion de ce que l'on peut conclure des résultats obtenus par l'algorithme de [Rabin 1976] et pour une façon de générer un nombre premier aléatoire d'une longueur donnée avec une borne spécifique sur la probabilité d'erreur, consultez [Beauchemin, Brassard, Crépeau et Goutier 1987]. Pour plus d'informations sur les tests de primalité, consultez [Williams 1978, Lenstra 1982, Kranakis 1986]. Le test probabiliste d'égalité d'ensembles provient de [Wegman et Carter 1981]; on y trouve une application cryptologique de l'adressage dispersé universel. La solution au problème 8.6.11 est donnée dans [Brassard et Kannan 1987].

Chapitre 9

Transformations du domaine

9.1   Introduction

Il est parfois utile de reformuler un problème avant de tenter de le résoudre. Si l'on vous demande, par exemple, de multiplier deux grands nombres donnés en notation romaine, vous commencerez probablement par les traduire en notation arabe. Plus généralement, soit D le domaine des objets à manipuler pour résoudre un problème donné. Soit $f : D^t \to D$ une fonction à calculer. Une **transformation algébrique** consiste en un **domaine transformé** R, une **fonction de transformation** injective $\sigma : D \to R$ et une **fonction transformée** $g : R^t \to R$ tels que

$$\sigma(f(x_1, x_2, ..., x_t)) = g(\sigma(x_1), \sigma(x_2), ..., \sigma(x_t))$$

pour tout $x_1, x_2, ..., x_t$ dans le domaine D. Une telle transformation est intéressante si le calcul de g dans le domaine transformé peut s'effectuer plus rapidement que le calcul direct de f dans le domaine original, et si les transformations σ et σ^{-1} peuvent également être calculées efficacement. La figure 9.1.1 illustre ce principe.

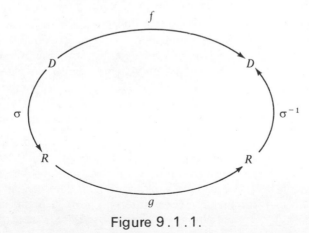

Figure 9.1.1.

EXEMPLE 9.1.1.   La plus importante transformation d'avant l'avènement des ordinateurs correspond à l'invention du logarithme par Napier en 1614. Cette invention fut tellement utile à Kepler qu'il dédia à Napier ses *Tabulae Rudolphinae*. Dans ce cas, $D = \mathbb{N}^+$ ou $\mathbb{R}^+$, $f(u, v) = uv$, $R = \mathbb{R}$, $\sigma(u) = \ln u$ et $g(x, y) = x + y$. Ceci permet de remplacer une multiplication par deux calculs de logarithmes, une addition et une exponentiation. Les calculs de σ et σ^{-1} étant plus longs que la multiplication originale, cette idée n'est intéressante que grâce au calcul préalable de tables de logarithmes. Ces tables, n'ayant à être calculées qu'une fois pour toutes, nous donnent également un exemple historique de la technique du préconditionnement (chapitre 7). $\square$

EXEMPLE 9.1.2.   Il est souvent utile de transformer entre coordonnées cartésiennes et polaires. $\square$

EXEMPLE 9.1.3.   La plupart des ordinateurs qui traitent des données numériques acceptent ces données et impriment les résultats en décimal mais calculent en binaire. $\square$

EXEMPLE 9.1.4.   Vous désirez multiplier symboliquement deux polynômes à coefficients entiers, par exemple $p(x) = 3x^3 - 5x^2 - x + 1$ et $q(x) = x^3 - 4x^2 + 6x - 2$. Ces polynômes sont représentés par leurs coefficients. Le domaine original du problème est donc $\mathbb{Z}^{d+1}$, où d est le degré des polynômes en question. L'algorithme naïf pour multiplier ces polynômes ressemble à l'algorithme classique de multiplication entière ; il prend un temps dans $\theta(d^2)$ en comptant les opérations scalaires comme élémentaires. Une façon différente de représenter ces mêmes polynômes consiste à donner leur valeur en $d + 1$ points distincts, par exemple $0, 1, 2, ..., d$. Nos polynômes sont alors donnés par $p = (1, -2, 3, 34)$ et $q = (-2, 1, 2, 7)$. Le domaine transformé est toujours $\mathbb{Z}^{d+1}$, mais sa signification a changé. La nouvelle représentation définit bien les polynômes originaux puisqu'un seul polynôme du troisième degré passe par quatre points donnés.

Soit $r(x) = 3x^6 - 17x^5 + 37x^4 - 31x^3 + 8x - 2$ le produit de $p(x)$ et $q(x)$. Utilisant la représentation transformée, la multiplication peut se faire en un temps dans $O(d)$ puisque $r(i)$ se calcule simplement par $p(i)\, q(i)$ pour $0 \leqslant i \leqslant d$. Nous obtenons ainsi $r = (-2, -2, 6, 238)$. Ceci ne permet toutefois *pas* de retrouver les coefficients de $r(x)$ puisqu'un polynôme du sixième degré n'est pas défini de façon unique par sa valeur en quatre points. Il eût fallu utiliser sept points dès le départ et représenter $p = (1, -2, 3, 34, 109, 246, 463)$ et $q = (-2, 1, 2, 7, 22, 53, 106)$ pour que le calcul de r puisse s'effectuer correctement dans cette représentation.

Dans cet exemple, le calcul de la fonction transformée (multiplication point par point) peut se faire plus rapidement que le calcul naïf de la fonction originale (multiplication symbolique de polynômes donnés par leurs coefficients). Pour que ceci soit intéressant, il faut cependant pouvoir calculer efficacement la fonction de transformation (évaluation) et son inverse (interpolation). A première vue, le calcul des $p(i)$ et $q(i)$ pour $0 \leqslant i \leqslant 2d$ prend un temps dans $\Omega(d^2)$. Pis encore, une implantation naïve de l'algorithme de Lagrange pour effectuer l'interpolation finale prend un temps dans $\Omega(d^3)$, ce qui semble enlever tout intérêt à cette approche. Nous verrons à la section 9.4 que tel n'est pas le cas, à la condition de choisir judicieusement les points d'évaluation des polynômes. $\square$

9.2   La transformée de Fourier

Dans la suite de ce chapitre, toutes les opérations arithmétiques se font soit modulo un entier m à déterminer, soit dans le corps des nombres complexes (ou en général dans un anneau commutatif quelconque). Elles sont comptées à coût unitaire, à moins d'indication contraire. Soit n une puissance de 2 telle que n^{-1} existe dans la structure algébrique considérée. Nous dénotons par ω une constante pour l'instant quelconque telle que $\omega^n = 1$. Par exemple, $\omega = 4$ est admissible dans l'arithmétique modulo 257 si $n = 8$ (auquel cas $n^{-1} = 225$) et $\omega = (1 + i)/\sqrt{2}$ est admissible dans le corps des complexes, également si $n = 8$.

Soit un n-tuplet $a = (a_0, a_1, ..., a_{n-1})$. Celui-ci définit de façon naturelle un polynôme $p_a(x) = a_{n-1} x^{n-1} + a_{n-2} x^{n-2} + \cdots + a_1 x + a_0$ de degré inférieur à n. La **transformée de Fourier** de a relativement à ω est le n-tuplet $F_\omega(a) = (p_a(1), p_a(\omega), p_a(\omega^2), ..., p_a(\omega^{n-1}))$. Comme dans l'exemple 9.1.4, il faudrait à première vue un nombre d'opérations scalaires dans $\Omega(n^2)$ pour en effectuer le calcul. Il n'en est toutefois rien grâce à l'algorithme de la transformée de Fourier rapide ou FFT (*Fast Fourier Transform*). Cet algorithme est d'une importance capitale pour une variété d'applications, particulièrement en traitement des signaux (section 1.7.6).

Supposons que $n > 1$ et posons $t = n/2$. Les t-tuplets b et c définis par $b = (a_0, a_2, ..., a_{n-4}, a_{n-2})$ et $c = (a_1, a_3, ..., a_{n-3}, a_{n-1})$ sont tels que $p_a(x) = p_b(x^2) + xp_c(x^2)$. En particulier, $p_a(\omega^i) = p_b(\xi^i) + \omega^i p_c(\xi^i)$, où $\xi = \omega^2$. Il est clair que $\xi^t = 1$, ce qui permet de parler de $F_\xi(b)$ et $F_\xi(c)$. De plus, $\xi^{t+i} = \xi^i$, donc $p_a(\omega^{t+i}) = p_b(\xi^i) + \omega^{t+i} p_c(\xi^i)$. La transformée de Fourier se calcule grâce à une application de la technique diviser-pour-régner.

```
fonction FFT(a[0..n−1], ω) : tableau[0..n−1]
    {n est une puissance de 2 et ωⁿ = 1}
    tableau A[0..n−1]   {pour recevoir le résultat}
    si n = 1 alors A[0] ← a[0]
    sinon t ← n/2
          tableaux b, c, B, C[0..t−1]   {tableaux intermédiaires}
          {formation des sous-exemplaires}
          pour i ← 0 jusqu'à t−1 faire b[i] ← a[2i]
                                       c[i] ← a[2i+1]
          {calcul récursif des transformées de Fourier des sous-exemplaires}
          B ← FFT(b, ω²)
          C ← FFT(c, ω²)
          {calcul de la transformée de Fourier de l'exemplaire original}
          α ← 1
          pour i ← 0 jusqu'à t−1 faire
             {α = ωⁱ}
             A[i] ← B[i] + αC[i]
             α ← αω
```

> **pour** $i \leftarrow 0$ **jusqu'à** t–1 **faire**
> $\quad \{\alpha = \omega^{t+i}\}$
> $\quad A[t+i] \leftarrow B[i] + \alpha C[i]$
> $\quad \alpha \leftarrow \alpha\omega$
> **retourner** A .

Nous verrons que $\omega^t = -1$ dans les cas intéressants. Ceci permet de remplacer les deux dernières boucles par une seule :

> **pour** $i \leftarrow 0$ **jusqu'à** t–1 **faire**
> $\quad A[i] \leftarrow B[i] + \alpha C[i]$
> $\quad A[t+i] \leftarrow B[i] - \alpha C[i]$
> $\quad \alpha \leftarrow \alpha\omega$.

PROBLÈME 9.2.1. Montrez que cet algorithme prend un temps dans $\theta(n \log n)$. □

EXEMPLE 9.2.1. Soient $n = 8$ et $a = (255, 8, 0, 226, 37, 240, 3, 0)$. Calculons $F_\omega(a)$ en arithmétique modulo $m = 257$, où $\omega = 4$. Ceci est possible puisque $4^8 \equiv 1 \pmod{257}$. Pour ceci, a est décomposé en $b = (255, 0, 37, 3)$ et $c = (8, 226, 240, 0)$. Les appels récursifs, qui utilisent $t = 4$ et $\omega^2 = 16$, donnent $B = F_{16}(b) = (38, 170, 32, 9)$ et $C = F_{16}(c) = (217, 43, 22, 7)$. Ces résultats sont combinés pour donner A :

$$A[0] \leftarrow 38 + 217 \quad = 255 \qquad A[4] \leftarrow 38 - 217 \quad = 78$$
$$A[1] \leftarrow 170 + 43\,\omega \quad = 85 \qquad A[5] \leftarrow 170 - 43\,\omega \quad = 255$$
$$A[2] \leftarrow 32 + 22\,\omega^2 \quad = 127 \qquad A[6] \leftarrow 32 - 22\,\omega^2 \quad = 194$$
$$A[3] \leftarrow 9 + 7\,\omega^3 \quad = 200 \qquad A[7] \leftarrow 9 - 7\,\omega^3 \quad = 75 .$$

Le résultat final est donc $A = (255, 85, 127, 200, 78, 255, 194, 75)$. □

** PROBLÈME 9.2.2. Malgré la simplicité conceptuelle de l'algorithme récursif ci-dessus, il est préférable en pratique d'en utiliser une version itérative. Donnez une telle version. (Indice : soit $p(x)$ un polynôme quelconque et soit $q(x) = (x - x_1)(x - x_2) \ldots (x - x_t)$ un polynôme de degré t tel que $q(x_1) = q(x_2) = \cdots = q(x_t) = 0$, où $x_1, x_2, \ldots, x_t$ sont des valeurs quelconques. Soit $r(x)$ le reste de la division symbolique de $p(x)$ par $q(x)$. Montrez que $p(x_i) = r(x_i)$ pour $1 \leqslant i \leqslant t$. En particulier, le reste de la division symbolique de $p(x)$ par $(x - x_i)$ est le polynôme constant dont la valeur est $p(x_i)$.) □

9.3 La transformée inverse

En dépit de son importance en traitement des signaux, c'est en tant qu'outil de transformation du domaine que nous nous intéressons ici à la transformée de Fourier. Notre premier objectif est de sauver l'idée de l'exemple 9.1.4. L'utilisation de la transformée de Fourier rapide permet d'évaluer les polynômes $p(x)$ et $q(x)$ aux points 1, ω, ω^2, ..., ω^{n-1} en un temps dans $O(n \log n)$, où n est une puissance de 2 supérieure au degré du polynôme produit. La multiplication point par point se fait en un temps dans $O(n)$. Afin d'obtenir le résultat final, il reste à *interpoler* l'unique polynôme $r(x)$ de degré inférieur à n passant par ces n points. Il s'agit donc d'inverser le processus de la transformée de Fourier. A cette fin, des restrictions supplémentaires sont imposées sur le choix de ω.

Le nombre ω est une n-ième **racine principale de l'unité** s'il respecte trois conditions :

i) $\omega \neq 1$ (sauf si $n = 1$)

ii) $\omega^n = 1$, et

iii) $\sum\limits_{j=0}^{n-1} \omega^{jp} = 0$ pour chaque $1 \leqslant p < n$.

La seconde propriété nous permet de calculer l'inverse multiplicatif de ω : puisque $\omega\omega^{n-1} = \omega^n = 1$, nous dénotons ω^{n-1} par ω^{-1}. Plus généralement, ω^{-i} dénote ω^{n-i} pour tout $0 \leqslant i \leqslant n$. En autant que n soit pair, la troisième propriété et le fait que n^{-1} existe permettent de conclure que $\omega^{n/2} = -1$ puisqu'en prenant $p = n/2$, on obtient :

$$0 = \sum_{j=0}^{n-1} \omega^{jn/2} = \frac{n}{2}(1 + \omega^{n/2}).$$

* **PROBLÈME 9.3.1.** Prouvez que ω^{-1} est également une n-ième racine principale de l'unité. □

PROBLÈME 9.3.2. Dans le corps des complexes, prouvez que $e^{2i\pi/n}$ est une n-ième racine principale de l'unité. □

** **PROBLÈME 9.3.3.** Soient n et ω des puissances positives de 2 et soit $m = \omega^{n/2} + 1$. Prouvez que ω est une n-ième racine principale de l'unité dans l'arithmétique modulo m. Prouvez également que n^{-1} existe modulo m, en montrant que $n^{-1} = m - (m-1)/n$. □

PROBLÈME 9.3.4. Lorsque m est de la forme $2^t + 1$, comme dans le problème 9.3.3, la réduction modulo m peut se faire sans division sur un ordinateur binaire. Soient a et b deux entiers tels que $0 \leqslant a < m$ et $0 \leqslant b < m$ dont nous désirons obtenir le produit modulo m. Soit $c = ab$, le produit de la multiplication ordinaire. Décomposons c en deux tranches de t bits : $c = i + 2^t j$, où $0 \leqslant i < 2^t$ et $0 \leqslant j \leqslant 2^t$ (le seul cas où $j = 2^t$ est lorsque $a = b = m - 1$). Si $i \geqslant j$, posons $d = i - j$, sinon $d = m + i - j$. Prouvez que $0 \leqslant d < m$ et $ab \equiv d \pmod{m}$. Plus généralement, montrez comment calculer efficacement $x \bmod m$ lorsque $m = 2^t + 1$, en autant que $-(2^{2t} + 2^t) < x < 2^{2t} + 2^{t+1}$. Si l'addition ou la soustraction de deux entiers de taille l se fait en un temps dans $O(l)$, ce calcul de $x \bmod m$ doit se faire en un temps dans $O(t)$. □

Soit A la matrice $n \times n$ définie par $A_{ij} = \omega^{ij}$. Le fait que ω soit une n-ième racine principale de l'unité et que n^{-1} existe permet d'affirmer que A est inversible, son inverse étant la matrice B définie par $B_{ij} = n^{-1} \omega^{-ij}$.

THÉORÈME 9.3.1.   Soient A et B définis comme ci-dessus. Alors $AB = I_n$, la matrice identité $n \times n$.

PREUVE.   Soit $C = AB$. Par définition, $C_{ij} = \sum_{k=0}^{n-1} A_{ik} B_{kj} = n^{-1} \sum_{k=0}^{n-1} \omega^{(i-j)k}$. Trois cas sont à considérer.

i) Si $i = j$, $\omega^{(i-j)k} = \omega^0 = 1$, donc $C_{ij} = n^{-1} \sum_{k=0}^{n-1} 1 = nn^{-1} = 1$.

ii) Si $i > j$, soit $p = i - j$. $C_{ij} = n^{-1} \sum_{k=0}^{n-1} \omega^{kp} = 0$ par la propriété (iii) des racines principales de l'unité, puisque $1 \leqslant p < n$.

iii) Si $i < j$, soit $p = j - i$. Notons d'abord que
$$\omega^{p(n-k)} = \omega^{pn} \omega^{(i-j)k} = \omega^{(i-j)k} \quad \text{et que} \quad \omega^{p \times 0} = 1 = \omega^{pn}, \quad \text{donc}$$
$$C_{ij} = n^{-1} \sum_{k=0}^{n-1} \omega^{(i-j)k} = n^{-1} \cdot \sum_{k=1}^{n} \omega^{(i-j)k} = n^{-1} \sum_{k=1}^{n} \omega^{p(n-k)}$$
$$= n^{-1} \sum_{l=0}^{n-1} \omega^{lp} = 0, \quad \text{où} \quad l = n - k. \qquad \square$$

PROBLÈME 9.3.5.   Prouvez que $0 \leqslant i < j < n$ implique que $\omega^i \neq \omega^j$. Ceci est essentiel à l'interpolation unique du polynôme produit $r(x)$. (Indice : c'est un corollaire immédiat du théorème 9.3.1.) $\qquad \square$

Cette matrice A donne une définition équivalente pour la transformée de Fourier : $F_\omega(a) = aA$. Le théorème 9.3.1 justifie la définition suivante. Soit $a = \langle a_0, a_1, ..., a_{n-1} \rangle$ un n-tuplet. La **transformée de Fourier inverse** de a relativement à ω est le n-tuplet
$$F_\omega^{-1}(a) = \left(n^{-1} p_a(1), \, n^{-1} p_a(\omega^{-1}), \, n^{-1} p_a(\omega^{-2}), ..., n^{-1} p_a(\omega^{-(n-1)})\right).$$

* **PROBLÈME** 9.3.6.   Prouvez que $F_\omega^{-1}(F_\omega(a)) = a$ pour tout n-tuplet a. $\qquad \square$

La transformée de Fourier inverse se calcule efficacement par l'algorithme suivant, en autant que n^{-1} soit disponible ou facilement calculable.

```
fonction FFTinv(a[0..n−1], ω): tableau[0..n−1]
   {n est une puissance de 2 et ωⁿ = 1}
   tableau F[0..n−1]
   F ← FFT(a, ωⁿ⁻¹)
   pour i ← 0 jusqu'à n−1 faire F[i] ← n⁻¹F[i]
   retourner F .
```

EXEMPLE 9.3.1. Soient $n = 8$ et $a = (255, 85, 127, 200, 78, 255, 194, 75)$. Calculons $F_\omega^{-1}(a)$ en arithmétique modulo $m = 257$, où $\omega = 4$. Par le problème 9.3.3, ω est bien une n-ième racine principale de l'unité. Calculons d'abord $FFT(a, \omega^{-1})$, où $\omega^{-1} = \omega^7 = 193$. Pour ceci, a est décomposé en $b = (255, 127, 78, 194)$ et $c = (85, 200, 255, 75)$. Les appels récursifs donnent $B = FFT(b, \omega^{-2} = 241) = (140, 221, 12, 133)$ et $C = FFT(c, \omega^{-2}) = (101, 143, 65, 31)$. Combinés, ces résultats donnent $A = (241, 64, 0, 9, 39, 121, 24, 0)$. Il reste à multiplier par $n^{-1} = m - (m - 1)/n = 225$ (problème 9.3.3). Le résultat final est donc $F = (255, 8, 0, 226, 37, 240, 3, 0)$, ce qui est consistant avec l'exemple 9.2.1. $\square$

Si la transformée de Fourier est calculée dans le corps des complexes (problème 9.3.2), des erreurs d'arrondi se produisent sur l'ordinateur. Par contre, si elle est calculée modulo m (problème 9.3.3), il faut manipuler de grands entiers. Dans la suite de cette section, les opérations arithmétiques ne sont plus comptées à coût unitaire : l'addition de deux nombres de taille l prend un temps dans $O(l)$. Nous savons déjà (problème 9.3.4) que les réductions modulo m peuvent se faire en un temps dans $O(\log m)$, grâce à la forme particulière de m. Le fait que ω soit une puissance de 2 permet également de remplacer les multiplications de l'algorithme FFT par des décalages. Pour ceci, il convient de modifier légèrement l'algorithme. Premièrement, plutôt que de lui donner ω comme second argument, nous lui en donnons le logarithme en base 2, dénoté γ. Deuxièmement, les appels récursifs se font avec 2γ plutôt que ω^2 comme second argument. Quant à la boucle finale, elle devient :

$\beta \leftarrow 0$
pour $i \leftarrow 0$ **jusqu'à** $t{-}1$ **faire**
   $\{\beta = i\gamma\}$
   $A[i] \leftarrow B[i] + C[i]{\uparrow}\beta$
   $A[t{+}i] \leftarrow B[i] - C[i]{\uparrow}\beta$
   $\beta \leftarrow \beta + \gamma$,

où $x \uparrow y$ dénote la valeur de x décalée à gauche de y positions binaires, c'est-à-dire $2^y x$. Toute l'arithmétique est faite modulo $m = \omega^{n/2} + 1$ en utilisant le problème 9.3.4.

Le cœur de l'algorithme consiste en l'exécution d'instructions de la forme $A \leftarrow (B \pm C \uparrow \beta) \bmod m$, où $0 \leqslant B < m$ et $0 \leqslant C < m$. La valeur β du décalage n'excède jamais $\left(\dfrac{n}{2} - 1\right) \lg \omega$, même en tenant compte des appels récursifs. Par conséquent, $-\omega^{n-1} \leqslant B \pm C \uparrow \beta \leqslant \omega^{n-1} + \omega^{n/2}$, ce qui permet de le réduire modulo m en un temps dans $O(\log m) = O(n \log \omega)$ par le problème 9.3.4. Le nombre d'opérations de cet acabit étant dans $O(n \log n)$, le calcul complet de la transformée de Fourier modulo m se fait en un temps dans $O(n^2 \log n \log \omega)$. (D'un point de vue pratique, si n est suffisamment petit pour que la manipulation d'opérandes de la taille de $\omega^{n/2}$ puisse être considérée comme élémentaire, l'algorithme prend un temps dans $O(n \log n)$.)

PROBLÈME 9.3.7. Montrez que la transformée inverse modulo $m = \omega^{n/2} + 1$ se calcule également en un temps dans $O(n^2 \log n \log \omega)$, si l'on compte un temps dans $O(l)$ pour additionner deux entiers de taille l. (Il faut modifier l'algorithme *FFTinv* parce qu'un appel direct au nouveau *FFT* avec $\gamma = (n - 1) \lg \omega$, correspondant à l'utilisation de $\omega^{-1} = \omega^{n-1}$ comme racine principale de l'unité, cause des décalages pouvant aller jusqu'à $\beta = \left(\dfrac{n}{2} - 1\right)(n - 1) \lg \omega$, ce qui ne permet plus d'appliquer le problème 9.3.4. De même, la multiplication finale par n^{-1} est avantageusement remplacée par une multiplication par $- n^{-1}$ suivie d'un changement de signe, puisque $- n^{-1} = \omega^{n/2}/n$ est une puissance de 2.)   □

9.4   Manipulation symbolique de polynômes

Nous disposons maintenant des outils nécessaires pour terminer l'exemple 9.1.4. Soient $p(x) = a_{s-1} x^{s-1} + a_{s-2} x^{s-2} + \cdots + a_1 x + a_0$ et $q(x) = b_{t-1} x^{t-1} + b_{t-2} x^{t-2} + \cdots + b_1 x + b_0$, deux polynômes de degrés $s-1$ et $t-1$, respectivement. Nous désirons calculer symboliquement le polynôme $r(x) = p(x) q(x)$ de degré $d = s + t - 2$. Soit n la plus petite puissance de 2 supérieure à d et soit ω une n-ième racine principale de l'unité. Soient a et b les n-tuplets définis par $a = (a_0, a_1, ..., a_{s-1}, 0, 0, ..., 0)$ et $b = (b_0, b_1, ..., b_{t-1}, 0, 0, ..., 0)$. Soient $A = F_\omega(a)$ et $B = F_\omega(b)$, tels que calculés par l'algorithme *FFT*. Par définition, $A_i = p(\omega^i)$ et $B_i = q(\omega^i)$. Soit C le n-tuplet défini par $C_i = A_i B_i$, c'est-à-dire $C_i = p(\omega^i) q(\omega^i) = r(\omega^i)$. Le polynôme $r(x)$ étant de degré inférieur à n et tous les points $1, \omega, \omega^2, ..., \omega^{n-1}$ étant distincts (problème 9.3.5), le n-tuplet c tel que $C = F_\omega(c)$ correspond aux coefficients du polynôme $r(x)$. Il suffit d'appeler *FFTinv*(C, ω) pour les obtenir.

PROBLÈME 9.4.1.   Donnez explicitement l'algorithme esquissé ci-dessus et prouvez-en l'exactitude. Montrez qu'il permet de multiplier deux polynômes dont le produit est de degré d en un nombre d'opérations scalaires dans $O(d \log d)$, en autant qu'une n-ième racine principale de l'unité et l'inverse multiplicatif de n, la plus petite puissance de 2 supérieure à d, puissent être obtenus facilement.   □

Afin d'implanter cet algorithme de multiplication symbolique de polynômes, il faut pouvoir calculer efficacement une n-ième racine principale de l'unité. L'approche la plus facile consiste à utiliser le corps des complexes et le problème 9.3.2. Il est un peu étonnant que la multiplication symbolique efficace de polynômes à coefficients entiers passe par des manipulations de nombres complexes. Si la réponse exacte est souhaitée, il faut toutefois faire attention aux erreurs d'arrondi de l'ordinateur. Une analyse approfondie du cumul possible de ces erreurs est alors nécessaire. Pour cette raison, il peut être plus intéressant de faire l'arithmétique modulo un nombre suffisamment grand (problème 9.4.2), et d'utiliser le problème 9.3.3 pour obtenir une n-ième racine principale de l'unité. Ceci peut demander de l'arithmétique à précision multiple.

PROBLÈME 9.4.2. Soient $p(x)$ et $q(x)$ deux polynômes à coefficients entiers. Soient a et b le maximum des valeurs absolues des coefficients de $p(x)$ et $q(x)$, respectivement. Soit u le maximum des degrés des deux polynômes. Prouvez qu'aucun coefficient du polynôme produit $p(x)\,q(x)$ n'excède $ab(u + 1)$ en valeur absolue. (Dans l'exemple 9.1.4, $a = 5$, $b = 6$ et $u = 3$, donc aucun coefficient de $r(x)$ ne dépasse 120 en valeur absolue.) □

EXEMPLE 9.4.1 (suite de l'exemple 9.1.4). Soient les polynômes $p(x) = 3x^3 - 5x^2 - x + 1$ et $q(x) = x^3 - 4x^2 + 6x - 2$ à multiplier symboliquement. Le produit étant de degré 6, il est adéquat de choisir $n = 8$. Par le problème 9.4.2, tous les coefficients du polynôme produit $r(x) = p(x)\,q(x)$ sont entre -120 et 120; il suffit donc de les calculer modulo $m = 257$. Par le problème 9.3.3, $\omega = 4$ est une racine principale de l'unité dans l'arithmétique modulo 257.

Soient
$$a = (1, -1, -5, 3, 0, 0, 0, 0)$$
et
$$b = (-2, 6, -4, 1, 0, 0, 0, 0)\,.$$

Deux applications de l'algorithme *FFT* donnent
$$F_\omega(a) = (255, 109, 199, 29, 251, 247, 70, 133)$$
et
$$F_\omega(b) = (1, 22, 82, 193, 244, 103, 179, 188)\,.$$

Le produit point par point de ces deux transformées, toujours modulo 257, donne $C = (255, 85, 127, 200, 78, 255, 194, 75)$. Par l'exemple 9.3.1, le vecteur c tel que $F_\omega(c) = C$ est $c = (255, 8, 0, 226, 37, 240, 3, 0)$. Puisque tous les coefficients de $r(x)$ sont entre -120 et 120, les entiers 255, 226 et 240 correspondent à -2, -31 et -17, respectivement. Le résultat final est donc $r(x) = 3x^6 - 17x^5 + 37x^4 - 31x^3 + 8x - 2$. □

PROBLÈME 9.4.3. Généralisez l'exemple ci-dessus : donnez un algorithme explicite $mul(a[0..s], b[0..t])$: **tableau**$[0..s + t]$ qui effectue la multiplication symbolique de polynômes à coefficients entiers. Votre algorithme doit entre autres déterminer des valeurs adéquates pour n, ω et m (utilisez les problèmes 9.3.3 et 9.4.2 à cet effet). □

PROBLÈME 9.4.4. Le théorème selon lequel il existe un et un seul polynôme de degré inférieur à d passant par d points donnés ne fonctionne pas en général dans l'arithmétique modulo m lorsque m est un nombre composé. Par exemple, $p_1(x) = 2x + 1$ et $p_2(x) = 5x + 1$ sont tous deux tels que $p_i(0) = 1$ et $p_i(3) = 7$ dans l'arithmétique modulo 9. Or, les valeurs de m obtenues grâce au problème 9.3.3 dans l'algorithme du problème 9.4.3 ne sont pas premières en général. Prouvez que cette considération n'invalide pas l'algorithme de multiplication symbolique de polynômes. (Indice : puisque ω^{-1} existe, toutes les puissances de ω sont inversibles dans l'arithmétique modulo m.) □

L'analyse de l'algorithme du problème 9.4.3 dépend des degrés s et t des polynômes à multiplier et de la taille de leurs coefficients. Si ceux-ci sont suffisamment petits pour qu'il soit raisonnable de considérer les opérations scalaires modulo m comme élémentaires, il multiplie symboliquement $p(x)$ et $q(x)$ en un temps dans $O(d \log d)$, où $d = s + t$. L'algorithme naïf aurait pris un temps dans $O(st)$. Par contre, s'il faut recourir à l'arithmétique en précision multiple, le calcul initial des transformées de Fourier et le calcul final de son inverse prennent un temps dans $O(d^2 \log d \log \omega)$ et la multiplication intermédiaire point par point des transformées prend un temps dans $O(dM(d \log \omega))$, où $M(l)$ est le temps requis pour multiplier deux entiers de taille l. Puisque $M(l) \in \theta(l \log l \log \log l)$ avec le meilleur algorithme de multiplication entière connu (section 9.5), le premier terme de cette analyse est négligeable. Le temps total est donc dans $O(dM(d \log \omega))$, où $\omega = 2$ suffit si aucun des coefficients des polynômes à multiplier n'excède $2^{n/4} / \sqrt{2(1 + \max(s, t))}$ en valeur absolue. (Rappel : n est la plus petite puissance de 2 supérieure à d.) En comparaison, l'algorithme naïf prend un temps dans $O(stM(l))$, où l est la taille du plus grand coefficient des polynômes à multiplier. Il est possible que ce temps soit dans $O(st)$ en pratique, si l'arithmétique des entiers de taille l peut se faire à coût unitaire. L'algorithme naïf est donc préférable à l'algorithme « rapide » si d est très grand et si l est raisonnablement petit. Dans tous les cas, l'algorithme utilisant $\omega = e^{2i\pi/n}$ parvient à multiplier *approximativement* les deux polynômes en un temps dans $O(d \log d)$.

PROBLÈME 9.4.5. Soient n points distincts $x_1, x_2, ..., x_n$. Donnez un algorithme efficace pour calculer les coefficients de l'unique polynôme $p(x)$ de degré n tel que $p(x_i) = 0$ pour chaque $1 \leqslant i \leqslant n$ et dont le coefficient de x^n est 1. Votre algorithme doit fonctionner en un temps dans $O(n \log^2 n)$, en comptant toutes les opérations scalaires comme élémentaires. (Indice : voir le problème 4.11.2.)   ☐

* **PROBLÈME 9.4.6.** Soit $p(x)$ un polynôme de degré n et soient n points distincts $x_1, x_2, ..., x_n$. Donnez un algorithme efficace pour calculer chaque $y_i = p(x_i)$ pour $1 \leqslant i \leqslant n$. Votre algorithme doit fonctionner en un temps dans $O(n \log^2 n)$. (Indice : l'indice du problème 9.2.2 est pertinent ici aussi.)   ☐

** **PROBLÈME 9.4.7.** Soient n points distincts $x_1, x_2, ..., x_n$ et n valeurs (pas nécessairement distinctes) $y_1, y_2, ..., y_n$. Donnez un algorithme efficace pour calculer les coefficients de l'unique polynôme $p(x)$ de degré inférieur à n tel que $p(x_i) = y_i$ pour chaque $1 \leqslant i \leqslant n$. Votre algorithme doit fonctionner en un temps dans $O(n \log^2 n)$.   ☐

9.5   La multiplication des grands entiers

Considérons une fois de plus le problème de la multiplication des grands entiers (sections 1.1, 1.7.2 et 4.7). Soient a et b deux entiers de n bits dont nous désirons obtenir le produit. Supposons pour simplifier que n est une puissance de 2 (c'est-à-dire que des zéros non significatifs sont ajoutés le cas échéant à la gauche des opérandes). L'algorithme classique requiert un temps dans $\Omega(n^2)$ et l'algorithme diviser-pour-régner se contente d'un temps dans $O(n^{1,59})$, voire $O(n^\alpha)$ pour tout $\alpha > 1$ (problème 4.7.8). Nous pouvons faire mieux grâce à une *double* transformation du domaine. Le domaine original des entiers est d'abord transformé dans celui des polynômes représentés par leurs coefficients; le produit symbolique de ces polynômes est ensuite obtenu grâce à la transformée de Fourier.

Dénotons par $p_a(x)$ le polynôme de degré inférieur à n dont les coefficients sont donnés par les bits successifs de l'entier a. Par exemple, $p_{53}(x) = x^5 + x^4 + x^2 + 1$ puisque 53 s'exprime en binaire par 00110101. Il est clair que $p_a(2) = a$ pour tout entier a. Pour obtenir le produit des entiers a et b, il suffit de calculer symboliquement le polynôme $r(x) = p(x)\,q(x)$ par la transformée de Fourier (section 9.4), puis d'évaluer $r(2)$. Cet algorithme est récursif puisqu'une des étapes de la multiplication symbolique des polynômes consiste en la multiplication point par point des transformées de Fourier.

EXEMPLE 9.5.1. Pour les besoins de l'illustration seulement, faisons les calculs en décimal. Soit $p'_a(x)$ le polynôme dont les coefficients sont donnés par les chiffres successifs de a, de façon à ce que $p'_a(10) = a$. Soient $a = 2\,301$ et $b = 1\,095$. Nous avons alors $p'_a(x) = 2x^3 + 3x^2 + 1$ et $p'_b(x) = x^3 + 9x + 5$. Le produit symbolique donne

$$r(x) = p'_a(x)\,p'_b(x) = 2x^6 + 3x^5 + 18x^4 + 38x^3 + 15x^2 + 9x + 5\,,$$

donc $ab = r(10) = 2\,519\,595$. $\qquad\square$

En raison de l'aspect récursif de cet algorithme, il faut raffiner l'analyse de la multiplication symbolique de polynômes donnée après le problème 9.4.4. Soit $M(n)$ le temps requis pour multiplier deux entiers de n bits, où n est une puissance de 2. L'étape centrale de la multiplication symbolique de deux polynômes de degré inférieur à n consiste en d multiplications d'entiers inférieurs à $\omega^{d/2} + 1$, où $d = 2n$ est bien une puissance de 2 supérieure au degré du polynôme produit. Malheureusement, même en prenant $\omega = 2$, ces entiers sont de taille $1 + \dfrac{d}{2}\lg\omega = n + 1$. La multiplication originale de deux entiers de taille n demande donc $2n$ multiplications d'entiers un peu plus grands !

Afin de corriger cette situation, il faut réduire le degré des polynômes utilisés pour représenter les entiers à multiplier, quitte à augmenter la taille de leurs coefficients. De façon extrême, l'algorithme de la section 4.7 consiste à représenter chaque entier par un polynôme de degré 1 dont les deux coefficients sont entre 0 et $2^{n/2} - 1$. Pour que l'utilisation de la transformée de Fourier soit intéressante, il faut cependant que les polynômes considérés soient d'un degré suffisant. Par exemple, redéfinissons $p_a(x)$ comme étant le polynôme dont les coefficients sont donnés par les « chiffres » successifs de la représentation de a en base 4. Ce polynôme est donc de degré inférieur à $n/2$, ses coefficients sont entre 0 et 3, et $p_a(4) = a$. Comme précédemment, le polynôme $r(x) = p_a(x)\,p_b(x)$ est calculé symboliquement par la transformée de Fourier et la réponse finale est obtenue par l'évaluation de $r(4)$.

Cette fois, le degré du polynôme produit $r(x)$ est inférieur à n. L'étape centrale de la multiplication symbolique de $p_a(x)$ et $p_b(x)$ ne requiert donc plus que n multiplications d'entiers inférieurs à $m = \omega^{n/2} + 1$. Ceci se fait en un temps dans $nM\left(\dfrac{n}{2}\lg\omega\right) + O(n^2)$, le dernier terme étant ajouté au cas où certains opérandes seraient exactement $\omega^{n/2}$, car cet entier de longueur $1 + \dfrac{n}{2}\log\omega$ demande un traitement spécial. En tenant compte également du temps passé aux deux transformées de Fourier initiales et à la transformée inverse finale, la multiplication symbolique prend un temps dans $nM\left(\dfrac{n}{2}\lg\omega\right) + O(n^2 \log n \log \omega)$.

Avant d'analyser le nouvel algorithme de multiplication, il faut choisir une n-ième racine principale de l'unité ω. Puisque les coefficients des polynômes $p_a(x)$ et $p_b(x)$ sont entre 0 et 3, et puisqu'ils sont de degré inférieur à $n/2$, le plus grand coefficient possible de $r(x)$ est $9n/2$ (problème 9.4.2). Les calculs se faisant modulo $m = \omega^{n/2} + 1$, il suffit donc que $9n/2 \leqslant \omega^{n/2}$. Le choix de $\omega = 2$ est adéquat si $n \geqslant 16$. Le calcul symbolique de $r(x)$ se fait donc en un temps dans $nM(n/2) + O(n^2 \log n)$. La dernière étape de la multiplication de a et b, l'évaluation de $r(4)$, consiste en n décalages et n additions d'entiers de taille au plus $\lg(9n/2)$, ce qui prend un temps négligeable dans $O(n \log n)$. Nous obtenons donc l'équation de récurrence asymptotique $M(n) \in nM(n/2) + O(n^2 \log n)$.

PROBLÈME 9.5.1. Soit l'équation de récurrence
$$t(n) = nt(n/2), \qquad n > 1$$
$$t(1) = 1$$
lorsque n est une puissance de 2. Prouvez que $t(n) = n^{(1 + \lg n)/2}$. Montrez que $t(n) \notin O(n^k)$, quelle que soit la constante k. ☐

Le problème précédent montre que l'algorithme modifié demeure une catastrophe, même sans tenir compte du temps requis par le calcul des transformées de Fourier ! Ceci s'explique par le fait que nous avons utilisé l'algorithme « rapide » de multiplication de polynômes précisément lorsqu'il est à proscrire : le degré des polynômes est élevé et leurs coefficients sont petits. Afin de corriger cette situation, diminuons davantage le degré des polynômes.

Soit $l = 2^{\lceil(\lg n)/2\rceil}$, c'est-à-dire que $l = \sqrt{n}$ ou $l = \sqrt{2n}$, suivant que $\lg n$ est pair ou impair. Soit $k = n/l$. Remarquez que l et k sont des puissances de 2. Dénotons maintenant par $p_a(x)$ le polynôme de degré inférieur à k dont les coefficients correspondent aux k tranches successives de l bits dans la représentation binaire de l'entier a. Nous avons alors que $p_a(2^l) = a$. Pour calculer le produit des entiers a et b, il suffit de calculer symboliquement le polynôme $r(x) = p_a(x)\,p_b(x)$ par la transformée de Fourier, puis d'évaluer $r(2^l)$.

EXEMPLE 9.5.2. Soient $a = 9\,885$ et $b = 21\,260$, donc $n = 16$, $l = 4$ et $k = 4$. Nous formons les polynômes $p_a(x) = 2x^3 + 6x^2 + 9x + 13$ et $p_b(x) = 5x^3 + 3x^2 + 12$. Le premier polynôme vient de la décomposition en 4 tranches de la représentation binaire de a : 0010 0110 1001 1101. Le produit symbolique donne

$$r(x) = p_a(x)\, p_b(x) = 10x^6 + 36x^5 + 63x^4 + 116x^3 + 111x^2 + 108x + 156$$

et son évaluation finale produit $r(16) = 210\,155\,100 = 9\,885 \times 21\,260$. ☐

Soit $d = 2k$, une puissance de 2 supérieure au degré du polynôme produit $r(x)$. Cette fois, il faut choisir une d-ième racine principale de l'unité ω. Puisque les coefficients des polynômes $p_a(x)$ et $p_b(x)$ sont entre 0 et $2^l - 1$ et que le degré de ces polynômes est inférieur à k, le plus grand coefficient possible de $r(x)$ est $k(2^l - 1)^2$. Il suffit donc que $k\,2^{2l} < m = \omega^{d/2} + 1$, c'est-à-dire que $\lg \omega \geqslant (2l + \lg k)/(d/2)$. Dans le cas où $\lg n$ est pair, $l = k = d/2 = \sqrt{n}$ et $\lg \omega \geqslant (2\sqrt{n} + \lg \sqrt{n})/\sqrt{n} = 2 + (\lg \sqrt{n})/\sqrt{n}$. Nous obtenons similairement $\lg \omega \geqslant 4 + (\lg \sqrt{n/2})/\sqrt{n/2}$ lorsque $\lg n$ est impair. Par conséquent, $\omega = 8$ est suffisant pour garantir le calcul exact des coefficients de $r(x)$ lorsque $\lg n$ est pair et $\omega = 32$ est suffisant lorsque $\lg n$ est impair.

La multiplication de deux entiers de n bits se fait grâce à une multiplication symbolique de polynômes qui prend un temps dans $dM\!\left(\dfrac{d}{2}\lg \omega\right) + O(d^2 \log d \log \omega)$.

Quant à l'évaluation finale de $r(2^l)$, elle peut aisément s'effectuer en un temps dans $O(d^2 \log \omega)$, ce qui est négligeable. Lorsque $\lg n$ est pair, $d = 2\sqrt{n}$ et $\omega = 8$, ce qui donne $M(n) \in 2\sqrt{n}M(3\sqrt{n}) + O(n \log n)$. Lorsque $\lg n$ est impair, $d = \sqrt{2n}$ et $\omega = 32$, ce qui donne $M(n) \in \sqrt{2n}M\!\left(\dfrac{5}{2}\sqrt{2n}\right) + O(n \log n)$.

* PROBLÈME 9.5.2. Soit $\gamma > 0$ une constante réelle, et soit $t(n)$ une fonction satisfaisant l'équation de récurrence asymptotique $t(n) \in \gamma t(O(\sqrt{n})) + O(\log n)$. Prouvez que

$$t(n) \in \begin{cases} O(\log n) & \text{si} \quad \gamma < 2 \\ O(\log n \log \log n) & \text{si} \quad \gamma = 2 \\ O((\log n)^{\lg \gamma}) & \text{si} \quad \gamma > 2 \,. \end{cases}$$

(Indices : pour le second cas, utilisez le fait que $\lg \lg (\beta \sqrt{n}) \leqslant (\lg \lg n) - \lg (5/3)$, en autant que $n \geqslant \beta^{10}$, pour toute constante réelle $\beta > 1$. Pour le troisième cas, prouvez par induction constructive que $t(n) \leqslant \delta[(\lg n)^{\lg \gamma} - \psi(\lg n)^{(\lg \gamma) - 1}] - \rho \lg n$, pour des constantes δ, ψ et ρ que vous devez déterminer et pour n suffisamment grand, et utilisez le fait que

$$(\lg \beta \sqrt{n})^{\lg \gamma} \leqslant \frac{1}{\gamma}(\lg n)^{\lg \gamma} + 2 \lg \gamma \lg \beta (\lg \beta \sqrt{n})^{(\lg \gamma) - 1},$$

en autant que $n \geqslant \gamma^{2 \lg \beta}$, pour toutes constantes réelles $\beta \geqslant 1$ et $\gamma \geqslant 2$.) ☐

Soit $t(n) = M(n)/n$. Les équations obtenues précédemment pour $M(n)$ se traduisent par $t(n) \in 6t(3\sqrt{n}) + O(\log n)$ lorsque $\lg n$ est pair et

$$t(n) \in 5t\!\left(\frac{5\sqrt{2}}{2}\sqrt{n}\right) + O(\log n)$$

lorsque lg n est impair. Par le problème 9.5.2, $t(n) \in O((\log n)^{\lg 6}) \subset O((\log n)^{2,59})$. Par conséquent, cet algorithme peut multiplier deux entiers de n bits en un temps $M(n) = nt(n) \in O(n(\log n)^{2,59})$.

PROBLÈME 9.5.3. Prouvez que $n^{\alpha} \notin O(n(\log n)^{2,59})$, quelle que soit la constante réelle $\alpha > 1$ mais que $n(\log n)^{2,59} \in O(n^{\alpha})$. Cet algorithme surclasse donc tous ceux étudiés précédemment, en autant que n soit suffisamment grand. □

Cet algorithme est-il optimal ? Afin de multiplier plus rapidement par une approche similaire, le problème 9.5.2 suggère de réduire la constante $\gamma = 6$ provenant ici du maximum entre 2×3 et $\sqrt{2} \times \frac{5}{2}\sqrt{2}$. Ceci est possible en augmentant légèrement la taille des coefficients des polynômes utilisés, afin d'en réduire le degré. Plus précisément, découpons les entiers de n bits à multiplier en k blocs de l bits, où $l = 2^{i + \lceil (\lg n)/2 \rceil}$ et $k = n/l$, pour une constante $i \geqslant 0$ quelconque. Une analyse détaillée montre que ceci résulte en $2^{1-i}\sqrt{n}$ appels récursifs sur des entiers de taille $(2^{i+1} + 2^{-i})\sqrt{n}$ si $\lg n$ est pair et $2^{-i}\sqrt{2n}$ appels récursifs sur des entiers de taille $(2^{i+1} + 2^{-i-1})\sqrt{2n}$ si $\lg n$ est impair, en autant que n soit suffisamment grand. Le γ correspondant est donc

$$\gamma = \max\left(2^{1-i}(2^{i+1} + 2^{-i}), 2^{-i}\sqrt{2}(2^{i+1} + 2^{-i-1})\sqrt{2}\right) = 4 + 2^{1-2i}.$$

L'algorithme obtenu fonctionne en un temps dans $O(n(\log n)^{\alpha})$, où $\alpha = 2 + \lg(1 + 2^{-1-2i}) < 2 + 2^{-1-2i}/\ln 2$ peut être réduit arbitrairement près de 2. Bien entendu, l'augmentation du paramètre i réduit l'exposant α au coût d'augmenter la constante cachée dans la notation asymptotique.

Ceci n'est pas toujours optimal, mais les algorithmes plus rapides sont trop complexes pour être décrits ici en détail. Mentionnons simplement qu'il est possible d'obtenir $\gamma = 4$ en calculant les coefficients du polynôme $r(x)$ modulo $2^{2l} + 1$ (par la transformée de Fourier, récursivement) et modulo k (en utilisant l'algorithme de multiplication entière de la section 4.7). Etant donné que $2^{2l} + 1$ et k sont relativement premiers, il est ensuite possible d'obtenir les coefficients de $r(x)$, puis d'évaluer $r(2^{2l})$. Ceci résulte en un algorithme capable de multiplier deux entiers de n bits en un temps dans $O(n \log^2 n)$. Pour aller encore plus vite, du moins asymptotiquement, il faut redéfinir la notion du « produit » de deux polynômes afin d'éviter de doubler le degré du résultat obtenu. Ceci a permis à A. Schönhage et V. Strassen d'obtenir $\gamma = 2$, c'est-à-dire un algorithme fonctionnant en un temps dans $O(n \log n \log \log n)$. En raison de sa complexité, l'intérêt de cet algorithme n'est que théorique.

L'algorithme employé par les Japonais pour calculer dix millions de décimales de π (section 4.7) est également basé sur la transformée de Fourier. Ils ont utilisé une variante de cette technique calculant dans le corps des complexes. Cette approche demande de faire attention aux erreurs d'arrondi, mais résulte en un algorithme plus simple. Leur algorithme permet de faire directement les calculs en décimal, ce qui évite une coûteuse conversion finale pour l'impression du résultat.

9.6 Remarques bibliographiques

Le premier algorithme publié pour le calcul de la transformée de Fourier en un temps dans $O(n \log n)$ est celui de [Danielson et Lanczos 1942]. Ces auteurs mentionnent que la source de leur méthode remonte à [Runge et König 1924]. Etant donné la grande importance pratique de la transformée de Fourier, il est étonnant que l'existence d'un algorithme rapide soit restée presque totalement inconnue jusqu'à sa redécouverte un quart de siècle plus tard par [Cooley et Tukey 1965]. Pour un historique plus complet, consultez [Cooley, Lewis et Welch 1967]. Une implantation efficace et maintes applications sont suggérées dans [Gentleman et Sande 1966, Rabiner et Gold 1974]. Mentionnons également le livre de [Brigham 1974]. L'algorithme non récursif suggéré par le problème 9.2.2 est décrit dans plusieurs références, dont [Aho, Hopcroft et Ullman 1974].

Le calcul des transformées de Fourier dans un corps fini est étudié par [Pollard 1971]. Pour une solution détaillée des problèmes 9.3.3 et 9.3.4, consultez [Brassard, Monet et Zuffellato 1986]. La solution des problèmes 9.4.6 et 9.4.7 est donnée dans [Aho, Hopcroft et Ullman 1974]. D'autres idées sur la manipulation symbolique de polynômes, l'évaluation et l'interpolation se trouvent dans [Borodin et Munro 1975, Horowitz et Sahni 1978, Turk 1982].

Un tour d'horizon des algorithmes de multiplication entière est donné dans la deuxième édition de [Knuth 1969]. Un algorithme pratique pour multiplier rapidement des entiers ayant jusqu'à dix mille chiffres décimaux est présenté dans [Pollard 1971]. L'algorithme capable de multiplier deux entiers de taille n en un temps dans $O(n \log^2 n)$ est attribué à R. Karp et décrit dans [Borodin et Munro 1975]. Les détails de l'algorithme de [Schönhage et Strassen 1971] sont explicités dans [Brassard, Monet et Zuffellato 1986]. L'algorithme des Japonais est présenté dans [Kanada, Tamura, Yoshino et Ushiro 1986]. Consultez également [Turk 1982].

Chapitre 10

Eléments de complexité du calcul

Jusqu'à maintenant, nous nous sommes intéressés au développement systématique et à l'analyse d'algorithmes spécifiques de plus en plus efficaces pour résoudre certains problèmes. La complexité du calcul, discipline parallèle à l'algorithmique, considère de façon globale la classe de tous les algorithmes pouvant résoudre un problème donné. L'algorithmique permet de prouver, en exhibant un bon algorithme, que notre problème peut se résoudre en un temps dans $O(f(n))$, pour une fonction $f(n)$ qu'on essaie de réduire au maximum. La complexité vise à déterminer une fonction $g(n)$ aussi grande que possible, et à prouver que *tous* les algorithmes capables de résoudre exactement notre problème prennent forcément un temps dans $\Omega(g(n))$. Le samadhi est atteint lorsque $f(n) \in \theta(g(n))$, puisque nous savons alors que nous possédons l'algorithme le plus performant possible (à la constante multiplicative cachée près). Nous disons dans ce cas que la complexité du problème est déterminée exactement, ce qui n'arrive malheureusement pas souvent. Dans ce chapitre, nous n'abordons que quelques-unes des principales techniques et notions de l'étude de la complexité du calcul.

10.1 Les arborescences de décision

Cette technique s'applique à une variété de problèmes faisant intervenir la notion de comparaison entre éléments. Illustrons-la à l'aide du problème du tri. Posons-nous donc la question suivante : quel est le nombre minimum de comparaisons nécessaires pour trier n éléments ? Nous ne comptons ici que les comparaisons entre éléments à trier, pas celles utilisées pour contrôler les indices de boucles. Considérons d'abord l'algorithme suivant :

```
procédure tricompteur(T[1..n])
    i ← min(T), j ← max(T)
    tableau C[i..j] ← 0
    pour k ← 1 jusqu'à n faire C[T[k]] ← C[T[k]] + 1
```

$k \leftarrow 1$
pour $p \leftarrow i$ **jusqu'à** j **faire**
 pour $q \leftarrow 1$ **jusqu'à** $C[p]$ **faire**
  $T[k] \leftarrow p$
  $k \leftarrow k + 1$.

PROBLÈME 10.1.1. Simulez cet algorithme sur le tableau $T[1..10]$ contenant les valeurs 3, 1, 4, 1, 5, 9, 2, 6, 5, 3. □

Cet algorithme est très efficace si la différence entre la plus grande et la plus petite valeur du tableau à trier est modeste. Par exemple, si $\max(T) - \min(T) \in O(n)$, l'algorithme peut effectivement et pratiquement trier un tableau de n éléments en temps linéaire. Il devient toutefois inutilisable, tant du point de vue espace de mémoire que temps, si l'écart entre les éléments à trier est trop grand. Dans ce cas, certaines variantes comme la cour de triage (*radix sort*) et le tri lexicographique peuvent parfois être utilisées avec avantage. Cependant, rares sont les applications où ces algorithmes sont préférables aux algorithmes de Hoare ou de Williams. La principale caractéristique du *tricompteur* et de ses variantes est qu'ils fonctionnent par **transformations** : des opérations arithmétiques sont effectuées sur les éléments à trier. Par opposition, tous les algorithmes de tri considérés dans les chapitres précédents fonctionnent par **comparaisons** : la seule opération permise sur les éléments à trier les compare deux à deux pour déterminer s'ils sont égaux ou, sinon, lequel est le plus grand. C'est un peu la différence entre la fouille dichotomique et l'adressage dispersé. Dans cet ouvrage, nous ne considérons pas plus en détail les algorithmes de tri par transformation.

PROBLÈME 10.1.2. Montrez en quoi l'algorithme précédent fait subir des opérations arithmétiques aux éléments du tableau à trier. En fonction du nombre n d'éléments à trier, combien de comparaisons entre éléments effectue-t-il ? □

Revenons à la question posée au début de cette section : quel est le nombre minimum de comparaisons nécessaires à tout algorithme de tri *par comparaison* pour trier n éléments ? Bien que les théorèmes de cette section restent vrais même si l'on considère les algorithmes de tri probabilistes (chapitre 8), restreignons-nous pour simplifier aux algorithmes déterministes. Une **arborescence de décision** est une arborescence binaire étiquetée et orientée. Chaque nœud interne contient une comparaison entre deux des éléments à trier. Chaque feuille contient un ordonnancement des éléments. Etant donné une relation d'ordre total entre les éléments, un **parcours** dans l'arborescence consiste à partir de la racine et à se poser la question qui s'y trouve. Si la réponse est « oui », on continue récursivement dans la sous-arborescence de gauche ; sinon, on continue récursivement dans la sous-arborescence de droite. Le parcours se termine lorsqu'il atteint une feuille ; cette feuille contient le **verdict** associé à la relation d'ordre utilisée. Une arborescence de décision est **valide** pour trier n éléments si elle associe à toute relation d'ordre entre ces éléments un verdict compatible avec cette relation. Finalement, une arborescence de décision est **élaguée** si aucun de ses parcours n'est contradictoire, c'est-à-dire si toutes ses feuilles sont accessibles à partir de la racine, par une suite consistante de décisions. L'exercice suivant permet de se faire une idée intuitive de ces concepts.

PROBLÈME 10.1.3. Vérifiez que l'arborescence ᴄᴇ décision de la figure 10.1.1 est valide pour trier les trois éléments A, B et C.   □

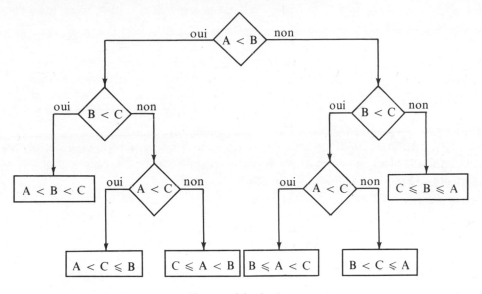

Figure 10.1.1.

Toute arborescence de décision valide pour trier *n* éléments donne lieu à un algorithme de tri *ad hoc* pour trier ce même nombre d'éléments. Par exemple, à l'arborescence de la figure 10.1.1 correspond l'algorithme suivant :

procédure *triadhoc*3($T[1..3]$)
  $A \leftarrow T[1]$, $B \leftarrow T[2]$, $C \leftarrow T[3]$
  si $A < B$ **alors si** $B < C$ **alors** {déjà trié}
                  sinon si $A < C$
                    alors $T \leftarrow A, C, B$
                    sinon $T \leftarrow C, A, B$
        sinon si $B < C$ **alors si** $A < C$
                    alors $T \leftarrow B, A, C$
                    sinon $T \leftarrow B, C, A$
            sinon $T \leftarrow C, B, A$.

A tout algorithme déterministe de tri par comparaison correspond également, pour chaque valeur de *n*, une arborescence de décision valide pour trier *n* éléments. Les figures 10.1.2 et 10.1.3 donnent les arborescences correspondant aux algorithmes de tri par insertion (section 1.4) et du tri de Williams (section 1.9.4 et problème 2.2.3) pour trier trois éléments, respectivement. Remarquez que le tri de Williams fait parfois des comparaisons inutiles. Par exemple, si $B < C \leqslant A$, l'algorithme teste d'abord si $B \geqslant C$ (réponse : non), puis si $A < C$ (réponse : non).

Il serait alors possible d'établir le verdict correct : B < C ≤ A, mais l'algorithme demande quand même si C < B avant de conclure. Ceci n'empêche pas l'arborescence d'être élaguée puisqu'aucun parcours ne correspond à la réponse contradictoire « oui » donnée à cette question. L'algorithme de Williams n'est donc pas optimal pour ce qui est du nombre de comparaisons effectuées. Méfiez-vous toutefois des apparences : cette situation se produit plus fréquemment encore avec l'algorithme de tri par insertion qu'avec le tri de Williams, lorsque le nombre d'éléments à trier devient plus grand.

PROBLÈME 10.1.4.   Donnez les arborescences de décision élaguées correspondant aux algorithmes de tri par sélection (section 1.4), par fusion (section 4.4) et du tri de Hoare (section 4.5) pour trier trois éléments. Dans les deux derniers cas, ne coupez la récursivité que lorsqu'il n'y a plus qu'un seul élément à « trier ». □

PROBLÈME 10.1.5.   Donnez les arborescences de décision élaguées correspondant aux algorithmes de tri par insertion et du tri de Williams pour trier quatre éléments. (Vous aurez besoin d'une grande feuille !)   □

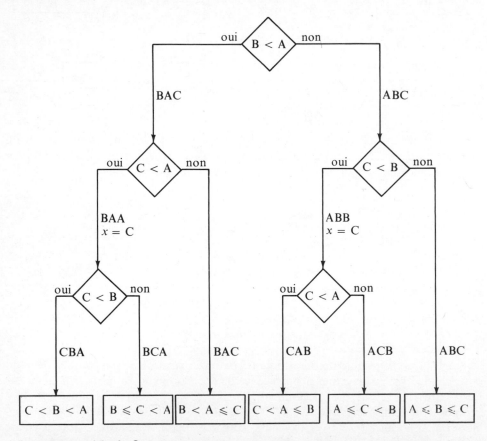

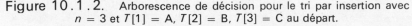

Figure 10.1.2.   Arborescence de décision pour le tri par insertion avec $n = 3$ et $T[1] = A$, $T[2] = B$, $T[3] = C$ au départ.

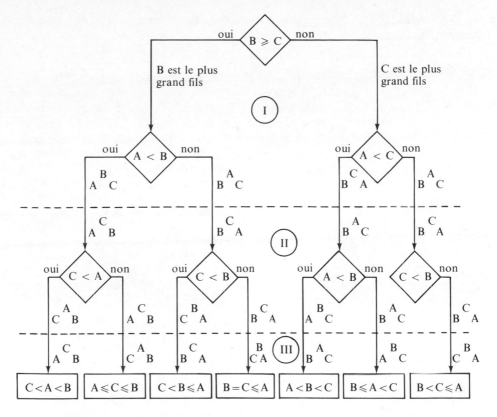

Figure 10.1.3. Arborescence de décision pour le tri de Williams avec
$n = 3$ et $T[1] = A$, $T[2] = B$ et $T[3] = C$ au départ.
La partie I correspond à *faire-monceau*(T),
la partie II à $T[1] \leftrightarrow T[3]$; *tamiser*$(T[1..2], 1)$
et la partie III à $T[1] \leftrightarrow T[2]$; *tamiser*$(T[1..1], 1)$.

L'observation suivante est fondamentale : la hauteur de l'arborescence de décision élaguée correspondant à un quelconque algorithme de tri par comparaison pour trier n éléments, c'est-à-dire la distance de la racine à la feuille la plus éloignée, donne le nombre de comparaisons effectuées en pire cas par cet algorithme. Par exemple, un pire cas du tri par insertion pour trier trois éléments se produit si le tableau est déjà trié en ordre décroissant ($C < B < A$) ; il faut alors faire les trois comparaisons $B < A$? $C < A$? et $C < B$? se trouvant sur le chemin de la racine au verdict approprié dans l'arborescence de· décision.

Les arborescences de décision que nous avons vues pour trier trois éléments sont toutes de hauteur 3. Peut-on trouver une arborescence de décision valide pour trier trois éléments qui soit de hauteur moindre ? Si tel est le cas, nous disposerons d'un algorithme de tri *ad hoc* plus efficace en pire cas pour trier trois éléments. Essayez, vous constaterez rapidement votre impuissance ! Démontrons maintenant de façon plus générale l'impossibilité d'une telle arborescence.

LEMME 10.1.1.   Toute arborescence binaire ayant k feuilles doit être d'une hauteur minimum de $\lceil \lg k \rceil$.

PREUVE.   Il est facile de prouver (par induction mathématique sur le nombre total de nœuds dans l'arborescence) que toute arborescence binaire ayant k feuilles doit avoir au moins $k - 1$ nœuds internes. Autrement dit, une arborescence binaire ayant t nœuds au total ne peut pas avoir plus de $\lfloor (t + 1)/2 \rfloor$ feuilles. Or une arborescence binaire de hauteur h inclut au plus $2^{h+1} - 1$ nœuds (par une autre preuve élémentaire par induction mathématique, cette fois-ci sur la hauteur de l'arborescence), et donc au plus 2^h feuilles. Le lemme suit immédiatement.   □

LEMME 10.1.2.   Toute arborescence de décision valide pour trier n éléments contient au moins $n!$ feuilles. (Il se peut que l'arborescence ait plus de $n!$ feuilles, comme celle associée au tri de Williams pour trier trois éléments.)

PREUVE.   Une arborescence valide doit pouvoir produire comme verdict chacun des $n!$ ordonnancements possibles des n éléments à trier.   □

THÉORÈME 10.1.1.   Tout algorithme déterministe de tri par comparaison prend un temps dans $\Omega(n \log n)$ pour trier n éléments en pire cas.

PREUVE.   A tout algorithme déterministe de tri par comparaison correspond une arborescence de décision élaguée valide pour trier n éléments. Cette arborescence contient au moins $n!$ feuilles par le lemme 10.1.2. Sa hauteur est donc au minimum de $\lceil \lg (n!) \rceil$ par le lemme 10.1.1. Par l'observation fondamentale précédant le lemme 10.1.1, l'algorithme nécessite au moins $\lceil \lg (n!) \rceil$ comparaisons en pire cas pour trier n éléments. Puisque chaque comparaison prend un temps dans $\Omega(1)$ et que $\lg (n!) \in \Omega(n \log n)$ (problème 2.1.17), l'algorithme prend un temps dans $\Omega(n \log n)$ en pire cas.   □

Cette preuve montre que tout algorithme déterministe de tri par comparaison doit faire au moins $\lceil \lg (n!) \rceil$ comparaisons en pire cas pour trier n éléments. Ceci ne veut nullement dire qu'il est toujours possible de trier n éléments en aussi peu que $\lceil \lg (n!) \rceil$ comparaisons en pire cas. Il a, en effet, été démontré que 30 comparaisons sont nécessaires et suffisantes en pire cas pour trier 12 éléments, et pourtant $\lceil \lg (12!) \rceil = 29$. En pire cas, l'algorithme par insertion fait 66 comparaisons pour trier 12 éléments, alors que le tri de Williams en fait 59 (dont les 18 premières servent à construire le monceau).

PROBLÈME 10.1.6.   Déterminez des formules exactes donnant le nombre de comparaisons effectuées en pire cas par les algorithmes de tri par insertion et par sélection pour trier n éléments. Comment ces algorithmes se comparent-ils avec la borne inférieure $\lceil \lg (n!) \rceil$ pour $n = 50$?   □

** **PROBLÈME** 10.1.7. Prouvez que le nombre de comparaisons effectuées par l'algorithme de tri de Williams pour trier n éléments, $n \geqslant 2$, n'est jamais supérieur à $2n \lg n$. Prouvez également que le tri par fusion fait $n \lg n - n + 1$ comparaisons en pire cas pour trier n éléments, lorsque n est une puissance de deux. Qu'en est-il en général du tri par fusion ? □

Une analyse plus précise montre que $\lceil \lg(n!) \rceil \in n \lg n - \theta(n)$. L'exercice précédent montre donc que l'algorithme de tri de Williams est optimal à un facteur de 2 près pour ce qui est du nombre de comparaisons requises en pire cas, et que le tri par fusion atteint presque la borne inférieure.

PROBLÈME 10.1.8. Si l'on demande à notre algorithme de tri de déterminer non seulement l'ordre des éléments, mais aussi lesquels sont égaux entre eux, donnez une borne inférieure sur le nombre de comparaisons requises en pire cas pour traiter n éléments. (Par exemple, un verdict A < B ≤ C est inacceptable : il faut répondre soit A < B < C, soit A < B = C.) Refaites ce problème en supposant que le résultat de chaque comparaison A:B soit ternaire : A < B, A = B ou A > B. □

PROBLÈME 10.1.9. Soit un tableau $T[1..n]$ trié en ordre croissant et soit un élément x. Combien de comparaisons entre éléments sont-elles requises en pire cas pour localiser x dans le tableau ? Comme à la section 4.3, il s'agit de trouver un indice i tel que $0 \leqslant i \leqslant n$ et $T[i] \leqslant x < T[i+1]$, avec la convention logique que $T[0] = -\infty$ et $T[n+1] = +\infty$. Comment la fouille dichotomique se compare-t-elle à cette borne inférieure ? Quelle borne inférieure sur le nombre de comparaisons obtenez-vous par la technique de l'arborescence de décision si le problème est simplement de décider si x est dans T, plutôt que de le localiser ? □

Les arborescences de décision peuvent également servir à analyser la complexité d'un problème en moyenne, plutôt qu'en pire cas. Soit A une arborescence binaire. Définissons la **hauteur moyenne** de A comme étant la somme des profondeurs des feuilles divisée par le nombre de feuilles. Par exemple, l'arborescence de décision de la figure 10.1.1 a une hauteur moyenne de $(2+3+3+3+3+2)/6 = 8/3$. Si chaque verdict est également probable, 8/3 est le nombre de comparaisons effectuées en moyenne par l'algorithme de tri associé à cette arborescence. Supposons pour simplifier que les n éléments soient distincts. Après élagage, ceci élimine, par exemple, le verdict B = C ≤ A de l'arborescence de décision associée à l'algorithme de tri de Williams pour trier trois éléments, ramenant ainsi le nombre de feuilles à $6 = 3!$.

LEMME 10.1.3. Toute arborescence binaire ayant k feuilles est d'une hauteur moyenne d'au moins $\lg k$. (Par comparaison avec le lemme 10.1.1, c'est donc dire qu'il y a peu de différence entre le pire cas et la moyenne.)

PREUVE. Soit A une arborescence binaire ayant k feuilles. Définissons $H(A)$ comme la somme des profondeurs des feuilles. Par exemple, $H(A) = 16$ pour l'arborescence de la figure 10.1.1. Par définition, la hauteur moyenne de A est

$H(A)/k$. La racine de A peut avoir 0, 1 ou 2 fils. Dans le premier cas, la racine est l'unique feuille de l'arborescence et $H(A) = 0$. Dans le second cas, ce fils est racine d'une arborescence B ayant également k feuilles; puisqu'à la distance de chaque feuille à la racine de B, il faut ajouter 1 pour obtenir la distance à la racine de A, on obtient alors $H(A) = H(B) + k$. Dans le troisième cas, l'arborescence A se compose d'une racine et de deux sous-arborescences C et D ayant i et $k - i$ feuilles, respectivement, pour $1 \leqslant i < k$; par un raisonnement similaire, on obtient alors $H(A) = H(C) + H(D) + k$.

Pour $k \geqslant 1$, définissons $h(k)$ comme la plus petite valeur possible de $H(X)$ pour toutes les arborescences binaires X ayant k feuilles. En particulier, $h(1) = 0$. Si l'on définit $h(0) = 0$, la discussion ci-dessus et le principe d'optimalité de la programmation dynamique nous indiquent que

$$h(k) = \min \{ h(i) + h(k - i) + k \mid 0 \leqslant i \leqslant k \}$$

pour tout $k > 1$. A première vue, cette équation de récurrence est mal fondée puisqu'elle définit $h(k)$ en fonction de lui-même (en prenant $i = 0$ ou $i = k$ dans le minimum). Cette difficulté disparaît du fait que $h(k) = h(k) + k$ est impossible. (A quoi ceci correspond-il intuitivement ?) Nous pouvons donc reformuler l'équation de récurrence qui définit $h(k)$:

$$h(k) = \begin{cases} 0 & \text{si } k \leqslant 1 \\ k + \min \{ h(i) + h(k - i) \mid 1 \leqslant i \leqslant k - 1 \} & \text{si } k > 1. \end{cases}$$

Définissons la fonction $g(x) = x \lg x + (k - x) \lg (k - x)$, où $x \in \mathbb{R}$ est tel que $1 \leqslant x \leqslant k - 1$. Le calcul de la dérivée donne $g'(x) = \lg \dfrac{x}{k - x}$, ce qui s'annule si et seulement si $x = k - x$, c'est-à-dire $x = k/2$. La dérivée seconde étant positive, $g(x)$ atteint son minimum en $x = k/2$. Ce minimum est $g(k/2) = (k \lg k) - k$.

La preuve que $h(k) \geqslant k \lg k$ pour tout $k \geqslant 1$ se fait maintenant par induction mathématique. La base $k = 1$ est immédiate. Soit $k > 1$. Supposons par hypothèse d'induction que $h(j) \geqslant j \lg j$ pour tout entier strictement positif $j \leqslant k - 1$. Par définition,

$$h(k) = k + \min \{ h(i) + h(k - i) \mid 1 \leqslant i \leqslant k - 1 \}.$$

Par hypothèse d'induction, $h(k) \geqslant k + \min \{ g(i) \mid 1 \leqslant i \leqslant k - 1, i \in \mathbb{N} \}$.

Par élargissement du domaine ($\min X \geqslant \min Y$ lorsque $X \subseteq Y$), $h(k) \geqslant k + \min \{ g(x) \mid 1 \leqslant x \leqslant k - 1, x \in \mathbb{R} \}$. Par le paragraphe précédent, $h(k) \geqslant k + g(k/2) = k \lg k$.

Ceci montre que $H(A) \geqslant k \lg k$ pour toute arborescence A ayant k feuilles. La hauteur moyenne de A étant $H(A)/k$, celle-ci est donc au moins $\lg k$. □

---

* **PROBLÈME** 10.1.10. Soit $t = \lfloor \lg k \rfloor$ et $l = k - 2^t$. Prouvez que $h(k) = kt + 2l$, où $h(k)$ est la fonction obtenue dans la preuve du lemme 10.1.3. Prouvez que ceci implique également que $h(k) \geqslant k \lg k$. (Optionnel : donnez une interprétation intuitive de cette formule dans le contexte de la hauteur moyenne d'une arborescence de k feuilles.) □

THÉORÈME 10.1.2.　Tout algorithme déterministe de tri par comparaison prend un minimum de $\lg(n!)$ comparaisons en moyenne pour trier n éléments, donc un temps moyen dans $\Omega(n \log n)$.

PREUVE.　Découle directement des lemmes 10.1.2 et 10.1.3.　　　□

PROBLÈME 10.1.11.　Déterminez le nombre de comparaisons effectuées en moyenne par les algorithmes de tri par insertion et par sélection pour trier n éléments. Comment ces valeurs se comparent-elles au nombre de comparaisons effectuées par ces algorithmes en pire cas ?　　　　　　　　　　　　　　　□

＊ PROBLÈME 10.1.12.　Soit un tableau $T[1..n]$ et soit un entier $k \leqslant n$. Le problème consiste à retourner en ordre décroissant les k plus grands éléments de T. Prouvez que tout algorithme déterministe par comparaison pour résoudre ce problème doit faire un minimum de $\dfrac{k}{2} \lg \dfrac{n}{2}$ comparaisons, en pire cas comme en moyenne. Concluez-en qu'il prend un temps dans $\Omega(k \log n)$. D'autre part, donnez un algorithme capable de résoudre ce problème en un temps dans $O(n \log k)$ et un espace dans $O(k)$ en pire cas. Votre algorithme ne doit faire qu'un seul passage séquentiel à travers le tableau T ; il est donc efficace même si n est très grand et si le tableau est donné sous forme d'une bande magnétique. Justifiez l'analyse du temps et de l'espace de votre algorithme.　　　　　　　　　　　　　　　□

10.2　La réduction

Nous venons de démontrer que tout algorithme de tri par comparaison requiert un temps minimum dans $\Omega(n \log n)$ pour trier n éléments, tant en moyenne qu'en pire cas. D'autre part, nous savons que l'algorithme de tri de Williams et le tri par fusion y parviennent justement en un temps dans $O(n \log n)$. A la constante multiplicative près, la question de la complexité du tri par comparaison est donc close : il faut et il suffit d'un temps dans $\theta(n \log n)$ pour trier n éléments. Il est malheureusement rare, dans l'état actuel de nos connaissances, que les bornes de l'algorithmique et de la complexité se rejoignent ainsi.

En raison de la difficulté formidable de déterminer la complexité exacte de la plupart des problèmes concrets, nous nous contentons parfois de comparer la complexité relative de différents problèmes. Il y a deux raisons pour ce faire. Supposons qu'un certain nombre de problèmes aient été prouvés équivalents en ce sens qu'ils sont de complexité semblable. Toute amélioration algorithmique dans la solution d'un problème quelconque parmi ceux-ci dévoile alors automatiquement un algorithme plus efficace pour chacun des autres, du moins en théorie. D'un point de vue négatif, si ces problèmes ont été étudiés indépendamment dans le passé, dans l'espoir toujours déçu de leur trouver des algorithmes efficaces, leur équivalence rend plus improbable encore l'existence de tels algorithmes. La section 10.3 considère cet aspect plus en détail.

DÉFINITION 10.2.1. Soient A et B deux problèmes résolubles. A est **linéairement réductible** à B, dénoté $A \leqslant^l B$, si l'existence d'un algorithme pour B fonctionnant en un temps dans $O(t(n))$, pour une fonction $t(n)$ quelconque, implique l'existence d'un algorithme pour A fonctionnant également en un temps dans $O(t(n))$. Lorsque $A \leqslant^l B$ et $B \leqslant^l A$ simultanément, A et B sont **linéairement équivalents,** dénoté $A \equiv^l B$. □

Même si nous sommes incapables de déterminer exactement la complexité de A et B, nous sommes assurés qu'elle est la même lorsque $A \equiv^l B$. Toute amélioration algorithmique dans la résolution de l'un de ces problèmes se répercute alors automatiquement sur l'autre. Dans la suite, nous verrons des exemples de réductions tirés de divers domaines d'application.

*PROBLÈME 10.2.1. On obtient une définition moins restrictive de réduction linéaire si l'on se contente de comparer l'efficacité de l'algorithme pour A sur des exemplaires de taille n à celle de l'algorithme pour B sur des exemplaires de taille dans $O(n)$. Pour les besoins de ce problème seulement, disons que $A \leqslant^g B$ si l'existence d'un algorithme pour B fonctionnant en un temps dans $O(t(n))$, pour une fonction $t(n)$ quelconque, implique l'existence d'un algorithme pour A fonctionnant en un temps dans $O(t(O(n)))$. Montrez à l'aide d'un exemple *explicite* que les notions de $A \leqslant^l B$ et $A \leqslant^g B$ ne sont pas équivalentes même s'il existe un algorithme pour B fonctionnant en un temps dans $O(p(n))$, où $p(n)$ est un polynôme. □

PROBLÈME 10.2.2. Prouvez que les relations $\leqslant^l$ et $\equiv^l$ sont transitives. □

10.2.1 Réductions entre problèmes matriciels

Une matrice triangulaire supérieure est une matrice carrée M dont les entrées sous la diagonale sont zéro, c'est-à-dire $M_{ij} = 0$ lorsque $i > j$. Nous avons vu qu'il suffit d'un temps dans $O(n^{2,81})$ pour multiplier deux matrices $n \times n$ quelconques (section 4.9), contrairement à l'intuition qui fait croire qu'un temps dans $\Omega(n^3)$ est inévitable pour ce problème. Est-il possible que la multiplication des matrices triangulaires supérieures puisse se faire de façon significativement plus rapide que celle des matrices carrées quelconques ? D'un autre côté, l'expérience nous porte à croire que l'inversion des matrices triangulaires supérieures non singulières devrait être intrinsèquement plus difficile que leur multiplication.

Utilisons MQ, MT et IT pour dénoter ces trois problèmes, c'est-à-dire la multiplication de matrices quelconques, la multiplication de matrices triangulaires supérieures et l'inversion de matrices triangulaires supérieures non singulières, respectivement. Nous démontrerons que MQ $\equiv^l$ MT $\equiv^l$ IT. Faisons l'hypothèse raisonnable que si un algorithme pour l'un de ces problèmes prend un temps dans l'ordre de $t(n)$ pour traiter une matrice $n \times n$, alors $a^2 t(n) \leqslant t(an) \leqslant a^3 t(n)$ pour tout $a \geqslant 1$, c'est-à-dire qu'un accroissement linéaire dans les dimensions de la matrice provoque un accroissement au moins quadratique mais au plus cubique dans le temps d'exécution. Le problème de l'inversion des matrices non singulières quelconques est aussi linéairement équivalent aux trois problèmes précédents, mais la preuve en est beaucoup plus difficile et l'algorithme résultant est numériquement instable (problème 10.2.7). Encore une fois, ceci veut dire que tout nouvel algorithme permettant de multiplier des matrices triangulaires supérieures plus rapidement se répercuterait en un nouvel algorithme plus efficace pour l'inversion de matrices non singulières quelconques. Ceci implique en particulier qu'on peut inverser toute matrice non singulière $n \times n$ en un temps dans $O(n^{2,81})$.

THÉORÈME 10.2.1. MT $\leqslant^l$ MQ.

PREUVE. Tout algorithme capable de multiplier des matrices carrées quelconques peut servir directement pour la multiplication de matrices triangulaires supérieures. □

THÉORÈME 10.2.2. MQ $\leqslant^l$ MT.

PREUVE. Soit un algorithme capable de multiplier deux matrices triangulaires supérieures $n \times n$ en un temps dans $O(t(n))$. Soient A et B deux matrices $n \times n$ quelconques à multiplier. Considérez le produit matriciel suivant :

$$\begin{pmatrix} 0 & A & 0 \\ 0 & 0 & 0 \\ 0 & 0 & 0 \end{pmatrix} \begin{pmatrix} 0 & 0 & 0 \\ 0 & 0 & B \\ 0 & 0 & 0 \end{pmatrix} = \begin{pmatrix} 0 & 0 & AB \\ 0 & 0 & 0 \\ 0 & 0 & 0 \end{pmatrix},$$

où les « 0 » sont des matrices $n \times n$ dont toutes les entrées sont zéro. Ce produit indique comment obtenir le résultat AB désiré en multipliant deux matrices triangulaires supérieures $3n \times 3n$. Le temps requis pour cette opération est dans $O(n^2)$ pour la préparation des deux grandes matrices et la lecture de AB dans leur produit, plus $O(t(3n))$ pour la multiplication des matrices triangulaires supérieures. L'hypothèse énoncée précédemment implique que $t(3n) \leqslant 27t(n)$ et que $t(n) \in \Omega(n^2)$. Par conséquent, le temps total pour obtenir le produit AB est dans $O(n^2 + 27t(n)) = O(t(n))$. □

THÉORÈME 10.2.3. MQ $\leqslant^l$ IT.

PREUVE. Soit un algorithme capable d'inverser une matrice triangulaire supérieure non singulière $n \times n$ en un temps dans $O(t(n))$. Soient A et B deux matrices $n \times n$ quelconques à multiplier. Considérez le produit matriciel suivant :

$$\begin{pmatrix} I & A & 0 \\ 0 & I & B \\ 0 & 0 & I \end{pmatrix} \begin{pmatrix} I & -A & AB \\ 0 & I & -B \\ 0 & 0 & I \end{pmatrix} = \begin{pmatrix} I & 0 & 0 \\ 0 & I & 0 \\ 0 & 0 & I \end{pmatrix},$$

où I est la matrice identité $n \times n$. Ce produit nous indique comment obtenir le résultat AB désiré en inversant la première de ces matrices triangulaires supérieures $3n \times 3n$. Comme dans la preuve du théorème précédent, ccttc opération prend un temps dans $O(t(n))$.   □

THÉORÈME 10.2.4. IT $\leqslant^l$ MQ.

PREUVE.   Soit un algorithme capable de multiplier deux matrices $n \times n$ quelconques en un temps dans $O(t(n))$. Soit A une matrice triangulaire supérieure non singulière $n \times n$ à inverser. Supposons pour simplifier que n est une puissance de deux (voir l'exercice 10.2.3 pour le cas général). Si $n = 1$, l'inversion est évidente. Sinon, décomposons A en trois sous-matrices B, C et D de taille $n/2 \times n/2$ de façon à ce que

$$A = \begin{pmatrix} B & C \\ 0 & D \end{pmatrix},$$

où B et D sont des matrices triangulaires supérieures et C est une matrice quelconque. Par l'exercice 10.2.4, les matrices B et D sont non singulières. Considérez maintenant le produit suivant :

$$\begin{pmatrix} B & C \\ 0 & D \end{pmatrix} \begin{pmatrix} B^{-1} & -B^{-1}CD^{-1} \\ 0 & D^{-1} \end{pmatrix} = \begin{pmatrix} I & 0 \\ 0 & I \end{pmatrix}.$$

Ce produit nous indique comment obtenir A^{-1} en calculant d'abord B^{-1} et D^{-1}, puis en multipliant les matrices B^{-1}, C et D^{-1}. Les matrices triangulaires supérieures B et D que nous avons maintenant à inverser sont de taille moindre que celle de la matrice A originale. L'utilisation de la technique diviser-pour-régner suggère un algorithme récursif pour inverser A en un temps dans $O(g(n))$ où

$$g(n) \in 2g(n/2) + 2t(n/2) + O(n^2) = 2g(n/2) + O(t(n))$$

par notre hypothèse sur la fonction $t(n)$. Par l'exercice 10.2.5, ceci implique que $g(n) \in O(t(n) \mid n$ est une puissance de deux).   □

PROBLÈME 10.2.3.   Soit IT2 le problème de l'inversion des matrices triangulaires supérieures non singulières dont la taille est une puissance de deux. Tout ce que la preuve du théorème 10.2.4 démontre réellement, c'est que IT2 $\leqslant^l$ MQ. Complétez cette preuve en montrant que IT $\leqslant^l$ IT2.   □

PROBLÈME 10.2.4.   Prouvez que si A est une matrice triangulaire supérieure non singulière de taille paire, et si B et D sont définies comme dans la preuve du théorème 10.2.4, alors B et D sont non singulières.   □

PROBLÈME 10.2.5.   Prouvez par la technique de l'induction constructive que si $g(n) \in 2g(n/2) + O(t(n))$ lorsque n est une puissance de deux et si $t(2n) \geqslant 4t(n)$ pour tout n, alors $g(n) \in O(t(n) \mid n$ est une puissance de deux).   □

PROBLÈME 10.2.6. Une matrice triangulaire supérieure est **unitaire** si toutes les entrées de sa diagonale sont 1. Dénotons par CU le problème de la mise au carré d'une matrice triangulaire supérieure unitaire. Prouvez que CU $\equiv^l$ MQ. $\square$

** PROBLÈME 10.2.7. Dénotons par IQ le problème de l'inversion des matrices non singulières quelconques. Soit $M(n)$ le temps requis pour multiplier deux matrices $n \times n$. Supposons qu'il existe un $\delta \in \mathbb{R}^+$ tel que $8M(n) \geqslant M(2n) \geqslant (4 + \delta) M(n)$ pour tout n. Supposons également que le temps requis pour résoudre IQ respecte une condition analogue. Prouvez que IQ $\equiv^l$ MQ.

PROBLÈME 10.2.8. Une matrice A est **symétrique** si $A_{ij} = A_{ji}$ pour tout i, j. Dénotons par MS le problème de la multiplication de matrices carrées symétriques. Prouvez que MS $\equiv^l$ MQ. $\square$

10.2.2 Réductions entre problèmes de graphes

Dans cette section, $\mathbb{R}^\infty$ dénote $\mathbb{R}^* \cup \{ +\infty \}$, avec les conventions naturelles que $x + (+\infty) = +\infty$ et $\min(x, +\infty) = x$ pour tout $x \in \mathbb{R}^\infty$.

Soient X, Y et Z trois ensembles de sommets. Soient $f : X \times Y \to \mathbb{R}^\infty$ et $g : Y \times Z \to \mathbb{R}^\infty$ deux fonctions représentant le coût pour aller directement d'un sommet à un autre. Un coût infini représente l'absence de chemin direct. Dénotons par fg la fonction $h : X \times Z \to \mathbb{R}^\infty$ définie pour chaque $x \in X$ et $z \in Z$ par $h(x, z) = \min \{ f(x, y) + g(y, z) \mid y \in Y \}$. Il s'agit du coût minimum pour aller de x à z en passant par un et un seul sommet de Y. Remarquez l'analogie entre cette définition et la multiplication matricielle ordinaire (où l'addition et la multiplication sont remplacées par la prise du minimum et l'addition, respectivement), mais évitez la confusion avec la composition fonctionnelle.

La notion ci-dessus devient particulièrement intéressante lorsque les ensembles X, Y et Z coïncident, ainsi que les fonctions f et g. Dans ce cas, ff, que nous dénotons f^2, donne le coût minimum pour aller d'un sommet de X à un autre (possiblement le même) en passant par exactement un sommet intermédiaire (possiblement le même aussi). Similairement, $\min(f, f^2)$ donne le coût minimum pour aller d'un sommet de X à un autre, soit directement, soit en passant par exactement un sommet intermédiaire. Le sens de f^i est similaire, pour $i > 0$. Par analogie, f^0 représente le coût pour aller d'un sommet à un autre en restant sur place, c'est-à-dire que

$$f^0(x, y) = \begin{cases} 0 & \text{si} \quad x = y \\ +\infty & \text{sinon}. \end{cases}$$

Le coût minimum pour aller d'un sommet à un autre sans restriction sur la longueur du chemin, que nous dénotons par f^*, est donc $f^* = \min \{ f^i \mid i \geqslant 0 \}$. Cette définition n'est pas pratique car elle implique apparemment un calcul infini ; il n'est même pas immédiatement clair que f^* soit bien définie. Toutefois, f ne prend jamais de valeur négative. Tout chemin qui passe deux fois par le même sommet peut donc être raccourci en enlevant la boucle ainsi produite sans que le chemin résultant soit d'un coût plus élevé. Il suffit par conséquent de ne considérer que les chemins de longueur inférieure au nombre de sommets dans X. Soit n ce nombre. Nous avons donc que $f^* = \min \{ f^i \mid 0 \leqslant i < n \}$. A première vue, le calcul de f^* pour une fonction f donnée semble requérir plus de temps que le calcul d'un simple produit fg.

L'algorithme naïf pour calculer fg prend un temps dans $\theta(n^3)$ si les trois ensembles de sommets concernés sont de cardinalité n. Malheureusement, il n'y a pas de façon évidente d'adapter à ce problème l'algorithme de Strassen pour la multiplication matricielle ordinaire (section 4.9). (La raison intuitive en est que l'algorithme de Strassen doit effectuer des soustractions. Il n'y a aucun équivalent à cette opération dans notre contexte puisque la prise du minimum n'est pas une opération réversible.) Il existe tout de même des algorithmes plus efficaces pour ce problème. Etant assez compliqués et n'offrant qu'un avantage théorique, ils ne sont pas considérés ici. La définition de f^* donne donc un algorithme capable d'effectuer son calcul en un temps dans $\theta(n^4)$.

Nous avons pourtant vu à la section 5.4 un algorithme de programmation dynamique pour le calcul des plus courts chemins dans un graphe, l'algorithme de Floyd. Ce calcul n'est rien d'autre que celui de f^*. Il est donc possible de s'en tirer en un temps dans $\theta(n^3)$ après tout. Se peut-il que les problèmes consistant à calculer fg et f^* soient de même complexité ? Les deux prochains lemmes démontrent que tel est bien le cas : ces deux problèmes sont linéairement équivalents. L'existence d'algorithmes asymptotiquement plus efficaces que $\theta(n^3)$ pour résoudre le problème du calcul de fg implique donc que l'algorithme de Floyd n'est pas optimal pour le calcul des plus courts chemins, du moins en théorie.

Dénotons par MUL et FTR les problèmes consistant à calculer fg et f^* respectivement. Comme dans la section précédente, faisons l'hypothèse raisonnable que tout accroissement linéaire dans la taille des ensembles de sommets concernés provoque un accroissement au moins quadratique mais au plus cubique dans le temps requis pour résoudre ces problèmes.

THÉORÈME 10.2.5.   MUL $\leqslant^l$ FTR.

PREUVE.   Soit un algorithme capable de calculer h^* en un temps dans $O(t(n))$, où n est la cardinalité de l'ensemble W tel que $h : W \times W \to \mathbb{R}^\infty$. Soient X, Y et Z trois ensembles de sommets de cardinalité n_1, n_2 et n_3, respectivement, et soient $f : X \times Y \to \mathbb{R}^\infty$ et $g : Y \times Z \to \mathbb{R}^\infty$ deux fonctions pour lesquelles nous désirons calculer fg.

Supposons sans perte de généralité que X, Y et Z soient disjoints. Soit $W = X \cup Y \cup Z$. Définissons la fonction $h : W \times W \to \mathbb{R}^\infty$ de la façon suivante :

$$h(u, v) = \begin{cases} f(u, v) & \text{si } u \in X \text{ et } v \in Y \\ g(u, v) & \text{si } u \in Y \text{ et } v \in Z \\ +\infty & \text{sinon} . \end{cases}$$

Remarquez en particulier que $h(x, z) = +\infty$ lorsque $x \in X$ et $z \in Z$.

Voyons maintenant ce que vaut $h^2(u, v)$. Par définition, $h^2(u, v) =$ min $\{ h(u, w) + h(w, v) \mid w \in W \}$. Par définition de h, il est impossible d'avoir simultanément $h(u, w) \neq + \infty$ et $h(w, v) \neq + \infty$ si $w \notin Y$. Par conséquent, $h^2(u, v) =$ min $\{ h(u, w) + w(w, v) \mid w \in Y \}$. Mais la seule façon d'avoir $h(u, w) \neq + \infty$ lorsque $w \in Y$, c'est que $u \in X$ et la seule façon d'avoir $h(w, v) \neq + \infty$ lorsque $w \in Y$, c'est que $v \in Z$. Si $u \notin X$ ou si $v \notin Z$, nous avons donc forcément que $h^2(u, v) = + \infty$. Dans le cas où $u \in X$ et $v \in Z$, il suffit de remarquer que $h(u, w) = f(u, w)$ et $h(w, v) = g(w, v)$ pour obtenir que $h^2(u, v) =$ min $\{ f(u, w) + g(w, v) \mid w \in Y \}$, ce qui est précisément la définition de $fg(u, v)$. En résumé,

$$h^2(u, v) = \begin{cases} fg(u, v) & \text{si } u \in X \text{ et } v \in Z \\ + \infty & \text{sinon} . \end{cases}$$

Le calcul de $h^3(u, v)$ est plus facile : par définition, $h^3(u, v) = hh^2(u, v) =$ min $\{ h(u, w) + h^2(w, v) \mid w \in W \}$. Mais $h(u, w) = + \infty$ lorsque $w \in X$ alors que $h^2(w, v) = + \infty$ lorsque $w \notin X$. Donc $h(u, w) + h^2(w, v) = + \infty$ pour tout $w \in W$, ce qui implique que $h^3(u, v) = + \infty$ pour tout $u, v \in W$. Il en est de même pour $h^i(u, v)$, pour tout $i > 3$.

La conclusion de tout ceci est que $h^* = \min (h^0, h, h^2)$ est donnée par l'équation suivante :

$$h^*(u, v) = \begin{cases} 0 & \text{si} & u = v \\ f(u, v) & \text{si} & u \in X \text{ et } v \in Y \\ g(u, v) & \text{si} & u \in Y \text{ et } v \in Z \\ fg(u, v) & \text{si} & u \in X \text{ et } v \in Z \\ + \infty & \text{sinon}, \end{cases}$$

si bien que la restriction de h^* à $X \times Z$ est précisément le produit fg qu'on désirait calculer. L'utilisation de l'algorithme pour calculer h^* permet donc le calcul de fg en un temps dans

$$t(n_1 + n_2 + n_3) + O(n^2) \subseteq t(3 \max(n_1, n_2, n_3)) + O(n^2) \subseteq O\big(t(\max(n_1, n_2, n_3))\big)$$

par les hypothèses habituelles sur la fonction t. $\qquad\qquad\square$

THÉORÈME 10.2.6.   FTR $\leqslant^l$ MUL.

PREUVE. Soit un algorithme capable de calculer fg en un temps dans $O(\max(n_1, n_2, n_3))$, où n_1, n_2 et n_3 sont les cardinalités des ensembles X, Y et Z tels que $f : X \times Y \to \mathbb{R}^\infty$ et $g : Y \times Z \to \mathbb{R}^\infty$. Soit H un ensemble de cardinalité n et soit $h : H \times H \to \mathbb{R}^\infty$ une fonction de coût pour laquelle nous désirons calculer h^*. Supposons pour simplifier que n est une puissance de deux (voir l'exercice 10.2.9 pour le cas général). Si $n = 1$, il est évident que $h^*(u, u) = 0$ pour l'unique $u \in H$. Sinon, séparons H en deux sous-ensembles disjoints J et K contenant chacun la moitié des sommets. Définissons $a : J \times J \to \mathbb{R}^\infty, b : J \times K \to \mathbb{R}^\infty, c : K \times K \to \mathbb{R}^\infty$ et $d : K \times J \to \mathbb{R}^\infty$ comme étant les restrictions de h à ces sous-domaines.

Soit $e : J \times J \to \mathbb{R}^\infty$ la fonction donnée par $e = \min(a, bc^*d)$. On constate que $e(u, v)$ représente le coût minimum pour aller de u à v sans passer à travers aucun sommet dans J; les sommets dans K peuvent cependant être utilisés autant de fois que nécessaire, ou pas du tout si c'est préférable. Le coût minimum pour aller de u à v sans restriction est donc $e^*(u, v)$ lorsque u et v sont dans J. En d'autres termes, e^* est la restriction à $J \times J$ du h^* que nous désirons calculer. Les autres restrictions s'obtiennent de façon similaire :

$$
h^*(u, v) = \begin{cases}
e^*(u, v) & \text{si} \quad u \in J \quad \text{et} \quad v \in J \\
e^*bc^*(u, v) & \text{si} \quad u \in J \quad \text{et} \quad v \in K \\
c^*de^*(u, v) & \text{si} \quad u \in K \quad \text{et} \quad v \in J \\
(\min(c^*, c^*de^*bc^*))(u, v) & \text{si} \quad u \in K \quad \text{et} \quad v \in K .
\end{cases}
$$

Pour calculer h^* par diviser-pour-régner, on solutionne donc récursivement deux sous-exemplaires de taille $n/2$ du problème FTR, afin de calculer c^* et e^*, ainsi que quelques exemplaires du problème MUL. Le temps $g(n)$ requis par cette approche est caractérisé par l'équation $g(n) \in 2g(n/2) + O(t(n))$, ce qui implique que $g(n) \in O(t(n) \mid n$ est une puissance de deux) par l'exercice 10.2.5. $\square$

PROBLÈME 10.2.9. Soit FTR2 le problème du calcul de h^* pour $h : X \times X \to \mathbb{R}^\infty$ lorsque la cardinalité de X est une puissance de deux. Tout ce que la preuve du théorème 10.2.6 démontre réellement, c'est que FTR2 $\leqslant^l$ MUL. Complétez cette preuve en montrant que FTR $\leqslant^l$ FTR2. $\square$

Lorsque l'image des fonctions de coût est restreinte à $\{ 0, +\infty \}$, calculer f^* revient à déterminer, pour chaque paire de sommets, s'il existe un chemin les reliant, sans tenir compte du coût de celui-ci. Nous avons vu que l'algorithme de Warshall (problème 5.4.2) sert à résoudre ce problème en un temps dans $\theta(n^3)$. Soient MULB et FTRB les problèmes consistant à calculer fg et h^*, respectivement, lorsque les fonctions de coût sont ainsi restreintes. Il est évident que MULB $\leqslant^l$ MUL et FTRB $\leqslant^l$ FTR, puisque les algorithmes généraux peuvent servir pour résoudre des exemplaires des problèmes restreints. De plus, la preuve que MUL $\equiv^l$ FTR s'adapte aisément pour montrer que MULB $\equiv^l$ FTRB. Ceci est intéressant car MULB $\leqslant^l$ MQ, où MQ représente le problème de la multiplication des matrices arithmétiques quelconques (problème 10.2.10). Contrairement au cas des fonctions de coût arbitraires, l'algorithme de Strassen peut donc s'appliquer pour résoudre les problèmes MULB et FTRB en un temps dans $O(n^{2,81})$, montrant ainsi que l'algorithme de Warshall n'est pas optimal. Remarquez cependant qu'il faut $O(n^{2,81})$ opérations *arithmétiques* en utilisant l'algorithme de Strassen; l'algorithme de Warshall se contente de $\theta(n^3)$ opérations *booléennes*. Aucun algorithme n'est connu pour résoudre MULB plus rapidement que MQ.

PROBLÈME 10.2.10. Soient $f : X \times Y \to \{ 0, +\infty \}$ et $g : Y \times Z \to \{ 0, +\infty \}$, deux fonctions de coût restreintes. Montrez comment transformer le problème du calcul de fg en calcul d'une multiplication matricielle arithmétique ordinaire. Concluez que MULB $\leqslant^l$ MQ. $\square$

$*$ **PROBLÈME 10.2.11.** Une fonction de coût $f : X \to X \to \mathbb{R}^\infty$ est **symétrique** si $f(u,v) = f(v, u)$ pour tout $u, v \in X$. Les quatre problèmes discutés ci-dessus ont chacun une version symétrique qui se produit lorsque les fonctions de coût concernées sont symétriques. Soient MULS, FTRS, MULBS et FTRBS ces problèmes. Prouvez que MULBS $\equiv^l$ MULB. Croyez-vous que MULBS $\equiv^l$ FTRBS ? Si vous croyez que la réponse est négative, un de ces deux problèmes semble-t-il strictement plus difficile ? Lequel ? Justifiez votre réponse. □

10.2.3 Réductions entre problèmes arithmétiques et polynomiaux

Revenons aux problèmes de l'arithmétique des grands entiers (sections 1.7.2, 4.7 et 9.5). Nous avons vu qu'il est possible de multiplier deux entiers de taille n en un temps dans $O(n^{1,59})$ et même $O(n \log n \log \log n)$. Qu'en est-il de la division entière et de l'extraction de la racine carrée ? Notre expérience de tous les jours nous porte à croire que le second de ces problèmes et probablement aussi le premier, sont plus difficiles que la multiplication. Une fois de plus, il n'en est rien. Soient CAR, MLT, DIV, RAC les problèmes consistant à mettre au carré un entier de taille n, à effectuer le produit de deux entiers de taille n, à déterminer le quotient d'un entier de taille $2n$ lorsque divisé par un entier de taille n et à déterminer la partie entière de la racine carrée d'un entier de taille $2n$.

THÉORÈME 10.2.7.   CAR $\equiv^l$ MLT $\equiv^l$ DIV $\equiv^l$ RAC.

PREUVE (esquisse).   La preuve complète de ce théorème, plutôt longue et technique, est ternie en maints endroits par des problèmes de troncature résolus à grand renfort de trucs *ad hoc* (voir le problème 10.2.20). C'est pourquoi nous nous contentons dans la suite de cette section de démontrer l'équivalence de ces opérations, sauf la racine carrée, dans le domaine plus propre de l'arithmétique polynomiale. Démontrons tout de même l'équivalence CAR $\equiv^l$ MLT.

Il est évident que CAR $\leqslant^l$ MLT, la mise au carré n'étant qu'une forme particulière de multiplication. Pour ce qui est de MLT $\leqslant^l$ CAR, supposons que nous ayons un algorithme capable d'effectuer la mise au carré d'un entier de taille n en un temps dans $O(t(n))$. Faisons l'hypothèse raisonnable que $t(n) \in \Omega(n)$. Soient x et y deux entiers de taille n à multiplier. La formule suivante permet d'en obtenir le produit en n'effectuant que deux mises au carré, quelques additions et une division par 4 :

$$xy = ((x + y)^2 - (x - y)^2)/4.$$

Les additions et la division par 4 pouvant se faire en un temps dans $O(n)$, nous pouvons résoudre MLT en un temps dans $2t(n) + O(n) \subseteq O(t(n))$ puisque $t(n) \in \Omega(n)$. □

Nous avons vu comment multiplier deux polynômes de degré n en un temps dans $O(n \log n)$, en autant que les opérations arithmétiques sur les coefficients soient comptées à coût unitaire (section 9.4). Voyons maintenant que le problème de la division polynomiale est linéairement équivalent à celui de la multiplication. Remarquez que l'approche directe des transformées de Fourier, qui fonctionne si bien pour multiplier deux polynômes, ne s'applique pas à la division (à moins que les deux polynômes concernés se divisent sans reste). Soient, par exemple, $p(x) = x^3 + 3x^2 + x + 2$ et $d(x) = x^2 + x + 2$. Le quotient de la division de $p(x)$ par $d(x)$ est $q(x) = x + 2$. Dans ce cas $p(2) = 24$ et $d(2) = 8$, pourtant $q(2) = 4 \neq 24/8$. Nous avons même que $p(1) = 7$ n'est pas divisible par $d(1) = 4$. Ceci est dû au reste de la division $r(x) = -3x - 2$. Malgré cette difficulté, il est possible de déterminer le quotient et le reste de la division d'un polynôme de degré $2n$ par un polynôme de degré n en un temps dans $O(n \log n)$ en réduisant ces problèmes à un certain nombre de multiplications polynomiales, calculées par la transformée de Fourier.

Rappelons que $p(x) = \sum_{i=0}^{n} a_i x^i$ est un polynôme de **degré** n, en autant que $a_n \neq 0$. Par convention, le polynôme $p(x) = 0$ est de degré -1. Soient $p(x)$ un polynôme de degré n et $d(x)$ un polynôme non zéro de degré m. Il existe alors un unique polynôme $r(x)$ de degré strictement inférieur à m et un unique polynôme $q(x)$ tels que $p(x) = q(x) d(x) + r(x)$. Le polynôme $q(x)$ est de degré $n - m$ si $n \geqslant m$, sinon $q(x) = 0$. Nous appelons $q(x)$ et $r(x)$ le **quotient** et le **reste** de la division de $p(x)$ par $d(x)$, respectivement. Le quotient est dénoté par $q(x) = \lfloor p(x)/d(x) \rfloor$.

PROBLÈME 10.2.12.   Prouvez l'existence et l'unicité du quotient et du reste. $\qquad\qquad\square$

Nous avons également besoin d'une notion d'inverse. Soit $p(x)$ un polynôme non zéro de degré n. L'**inverse** de $p(x)$, dénoté $p^*(x)$, est défini par $p^*(x) = \lfloor x^{2n}/p(x) \rfloor$. Par exemple, si $p(x) = x^3 + 3x^2 + x + 2$ alors $p^*(x) = x^3 - 3x^2 + 8x - 23$. Notez que $p(x)$ et $p^*(x)$ sont toujours de même degré.

PROBLÈME 10.2.13.   Soient $p(x) = x^3 + x^2 + 5x + 1$ et $d(x) = x - 2$. Calculez $\lfloor p(x)/d(x) \rfloor$, $p^*(x)$ et $d^*(x)$. $\qquad\qquad\square$

PROBLÈME 10.2.14.   Prouvez que si $p(x)$ est un polynôme non zéro et si $q(x) = p^*(x)$ alors $q^*(x) = p(x)$. (Il existe une preuve très simple.) $\qquad\square$

* **PROBLÈME** 10.2.15.   Prouvez que si $p(x)$, $p_1(x)$ et $p_2(x)$ sont trois polynômes quelconques et si $d(x)$, $d_1(x)$ et $d_2(x)$ sont trois polynômes non nuls, alors

i) $\left\lfloor \dfrac{p_1(x)}{d_1(x)} \right\rfloor \pm \left\lfloor \dfrac{p_2(x)}{d_2(x)} \right\rfloor = \left\lfloor \dfrac{p_1(x) d_2(x) \pm p_2(x) d_1(x)}{d_1(x) d_2(x)} \right\rfloor$;

En particulier, $\lfloor p_1(x)/d(x) \rfloor \pm \lfloor p_2(x)/d(x) \rfloor = \lfloor (p_1(x) \pm p_2(x))/d(x) \rfloor$.

ii) $\lfloor \lfloor p(x)/d_1(x) \rfloor /d_2(x) \rfloor = \lfloor p(x)/(d_1(x) d_2(x)) \rfloor$.

iii) $\lfloor p_1(x)/\lfloor p_2(x)/d(x) \rfloor \rfloor = \lfloor (p_1(x) d(x))/p_2(x) \rfloor$ en autant que le degré de $p_1(x)$ ne soit pas supérieur au double du degré de $\lfloor p_2(x)/d(x) \rfloor$. $\qquad\square$

Considérons maintenant les quatre problèmes suivants : CARP consiste à élever au carré un polynôme de degré n, MLTP à multiplier entre eux deux polynômes de degré inférieur ou égal à n, INVP à déterminer l'inverse d'un polynôme de degré n et DIVP à déterminer le quotient de la division d'un polynôme de degré inférieur ou égal à $2n$ par un polynôme de degré n. Prouvons que ces quatre problèmes sont linéairement équivalents par les chaînes de réductions suivantes : MLTP $\leqslant^l$ CARP $\leqslant^l$ INVP $\leqslant^l$ MLTP et INVP $\leqslant^l$ DIVP $\leqslant^l$ INVP. Faisons cette fois l'hypothèse raisonnable qu'un accroissement linéaire dans le degré des polynômes concernés provoque un accroissement au moins linéaire mais au plus quadratique dans le temps requis pour ces diverses opérations.

THÉORÈME 10.2.8.   MLTP $\leqslant^l$ CARP.

PREUVE.   Essentiellement identique à la preuve que MLT $\leqslant^l$ CAR donnée dans le théorème 10.2.7. $\qquad\qquad\qquad\qquad\qquad\qquad\qquad\qquad\qquad\qquad\qquad$ $\square$

THÉORÈME 10.2.9.   CARP $\leqslant^l$ INVP.

PREUVE.   L'idée intuitive est donnée par la formule suivante, où x est un nombre réel non nul :

$$x^2 = (x^{-1} - (x + 1)^{-1})^{-1} - x .$$

Une tentative de calculer le carré d'un polynôme $p(x)$ par la formule analogue $(p^*(x) - (p(x) + 1)^*)^* - p(x)$, n'a aucune chance de réussir : le degré de cette expression ne peut pas être plus grand que le degré de $p(x)$. Cet échec est dû à des erreurs de troncature qu'on peut toutefois éliminer par l'utilisation d'un facteur de cadrage approprié.

Soit un algorithme capable de calculer l'inverse d'un polynôme de degré n en un temps dans $O(t(n))$ et soit $p(x)$ un polynôme de degré n dont on désire calculer le carré. Le polynôme $x^{2n} p(x)$ est de degré $3n$, donc

$$[x^{2n} p(x)]^* = \lfloor x^{6n}/x^{2n} p(x) \rfloor = \lfloor x^{4n}/p(x) \rfloor .$$

Similairement,

$$[x^{2n}(p(x) + 1)]^* = \lfloor x^{4n}/(p(x) + 1) \rfloor .$$

Par le problème 10.2.15,

$$
\begin{aligned}
[x^{2n} p(x)]^* - [x^{2n}(p(x) + 1)]^* &= \lfloor x^{4n}/p(x) \rfloor - \lfloor x^{4n}/(p(x) + 1) \rfloor \\
&= \lfloor (x^{4n}(p(x) + 1) - x^{4n} p(x))/p(x)\,(p(x) + 1) \rfloor \\
&= \lfloor x^{4n}/(p^2(x) + p(x)) \rfloor \\
&= [p^2(x) + p(x)]^* ,
\end{aligned}
$$

la dernière égalité étant due au fait que $p^2(x) + p(x)$ est de degré $2n$. Par le problème 10.2.14, nous concluons finalement que

$$p^2(x) = [[x^{2n} p(x)]^* - [x^{2n}(p(x) + 1)]^*]^* - p(x) .$$

Ceci nous donne un algorithme pour calculer $p^2(x)$ en exécutant deux inversions de polynômes de degré $3n$, une inversion d'un polynôme de degré $2n$ et quelques opérations (additions, soustractions, multiplications par des puissances de x) prenant un temps dans $O(n)$. Cet algorithme peut donc résoudre le problème CARP en un temps dans

$$2t(3n) + t(2n) + O(n) \subseteq 22t(n) + O(n) \subseteq O(t(n))$$

grâce à nos hypothèses sur la fonction $t(n)$. □

THÉORÈME 10.2.10. INVP $\leqslant^l$ DIVP.

PREUVE. Pour calculer $p^*(x)$, où $p(x)$ est un polynôme de degré n, il suffit d'évaluer $\lfloor x^{2n}/p(x) \rfloor$, un exemplaire de taille n du problème de la division polynomiale. □

THÉORÈME 10.2.1 . DIVP $\leqslant^l$ INVP.

PREUVE. L'idée intuitive est donnée par la formule suivante, où x et y sont des nombres réels tels que $y \neq 0$:

$$x/y = xy^{-1} .$$

Si nous tentions de calculer le quotient d'un polynôme $p(x)$ par un polynôme non-nul $d(x)$ par la formule analogue $p(x) \, d^*(x)$, le degré du résultat serait trop élevé. Pour résoudre ce problème, il suffit de diviser ce résultat par un facteur de cadrage approprié.

Soit un algorithme capable de calculer l'inverse d'un polynôme de degré n en un temps dans $O(t(n))$. Soient $p(x)$ un polynôme de degré inférieur ou égal à $2n$ et $d(x)$ un polynôme de degré n. On veut calculer $\lfloor p(x)/d(x) \rfloor$. Soit $r(x)$ le reste de la division de x^{2n} par $d(x)$, c'est-à-dire que $d^*(x) = \lfloor x^{2n}/d(x) \rfloor = (x^{2n} - r(x))/d(x)$ et que le degré de $r(x)$ est strictement inférieur à n. Considérons maintenant

$$\left\lfloor \frac{p(x) \, d^*(x)}{x^{2n}} \right\rfloor = \left\lfloor \frac{x^{2n} p(x) - r(x) p(x)}{x^{2n} d(x)} \right\rfloor$$

$$= \left\lfloor \frac{x^{2n} p(x)}{x^{2n} d(x)} \right\rfloor - \left\lfloor \frac{r(x) p(x)}{x^{2n} d(x)} \right\rfloor$$

par l'exercice 10.2.15. Mais le degré de $r(x) \, p(x)$ est strictement inférieur à $3n$ alors que le degré de $x^{2n}d(x)$ est égal à $3n$, donc $\lfloor (r(x) p(x))/(x^{2n}d(x)) \rfloor = 0$. Par conséquent, $\lfloor (p(x) \, d^*(x))/x^{2n} \rfloor = \lfloor p(x)/d(x) \rfloor$, ce qui nous permet d'obtenir le quotient désiré en effectuant l'inversion d'un polynôme de degré n, la multiplication de deux polynômes de degré au maximum $2n$ et un quotient par une puissance de x. Cette dernière opération correspond simplement à un décalage et peut se faire en un temps dans $O(n)$. La multiplication peut s'effectuer en un temps dans $O(t(2n))$ grâce aux théorèmes 10.2.8 et 10.2.9. Le calcul de $\lfloor p(x)/d(x) \rfloor$ peut donc se faire en un temps dans $t(n) + O(t(2n)) + O(n) \subseteq O(t(n))$ par nos hypothèses sur la fonction $t(n)$. □

THÉORÈME 10.2.12. INVP $\leqslant^l$ MLTP.

PREUVE. Cette réduction est plus difficile que les précédentes. Recourons une fois de plus à l'analogie avec le domaine des nombres réels. Soit x un nombre réel positif pour lequel nous désirons évaluer x^{-1}. Soit y une approximation à x^{-1} en ce sens que $xy = 1 - \delta$, pour $-1 < \delta < 1$. Nous pouvons améliorer l'approximation y en calculant $z = 2y - y^2 x$. En effet, $xz = x(2y - y^2 x) = xy(2 - xy) = (1 - \delta)(1 + \delta) = 1 - \delta^2$. Afin de calculer l'inverse d'un polynôme, procédons similairement en trouvant d'abord une bonne approximation à cet inverse, puis en corrigeant l'erreur.

Soit un algorithme capable de multiplier deux polynômes de degré inférieur ou égal à n en un temps dans $O(t(n))$. Soit $p(x)$ un polynôme non nul de degré n dont nous désirons calculer l'inverse. Supposons pour simplifier que $n + 1$ est une puissance de deux (voir l'exercice 10.2.16 pour le cas général). Si $n = 0$, l'inverse $p^*(x)$ est facile à calculer. Sinon, soit $k = (n + 1)/2$.

Dans une première étape, trouvons une approximation $h(x)$ à $p^*(x)$ telle que le degré de $x^{2n} - p(x) h(x)$ soit inférieur à $3k - 1$ (remarquez que le degré de $x^{2n} - p(x) p^*(x)$ peut être aussi grand que $2k - 2$). L'idée consiste à se débarrasser provisoirement des k coefficients de plus faible degré du polynôme $p(x)$ en divisant celui-ci par x^k. Soit $h(x) = x^k \lfloor p(x)/x^k \rfloor^*$. Notons d'abord que le degré de $\lfloor p(x)/x^k \rfloor$ est $n - k = k - 1$, donc $\lfloor p(x)/x^k \rfloor^* = \lfloor x^{2k-2}/\lfloor p(x)/x^k \rfloor \rfloor = \lfloor x^{3k-2}/p(x) \rfloor$ par l'exercice 10.2.15. Soit $r(x)$ le polynôme de degré inférieur à n tel que $\lfloor x^{3k-2}/p(x) \rfloor = (x^{3k-2} - r(x))/p(x)$. Nous avons alors

$$x^{2n} - p(x) h(x) = x^{4k-2} - p(x) x^k (x^{3k-2} - r(x))/p(x) = x^k r(x),$$

qui est bien un polynôme de degré inférieur à $3k - 1$.

Dans une deuxième étape, améliorons l'approximation $h(x)$ afin d'obtenir $p^*(x)$ exactement. Tenant compte du facteur de cadrage approprié, l'analogie introduite au début de cette preuve suggère de calculer $q(x) = 2h(x) - \lfloor h^2(x) p(x)/x^{2n} \rfloor$. Soit $s(x)$ le polynôme de degré inférieur à $2n$ tel que $\lfloor h^2(x) p(x)/x^{2n} \rfloor = (h^2(x) p(x) - s(x))/x^{2n}$. Evaluons maintenant

$$
\begin{aligned}
p(x) q(x) &= 2p(x) h(x) - (p^2(x) h^2(x) - p(x) s(x))/x^{2n} \\
&= p(x) h(x) \left[\frac{2x^{2n} - p(x) h(x)}{x^{2n}} \right] + \frac{p(x) s(x)}{x^{2n}} \\
&= [(p(x) h(x)) (2x^{2n} - p(x) h(x)) + p(x) s(x)]/x^{2n} \\
&= [(x^{2n} - x^k r(x)) (x^{2n} + x^k r(x)) + p(x) s(x)]/x^{2n} \\
&= [x^{4n} - x^{2k} r^2(x) + p(x) s(x)]/x^{2n} \\
&= x^{2n} + (p(x) s(x) - x^{2k} r^2(x))/x^{2n}.
\end{aligned}
$$

Il suffit de remarquer que les polynômes $p(x)s(x)$ et $x^{2k}r^2(x)$ sont de degré maximum $3n - 1$ pour conclure que le degré de $x^{2n} - p(x) q(x)$ est inférieur à n, c'est-à-dire que $q(x) = p^*(x)$, ce qu'il fallait calculer.

En combinant ces deux étapes, on obtient la formule récursive suivante :

$$p^*(x) = 2x^k \lfloor p(x)/x^k \rfloor^* - \lfloor p(x) [[p(x)/x^k]^*]^2/x^{n-1} \rfloor.$$

Soit $g(n)$ le temps pris par l'algorithme diviser-pour-régner que cette formule suggère pour le calcul de l'inverse d'un polynôme de degré n. En tenant compte de l'évaluation récursive de l'inverse de $\lfloor p(x)/x^k \rfloor$, des deux multiplications de polynômes permettant l'amélioration de notre approximation, des soustractions, des multiplications et des divisions par des puissances de x, nous voyons que

$$g(n) \in g((n-1)/2) + t((n-1)/2) + t(n) + O(n) \subseteq g((n-1)/2) + O(t(n)).$$

Ceci permet de conclure par l'exercice 10.2.17 que $g(n) \in O(t(n))$. $\qquad\square$

PROBLÈME 10.2.16. Soit INVP2 le problème du calcul de $p^*(x)$ lorsque $p(x)$ est un polynôme de degré n tel que $n + 1$ soit une puissance de deux. Tout ce que la preuve du théorème 10.2.12 démontre réellement c'est que INVP2 $\leqslant^l$ MLTP. Complétez cette preuve en montrant que INVP $\leqslant^l$ INVP2. $\qquad\square$

PROBLÈME 10.2.17. Prouvez par la technique de l'induction constructive que si $g(n) \in g((n-1)/2) + O(t(n))$ lorsque $n + 1$ est une puissance de deux et si $t(2n) \geqslant 2t(n)$, pour tout n, alors $g(n) \in O(t(n) \mid n + 1$ est une puissance de deux). $\qquad\square$

PROBLÈME 10.2.18. Soit $p(x) = x^3 + x^2 + 5x + 1$. Calculez $p^*(x)$ grâce à l'approche de la preuve du théorème 10.2.12. Vous pouvez effectuer directement le calcul intermédiaire de l'inverse de $\lfloor p(x)/x^2 \rfloor$, plutôt que de procéder récursivement. Comparez votre réponse à celle obtenue en solution de problème 10.2.13. $\qquad\square$

* PROBLÈME 10.2.19. Nous avons vu à la section 9.4 comment l'utilisation des transformées de Fourier permet d'effectuer la multiplication de deux polynômes de degré au plus n en un temps dans $O(n \log n)$. Les théorèmes 10.2.11 et 10.2.12 permettent donc de conclure que ce temps est également suffisant pour déterminer le quotient d'un polynôme de degré au plus $2n$ lorsque divisé par un polynôme de degré n. Cependant, la preuve du théorème 10.2.11 dépend crucialement du fait que le degré du dividende n'est pas plus du double du degré du diviseur. Généralisez ce résultat en montrant comment on peut diviser un polynôme de degré m par un polynôme de degré n en un temps dans $O(m \log n)$. $\qquad\square$

** PROBLÈME 10.2.20. En vous inspirant des preuves des théorèmes 10.2.9 à 10.2.12, complétez la preuve du théorème 10.2.7. Il vous faut définir une notion d'inverse entière : soit i un entier de n bits (c'est-à-dire $2^{n-1} \leqslant i \leqslant 2^n - 1$), alors $i^* = \lfloor 2^{2n-1}/i \rfloor$ est également un entier de n bits, sauf si i est une puissance de 2. Le problème INV est défini sur les entiers similairement à INVP sur les polynômes.

Les difficultés commencent avec le fait que $(i^*)^*$ n'est pas toujours égal à i, contrairement au problème 10.2.14 (par exemple, $13^* = 9$ mais $9^* = 14$). Ceci se répercute sur toutes les preuves. Voyons, par exemple, comment prouver que DIV $\leqslant^l$ INV. Soit i un entier de taille $2n$ et j un entier de taille n tels qu'on désire calculer $\lfloor i/j \rfloor$. Si l'on définit $z = \lfloor ij^*/2^{2n-1} \rfloor$, par analogie avec le calcul de

$$\lfloor (p(x)\, d^*(x))/x^{2n} \rfloor$$

de la preuve du théorème 10.2.11, on n'obtient plus automatiquement le résultat désiré $z = \lfloor i/j \rfloor$. Une analyse détaillée montre cependant que $z \leqslant \lfloor i/j \rfloor \leqslant z + 2$. Le calcul exact de $\lfloor i/j \rfloor$ peut donc être obtenu par une boucle efficace de correction :

$z \leftarrow \lfloor ij^* / 2^{2n-1} \rfloor$
$t \leftarrow (z+1) \times j$
tantque $t \leq i$ **faire**
  $t \leftarrow t + j$
  $z \leftarrow z + 1$
retourner z .

Les autres raisonnements doivent être adaptés similairement.

Pour la réduction RAC $\leqslant^l$ MUL, inspirez-vous de la preuve du théorème 10.2.12. Pour la réduction inverse, montrez comment utiliser le fait que

$$\sqrt{x + \sqrt{x + 1} - \sqrt{x - 1}} - \sqrt{x - \sqrt{x + 1} + \sqrt{x - 1}} \approx 1/x \, . \qquad \Box$$

10.3   Introduction à la **NP**-complétude

Il existe de nombreux problèmes concrets et pratiques pour lesquels aucun algorithme efficace n'est connu, mais desquels nul n'a encore démontré l'intrinsèque difficulté. Nous y retrouvons des problèmes aussi divers que le commis voyageur (sections 3.4.2, 5.6 et 6.8), la coloration optimale de graphes (section 3.4.1), le sac alpin, le cycle hamiltonien (problème 10.3.11), la programmation linéaire en nombres entiers, le plus long chemin simple dans un graphe (problème 5.1.3) et la satisfaisabilité d'expressions booléennes (certains de ces problèmes sont décrits plus loin). Est-ce l'algorithmique ou la complexité qui est en faute ? Peut-être existe-t-il des algorithmes efficaces pour les résoudre. Après tout, l'informatique est une science toute récente : il existe sûrement encore des techniques algorithmiques à découvrir.

Cette section traite d'un résultat remarquable : tout algorithme efficace pour la solution d'un quelconque des problèmes cités donnerait automatiquement lieu à des algorithmes efficaces pour chacun des autres. Nous ne savons donc pas s'ils sont faciles ou difficiles à résoudre, mais nous savons qu'ils sont de complexité analogue. L'importance pratique de ces problèmes leur a valu d'être indépendamment l'objet de substantiels efforts pour leur trouver des algorithmes efficaces. Pour cette raison, la conjecture actuelle est que de tels algorithmes n'existent pas. Si vous avez un problème à résoudre et que vous démontrez qu'il est équivalent (définition 10.3.1) à un des problèmes susmentionnés, vous pouvez considérer ce résultat comme une évidence que votre problème est difficile, mais non comme une preuve. Vous saurez, à tout le moins, que personne d'autre n'est présentement capable de le résoudre efficacement.

10.3.1   Les classes P et NP

Avant d'aller plus loin, il est bon de se demander ce que nous entendons par un algorithme efficace. Qu'il fonctionne en un temps dans $O(n \log n)$? $O(n^2)$? $O(n^{2,81})$? Tout dépend du problème à résoudre. Un algorithme de tri fonctionnant en un temps dans $\theta(n^2)$ est inefficace alors qu'un autre pour la multiplication matricielle fonctionnant en un temps dans $O(n^{2,81})$ est d'une efficacité surprenante. Nous pourrions être tentés de dire qu'un algorithme est efficace s'il est meilleur que l'algorithme naïf, ou encore, s'il est le meilleur algorithme possible pour résoudre notre problème. Mais que dire de l'algorithme de programmation dynamique pour résoudre le problème du commis voyageur (section 5.6) ? Il est plus efficace que la recherche exhaustive, et pourtant il ne permet en pratique que de traiter des exemplaires bien modestes. Si aucun algorithme significativement plus efficace n'existe pour résoudre ce problème, n'est-il pas raisonnable de décréter que ce problème est intrinsèquement difficile et qu'il n'admet *aucun* algorithme efficace ?

Pour les besoins de cette section, nous tranchons la question en stipulant qu'un algorithme est **efficace** (ou **polynomial**) s'il existe un polynôme $p(n)$ tel que cet algorithme puisse résoudre tout exemplaire de taille n en un temps dans $O(p(n))$. Cette définition est motivée par la comparaison de la section 1.6 entre un algorithme prenant un temps dans $\theta(2^n)$ et un autre se contentant d'un temps dans $\theta(n^3)$, ainsi que par les sections 1.7.3, 1.7.4 et 1.7.5. Un algorithme exponentiel devient vite inutilisable en pratique alors qu'un algorithme polynomial permet généralement de résoudre des exemplaires beaucoup plus considérables. Il faut cependant prendre cette définition avec un grain de sel. Entre deux algorithmes prenant des temps dans $\theta(n^{\lg \lg n})$ et $\theta(n^{10})$, respectivement, le premier, n'étant pas polynomial, est « inefficace ». Il surclasse pourtant l'algorithme polynomial sur tous les exemplaires de taille inférieure à 10^{300}, en supposant que les constantes cachées soient similaires. En fait, il n'est pas raisonnable de dire qu'un algorithme prenant un temps dans $\theta(n^{10})$ est efficace en pratique. Toutefois, un décret comme quoi $O(n^3)$ est efficace alors que $\Omega(n^4)$ ne l'est pas, par exemple, serait par trop arbitraire.

La notion de réduction et d'équivalence linéaire considérée dans la section 10.2 est intéressante pour les problèmes pouvant être résolus en un temps quadratique ou cubique. Elle est cependant trop restrictive lorsqu'on considère des problèmes pour lesquels les meilleurs algorithmes connus prennent un temps exponentiel. C'est pourquoi nous avons besoin d'un nouveau type de réduction.

DÉFINITION 10.3.1.   Soient X et Y deux problèmes. Le problème X est **polynomialement réductible** au problème Y **au sens de Turing,** dénoté $X \leqslant_T^p Y$, s'il existe un algorithme polynomial pour résoudre X en autant que soit comptée à coût unitaire la résolution de tout exemplaire de Y. En d'autres termes, l'algorithme pour résoudre le problème X peut disposer à sa guise d'un **oracle** possédant une connaissance magique du problème Y. Lorsque $X \leqslant_T^p Y$ et $Y \leqslant_T^p X$ simultanément, X et Y sont **polynomialement équivalents au sens de Turing,** dénoté $X \equiv_T^p Y$. □

L'intérêt de cette définition est mise en évidence par les deux exercices suivants.

PROBLÈME 10.3.1. Soient X et Y deux problèmes tels que $X \leqslant_T^p Y$. Supposons qu'il existe un algorithme pour résoudre le problème Y en un temps dans $O(t(n))$, où $t(n)$ est une fonction non décroissante. Prouvez qu'il existe un polynôme $p(n)$ et un algorithme capable de résoudre le problème X en un temps dans

$$O\bigl((1 + t(p(n)))\, p(n)\bigr).$$

PROBLÈME 10.3.2. Soient X et Y deux problèmes tels que $X \leqslant_T^p Y$. Prouvez que l'existence d'un algorithme polynomial pour résoudre le problème Y implique l'existence d'un algorithme polynomial pour résoudre le problème X. □

En particulier, l'équivalence mentionnée dans l'introduction implique que chaque problème cité peut être résolu par un algorithme polynomial, ou alors qu'aucun d'entre eux ne le peut.

Pour une raison technique, nous nous restreignons désormais à l'étude des problèmes de décision. Par exemple, « n est-il un nombre premier ? » est un problème de décision alors que « décomposer n en facteurs premiers » n'en est pas un. On peut assimiler un problème de décision à un sous-ensemble X de l'ensemble I de ses exemplaires. Le problème consiste alors à déterminer, étant donné $x \in I$, si $x \in X$ ou non. Nous supposons généralement que l'ensemble des exemplaires est facile à reconnaître, tel que $\mathbb{N}$ ou « l'ensemble de tous les graphes ». Nous supposons également que les exemplaires peuvent être codés efficacement sous forme de chaînes binaires.

DÉFINITION 10.3.2. **P** est la classe des problèmes de décision pouvant être résolus par un algorithme polynomial. □

PROBLÈME 10.3.3. Soient X et Y deux problèmes de décision. Prouvez que si $X \leqslant_T^p Y$ et si $Y \in \mathbf{P}$, alors $X \in \mathbf{P}$. □

Cette restriction aux problèmes de décision permet d'introduire une notion simplifiée de réduction polynomiale.

DÉFINITION 10.3.3. Soient $X \subseteq I$ et $Y \subseteq J$ deux problèmes de décision. Le problème X est **polynomialement réductible** au problème Y **au sens multivoque,** dénoté $X \leqslant_m^p Y$, s'il existe une fonction polynomialement calculable $f : I \to J$ telle que

$$(\forall x \in I)\, \bigl[x \in X \Leftrightarrow f(x) \in Y \bigr].$$

Lorsque $X \leqslant_m^p Y$ et $Y \leqslant_m^p X$ simultanément, X et Y sont **polynomialement équivalents au sens multivoque,** dénoté $X \equiv_m^p Y$. □

PROBLÈME 10.3.4. Prouvez que $X \leqslant_m^p Y$ implique que $X \leqslant_T^p Y$, quels que soient les problèmes de décision X et Y. Montrez toutefois que la réciproque n'est pas forcément vraie en exhibant explicitement deux problèmes de décision X et Y pour lesquels vous pouvez prouver que $X \leqslant_T^p Y$ sans que $X \leqslant_m^p Y$. □

PROBLÈME 10.3.5.   Prouvez que les relations $\leqslant_T^p$, $\leqslant_m^p$, $\equiv_T^p$ et $\equiv_m^p$ sont transitives.   □

L'exercice suivant montre que la restriction aux problèmes de décision n'est pas trop incommode. En effet, la plupart des problèmes d'optimisation sont polynomialement équivalents au sens de Turing à un problème de décision analogue.

* PROBLÈME 10.3.6.   Soient $G = \langle N, A \rangle$ un graphe non orienté, k un entier et $c : N \to \{ 1, 2, ..., k \}$ une fonction. Cette fonction est une **coloration valide** de G s'il n'existe pas de sommets u, $v \in N$ tels que $\{ u, v \} \in A$ et $c(u) = c(v)$ (section 3.4.1). Le graphe G est **colorable en k couleurs** s'il existe une telle coloration valide. Le plus petit entier k tel que G soit colorable en k couleurs s'appelle le **nombre chromatique** de G et une coloration en k couleurs s'appelle alors une **coloration optimale.** Considérons les trois problèmes suivants.

COLD: étant donné un graphe G et un entier k, G est-il colorable en k couleurs ? ;

COLO: étant donné un graphe G, déterminer le nombre chromatique de G ; et

COLC: étant donné un graphe G, déterminer une coloration optimale de G.

Prouvez que COLD $\equiv_T^p$ COLO $\equiv_T^p$ COLC. Concluez qu'il existe un algorithme polynomial pour déterminer le nombre chromatique d'un graphe, ou même pour trouver une coloration optimale, si et seulement si COLD $\in$ **P.**   □

Ces problèmes de coloration de graphe ont la particularité qu'il est peut-être difficile de *déterminer* si un graphe peut être coloré avec un nombre donné de couleurs, mais qu'il est facile de *vérifier* si une coloration suggérée est valide.

DÉFINITION 10.3.4.   Soit $X \subseteq I$ un problème de décision. Soit Q un ensemble, pour l'instant quelconque, que nous appelons l'**espace des preuves** pour X. Un **système de preuves** pour X est un sous-ensemble $F \subseteq I \times Q$ tel que

i) $(\forall x \in X)(\exists q \in Q) [\langle x, q \rangle \in F]$;   et

ii) $(\forall x \in X)(\forall q \in Q) [\langle x, q \rangle \notin F]$.

Intuitivement, chaque énoncé vrai du genre $x \in X$ peut être prouvé dans le système de preuves F, alors qu'aucun énoncé faux de ce genre ne peut être prouvé.   □

EXEMPLE 10.3.1.   Soient $I = \mathbb{N}$ et $X = \{ n \mid n$ est un nombre composé $\}$. On peut prendre $Q = \mathbb{N}$ comme espace de preuves et $F = \{ \langle n, q \rangle \mid 1 < q < n$ et q divise n sans reste $\}$ comme système de preuves. Un même problème peut admettre plus d'un système de preuves naturel. Dans cet exemple, nous pouvons également nous inspirer de la section 8.5.3 :

$F' = \{ \langle n, q \rangle \mid (n$ est pair **et** $n > 2)$ **ou**

  $[(1 < q < n)$ **et** n n'est pas fortement pseudo-premier à la base $q]$ $\}$.   □

EXEMPLE 10.3.2.   Soient l'ensemble d'exemplaires $I = \{ \langle G, k \rangle \mid G$ est un graphe non orienté et k est un entier $\}$ et le problème COLD $= \{ \langle G, k \rangle \in I \mid G$

est colorable en k couleurs }. Nous pouvons prendre comme espace de preuves $Q = \{ c : N \to \{ 1, 2, ..., k \} \mid N$ est un ensemble de sommets et k est un entier }. Un système de preuves est alors donné par

$F = \{ \ll G, k \gg, c \rangle \mid G = \langle N, A \rangle$ est un graphe non orienté, k est un entier,

$\qquad c : N \to \{ 1, 2, ..., k \}$ est une fonction et

$\qquad (\forall u, v \in N) [\{ u, v \} \in A \Rightarrow c(u) \neq c(v)] \}$. □

PROBLÈME 10.3.7. Soit $G = \langle N, A \rangle$ un graphe non orienté. Une **clique** de G est un ensemble de sommets $K \subseteq N$ tel que $\{ u, v \} \in A$ pour toute paire de sommets $u, v \in K$. Etant donné un graphe G et un entier k, le problème CLIQUE consiste à déterminer s'il existe une clique de k sommets dans G. Donnez un espace de preuves et un système de preuves pour ce problème de décision. □

DÉFINITION 10.3.5. **NP** est la classe des problèmes de décision pour lesquels il existe un système de preuves courtes et faciles à vérifier. Plus précisément, un problème de décision $X \subseteq I$ est dans **NP** si et seulement s'il existe un espace de preuves Q, un système de preuves $F \subseteq I \times Q$ pour X et un polynôme $p(n)$ tels que

i) $(\forall x \in X)(\exists q \in Q) [\langle x, q \rangle \in F$ **et** $|q| \leqslant p(|x|)]$,

où $|q|$ et $|x|$ dénotent la taille de q et de x, respectivement ; et

ii) $F \in \mathbf{P}$.

Nous ne demandons pas qu'il y ait une façon efficace de *trouver* une preuve pour x lorsque $x \in X$, mais seulement une façon efficace de *vérifier* la validité d'une preuve courte proposée. □

PROBLÈME 10.3.8. Prouvez que $\mathbf{P} \subseteq \mathbf{NP}$. (Indice : soit X un problème de décision dans **P** ; il suffit d'utiliser $Q = \{ 0 \}$ et $F = \{ \langle x, 0 \rangle \mid x \in X \}$ pour obtenir un système de « preuves » courtes et faciles à vérifier. Cet exemple illustre à outrance le fait qu'une même preuve puisse servir à plus d'un exemplaire du même problème.) □

EXEMPLE 10.3.3. Les problèmes CLIQUE et COLD considérés dans les exemples 10.3.1 et 10.3.2 sont dans **NP**. □

Bien que COLD soit dans **NP**, il ne semble pas que le problème de décider si k est le nombre chromatique de G, étant donné un graphe G et un entier k, soit dans **NP**. S'il est, en effet, facile de concevoir une notion efficace de preuve qu'un graphe puisse être coloré avec un nombre donné de couleurs (exemple 10.3.2), nul n'a pu concevoir de système de preuves efficace pour dire qu'un graphe ne peut *pas* être coloré avec moins de k couleurs.

DÉFINITION 10.3.6. Soit $X \subseteq I$ un problème de décision. Le problème **complémentaire**, dénoté $\overline{X}$, est le problème de décision consistant à répondre « oui » sur un exemplaire $x \in I$ si et seulement si $x \notin X$. La classe co-**NP** est celle des problèmes de décision dont le complémentaire est dans **NP**. Par exemple, la remarque précédente indique que nous ne savons pas si COLD $\in$ co-**NP**. Toutefois, les problèmes 10.3.25 et 10.3.15 montrent que COLD $\in$ co-**NP** si et seulement si **NP** = co-**NP**. La conjecture présente est que **NP** $\neq$ co-**NP**, donc que COLD $\notin$ co-**NP**. □

PROBLÈME 10.3.9. Soient $|A|$ et $|B|$ deux problèmes de décision. Prouvez que si $A \leqslant_m^p B$ et $B \in$ **NP**, alors $A \in$ **NP**. □

PROBLÈME 10.3.10. Soient $|A|$ et $|B|$ deux problèmes de décision. Pensez-vous que si $A \leqslant_T^p B$ et $B \in$ **NP**, alors $A \in$ **NP** ? Justifiez votre réponse. □

PROBLÈME 10.3.11. Le problème du **cycle hamiltonien** consiste à déterminer, étant donné un graphe non orienté G, s'il existe un cycle passant une et une seule fois par chaque sommet de G. Montrez que ce problème est dans **NP**. □

EXEMPLE 10.3.4. Il y avait déjà deux siècles que Mersenne avait prétendu sans preuve que $2^{67} - 1$ est un nombre premier lorsque Frank Cole, en 1903, a démontré que $2^{67} - 1 = 193\,707\,721 \times 761\,838\,257\,287$. Il lui a fallu « trois ans de dimanches » pour découvrir cette factorisation. Remarquez qu'il a été chanceux que le nombre qu'il attaquait soit en fait composé, puisque ceci lui a valu une preuve de son résultat qui soit à la fois courte et facile à vérifier.

L'histoire aurait été bien différente si ce nombre avait été premier. En effet, la seule « preuve » que Cole aurait pu exhiber de sa découverte aurait été une épaisse liasse de papiers couverts de calculs. Celle-ci aurait été bien trop longue pour être d'une quelconque valeur, puisqu'elle aurait été aussi pénible à vérifier qu'il l'avait été à générer ! (Un argument similaire peut être apporté au sujet de la preuve (?) par ordinateur du célèbre théorème des quatre couleurs.) Ceci tient à un phénomène semblable à celui mentionné ci-dessus au sujet du nombre chromatique des graphes : il est évident que le problème de la reconnaissance des nombres composés est dans **NP** (exemple 10.3.1), mais il semble bien à première vue qu'il ne soit pas dans co-**NP**, c'est-à-dire que le problème complémentaire de la reconnaissance des nombres premiers ne soit pas dans **NP**.

Il faut se méfier des apparences ! En fait, ce problème est également dans **NP**, bien que la notion de preuve de primalité soit plus subtile que celle de preuve de non-primalité. Un résultat de la théorie des nombres montre que n, un entier impair supérieur à 2, est premier si et seulement s'il existe un entier x tel que

$$\begin{cases} 0 < x < n, \\ x^{n-1} \equiv 1 \pmod{n}, \quad \text{et} \\ x^{(n-1)/p} \not\equiv 1 \pmod{n} \quad \text{pour chaque facteur premier } p \text{ de } n-1. \end{cases}$$

Une preuve de primalité pour n consiste donc en un tel x, une décomposition en facteurs premiers de $n-1$, et en une collection de preuves (récursives) que chacun de ces facteurs est effectivement premier. □

∗ PROBLÈME 10.3.12. Complétez la preuve esquissée dans l'exemple 10.3.4 du fait que le problème de la primalité soit dans **NP**. Il reste à montrer que la longueur d'une preuve récursive de primalité est bornée supérieurement par un polynôme dans la taille (c'est-à-dire le logarithme) de l'entier n concerné, et à montrer que la validité d'une telle preuve peut être vérifiée en un temps polynomial. □

PROBLÈME 10.3.13. Soit $F = \{ \langle x, y \rangle \mid x, y \in \mathbb{N}$ et x a un facteur premier inférieur à $y \}$. Soit FACT le problème de la décomposition en facteurs premiers. Prouvez que

i) $F \in \mathbf{NP} \cap \text{co-}\mathbf{NP}$; et

ii) $F \equiv_T^p \text{FACT}$.

Sous l'hypothèse selon laquelle aucun algorithme de factorisation polynomial n'existe, nous pouvons donc conclure que $F \in (\mathbf{NP} \cap \text{co-}\mathbf{NP}) \setminus \mathbf{P}$. □

10.3.2 Problèmes NP-complets

La question fondamentale concernant les classes **P** et **NP** est de savoir si l'inclusion $\mathbf{P} \subseteq \mathbf{NP}$ est stricte. Existe-t-il un problème admettant un système de preuves efficace tel qu'il soit intrinsèquement difficile de découvrir de telles preuves en pire cas ? L'intuition et l'expérience portent à croire qu'il est généralement plus difficile de trouver une preuve que de la vérifier ; l'avancement des mathématiques serait bien rapide autrement. Cette intuition se traduit dans notre contexte par l'hypothèse selon laquelle $\mathbf{P} \neq \mathbf{NP}$. La grande déconfiture de la théorie de la complexité du calcul est de ne pouvoir ni prouver ni infirmer cette hypothèse. Si une preuve facile à vérifier existe que $\mathbf{P} \neq \mathbf{NP}$, elle n'a certainement pas été facile à trouver !

Par contre, l'un des grands triomphes de cette même théorie est la démonstration de l'existence d'un grand nombre de problèmes concrets dans **NP**, tels que si l'un quelconque d'entre eux était dans **P**, non seulement tous les autres seraient également dans **P**, mais en fait **NP** serait égal à **P**. L'évidence selon laquelle $\mathbf{P} \neq \mathbf{NP}$ porte donc à croire qu'aucun de ces problèmes ne peut être résolu par un algorithme polynomial en pire cas. Ces problèmes sont appelés **NP**-complets.

DÉFINITION 10.3.7. Un problème de décision X est **NP**-complet si
i) $X \in \mathbf{NP}$; et
ii) pour tout problème $Y \in \mathbf{NP}$, $Y \leqslant_T^p X$.

Certains auteurs remplacent la seconde condition par $Y \leqslant_m^p X$ ou par d'autres types de réductions. □

PROBLÈME 10.3.14. Prouvez que s'il existe un problème **NP**-complet X tel que $X \in \mathbf{P}$, alors $\mathbf{P} = \mathbf{NP}$. □

∗ PROBLÈME 10.3.15. Prouvez que s'il existe un problème **NP**-complet X tel que $X \in \text{co-}\mathbf{NP}$, alors $\mathbf{NP} = \text{co-}\mathbf{NP}$. □

PROBLÈME 10.3.16. Prouvez que si un problème X est **NP**-complet et si un problème $Y \in$ **NP**, alors

i) Y est **NP**-complet si et seulement si $X \leqslant^p_T Y$;

ii) si $X \leqslant^p_m Y$, alors Y est **NP**-complet.   □

Assurez-vous de travailler cet important exercice. Il donne l'outil fondamental pour prouver la **NP**-complétude. Supposons que vous disposiez d'un bassin de problèmes déjà démontrés **NP**-complets. Pour prouver la **NP**-complétude de Y, il suffit de choisir un problème approprié X dans ce bassin et de démontrer que X est polynomialement réductible à Y (que ce soit au sens de Turing ou multivoque). Il faut également démontrer que $Y \in$ **NP** en exhibant un système de preuves efficace pour Y. Plusieurs milliers de problèmes **NP**-complets ont été recensés de cette manière.

Cette technique est bien utile une fois la roue en marche, puisque plus il y a de problèmes dans le bassin, plus il est probable d'en trouver un pour une réduction adéquate à un nouveau problème. Mais encore faut-il pouvoir partir la roue. Que faire à l'origine, lorsque le bassin est vide, pour démontrer la **NP**-complétude d'un premier problème ? C'est ce tour de force qu'a réussi Steve Cook en 1971, donnant ainsi le coup d'envoi à la théorie de la **NP**-complétude.

10.3.3 Théorème de Cook

DÉFINITION 10.3.8. Une **variable booléenne** prend ses valeurs dans l'ensemble $\mathbb{B} = \{$ *vrai, faux* $\}$. Les variables booléennes se combinent à l'aide d'opérateurs logiques (**non, et, ou,** $\Leftrightarrow$, $\Rightarrow$, etc.) et de parenthèses pour former des **expressions booléennes.** Il est coutumier de représenter la disjonction (**ou**) dans de telles expressions par le symbole « $+$ » et la conjonction (**et**) par la simple juxtaposition des opérandes (à l'instar de la multiplication arithmétique). La négation se dénote souvent par un trait horizontal au-dessus de la variable ou de l'expression concernée. Une expression booléenne est **satisfaisable** s'il existe (au moins) une assignation de valeurs à ses variables booléennes qui la rende vraie. Une expression booléenne est une **tautologie** si elle demeure vraie quelle que soit l'assignation de valeurs à ses variables booléennes. Une expression booléenne est une **contradiction** si elle n'est pas satisfaisable, c'est-à-dire si sa négation est une tautologie. Dénotons par SAT (resp. TAUT, CONT) le problème de décider, étant donné une expression booléenne, si elle est satisfaisable (resp. une tautologie, une contradiction).   □

EXEMPLE 10.3.5. Voici trois expressions booléennes utilisant les variables booléennes p et q :

i) $(p + q) \Rightarrow pq$

ii) $(p \Leftrightarrow q) \Leftrightarrow (\overline{p} + q)(p + \overline{q})$

iii) $\overline{p}\,(p + q)\,q$.

L'expression (i) est satisfaisable car elle est vraie si $p = $ *vrai* et $q = $ *vrai*, mais ce n'est pas une tautologie puisqu'elle est fausse si $p = $ *vrai* et $q = $ *faux*. Vérifiez que l'expression (ii) est une tautologie et que l'expression (iii) est une contradiction.   □

Pour prouver qu'une expression booléenne est satisfaisable, il suffit d'exhiber une assignation qui la satisfasse. De plus, une telle preuve est facile à vérifier. Ceci montre que SAT $\in$ **NP**. Il n'en est apparemment pas de même des deux autres problèmes : quelle preuve courte et facile à vérifier peut-on donner, en général, du fait qu'une expression booléenne soit une tautologie ou une contradiction ? Ces trois problèmes sont néanmoins polynomialement équivalents au sens de Turing.

PROBLÈME 10.3.17.   Prouvez que

i) SAT $\equiv_T^p$ TAUT $\equiv_T^p$ CONT ; et même
ii) TAUT $\equiv_m^p$ CONT. $\qquad\qquad\square$

Il est possible, en principe, de décider si une expression booléenne est satisfaisaisable en déterminant sa valeur pour chaque assignation possible des variables booléennes. Cette approche est cependant inutilisable lorsque le nombre n de variables booléennes est grand puisqu'il y a 2^n assignations différentes. Aucun algorithme efficace n'est connu pour résoudre ce problème.

DÉFINITION 10.3.9.   Un **littéral** est soit une variable booléenne, soit sa négation. Une **clause** est un littéral ou une disjonction de littéraux. Une expression booléenne est en **forme normale conjonctive** (FNC) si elle est une clause ou une conjonction de clauses. Elle est en k-FNC, pour un entier positif k quelconque, si elle n'est constituée que de clauses contenant un maximum de k littéraux (certains auteurs disent : exactement k littéraux). $\qquad\qquad\square$

EXEMPLE 10.3.6.   Considérez les expressions suivantes :

i) $(p + \overline{q} + r)(\overline{p} + q + r)\,q\overline{r}$;
ii) $(p + qr)(\overline{p} + q\,(p + r))$; et
iii) $(p \Rightarrow q) \Leftrightarrow (\overline{p} + q)$.

L'expression (i) est en 3-FNC, donc en FNC (elle est constituée de 4 clauses), mais pas en 2-FNC. L'expression (ii) n'est pas en FNC puisque ni $p + qr$ ni $\overline{p} + q\,(p + r)$ ne sont des clauses. L'expression (iii) n'est pas non plus en FNC puisqu'elle contient d'autres opérateurs logiques que la conjonction, la disjonction et la négation. $\qquad\square$

* PROBLÈME 10.3.18.

i) Montrez qu'à toute expression booléenne correspond une expression équivalente en FNC.
ii) Montrez, par contre, que la plus courte expression équivalente en FNC peut être exponentiellement plus longue que l'expression booléenne originale. $\qquad\square$

DÉFINITION 10.3.10.   SAT-FNC est la restriction du problème SAT aux expressions booléennes en FNC. Pour tout entier positif k, SAT-k-FNC est la restriction de SAT-FNC aux expressions booléennes en k-FNC. Les problèmes TAUT-(k-)FNC et CONT-(k-)FNC sont définis de façon similaire. $\qquad\square$

Il est clair que tous ces problèmes sont dans **NP** ou dans co-**NP**. Nous connaissons des algorithmes polynomiaux pour quelques-uns d'entre eux.

∗PROBLÈME 10.3.19.   Prouvez que SAT-2-FNC et TAUT-FNC peuvent être résolus en temps polynomial.   □

L'intérêt des expressions booléennes dans le contexte de la **NP**-complétude vient de leur capacité de simuler les algorithmes. Soit un problème de décision quelconque pouvant être résolu par un algorithme polynomial A. Supposons que la taille des exemplaires soit mesurée en bits. Une expression booléenne $\psi_A(n)$ en FNC peut être obtenue efficacement pour tout entier n. Cette expression contient un grand nombre de variables booléennes, dont $x_1, x_2, ..., x_n$. Supposons que ces dernières correspondent de façon naturelle aux bits d'un exemplaire de taille n. Il existe alors une façon de choisir la valeur des autres variables booléennes qui satisfasse $\psi_A(n)$ si et seulement si l'algorithme A accepte cet exemplaire. Par conséquent, si l'on désire savoir si l'algorithme A accepte l'exemplaire 10010, par exemple, il « suffit » de se demander si l'expression $x_1 \, \overline{x}_2 \, \overline{x}_3 \, x_4 \, \overline{x}_5 \, \psi_A(5)$ est satisfaisable.

La preuve de l'existence et la construction efficace de cette expression booléenne sont techniquement ardues. Elles requièrent un modèle formel du calcul qui sort du cadre de cet ouvrage, tel la machine de Turing. Disons seulement que l'expression $\psi_A(n)$ contient, entre autres, une variable booléenne distincte pour chaque bit de mémoire potentiellement utilisé par l'algorithme A sur un exemplaire de taille n et pour chaque unité de temps pris par ce calcul. Une fois les variables $x_1, x_2, ..., x_n$ fixées, les clauses de $\psi_A(n)$ forcent ces variables booléennes à simuler l'exécution pas à pas de l'algorithme sur l'exemplaire correspondant.

Nous sommes enfin prêts à énoncer et à prouver le théorème fondamental de la théorie de la **NP**-complétude.

THÉORÈME 10.3.1 (Cook). SAT-FNC est **NP**-complet.

PREUVE.   Nous savons déjà que SAT-FNC est dans **NP**. Il reste donc à montrer que $X \leqslant_T^p$ SAT-FNC pour tout problème $X \in$ **NP**. Soient Q un espace de preuves et F un système de preuves efficace pour X. Supposons pour simplifier que les exemplaires du problème X et les preuves $q \in Q$ se présentent sous la forme de chaînes binaires. Afin d'encoder également les couples $\langle x, q \rangle$ sous la forme de chaînes binaires, supposons que $\langle x, q \rangle$ est donné par la concaténation de $code(x)$ et de q, où $code(b_1 \, b_2 \, ... \, b_n) = b_1 \, 0 \, b_2 \, 0 \, ... \, b_{n-1} \, 0 \, b_n \, 1$. Par exemple,

$$\langle 1011, 1100 \rangle = 100010111100 \, .$$

Ceci ne peut être décodé que d'une seule façon. Soit un exemplaire x de taille n. Dénotons par $\xi(x)$ l'expression booléenne naturelle en $2n$ variables $x_1, x_2, ..., x_{2n}$ qui n'est satisfaite que si la valeur de ces variables correspond aux bits de $code(x)$. Par exemple, $\xi(1011)$ est $x_1 \, \overline{x}_2 \, \overline{x}_3 \, \overline{x}_4 \, x_5 \, \overline{x}_6 \, x_7 \, x_8$.

Soit $p(n)$ le polynôme (donné par la définition de **NP**) tel que tout $x \in X$ possède une preuve $q \in Q$ de longueur bornée supérieurement par $p(|x|)$. Soit un algorithme polynomial A capable de décider, étant donné $\langle x, q \rangle$, si q est une preuve que $x \in X$ (c'est-à-dire si $\langle x, q \rangle \in F$). L'existence de cet algorithme est donnée par le fait que $F \in \mathbf{P}$, par définition de $X \in \mathbf{NP}$. Voici maintenant l'algorithme pour résoudre le problème X, étant donné un oracle pour SAT :

fonction *déciderX*(x)
    soit n la taille de x (en bits)
    pour $i \leftarrow 0$ **jusqu'à** $p(n)$ **faire**
        si $\xi(x)\psi_A(2n+i)$ est satisfaisable
        alors retourner *vrai*
    retourner *faux* .

Soit $x \in X$ de taille n et soit $q \in Q$ une preuve de taille i du fait que $x \in X$, où $0 \leqslant i \leqslant p(n)$. Le fait que l'algorithme A accepte $\langle x, q \rangle$ implique que l'expression booléenne $\xi(x) \psi_A(2n + i)$ est satisfaisable puisqu'il suffit pour ceci de choisir la valeur des variables booléennes $x_{2n+1}, x_{2n+2}, ..., x_{2n+i}$ pour correspondre à q. La réciproque est également facile à vérifier. De plus, l'algorithme *déciderX* est polynomial en autant que la satisfaisabilité des expressions booléennes concernées soit décidée à coût unitaire par un oracle. Ceci complète la preuve que $X \leqslant_T^p$ SAT-FNC. $\square$

    * PROBLÈME 10.3.20. Prouvez qu'en fait $X \leqslant_m^p$ SAT-FNC pour tout problème de décision $X \in \mathbf{NP}$. $\square$

10.3.4 Quelques réductions

Nous venons de voir que SAT-FNC est **NP**-complet. Soit $X \in \mathbf{NP}$ un autre problème de décision. Afin de démontrer que X est également **NP**-complet, il suffit de montrer que SAT-FNC $\leqslant_T^p X$ (problème 10.3.16). Par la suite, pour démontrer que $Y \in \mathbf{NP}$ est **NP**-complet, nous aurons le choix entre prouver SAT-FNC $\leqslant_T^p Y$ ou $X \leqslant_T^p Y$. Illustrons ce principe sur quelques exemples.

EXEMPLE 10.3.7. SAT est **NP**-complet.

Nous avons déjà vu que SAT $\in \mathbf{NP}$. Il reste donc à montrer que SAT-FNC $\leqslant_T^p$ SAT. Cette réduction est immédiate étant donné que les expressions booléennes en FNC sont un cas particulier des expressions booléennes générales. En supposant l'existence d'un oracle pour résoudre SAT, voici l'algorithme polynomial pour résoudre SAT-FNC :

fonction *SAT-FNC*(ψ)
    si ψ n'est pas en FNC **alors retourner** *faux*
    si ψ $\in$ *SAT*   {par l'oracle}
    alors retourner *vrai*
    sinon retourner *faux* .

Remarquez qu'on aurait aussi facilement pu prouver que SAT-FNC $\leqslant_m^p$ SAT. $\square$

PROBLÈME 10.3.21.   Prouvez que SAT $\leqslant^p_T$ SAT-FNC. Suite à l'exemple 10.3.7, concluez que SAT $\equiv^p_T$ SAT-FNC. (Indice : ce problème admet une solution très simple. Résistez toutefois à la tentation d'utiliser le problème 10.3.18(i) pour obtenir l'algorithme

fonction *SAT*(ψ)
    soit ξ une expression booléenne en FNC équivalente à ψ
    si ξ ∈ *SAT-FNC*   {par l'oracle}
    alors retourner *vrai*
    sinon retourner *faux* .

Le problème 10.3.18(ii) indique que l'expression ξ pourrait être exponentiellement plus longue que l'expression ψ, rendant son calcul impossible en temps polynomial.)
□

EXEMPLE 10.3.8.   SAT-3-FNC est **NP**-complet.

Nous avons déjà vu que SAT-3-FNC est dans **NP**. Il reste donc à montrer que SAT-FNC $\leqslant^p_T$ SAT-3-FNC. Montrons cette fois-ci que SAT-FNC $\leqslant^p_m$ SAT-3-FNC. Soit ψ une expression booléenne en FNC. Il s'agit de construire efficacement une expression booléenne ξ en 3-FNC qui soit satisfaisable si et seulement si ψ l'est. Voyons d'abord comment procéder si ψ ne contient qu'une seule clause, laquelle est constituée d'une disjonction de k littéraux.

i) Si $k \leqslant 3$, posons ξ = ψ, qui est déjà en 3-FNC.

ii) Si $k = 4$, soient l_1, l_2, l_3 et l_4 les littéraux tels que ψ soit $l_1 + l_2 + l_3 + l_4$. Soit u une nouvelle variable booléenne. Il suffit de prendre $\xi = (l_1 + l_2 + u)(\overline{u} + l_3 + l_4)$.

iii) Plus généralement, si $k \geqslant 4$, soient l_1, l_2, ..., l_k les littéraux tels que ψ soit $l_1 + l_2 + \cdots + l_k$. Soient u_1, u_2, ..., u_{k-3} de nouvelles variables booléennes. Il suffit de prendre
$$\xi = (l_1 + l_2 + u_1)(\overline{u}_1 + l_3 + u_2)(\overline{u}_2 + l_4 + u_3)...(\overline{u}_{k-3} + l_{k-1} + l_k).$$

Si l'expression ψ consiste en plusieurs clauses, il suffit de traiter chacune de celles-ci indépendamment et de former la conjonction de toutes les expressions en 3-FNC ainsi obtenues.
□

EXEMPLE 10.3.9 (suite de l'exemple 10.3.8). Si
$$\psi = (p + \overline{q} + r + s)(\overline{r} + s)(\overline{p} + s + \overline{t} + v + \overline{w}),$$
on obtient
$$\xi = (p + \overline{q} + u_1)(\overline{u}_1 + r + s)(\overline{r} + s)(\overline{p} + s + u_2)(\overline{u}_2 + \overline{t} + u_3)(\overline{u}_3 + v + \overline{w}). \quad □$$

PROBLÈME 10.3.22.   Prouvez que ξ est satisfaisable si et seulement si ψ est satisfaisable dans la construction de l'exemple 10.3.8.
□

PROBLÈME 10.3.23.   Prouvez que SAT-FNC $\leqslant^p_m$ SAT-3-FNC est vrai même si l'on insiste dans la définition de SAT-3-FNC pour que chaque clause contienne *exactement* trois littéraux.
□

EXEMPLE 10.3.10.   3-COL est **NP**-complet.

Soient G un graphe non orienté et k une constante entière. Le problème k-COL consiste à déterminer si G est colorable en k couleurs (voir le problème 10.3.6). Il est facile de voir que 3-COL $\in$ **NP**. Afin de montrer que 3-COL est **NP**-complet, prouvons cette fois-ci que SAT-3-FNC $\leqslant^p_m$ 3-COL. Etant donné une expression booléenne ψ en 3-FNC, il s'agit de construire efficacement un graphe G qui soit colorable en trois couleurs si et seulement si ψ est satisfaisable. Cette réduction est considérablement plus complexe que celles que nous venons de voir.

Supposons pour simplifier que chaque clause de l'expression ψ contienne exactement trois littéraux (voir le problème 10.3.23). Soit k le nombre de clauses dans ψ. Supposons sans perte de généralité que les variables booléennes apparaissant dans ψ soient x_1, x_2, ..., x_t. Le graphe G correspondant contient $3 + 2t + 6k$ nœuds et $3 + 3t + 12k$ arêtes. Les nœuds R, V et B de ce graphe sont reliés en triangle :

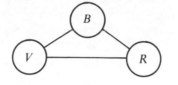

Dans une coloration éventuelle de G en trois couleurs, imaginez que les couleurs de V et de R représentent les valeurs booléennes *vrai* et *faux*, respectivement. La couleur attribuée au nœud B est une couleur de contrôle.

Pour chaque variable booléenne x_i de ψ, le graphe contient deux nœuds y_i et z_i reliés entre eux et au nœud de contrôle B. Dans toute coloration de G en trois couleurs, ceci force y_i à être de la même couleur que V ou R et z_i à être de la couleur complémentaire. Si y_i reçoit la même couleur que V, pensez-y intuitivement comme correspondant à assigner la valeur *vrai* à la variable booléenne x_i. Réciproquement, c'est $\overline{x}_i$ qui est *vrai* si z_i reçoit la couleur de V. Dans tous les cas, le nœud y_i correspond au littéral x_i et le nœud z_i correspond au littéral $\overline{x}_i$. Si $t = 3$, par exemple, voici la portion du graphe construite jusqu'à maintenant :

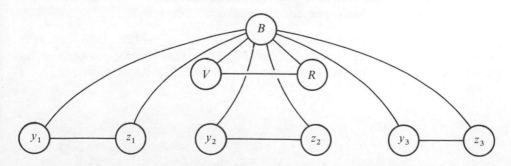

Il nous reste à ajouter 6 nœuds et 12 arêtes pour chaque clause de ψ, de façon à ce que ces nœuds soient colorables en trois couleurs si et seulement si le choix de couleurs pour y_1, y_2, ..., y_t correspond à une assignation de valeurs booléennes à

x_1, x_2, ..., x_t qui satisfasse ces clauses. Ceci est possible grâce au **bidule** ci-dessous dont une copie est ajoutée au graphe pour chaque clause de ψ :

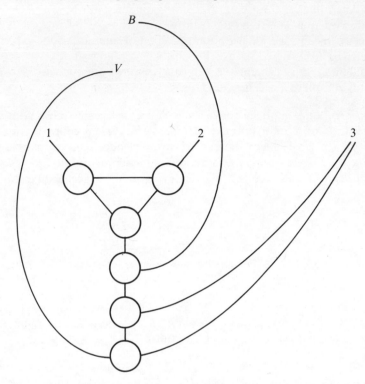

Chaque bidule est relié à cinq autres nœuds du graphe, dont les nœuds B et V du triangle initial et trois nœuds choisis parmi les y_i et les z_i de façon à correspondre aux trois littéraux de la clause considérée. Du fait que ces **nœuds d'entrée** 1, 2 et 3 ne puissent pas être de la même couleur que B, le problème 10.3.24 montre que le bidule peut être coloré avec les couleurs données à B, V et R si et seulement si au moins un des nœuds 1, 2 ou 3 est coloré avec la même couleur que le nœud V. En d'autres termes, puisque la couleur de V représente *vrai*, ce bidule simule la disjonction des trois littéraux représentés par les nœuds auxquels il est relié.

Ceci termine la description du graphe G qui est colorable en trois couleurs si et seulement si ψ est satisfaisable. Il est clair que ce graphe peut être construit efficacement à partir de l'expression booléenne ψ en 3-FNC. Nous concluons que SAT-3-FNC $\leqslant_m^p$ 3-COL, donc que 3-COL est **NP**-complet. □

PROBLÈME 10.3.24. Vérifiez que les couleurs attribuées aux nœuds R, V et B suffisent à colorer un bidule de l'exemple 10.3.10 si et seulement si au moins un de ses nœuds d'entrée est coloré avec la même couleur que le nœud V. □

PROBLÈME 10.3.25. Prouvez de façon simple que 4-COL est **NP**-complet. □

PROBLÈME 10.3.26. Prouvez que COLD (problème 10.3.6) est **NP**-complet. ☐

** PROBLÈME 10.3.27. Prouvez que 3-COL demeure **NP**-complet même si l'on se restreint aux graphes planaires de degré au plus 4. ☐

* PROBLÈME 10.3.28. Montrez, par contre, que 2-COL est dans **P**. ☐

* PROBLÈME 10.3.29. Prouvez que CLIQUE (problème 10.3.7) est **NP**-complet. (Indice : prouvez que SAT-3-FNC $\leqslant_m^p$ CLIQUE.) ☐

** PROBLÈME 10.3.30. Prouvez que le problème du cycle hamiltonien (problème 10.3.11) est **NP**-complet. ☐

10.3.5 Non-déterminisme

La classe **NP** est habituellement définie d'une façon fort différente, bien qu'équivalente. Cette autre définition fait intervenir la notion d'algorithmes non déterministes que nous ne préciserons pas ici. Nous en mentionnons l'existence afin que le lecteur ne soit pas dérouté lorsqu'il consultera la littérature. C'est de cette autre définition que provient l'appellation **NP** : c'est la classe des problèmes pouvant être résolus par un algorithme **N**on déterministe en temps **P**olynomial.

10.4 Remarques bibliographiques

Pour un exposé sur les algorithmes de tri par transformation, consultez [Aho, Hopcroft et Ullman 1974]. En particulier, le tri lexicographique peut trier n éléments en un temps dans $\theta(n + m)$, où m est la somme des tailles des éléments à trier. Dans son article de vulgarisation, [Pippenger 1978] décrit une méthode semblable aux arborescences de décision pour déterminer une borne inférieure sur la taille de circuits logiques combinatoires comme ceux des problèmes 4.11.8 à 4.11.12. En particulier, cette technique montre l'optimalité des solutions demandées pour les problèmes 4.11.9 et 4.11.12.

La réduction IQ $\leqslant^l$ MQ (problème 10.2.7) provient de [Bunch et Hopcroft 1974]. Soient f et g deux fonctions de coût comme à la section 10.2.2, un algorithme asymptotiquement plus efficace que l'algorithme naïf pour calculer fg est donné dans [Fredman 1976]. Le théorème 10.2.5 est dû à [Fischer et Meyer 1971] et le théorème 10.2.6 est dû à [Furman 1970]. Dans le cas des fonctions de coût dont l'image est restreinte à $\{ 0, +\infty \}$, [Arlazarov, Dinic, Kronrod et Faradzev 1970] présentent un algorithme pour calculer fg en un nombre d'opérations *booléennes* dans $O(n^3/\log n)$. Le problème 10.2.10 est résolu dans [Fischer et Meyer 1971]. La réduction $\text{INV} \leqslant^l \text{MLT}$ (problème 10.2.20), cruciale dans la preuve du théorème 10.2.7, provient de [Cook et Aanderaa 1969]. Pour des informations complémentaires sur la section 10.2, consultez [Aho, Hopcroft et Ullman 1974].

La théorie de la **NP**-complétude doit son origine à deux articles fondamentaux : [Cook 1971] prouve que SAT-FNC est **NP**-complet et [Karp 1972] démontre claire-ment l'importance de cette notion en exhibant un grand nombre de problèmes **NP**-complets. Pour être historiquement exact, l'énoncé original de [Cook 1971] est que $X \leqslant^p_T \text{TAUT-FND}$ pour tout $X \in \textbf{NP}$, où TAUT-FND représente les tautologies en forme normale *disjonctive*; notez toutefois que TAUT-FND n'est probablement pas **NP**-complet puisque **NP** = co-**NP** si TAUT-FND $\in$ **NP** (pro-blème 10.3.15). L'autorité incontestée en **NP**-complétude est [Garey et Johnson 1979]. Une bonne introduction se trouve également dans [Hopcroft et Ullman 1979]. Le fait que l'ensemble des nombres premiers soit dans **NP** (exemple 10.3.4 et problème 10.3.12) a été découvert par [Pratt 1975]. Les problèmes 10.3.13 et 10.3.15 proviennent de [Brassard 1979]. Une partie de la solution du problème 10.3.27 se trouve dans [Stockmeyer 1973]. En pratique, le fait qu'un problème soit **NP**-complet ne le fait pas disparaître. Il faut alors se contenter d'heuristiques et d'approximations [Garey et Johnson 1976, Sahni et Horowitz 1978, Horowitz et Sahni 1978]. Pour en savoir davantage sur le non-déterminisme, consultez [Hop-croft et Ullman 1979].

Ce chapitre n'a guère que survolé la théorie de la complexité. D'importantes techniques n'ont même pas été mentionnées. Une approche algébrique aux bornes inférieures est décrite dans [Aho, Hopcroft et Ullman 1974, Borodin et Munro 1975, Winograd 1980]. Pour une introduction aux arguments d'adversaires (problème 8.4.4), consultez [Horowitz et Sahni 1978]. Bien qu'on ignore comment prouver l'inexistence d'algorithmes efficaces pour les problèmes **NP**-complets, il existe des problèmes intrinsèquement difficiles [Aho, Hopcroft et Ullman 1974]. Ceux-ci peuvent être résolus en théorie, mais on peut prouver qu'aucun algorithme ne pourrait y parvenir en pratique sur des exemplaires de taille modeste, même s'il disposait d'un temps correspondant à l'âge de l'univers et d'une mémoire remplissant tout l'univers connu à raison d'un bit par particule élémentaire [Stockmeyer et Chandra 1979]. Il existe également des problèmes ne pouvant être résolus par aucun algorithme quelles que soient les ressources disponibles [Turing 1936, Gardner et Bennett 1979, Hopcroft et Ullman 1979, Brassard et Monet 1982].

Table des notations

$\#T$	nombre d'éléments du tableau T ; cardinalité de l'ensemble T.
$i..j$	intervalles d'entiers $\{\, k \in \mathbb{Z} \mid i \leqslant k \leqslant j \,\}$.
div, mod	opérateurs arithmétiques de quotient et de modulo ; étendu aux polynômes dans le chapitre 10.
$\times$	opérateur arithmétique de multiplication ; produit cartésien ensembliste.
$\uparrow$	pointeur ; décalage binaire dans le chapitre 9.
$\leftarrow$	affectation.
var x	paramètre de retour d'une procédure ou fonction.
$\mid x \mid$	taille de l'exemplaire x ; $\lceil \lg(1 + x) \rceil$ si x est un entier ; valeur absolue de x.
$\log, \lg, \ln, \log_b$	logarithme en base 10, 2, e, b, respectivement.
e	base du logarithme naturel : 2,7182818...
$n!$	n factorielle ($0! = 1$ et $n! = n \times (n-1)!, n \geqslant 1$).
$\dbinom{n}{k}$	nombre de façons de choisir k éléments distincts parmi n.
$\langle\, a, b \,\rangle$	couple constitué des éléments a et b.
(a, b)	arc dans un graphe orienté ; plus grand commun diviseur de a et b ; intervalle ouvert $\{\, x \in \mathbb{R} \mid a < x < b \,\}$.
$[a, b]$	intervalle fermé $\{\, x \in \mathbb{R} \mid a \leqslant x \leqslant b \,\}$
$[a, b)$	intervalle semi-ouvert $\{\, x \in \mathbb{R} \mid a \leqslant x < b \,\}$.
$(a, b]$	intervalle semi-ouvert $\{\, x \in \mathbb{R} \mid a < x \leqslant b \,\}$.
$\{ ... \}$	commentaire dans un algorithme ; notation ensembliste.
$\mid$	lorsque, tel que.
$\subseteq$	inclusion ensembliste large.
$\subset$	inclusion ensembliste stricte.
$\cup$	union ensembliste : $A \cup B = \{\, x \mid x \in A \text{ **ou** } x \in B \,\}$.
$\cap$	intersection ensembliste : $A \cap B = \{\, x \mid x \in A \text{ **et** } x \in B \,\}$.
$\in$	appartenance ensembliste.
$\notin$	non-appartenance ensembliste.
$\setminus$	différence ensembliste : $A \setminus B = \{\, x \mid x \in A \text{ **et** } x \notin B \,\}$.
$\varnothing$	ensemble vide.

$\mathbb{N}, \mathbb{R}, \mathbb{N}^+, \mathbb{R}^+, \mathbb{R}^*, \mathbb{B}$	voir la section 2.1.1.
$f : A \to B$	f est une fonction A dans B.
$(\exists x)\, [P(x)]$	il existe un x tel que $P(x)$.
$\exists !$	il existe un et un seul.
$(\forall x)\, [P(x)]$	pour tout x, $P(x)$.
O, Ω, θ	notations asymptotiques (section 2.1).
$\Rightarrow$	implication logique.
$\Leftrightarrow$	si et seulement si.
$\sum$	sommation.
$\int$	intégrale.
$\pm$	plus ou moins.
$f'(x)$	dérivée de la fonction $f(x)$.
∞	infini.
$\lim_{x \to \infty} f(x)$	limite de $f(x)$ lorsque x tend vers l'infini.
$\lfloor x \rfloor$	plancher de x : plus grand entier $n \leqslant x$; étendu aux polynômes dans le chapitre 10.
$\lceil x \rceil$	plafond de x : plus petit entier $n \geqslant x$.
$\lg^*$	logarithme itéré (page 61).
$x \equiv y \pmod{n}$	x est congru à y modulo n, c'est-à-dire : n divise $x - y$.
$x \oplus y$	ou-exclusif de x et y s'il s'agit de bits ou de booléens ; ou-exclusif bit par bit s'il s'agit de chaînes de bits.
et, ou	conjonction, disjonction logiques entre deux bits, deux booléens ou deux chaînes de bits.
$\neg$	négation logique.
$\overline{x}$	complément du bit ou du booléen x.
$F_\omega(a)$	transformée de Fourier du vecteur a, relativement à ω.
$F_\omega^{-1}(a)$	transformée de Fourier inverse.
$A \leqslant^l B$	A se réduit linéairement à B.
$A \equiv^l B$	A est linéairement équivalent à B.
$A \leqslant^p_T B$	A se réduit polynomialement à B, au sens de Turing.
$A \equiv^p_T B$	A est polynomialement équivalent à B, au sens de Turing.
$A \leqslant^p_m B$	A se réduit polynomialement à B, au sens multivoque.
$A \equiv^p_m B$	A est polynomialement équivalent à B, au sens multivoque.
$\overline{X}$	problème complémentaire du problème de décision X.
P	classe des problèmes de décision pouvant être résolus en temps polynomial.
NP	classe des problèmes de décision ayant un système de preuves courtes et faciles à vérifier.
co-**NP**	classe des problèmes de décision X tels que $\overline{X} \in$ **NP**.

Bibliographie

Ackermann, W. [1928], « Zum Hilbertschen Aufbau der reellen Zahlen », *Math. Ann.*, vol. 99, 118-133.

Adleman, L., Manders, K. et Miller, G. [1977], « On taking roots in finite fields », *Proceedings of* 18th *Annual IEEE Symposium on the Foundations of Computer Science*, 175-178.

Adel'son-Vel'skii, G. M. et Landis, E. M. [1962], « An algorithm for the organization of information », *Soviet Mathematics Doklady*, vol. 3, 1259-1262.

Aho, A. V. et Corasick, M. J. [1975], « Efficient string matching : an aid to bibliographic search », *Communications of the ACM*, vol. 18, no. 6, 333-340.

Aho, A. V., Hopcroft, J. E. et Ullman, J. D. [1974], *The Design and Analysis of Computer Algorithms*, Addison-Wesley, Reading, Massachusetts.

Aho, A. V., Hopcroft, J. E. et Ullman, J. D. [1976], « On finding lowest common ancestors in trees », *SIAM Journal on Computing*, vol. 5, no. 1, 115-132.

Aho, A. V., Hopcroft, J. E. et Ullman, J. D. [1983], *Data Structures and Algorithms*, Addison-Wesley, Reading, Massachusetts.

Ajtai, M., Komlós, J. et Szemerédi, E. [1983], « An O ($n \log n$) sorting network », *Proceedings of* 15th *Annual ACM Symposium on the Theory of Computing*, 1-9.

Arlazarov, V. L., Dinic, E. A., Kronrod, M. A. et Faradzev, I. A. [1970], « On economical construction of the transitive closure of a directed graph », *Soviet Mathematics Doklady*, vol. 11, 1209-1210.

Baase, S. [1978], *Computer Algorithms, Introduction to Design and Analysis*, Addison-Wesley, Reading, Massachusetts.

Babaï, L. [1979], « Monte Carlo algorithms in graph isomorphism techniques », Rapport de recherches, Département de mathématiques et de statistiques, Université de Montréal, D.M.S. # 79-10.

Bachmann, P. [1982], *Analytische Zahlentheorie*.

Batcher, K. [1968], « Sorting networks and their applications », *Proceedings of AFIPS* 32nd *Spring Joint Computer Conference*, 307-314.

Beauchemin, P., Brassard, G., Crépeau, C. et Goutier, C. [1987], « Two observations on probabilistic primality testing », *Proceedings of CRYPTO* 86, Springer-Verlag, à paraître.

Belaga, E. C. [1961], « On computing polynomials in one variable with initial preconditioning of the coefficients », *Problemi Kibernetiki*, vol. 5, 7-15.

Bellman, R. E. [1957], *Dynamic Programming*, Princeton University Press, Princeton, New Jersey.

Bellman, R. E. et Dreyfus, S. E. [1962], *Applied Dynamic Programming*, Princeton University Press, Princeton, New Jersey.

Bellmore, M. et Nemhauser, G. [1968], « The traveling salesman problem : a survey », *Operations Research*, vol. 16, no. 3, 538-558.

Bennett, C. H., Brassard, G. et Robert, J.-M. [1987], « Privacy amplification through public discussion », soumis à *SIAM Journal on Computing*.

Bentley, J. L. [1984], « Programming pearls : algorithm design techniques », *Communications of the ACM*, vol. 27, no. 9, 865-871.

Bentley, J. L., Haken, D. et Saxe, J. B. [1980], « A general method for solving divide-and-conquer recurrences », *SIGACT News*, ACM, vol. 12, no. 3, 36-44.

Bentley, J. L., Stanat, D. F. et Steele, J. M. [1981], « Analysis of a randomized data structure for representing ordered sets », *Proceedings of* 19th *Annual Allerton Conference on Communication, Control, and Computing*, 364-372.

Berge, C. [1967], *Théorie des graphes et ses applications*, deuxième édition, Dunod, Paris.

Berge, C. [1970], *Graphes et hypergraphes*, Dunod, Paris.

Berlekamp, E. R. [1970], « Factoring polynomials over large finite fields », *Mathematics of Computation*, vol. 24, no. 111, 713-735.

Blum, M., Floyd, R. W., Pratt, V. R., Rivest, R. L. et Tarjan, R. E. [1972], « Time bounds for selection », *Journal of Computer and System Sciences*, vol. 7, no. 4, 448-461.

Blum, M. et Micali, S. [1984], « How to generate cryptographically strong sequences of pseudo-random bits », *SIAM Journal on Computing*, vol. 13, no. 4, 850-864.

Borodin, A. B. et Munro, I. [1971], « Evaluating polynomials at many points », *Information Processing Letters*, vol. 1, no. 2, 66-68.

Borodin, A. B. et Munro, I. [1975], *The Computational Complexity of Algebraic and Numeric Problems*, American Elsevier, New York, New York.

Borůvka, O. [1926], « O jistém problému minimálním », *Práca Moravské Přírodovědecké Společnosti*, vol. 3, 37-58.

Boyer, R. S. et Moore, J. S. [1977], « A fast string searching algorithm », *Communications of the ACM*, vol. 20, no. 10, 762-772.

Brassard, G. [1979], « A note on the complexity of cryptography », *IEEE Transactions on Information Theory*, vol. IT-25, no. 2, 232-233.

Brassard, G. [1985], « Crusade for a better notation », *SIGACT News*, ACM, vol. 17, no. 1, 60-64.

Brassard, G. et Kannan, S. [1987], « How to generate a random permutation on the fly », en préparation.

Brassard, G. et Monet, S. [1982], « L'indécidabilité sans larme (ni diagonalisation) », publication no. 445, Département d'informatique et de recherche opérationnelle, Université de Montréal.

Brassard, G., Monet, S. et Zuffellato, D. [1986], « L'arithmétique des très grands entiers », *Technique et Science Informatiques*, vol. 5, no. 2, 89-102.

Brigham, E. O. [1974], *The Fast Fourier Transform*, Prentice-Hall, Englewood Cliffs, New Jersey.

Bunch, J. et Hopcroft, J. E. [1974], « Triangular factorization and inversion by fast matrix multiplication », *Mathematics of Computation*, vol. 28, no. 125, 231-236.

Buneman, P. et Levy, L. [1980], « The towers of Hanoi problem », *Information Processing Letters*, vol. 10, no. 4, 5, 243-244.

Carter, J. L. et Wegman, M. N. [1979], « Universal classes of hash functions », *Journal of Computer and System Sciences*, vol. 18, no. 2, 143-154.

Chang, L. et Korsh, J. [1976], « Canonical coin changing and greedy solutions », *Journal of the ACM*, vol. 23, no. 3, 418-422.

Cheriton, D. et Tarjan, R. E. [1976], « Finding minimal spanning trees », *SIAM Journal on Computing*, vol. 5, no. 4, 724-742.

Christofides, N. [1975], *Graph Theory : an Algorithmic Approach*, Academic Press, New York, New York.

Christofides, N. [1976], « Worst-case analysis of a new heuristic for the traveling salesman problem », Management Sciences Research Report # 388, Carnegie-Mellon University, Pittsburgh, Pennsylvania.

Cook, S. A. [1971], « The complexity of theorem-proving procedures », *Proceedings of* 3rd *Annual ACM Symposium on the Theory of Computing*, 151-158.

Cook, S. A. et Aanderaa, S. O. [1969], « On the minimum complexity of functions », *Transactions of the American Mathematical Society*, vol. 142, 291-314.

Cooley, J. M., Lewis, P. A. et Welch, P. D. [1967], « History of the fast Fourier transform », *Proceedings of the IEEE*, vol. 55, 1675-1679.

Cooley, J. M. et Tukey, J. W. [1965], « An algorithm for the machine calculation of complex Fourier series », *Mathematics of Computation*, vol. 19, no. 90, 297-301.

Coppersmith, D. et Winograd, S. [1986], « Matrix multiplication via Behrend's theorem », *IBM Technical Report*, no. 12104, IBM T. J. Watson Research Laboratory, Yorktown Heights, New York.

Cray Research [1986], « CRAY-2 computer system takes a slice out of pi », *Cray Channels*, vol. 8, no. 2, 39.

Danielson, G. C. et Lanczos, C. [1942], « Some improvements in practical Fourier analysis and their application to X-ray scattering from liquids », *Journal of the Franklin Institute*, vol. 233, 365-380, 435-452.

de Bruijn, N. G. [1961], *Asymptotic Methods in Analysis*, North Holland Publishers, Amsterdam.

Demars, C. [1981], « Transformée de Fourier rapide », *Micro-Systèmes*, 155-159.

Denning, D. [1983], *Cryptography and Data Security*, Addison-Wesley, Reading, Massachusetts.

Dewdney, A. K. [1984], « Computer recreations : Yin and Yang : recursion and iteration, the tower of Hanoi and the Chinese rings », *Scientific American*, vol. 251, no. 5, 19-28.

Diffie, W. et Hellman, M. E. [1976], « New directions in cryptography », *IEEE Transactions on Information Theory*, vol. IT-22, no. 6, 644-654.

Dijkstra, E. W. [1959], « A note on two problems in connexion with graphs », *Numerische Mathematik*, vol. 1, 269-271.

Dixon, J. D. [1981], « Asymptotically fast factorization of integers », *Mathematics of Computation*, vol. 36, no. 153, 255-260.

Dromey, R. G. [1982], *How to Solve it by Computer*, Prentice-Hall, Englewood Cliffs, New Jersey.

Dumas, A. [1872], *Le prince des voleurs*, Michel Lévy frères, Paris.

Even, S. [1980], *Graph Algorithms*, Computer Science Press, Rockville, Maryland.

Fischer, M. J. et Meyer, A. R. [1971], « Boolean matrix multiplication and transitive closure », *Proceedings of IEEE* 12th *Annual Symposium on Switching and Automata Theory*, 129-131.

Flajolet, P. et Martin, G. N. [1985], « Probabilistic counting algorithms for data base applications », *Journal of Computer and System Sciences*, vol. 31, no. 2, 182-209.

Floyd, R. W. [1962], « Algorithm 97 : shortest path », *Communications of the ACM*, vol. 5, no. 6, 345.

Fox, B. L. [1987], « Implementation and relative efficiency of quasirandom sequence generators », *ACM Transactions on Mathematical Software*, à paraître.

Fredman, M. L. [1976], « New bounds on the complexity of the shortest path problem », *SIAM Journal on Computing*, vol. 5, no. 1, 83-89.

Furman, M. E. [1970], « Application of a method of fast multiplication of matrices in the problem of finding the transitive closure of a graph », *Dokl. Akad. Nauk SSSR*, vol. 194, 524.

Gardner, M. [1977], « Mathematical games : a new kind of cipher that would take millions of years to break », *Scientific American*, vol. 237, no. 2, 120-124.

Gardner, M. et Bennett, C. H. [1979], « Mathematical games : the random number omega bids fair to hold the mysteries of the universe », *Scientific American*, vol. 241, no. 5, 20-34 ; traduction française : *Pour la Science*, no. 27, 1980, 108-112.

Garey, M. R. et Johnson, D. S. [1976], « Approximation algorithms for combinatorial problems : an annotated bibliography », in [Traub 1976], 41-52.

Garey, M. R. et Johnson, D. S. [1979], *Computers and Intractability : a Guide to the Theory of NP-Completeness*, W. H. Freeman and Co., San Francisco, California.

Gentleman, W. M. et Sande, G. [1966], « Fast Fourier transforms — for fun and profit », *Proceedings of AFIPS Fall Joint Computer Conference*, vol. 29, Spartan, Washington, D.C., 563-578.

Gilbert, E. N. et Moore, E. F. [1959], « Variable length encodings », *Bell System Technical Journal*, vol. 38, no. 4, 933-968.

Godbole, S. [1973], « On efficient computation of matrix chain products », *IEEE Transactions on Computers*, vol. C-22, no. 9, 864-866.

Goldwasser, S. et Miçali, S. [1984], « Probabilistic encryption », *Journal of Computer and System Sciences*, vol. 28, no. 2, 270-299.

Golomb, S. et Baumert, L. [1965], « Backtrack programming », *Journal of the ACM*, vol. 12, no. 4, 516-524.

Gondran, M. et Minoux, M. [1984], *Graphs and Algorithms*, John Wiley and Sons, New York, New York.

Gonnet, G. H. [1984], *Handbook of Algorithms and Data Structures*, Addison-Wesley, Reading, Massachusetts.

Good. I. J. [1968], « A five-year plan for automatic chess », in *Machine Intelligence*, vol. 2, E. Dale et D. Michie, éditeurs, American Elsevier, New York, New York, 89-118.

Greene, D. H. et Knuth, D. E. [1981], *Mathematics for the Analysis of Algorithms*, Birkhauser, Boston, Massachusetts.

Gries, D. [1981], *The Science of Programming*, Springer-Verlag, New York, New York.

Gries, D. et Levin, G. [1980], « Computing Fibonacci numbers (and similarly defined functions) in log time », *Information Processing Letters*, vol. 11, no. 2, 68-69.

Hall, A. [1873], « On an experimental determination of π », *Messenger of Mathematics*, vol. 2, 113-114.

Held, M. et Karp, R. [1962], « A dynamic programming approach to sequencing problems », *SIAM Journal on Applied Mathematics*, vol. 10, no. 2.

Hellman, M. E. [1980], « The mathematics of public-key cryptography », *Scientific American*, vol. 241, no. 2, 146-157.

Hoare, C. A. R. [1962], « Quicksort », *Computer Journal*, vol. 5, no. 1, 10-15.

Hopcroft, J. E. et Karp, R. [1971], « An algorithm for testing the equivalence of finite automata », Technical Report TR-71-114, Department of Computer Science, Cornell University, Ithaca, New York.

Hopcroft, J. E. et Kerr, L. R. [1971], « On minimizing the number of multiplications necessary for matrix multiplication », *SIAM Journal on Applied Mathematics*, vol. 20, no. 1, 30-36.

Hopcroft, J. E. et Tarjan, R. E. [1973], « Efficient algorithms for graph manipulation », *Communications of the ACM*, vol. 16, no. 6, 372-378.

Hopcroft, J. E. et Tarjan, R. E. [1974], « Efficient planarity testing », *Journal of the ACM*, vol. 21, no. 4, 549-568.

Hopcroft, J. E. et Ullman, J. D. [1973], « Set merging algorithms », *SIAM Journal on Computing*, vol. 2, no. 4, 294-303.

Hopcroft, J. E. et Ullman, J. D. [1979], *Introduction to Automata Theory, Languages, and Computation*, Addison-Wesley, Reading, Massachusetts.

Horowitz, E. et Sahni, S. [1976], *Fundamentals of Data Structures*, Computer Science Press, Rockville, Maryland.

Horowitz, E. et Sahni, S. [1978], *Fundamentals of Computer Algorithms*, Computer Science Press, Rockville, Maryland.

Hu, T. C. et Shing, M. R. [1982], « Computations of matrix chain products », 1re partie, *SIAM Journal on Computing*, vol. 11, no. 2, 362-373.

Hu, T. C. et Shing, M. R. [1984], « Computations of matrix chain products », 2ᵉ partie, *SIAM Journal on Computing*, vol. 13, no. 2, 228-251.

Itai, A. et Rodeh, M. [1981], « Symmetry breaking in distributive networks », *Proceedings of 22nd Annual IEEE Symposium on the Foundations of Computer Science*, 150-158.

Janko, W. [1976], « A list insertion sort for keys with arbitrary key distribution », *ACM Transactions on Mathematical Software*, vol. 2, no. 2, 143-153.

Jarník, V. [1930], « O jistém problému minimálním », *Práca Moravské Přírodovědecké Společnosti*, vol. 6, 57-63.

Jensen, K. et Wirth, N. [1985], *Pascal User Manual and Report*, troisième édition révisée par A. B. Michel et J. F. Miner, Springer-Verlag, New York, New York.

Johnson, D. B. [1975], « Priority queues with update and finding minimum spanning trees », *Information Processing Letters*, vol. 4, no. 3, 53-57.

Johnson, D. B. [1977], « Efficient algorithms for shortest paths in sparse networks », *Journal of the ACM*, vol. 24, no. 1, 1-13.

Kahn, D. [1967], *The Codebreakers*, Macmillan, New York, New York.

Kaliski, B. S., Rivest, R. L. et Sherman, A. T. [1986], « Is the Data Encryption Standard a group ? », *Proceedings of Eurocrypt* 85, Springer-Verlag, 81-95.

Kanada, Y., Tamura, Y., Yoshino, S. et Ushiro, Y. [1986], « Calculation of π to 10,013,395 decimal places based on the Gauss-Legendre algorithm and Gauss arctangent relation », manuscrit.

Karatsuba, A. et Ofman, Y. [1962], « Multiplication of multidigit numbers on automata », *Dokl. Akad. Nauk SSSR*, vol. 145, 293-294.

Karp, R. [1972], « Reducibility among combinatorial problems », in *Complexity of Computer Computations*, R. E. Miller et J. W. Thatcher, éditeurs, Plenum Press, New York, New York, 85-104.

Kasimi, T. [1965], « An efficient recognition and syntax algorithm for context-free languages », Scientific Report AFCRL-65-758, Air Force Cambridge Research Laboratory, Bedford, Massachusetts.

Klamkin, M. S. et Newman, D. J. [1967], « Extensions of the birthday surprise », *Journal of Combinatorial Theory*, vol. 3, no. 3, 279-282.

Kleene, S. C. [1956], « Representation of events in nerve nets and finite automata », in *Automata Studies*, C. E. Shannon et J. McCarthy, éditeurs, Princeton University Press, Princeton, New Jersey, 3-40.

Knuth, D. E. [1968], *The Art of Computer Programming*, vol. 1 : *Fundamental Algorithms*, Addison-Wesley, Reading, Massachusetts (2ᵉ édition, 1973).

Knuth, D. E. [1969], *The Art of Computer Programming*, vol. 2 : *Seminumerical Algorithms*, Addison-Wesley, Reading, Massachusetts (2ᵉ édition, 1981).

Knuth, D. E. [1971], « Optimal binary search trees », *Acta Informatica*, vol. 1, 14-25.

Knuth, D. E. [1973], *The Art of Computer Programming*, vol. 3 : *Sorting and Searching*, Addison-Wesley, Reading, Massachusetts.

Knuth, D. E. [1975a], « Estimating the efficiency of backtrack programs », *Mathematics of Computation*, vol. 29, 121-136.

Knuth, D. E. [1975b], « An analysis of alpha-beta cutoffs », *Artificial Intelligence*, vol. 6, 293-326.

Knuth, D. E. [1976], « Big Omicron and big Omega and big Theta », *SIGACT News*, ACM, vol. 8, no. 2, 18-24.

Knuth, D. E. [1977], « Algorithms », *Scientific American*, vol. 236, no. 4, 63-80 ; traduction française : *Pour la Science*, no. 45, 1981, 56-67.

Knuth, D. E., Morris, J. H. et Pratt, V. R. [1977], « Fast pattern matching in strings », *SIAM Journal on Computing*, vol. 6, no. 2, 240-267.

Kranakis, E. [1986], *Primality and Cryptography*, Wiley-Teubner Series in Computer Science.

Kruskal, J. B., Jr. [1956], « On the shortest spanning subtree of a graph and the traveling salesman problems », *Proceedings of the American Mathematical Society*, vol. 7, no. 1, 48-50.

Laurière, J.-L. [1979], *Eléments de programmation dynamique*, Bordas, Paris.

Lawler, E. L. [1976], *Combinatorial Optimization*, Holt, Rinehart and Winston, New York, New York.

Lawler, E. L. et Wood, D. W. [1966], « Branch-and-bound methods : a survey », *Operations Research*, vol. 14, no. 4, 699-719.

Lecarme, O. et Nebut, J.-L. [1985], *Pascal pour programmeurs*, McGraw-Hill, Paris.

Leclerc, G. L. [1777], *Essai d'arithmétique morale*.

Lehmer, D. H. [1969], « Computer technology applied to the theory of numbers », in *Studies in Number Theory*, W. J. LeVeque, éditeur, 117.

Lenstra, H. W., Jr. [1982], « Primality testing », in [Lenstra et Tijdeman 1982], 55-97.

Lenstra, H. W., Jr et Tijdeman, R., éditeurs [1982], *Computational Methods in Number Theory*, 1re partie, Mathematical Centre Tracts 154, Mathematisch Centrum, Amsterdam.

Lewis, H. R. et Papadimitriou, C. H. [1978], « The efficiency of algorithms », *Scientific American*, vol. 238, no. 1, 96-109.

Lueker, G. S. [1980], « Some techniques for solving recurrences », *Computing Surveys*, vol. 12, no. 4, 419-436.

Marsh, D. [1970], « Memo functions, the graph traverser, and a simple control situation », in *Machine Intelligence*, vol. 5, B. Meltzer et D. Michie, éditeurs, American Elsevier, New York et Edinburgh University Press.

Melhorn, K. [1984a], *Data Structures and Algorithms*, vol. 1 : *Sorting and Searching*, Springer-Verlag, Berlin.

Melhorn, K. [1984b], *Data Structures and Algorithms*, vol. 2 : *Graph Algorithms and NP-Completeness*, Springer-Verlag, Berlin.

Melhorn, K. [1984c], *Data Structures and Algorithms*, vol. 3 : *Multi-Dimensional Searching and Computational Geometry*, Springer-Verlag, Berlin.

Metropolis, I. N. et Ulam, S. [1949], « The Monte Carlo method », *Journal of the American Statistical Association*, vol. 44, no. 247, 335-341.

Michie, D. [1968], « 'Memo' functions and machine learning », *Nature*, vol. 218, 19-22.

Nemhauser, G. [1966], *Introduction to Dynamic Programming*, John Wiley and Sons, Inc., New York, New York.

Nilsson, N. [1971], *Problem Solving Methods in Artificial Intelligence*, McGraw-Hill, New York, New York.

Pan, V. [1978], « Strassen's algorithm is not optimal », *Proceedings of 19th Annual IEEE Symposium on the Foundations of Computer Science*, 166-176.

Papadimitriou, C. H. et Steiglitz, K. [1982], *Combinatorial Optimization : Algorithms and Complexity*, Prentice-Hall, Englewood Cliffs, New Jersey.

Peralta, R. [1986], « A simple and fast probabilistic algorithm for computing square roots modulo a prime number », *IEEE Transactions on Information Theory*, à paraître.

Pippenger, N. [1978], « Complexity theory », *Scientific American*, vol. 238, no. 6, 114-124.

Pohl, I. [1972], « A sorting problem and its complexity », *Communications of the ACM*, vol. 15, no. 6, 462-463.

Pollard, J. M. [1971], « The fast Fourier transform in a finite field », *Mathematics of Computation*, vol. 25, no. 114, 365-374.

Pomerance, C. [1982], « Analysis and comparison of some integer factoring algorithms », in [Lenstra et Tijdeman 1982], 89-139.

Pratt, V. R. [1975], « Every prime has a succinct certificate », *SIAM Journal on Computing*, vol. 4, no. 3, 214-220.

Prim, R. C. [1957], « Shortest connection networks and some generalizations », *Bell System Technical Journal*, vol. 36, 1389-1401.

Purdom, P. W., Jr. et Brown, C. A. [1985], *The Analysis of Algorithms*, Holt, Rinehart and Winston, New York, New York.

Rabin, M. O. [1976], « Probabilistic algorithms », in [Traub 1976], 21-39.

Rabiner, L. R. et Gold, B. [1974], *Digital Signal Processing*, Prentice-Hall, Englewood Cliffs, New Jersey.

Reingold, E. M., Nievergelt, J. et Deo, N. [1977], *Combinatorial Algorithms : Theory and Practice*, Prentice-Hall, Englewood Cliffs, New Jersey.

Rivest, R. L., Shamir, A. et Adleman, L. [1978], « A method for obtaining digital signatures and public-key cryptosystems », *Communications of the ACM*, vol. 21, no. 2, 120-126.

Robson, J. M. [1973], « An improved algorithm for traversing binary trees without auxiliary stack », *Information Processing Letters*, vol. 2, no. 1, 12-14.

Rosenthal, A. et Goldner, A. [1977], « Smallest augmentation to biconnect a graph », *SIAM Journal on Computing*, vol. 6, no. 1, 55-66.

Runge, C. et König H. [1924], *Die Grundlehren der Mathematischen Wissenschaften*, vol. 11, Springer, Berlin.

Rytter, W. [1980], « A correct preprocessing algorithm for Boyer-Moore string searching », *SIAM Journal on Computing*, vol. 9, no. 3, 509-512.

Sahni, S. et Horowitz, E. [1978], « Combinatorial problems : reducibility and approximation », *Operations Research*, vol. 26, no. 4, 718-759.

Schönhage, A. et Strassen, V. [1971], « Schnelle Multiplikation grosser Zahlen », *Computing*, vol. 7, 281-292.

Schwartz, E. S. [1964], « An optimal encoding with minimum longest code and total number of digits », *Information and Control*, vol. 7, no. 1, 37-44.

Sedgewick, R. [1983], *Algorithms*, Addison-Wesley, Reading, Massachusetts.

Shamir, A. [1979], « Factoring numbers in $O(\log n)$ arithmetic steps », *Information Processing Letters*, vol. 8, no. 1, 28-31.

Shanks, D. [1972], « Five number-theoretic algorithms », *Proceedings of the Second Manitoba Conference on Numerical Mathematics*.

Sloane, N. J. A. [1973], *A Handbook of Integer Sequences*, Academic Press, New York, New York.

Sobol, I. M. [1974], *The Monte Carlo Method*, deuxième édition, University of Chicago Press, Chicago, Illinois.

Solovay, R. et Strassen, V. [1977], « A fast Monte Carlo test for primality », *SIAM Journal on Computing*, vol. 6, no. 1, 84-85.

Spiegel, M. R. [1973], *Théorie et applications de l'analyse*, McGraw-Hill, Montréal, Québec.

Standish, T. A. [1980], *Data Structure Techniques*, Addison-Wesley, Reading, Massachusetts.

Stinson, D. R. [1985], *An Introduction to the Design and Analysis of Algorithms*, The Charles Babbage Research Centre, St. Pierre, Manitoba.

Stockmeyer, L. J. [1973], « Planar 3-colorability is polynomial complete », *SIGACT News*, vol. 5, no. 3, 19-25.

Stockmeyer, L. J. et Chandra, A. K. [1979], « Intrinsically difficult problems », *Scientific American*, vol. 240, no. 5, 140-159 ; traduction française : *Pour la Science*, no. 21, 1979, 92-103.

Stone, H. S. [1972], *Introduction to Computer Organization and Data Structures*, McGraw-Hill, New York, New York.

Strassen, V. [1969], « Gaussian elimination is not optimal », *Numerische Mathematik*, vol. 13, 354-356.

Tarjan, R. E. [1972], « Depth-first search and linear graph algorithms », *SIAM Journal on Computing*, vol. 1, no. 2, 146-160.

Tarjan, R. E. [1975], « On the efficiency of a good but not linear set merging algorithm », *Journal of the ACM*, vol. 22, no. 2, 215-225.

Tarjan, R. E. [1981], « A unified approach to path problems », *Journal of the ACM*, vol. 28, no. 3, 577-593.

Tarjan, R. E. [1983], *Data Structures and Network Algorithms*, SIAM, Philadelphia, Pennsylvania.

Traub, J. F., éditeur [1976], *Algorithms and Complexity : Recent Results and New Directions*, Academic Press, New York, New York.

Turing, A. M. [1936], « On computable numbers with an application to the Entscheidungsproblem », *Proceedings of the London Mathematical Society*, vol. 2, no. 42, 230-265.

Turk, J. W. M. [1982], « Fast arithmetic operations on numbers and polynomials », in [Lenstra et Tijdeman 1982], 43-54.

Urbanek, F. J. [1980], « An $O(\log n)$ algorithm for computing the nth element of the solution of a difference equation », *Information Processing Letters*, vol. 11, no. 2, 66-67.

Wagner, R. A. et Fischer, M. J. [1974], « The string-to-string correction problem », *Journal of the ACM*, vol. 21, no. 1, 168-173.

Warshall, S. [1962], « A theorem on Boolean matrices », *Journal of the ACM*, vol. 9, no. 1, 11-12.

Warusfel, A. [1961], *Les nombres et leurs mystères*, Editions du Seuil.

Wegman, M. N. et Carter, J. L. [1981], « New hash functions and their use in authentication and set equality », *Journal of Computer and System Sciences*, vol. 22, no. 3, 265-279.

Williams, H. [1978], « Primality testing on a computer », *Ars Combinatoria*, vol. 5, 127-185.

Williams, J. W. J. [1964], « Algorithm 232 : Heapsort », *Communications of the ACM*, vol. 7, no. 6, 347-348.

Winograd, S. [1980], *Arithmetic Complexity of Computations*, SIAM, Philadelphia, Pennsylvania.

Wright, J. W. [1975], « The change-making problem », *Journal of the ACM*, vol. 22, no. 1, 125-128.

Yao, A. C. [1975], « An $O(|E| \log \log |V|)$ algorithm for finding minimum spanning trees », *Information Processing Letters*, vol. 4, no. 1, 21-23.

Yao, F. F. [1980], « Efficient dynamic programming using quadrangle inequalities », *Proceedings of 12th Annual ACM Symposium on the Theory of Computing*, 429-435.

Younger, D. H. [1967], « Recognition of context-free languages in time n^3 », *Information and Control*, vol. 10, no. 2, 189-208.

Index des algorithmes

Index des notions
et noms propres

CONSTRUCTION LOGIQUE DE PROGRAMMES COBOL. Mise à jour COBOL 85. Par
M. Koutchouk.

COBOL. Perfectionnement et pratique. Par M. Koutchouk.

LA TRANSPORTABILITE DU LOGICIEL. Par O. Lecarme et M. Pellissier.

ADA. Une introduction. Par H. Ledgard.

APPRENDRE ET APPLIQUER LE LANGAGE APL. Par B. Legrand.

APL. Problèmes de gestion corrigés et boîtes à outils. Par B. Legrand.

APL et GDDM. Travail en plein écran. Par B. Legrand.

ANALYSE FORMELLE D'ALGORITHMES. Raisonnements et erreurs dans des algorithmes. Par
R. Lesuisse.

LES SYSTEMES D'EXPLOITATION. Structure et concepts fondamentaux. Par C. Lhermitte.

ALGORITHMIQUE ET REPRESENTATION DES DONNEES.

1. Files, automates d'états finis Par M. Lucas, J.P. Peyrin et P.C. Scholl.

2. Evaluations, arbres, graphes, analyse de texte. Par M. Lucas.

3. Récursivité et arbres. Par P.C. Scholl.

COMPRENDRE LES BASES DE DONNEES. Théorie et pratique. Par A. Mesguich et
B. Normier.

CONNEXION DES MICROS AUX SYSTEMES DE TELECOMMUNICATIONS. Par
J.M. Nilles.

PROGRAMMATION EN ASSEMBLEUR. Initiation à partir du Fortran. Par J.F. Phelizon.

INTRODUCTION AU LANGAGE ADA. Par D. Price.

LES LANGAGES DE PROGRAMMATION. Pascal, Modula, Chill, Ada. Par Ch. Smedema,
P. Medema, M. Boasson.

L'AUDIT INFORMATIQUE. Méthodes, règles, normes. Par M. Thorin.

GENIE LOGICIEL. Par M. Thorin.

MANUEL ADA. Langage normalisé complet. Par M. Thorin.

LE LANGAGE C. Solutions. Par C.L. Tondo et S.E. Gimpel.

LOGIQUES POUR L'INTELLIGENCE ARTIFICIELLE. Par R. Turner.

LISP. Une introduction à la programmation. Par H. Wertz.

INTRODUCTION A LA PROGRAMMATION SYSTEMATIQUE. Par N. Wirth.

MASSON, Éditeur
120, Bd St-Germain
75280 Paris Cedex 06
Dépôt légal : mai 1987.

JOUVE
18, rue Saint-Denis
75001 Paris
Dépôt légal : avril 1987
N° d'impression : 16366.